Docker/Kubernetes
実践コンテナ開発入門 改訂新版

山田明憲

●──免責事項

　本書に記載された内容は、情報の提供のみを目的としています。したがって、本書を用いた運用は、必ずお客様自身の責任と判断によって行ってください。これらの情報の運用結果について、技術評論社および著者はいかなる責任も負いません。本書記載の情報は2022年6月現在のものです。

●──商標・登録商標について

　本書に記載されている製品名などは、一般に各社の商標または登録商標です。™や®は表示していません。

●──サポート

　本書の書籍情報ページは下記です。こちらからサンプルファイルダウンロードやお問い合わせが可能です。

https://gihyo.jp/book/2024/978-4-297-14017-5

はじめに

「Docker/Kubernetes 実践コンテナ開発入門」の初版が出版されたのは、2018年8月のことです。当時、コンテナを開発環境で利用する開発者はそれなりにいましたが、本番環境でもコンテナをフル活用するのは一部のアーリーアダプターにとどまっており、本格的な普及にはまだまだという時期でした。

コンテナの活用は従来の開発手法を大きく変化させるため、広く定着するには時間を要すると感じていました。しかし、コンテナ技術が持つ環境の一貫性と再現性やスケーラビリティという特徴は強力でした。これは開発と運用の効率化だけではなく、ソフトウェアリリースサイクルの高速化や、システムの可用性向上にも大きく寄与します。筆者の予想以上に、コンテナ技術は多くの開発者から支持を得ました。

初版から5年余が経過し、コンテナ技術は多くの現場で実戦投入されるようになりました。コンテナ技術の黎明期に筆者が抱いたいくつかの懸念も、コンテナ技術の進歩、エコシステムの充実や開発コミュニティの拡大、そしてクラウドサービスプロバイダが提供するコンテナのマネージドサービスの登場により、その大半が払拭されていきました。筆者の所属するサイバーエージェントでも、もはやコンテナを活用していないプロダクトを探す方が難しいほどです。

DockerやKubernetes、それを取り巻くコンテナ技術の状況は大きく変化しました。コンテナ技術の基本的な概念は変わりませんが、コンテナ関連の新しいサービスやツールも次々に登場してきました。初版の内容を現状のコンテナを活用した開発と照らし合わせて評価したところ、そのまま通用するものもあれば、現状にうまくマッチできなくなってしまった考え方や、あまり使われなくなってしまったツールもありました。もはや初版の内容では自信を持ってコンテナを学習してくださいとは言えないため、新版を執筆する運びとなりました。

新版を執筆するにしても、ただ最新のアップデートを反映するだけの内容にすることは考えていませんでした。初版執筆時に、「詰め込み型の書籍にするのではなく、コンテナで開発・運用していくための基本的な考え方を養えるようにする」というテーマを自らに課しました。読者にはコンテナを活用したアプリケーションを作るポイントを効率的に学んでもらい、基礎知識を高めた上で、新しいトレンドをキャッチアップしやすくし、より深い技術を自らで探求できるようにする。その準備の手助けをすることが本書の価値であり、これまで多くの方に読んでもらえた要因だと考えています。

新版でもこれを実現するべく、筆者はあらためてコンテナ技術と向き合いました。また、市場において技術者がコンテナ技術に対して抱く現実的な空気感を大事にしました。ストーリーや学習体験の見直し、初版での反省点の反映も含め、解体的な書き直しを行いました。そうしてできあがったのが「Docker/Kubernetes 実践コンテナ開発入門 改訂新版」です。

コンテナ技術の開発コミュニティは引き続き活況です。マネージドのサービスもどんどん洗練されてきており、コンテナを活用した開発体験はどんどん良くなってきています。メインストリームの開発手法としてこれからも進歩し続けていくでしょう。これからコンテナ技術を学び始める人も、あらためて学び直したい人も、すでにコンテナをフル活用している人も、本書を通してコンテ

ナ技術と向き合ってみてください。

謝辞

本書の執筆にあたり、orisano さん、masaaania さん、kataoka-kenji さん、ryoryotaro さん、naokinoid さんにはさまざまな観点でレビューをしていただきました。長尺の書籍のレビューを快く快諾していただき、大変感謝しています。

そして、コンテナ技術を盛り上げている多くの開発者やコミュニティにも感謝します。

2024年 2 月 山田明憲（[@stormcat24]）

1.
コンテナとDockerの基礎 1

1.1　コンテナとは　2

1.1.1　コンテナ型仮想化 2
1.1.2　コンテナのユースケース 4
コラム　コンテナの苦手な部分 5

1.2　Dockerとは　5

1.2.1　DockerとDocker社の歴史 6
1.2.2　アプリケーションのデプロイにフォーカスしたDocker 7
1.2.3　Dockerの考えに触れる 8
コラム　Mobyプロジェクト 10

1.3　コンテナを利用する意義　11

1.3.1　不変なアプリケーションと実行環境による冪等性の確保 12
コラム　クラウドのIaCとImmutable Infrastructure 13
コラム　コンテナ技術とサーバレスプラットフォーム 14
1.3.2　アプリケーションの構成管理のしやすさ 15
1.3.3　環境を意識せずに実行できるポータビリティ（可搬性）の高さ 17
1.3.4　コンテナネイティブな開発がもたらす効率化 18

1.4　ローカルコンテナ実行環境の構築　18

1.4.1　Docker Desktopのセットアップ 19
コラム　ARMアーキテクチャ 22
1.4.2　Docker Desktopの設定 23
1.4.3　Docker Desktopのトラブルシュート 28
コラム　Linux環境へのインストール 30
コラム　Dockerのサブスクリプションプラン 30

v

2. コンテナのデプロイ 31

2.1 コンテナでアプリケーションを実行する 32
2.1.1 コンテナイメージとコンテナの基本 33

2.2 簡単なアプリケーションとコンテナイメージを作る 35
2.2.1 Dockerfileのインストラクション 37
- コラム CMDの実行時上書き 38
- コラム ENTRYPOINTでコマンドの実行のしかたを工夫する 40
- コラム Dockerfileのその他のインストラクション 41
- コラム CMDの指定方式 42
2.2.2 コンテナを実行する 43
- コラム 短いdockerコマンド 43

2.3 イメージの操作 46
2.3.1 docker image build — イメージのビルド 48
2.3.2 docker search — イメージの検索 52
2.3.3 docker image pull — イメージの取得 53
2.3.4 docker image ls — イメージの一覧 54
2.3.5 docker image tag — イメージのタグ付け 55
2.3.6 docker login — コンテナレジストリへのログイン 57
2.3.7 docker image push — イメージの公開 61
- コラム GHCRでコンテナイメージを公開する 63

2.4 コンテナの操作 64
2.4.1 コンテナのライフサイクル 64
2.4.2 docker container run — コンテナの作成と実行 65
- コラム コマンド実行時の頻出オプション 67
2.4.3 docker container ls — コンテナの一覧 68
2.4.4 docker container stop — コンテナの停止 70
2.4.5 docker container rm — コンテナの破棄 71
2.4.6 docker container logs — ログ（標準ストリーム出力）の取得 ... 73
2.4.7 docker container exec — 実行中コンテナでのコマンド実行 ... 73
2.4.8 docker container cp — ファイルのコピー 74

2.5 運用管理向けコマンド 75

2.5.1 prune — 破棄 75

2.5.2 docker container stats — 利用状況の取得 77

2.6 Docker Compose 77

2.6.1 Docker Composeによる単一コンテナの実行 78

2.6.2 Composeによる複数コンテナの実行 81

3.
実用的なコンテナの構築とデプロイ 89

3.1 アプリケーションとコンテナの粒度 90

3.1.1 1コンテナ＝1プロセス？ 91

3.1.2 1コンテナに1つの関心事 95

3.2 コンテナのポータビリティ 96

3.2.1 Kernel、アーキテクチャの違い 96

　　　　コラム Windows前提で動くコンテナ 97

3.2.2 ライブラリ・ダイナミックリンクの課題 97

3.3 コンテナフレンドリなアプリケーション 98

3.3.1 設定ファイルを含めてイメージをビルドすること 99

3.3.2 コンテナの外から設定を渡す 99

　　　　コラム コンテナフレンドリなプロダクトばかりじゃない 102

3.4 クレデンシャル（秘匿情報）の扱い方 102

3.4.1 クレデンシャルを受け取るコンテナ 103

3.4.2 バージョン管理システムでクレデンシャルを管理する難しさ 104

3.4.3 シークレット(secrets)を使ったクレデンシャルの管理 104

　　　　コラム ソフトウェアサプライチェーン攻撃 106

3.4.4 完璧な対策は存在しないと認識する 106

3.5 永続化データの扱い方 107

3.5.1 Data Volume 107

3.5.2 Data Volumeコンテナ 109

4.
複数コンテナ構成でのアプリケーション構築 115

4.1 Webアプリケーションの構成 116

4.1.1 アプリケーションの仕様 117
4.1.2 アーキテクチャ 117

4.2 MySQLの構築 120

4.2.1 MySQLに接続するユーザのパスワードを作成する 121
4.2.2 MySQLコンテナの追加の設定をする 121
4.2.3 MySQLのDockerfile 123
4.2.4 MySQLコンテナの構成を設定する 123

4.3 データベースマイグレータの構築 124

4.3.1 golang-migrateを利用したデータベースマイグレーション 125
4.3.2 マイグレーションを実行するスクリプト 127
4.3.3 データベースマイグレータのDockerfile 128
コラム .dockerignoreファイル 129
4.3.4 データベースマイグレータコンテナの構成を設定する 129

4.4 APIサーバとWebサーバの構築 134

4.4.1 リポジトリのディレクトリ構成 134
コラム PolyrepoとMonorepo 136
4.4.2 実行ファイルとコマンドの仕様 137
4.4.3 APIサーバの構築 138
4.4.4 Webサーバの構築 144

4.5 リバースプロキシの構築 151

4.5.1 nginxコンテナのテンプレート機構 151
コラム entrykit 155
4.5.2 Dockerfile 156

4.6 複数コンテナ構成でタスクアプリを実行する 156

4.6.1 compose.yaml 156
4.6.2 タスクアプリを実行する 162

4.7	Tiltで複数コンテナ構成の開発体験を向上させる	163

4.7.1	Tiltの実行	164
4.7.2	Tiltの強力な機能	165

4.8	コンテナオーケストレーションの基礎を経て	169

5.
Kubernetes入門 171

5.1	Kubernetesとは	172

5.1.1	Dockerの隆盛とKubernetesの誕生	173
5.1.2	Kubernetesの位置付け	174

5.2	ローカル環境でKubernetesを実行する	176

5.2.1	Docker Desktopでローカル Kubernetes 環境を構築する	176
コラム	その他の Kubernetes 構築ツール	182

5.3	Kubernetesの概念	183

5.4	Kubernetesクラスタと Node	184

コラム	Control Planeを構成する管理コンポーネント	186

5.5	Namespace	186

5.6	Pod	187

5.6.1	Podを作成してデプロイする	189
5.6.2	Podを操作する	191
コラム	Podと Pod 内コンテナのアドレス	192

5.7	ReplicaSet	193

5.8	Deployment	195

5.8.1	ReplicaSetライフサイクル	197
5.8.2	ロールバックを実行する	199

ix

5.9 Service　200

5.9.1	ラベルセレクタを利用したトラフィックのルーティング	202
	コラム Serviceの名前解決	205
5.9.2	ClusterIP Service	205
5.9.3	Headless Service	205
5.9.4	NodePort Service	207
5.9.5	LoadBalancer Service	208
5.9.6	ExternalName Service	208

5.10 Ingress　209

5.10.1	IngressコントローラーとIngressClass	209
5.10.2	Ingressを通じたアクセス	210
	コラム kubectlでのリソースタイプとリソース名の指定方法	214
	コラム Tiltでマニフェストファイルの更新を検知し、リソースを自動更新する	215
	コラム k9s	216
	コラム Kubernetes API	217

6.
Kubernetesのデプロイ・クラスタ構築　219

6.1 タスクアプリの構成　220

6.1.1	タスクアプリを構成するKubernetesのリソース	221

6.2 タスクアプリをKubernetesにデプロイする　222

6.2.1	Namespace	222
6.2.2	Secret	222
6.2.3	MySQLのデプロイ	225
	コラム StatefulSetのserviceName	230
6.2.4	データベースマイグレータのデプロイ	231
6.2.5	APIサーバのデプロイ	234
6.2.6	Webサーバのデプロイ	237

6.3 Kubernetesのアプリケーションをインターネットに公開する　242

6.3.1	Azure Kubernetes Service(AKS)へのデプロイ	243
	コラム 独自ドメインとHTTPSでアプリケーションを公開する	249

コラム kubectx	250

7.
Kubernetesの発展的な利用 253

7.1 Podのデプロイ戦略 254

7.1.1 RollingUpdate 254

コラム リソースの一部を更新する kubectl patchコマンド 260

7.1.2 コンテナ実行時のヘルスチェックを設定する 262

コラム 安全にアプリケーションを停止してから Podを削除する 264

7.1.3 Blue-Green Deployment 266

コラム サービスメッシュを実現するプロダクト 270

7.2 Kubernetesでの定期的なバッチジョブの実行 271

7.2.1 CronJob 272

7.2.2 タイムゾーンを考慮した CronJobの実行 276

7.2.3 CronJobから Jobをワンタイムで実行する 277

7.3 ユーザ管理と Role-Based Access Control(RBAC) 277

7.3.1 RBACを利用して権限制御を実現する 278

7.3.2 ClusterRoleの作成 280

7.3.3 ServiceAccountの作成 282

7.3.4 ClusterRoleBindingの作成 282

7.3.5 通常ユーザ 285

8.
Kubernetesアプリケーションの
パッケージング 291

8.1 Kustomize 292

8.1.1 基本的な使い方 293

コラム 非推奨になった commonLabels 300

8.1.2 再利用と部分的なオーバーレイ 301

8.1.3 Kustomizeにおける Secretの扱い 305

目次

|8.1.4|ネットワーク経由でマニフェストを生成する|310|

8.2 Helm 312

8.2.1	Helmのセットアップ	314
8.2.2	Helm Chartとリポジトリ	314
8.2.3	Chartをインストールする	316
8.2.4	独自のChartを作成する	321
	コラム Kubernetesの推奨ラベル	333
8.2.5	Chartをレジストリに登録する	334
	コラム GHCRのパッケージとリポジトリをリンクさせる	338
	コラム Open Container Initiative(OCI)	339

9. コンテナの運用 341

9.1 ロギングの運用 342

9.1.1	コンテナにおけるロギング	342
9.1.2	コンテナログの運用	345
9.1.3	Elastic Stackによるログ収集・管理機構の構築	347
	コラム 安定したElasticsearchを選択する	368
	コラム パブリッククラウド独自のログ管理プロダクト	368
9.1.4	stern	369

9.2 可用性の高いKubernetesの運用 370

9.2.1	Node障害時のKubernetesの挙動	371
9.2.2	Pod AntiAffinityによる耐障害性の強いPodの配置戦略	372
9.2.3	CPUを多く利用するPodをNode Affinityで隔離する	376
9.2.4	Horizontal Pod Autoscalerを利用したPodのオートスケール	381
9.2.5	Cluster Autoscalerを利用したNodeのオートスケール	383
	コラム Kubernetesクラスタやノードの運用を軽減する仕組み	383

10.
最適なコンテナイメージ作成と運用 385

10.1 運用に最適なコンテナイメージとは 386
10.1.1 イメージサイズの増大で発生する弊害 386

10.2 軽量なベースイメージ 387
10.2.1 scratch 387
10.2.2 BusyBox 392
10.2.3 Alpine Linux 397
コラム Alpine Linuxベースのイメージを採用するべきか否か 399
10.2.4 Distroless 400

10.3 軽量なコンテナイメージを作る 404
10.3.1 デプロイするアプリケーションのサイズを削減する 404
10.3.2 コンテナイメージのレイヤー構造を意識する 405

10.4 Multi-stage builds 409
10.4.1 ビルドコンテナと実行コンテナを分ける 410
コラム 外部イメージをステージとして使う 413

10.5 BuildKit 413
10.5.1 BuildKitとは 413
10.5.2 コンテナ技術におけるマルチプラットフォーム対応 414
10.5.3 BuildKitでマルチプラットフォーム対応のイメージをビルドする 416
コラム QEMU（Quick EMUlator） 417
コラム マルチプラットフォームのイメージにどこまで対応すべきか？ 421

10.6 セキュアなコンテナイメージの利用と作成 422
10.6.1 コンテナイメージを必要最小限で構成する 422
10.6.2 特権モード(privilege)での実行を避ける 423
10.6.3 rootユーザでの実行を避ける 423
10.6.4 信頼性のあるコンテナイメージ、ツールを利用する 426
10.6.5 Trivyでコンテナイメージの脆弱性チェックをする 429

xiii

目次

10.7 CIツールでコンテナイメージをビルドする　431

10.7.1 GitHub Actions 432

10.7.2 テンプレートからリポジトリを作成する 433

10.7.3 ワークフローの設定 435

10.7.4 ワークフローの実行 439

    コラム　実運用ではlatestのイメージタグを避ける 444

11.
コンテナにおける継続的デリバリー 445

11.1 継続的デリバリーとは　446

11.1.1 不十分なデプロイプロセスが引き起こす弊害 446

11.1.2 ソフトウェアデリバリーの重要性とCI/CDの棲み分け 447

11.1.3 GitOps方式の継続的デリバリー 448

11.2 Flux　449

11.2.1 Fluxのインストール 449

11.2.2 アプリケーションのデプロイ 450

11.3 Argo CD　455

11.3.1 Argo CDのインストール 456

11.3.2 アプリケーションのデプロイ 458

11.4 PipeCD　465

11.4.1 PipeCDの特徴 465

11.4.2 クイックスタート環境の構築 465

11.4.3 アプリケーションのデプロイ 470

    コラム　PipeCDでControl PlaneとPipedをそれぞれ構築する理由 474

11.5 ソフトウェアデリバリーの完全自動化　476

11.5.1 マニフェストで定義するコンテナイメージのタグを自動更新する 476

    コラム　GitOpsに承認プロセスを組み込む 488

12. コンテナのさまざまな活用方法 489

12.1 チーム開発で開発環境を統一・共有する 490

12.1.1 利用するソフトウェア・ツールを統一する 490
12.1.2 開発環境は集合知 492
コラム コンテナはVagrantの代替となるか？ 492

12.2 コマンドラインツール（CLI）をコンテナで利用する 493

12.2.1 Trivyをコンテナで実行する 493
12.2.2 シェルスクリプトをコンテナで実行する 496

12.3 負荷テスト 498

12.3.1 Locustの概要 498
12.3.2 Kubernetes上のアプリケーションに対する負荷テスト 499
コラム k6での負荷テストの実行 506

Appendix-A. 開発ツールのセットアップ 509

A.1 WSL2 510

A.1.1 WSL2の前提条件 510
A.1.2 WSL2のインストール 511
A.1.3 WSL2で利用できるディストリビューション 512
A.1.4 makeのインストール 513
コラム WSL2を用いた開発スタイルの定着 514

A.2 asdf 514

A.2.1 asdfとは 515
A.2.2 asdfのインストール 515
A.2.3 ツールのインストール 516
A.2.4 利用するバージョンの設定 516

目次

A.3 kind 517

A.3.1 kindのインストール 518

A.3.2 マルチNodeのKubernetesクラスタをローカル環境に構築する 518

コラム Docker in Docker(dind) / Container in Container 519

A.4 Rancher Desktop 520

Appendix-B.
さまざまなコンテナオーケストレーション環境523

B.1 Google Kubernetes Engine(GKE) 524

B.1.1 GKEクラスタの構築準備 524

B.1.2 GKEクラスタの構築 526

B.2 Amazon Elastic Kubernetes Service(EKS) 529

B.2.1 EKSクラスタの構築準備 529

B.2.2 eksctlを用いたEKSクラスタの構築 531

コラム EKS on Fargate 536

B.3 Azure Kubernetes Service(AKS) 537

B.3.1 AKSクラスタの構築準備 537

B.3.2 AKSクラスタの構築 539

B.3.3 AKSクラスタの操作 540

B.4 オンプレミス環境でのKubernetesクラスタの構築 541

B.4.1 オンプレミスクラスタの構築準備 541

B.4.2 kubesprayを用いたEKSクラスタの構築 543

B.5 Amazon Elastic Container Service(ECS) 546

B.5.1 CDKでECSクラスタの作成とコンテナのデプロイを定義する 546

B.5.2 CDKでECSクラスタを作成し、コンテナをデプロイする 549

コラム Amazon ECS Anywhere 550

xvi

Appendix-C.
コンテナ開発・運用のTips 551

C.1 コンテナランタイム 552

C.1.1 containerd 552

コラム Kubernetesの Docker 非推奨化騒動 553

C.1.2 nerdctl 554

C.2 Kubernetesの Tips 555

C.2.1 エフェメラルコンテナによる既存 Pod のデバッグ 555

C.2.2 Pod Security Admissionを用いたセキュリティ強化 557

コラム Open Policy Agent 560

C.3 コンテナ開発、デプロイのTips 560

C.3.1 Compose Watchでコンテナの自動更新を行う 560

C.3.2 TiltでKubernetesアプリケーションを扱う 562

C.4 生成AI技術を活用したコンテナ開発の効率化 564

C.4.1 ChatGPTを活用する 564

C.4.2 GitHub Copilotを活用する 565

C.5 Alpine Linuxのパッケージマネージャ apk 566

C.5.1 パッケージマネージャ apkを操作する 567

C.5.2 alpine-sdkパッケージ 569

1.

コンテナとDockerの基礎

1. コンテナとDockerの基礎

　本書ではDocker/Kubernetesといったコンテナとその関連技術を解説します。アプリケーションの開発、デプロイ、運用のためにコンテナを使いこなせるようになることを目指します。

　本章では、まず現在のソフトウェア開発手法のメインストリームであるコンテナ技術の概念や意義について紹介します。次に、代表的なコンテナ実行環境であるDockerの概要と歴史、そしてDockerを活用したコンテナ実行までの簡単な流れについて解説します。

　あわせて今後の章の準備としてコンテナ実行環境であるDocker Desktopをローカル環境に構築する手順を解説します。

1.1 コンテナとは

　コンテナは今日におけるソフトウェア開発の重要なコンセプトとして普及しつつありますが、読者の皆さんはコンテナについてどのような印象を持っていますか？　「軽量な仮想環境を作る技術」、「開発環境構築のための技術」といった仮想環境寄りの印象にとどまっている方も多いかもしれません。

　実際にはコンテナは非常に多岐のケースで活用できる技術ですが、それを実際の開発で活用するにはコンテナの基本的な概念を押さえておく必要があります。

　まずはコンテナを実現する基礎技術であるコンテナ型仮想化技術について解説します。基本的なコンセプトと従来型の仮想化技術との違いを理解しましょう。

　また、今日のソフトウェア開発にコンテナ技術がどのように寄与しているのか、コンテナのユースケースを通して活用イメージを膨らませていきましょう。

1.1.1　コンテナ型仮想化

　そもそもコンテナとはどういったものでしょうか。本書で取り上げるDockerはコンテナ実行環境を実現するソフトウェアの1つであり、コンテナ型仮想化技術を元に作られています。

　他の代表的な仮想化技術としてはホストOS型仮想化技術があり、OS上にインストールした仮想化ソフトウェアを利用し、ハードウェアを演算により再現しゲストOSを作り出します[*1]。

　対してコンテナ型仮想化技術ではゲストOSを生成するのではなく、ホストOSのファイルシステムを区画化して、新たなファイルシステムとアプリケーションからなる隔離された空間を実現します。これをコンテナといいます。

　ホストOS型仮想化では演算によってゲストOSを再現する仕組みのため、ゲストOSの起動までに数分のオーバーヘッドがあります。対して、コンテナ型仮想化はファイルシステムの区画化に過

---

*1　ハイパーバイザー型仮想化もホストOS型と同様にゲストOSを作り出しますが、ゲストOSを生成するハイパーバイザーを直接ハードウェアにインストールするという違いがあります。

ぎないため[*2]、高速に起動・終了でき、必要なリソースも少なくて済みます。

図1.1　仮想化技術の違い

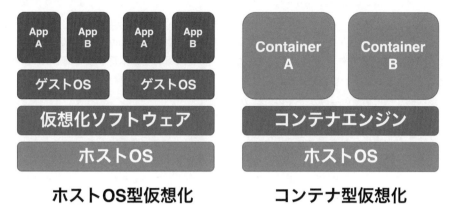

図1.2　ファイルシステム区画化によるコンテナの実現

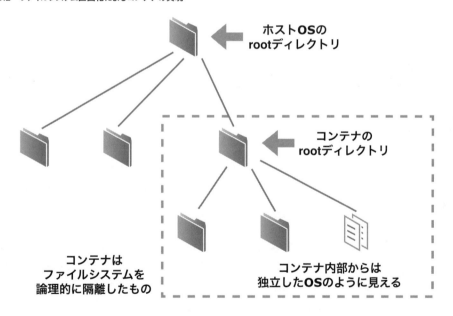

　今日のDockerに代表されるコンテナ技術は、このコンテナ型仮想化技術の考えをベースに作られています。

[*2]　ファイルシステムのほかに、プロセスネームスペースも区画化します。

1. コンテナと Docker の基礎

1.1.2 コンテナのユースケース

　実際にコンテナはどのように活用されているのか、身近な例から考えていきましょう。最もわかりやすいユースケースの一つは、軽量な仮想環境として検証に用いることです。

　たとえば、Webアプリケーションを開発する上でApache httpd や nginx のような Web サーバをローカル環境に構築する作業を考えてみてください。仮想環境上に本番環境と同じOSをセットアップし、ドキュメントを参考にパッケージマネージャを操作して必要なものを入れていく、こういった逐次的な環境構築の経験が多くの方にあるはずです[*3]。

　このような旧来型の手法に対して、コンテナではより簡便に環境を構築できます。ローカル環境でコンテナ実行環境のセットアップが済んでいれば、数行の構成ファイル[*4]とコマンドを1つたたくだけで検証環境が作成されます。アプリケーションやミドルウェアがすでにセットアップされている状態の仮想環境（コンテナ）が手早く準備できるのです。このような操作そのものの簡便さなどもあり、コンテナはローカル環境での開発環境の再現に広く用いられるようになりました[*5]。

　これだけだと既存の仮想マシンと比較して、コンテナにそこまで大きなメリットはないように思えるかもしれません。しかし、コンテナは開発環境の準備だけでなく、その後の本番環境への展開や、アプリケーションプラットフォームとして機能する点でこれらより優れています。

　コンテナは既存のホストOS型仮想化技術と比較して軽量に動作します。そのため検証環境だけでなく、実際のアプリケーションでもコンテナが使えます。

　コンテナは優れたポータビリティ（可搬性）[*6]を持ちます。ローカル環境で実行しているコンテナを、別のサーバにあるコンテナ実行環境へとデプロイする、あるいはその逆にサーバのコンテナ実行環境で動作するコンテナをローカルに持ってくることが可能です。つまり、開発環境と本番環境をほぼ同等に再現できるのです。

　このためコンテナは手元での検証だけでなく、本番環境でも広く利用されます。さらに、各コンテナ間の連携やクラウドプラットフォームでのサポートなどいくつもの優れた特徴があります。

コンテナは単なる検証環境ではなく、優れたアプリケーションのデプロイ・実行環境として機能します。

　このことは、以降の章で順を追って紹介していきます。コンテナを利用すると開発・運用におけるさまざまな手間をスリムに解決できることが徐々にわかっていくはずです。

　システムの開発・本番環境での利用はコンテナの王道的な利用方法ですが、他にもさまざまな活用が可能です。以下は一例です。第12章でこれらについて解説しています。

[*3]　古くはソフトウェアの公式ドキュメントを読み解き、その示す通り1つずつファイルの配置などを行い、環境構築することが一般的でした。インストール手順を自動化して作業を簡略化するためのパッケージマネージャが登場したことで、環境構築の時間は大きく短縮されましたが、それでもOSの違いなど考慮すべきポイントが多く手間のかかる作業です。

[*4]　DockerではDockerfile。詳細は第2章で解説。この構成ファイルがすでにプロジェクトで作成済みなら、コマンド1つで環境が作成できます。

[*5]　VirtualBox上の仮想環境にVagrantを利用して開発環境を構築する手法が流行しましたが、コンテナを利用する手法の方が必要とするリソースが少なくなり、高速に実行・破棄を繰り返せます。Vagrantを使うべきか、コンテナを使うべきかは第12章のコラム「コンテナはVagrantの代替となるか？」でも解説しています。

[*6]　どのプラットフォームにおいても動作する一貫性のこと

4

- セットアップに癖があるコマンドラインツールをコンテナとして入手し、ホストOSを汚さず即座に実行する。
- 依存するさまざまなライブラリやツールをコンテナに同梱して配布することで、実行環境を問わず高い動作再現性を持つスクリプトを実現する。
- HTTP負荷テストでワーカーをコンテナとして用意して、HTTPリクエスト数を上げる。

多くのクラウドプラットフォームもコンテナをサポートしたマネージドサービスを投入しており、現在では開発の中核を担う技術です。

> **コラム　コンテナの苦手な部分**
>
> コンテナは万能の仮想環境を提供するわけではありません。不向きなケースも存在します。
> コンテナの内部はLinux系OSのような構成をしているものが多くを占めますが、コンテナはOSとしての振る舞いを完全に再現しているわけではありません。より厳格にLinux系OSとして振る舞う仮想環境を構築したい場合は、従来通りVMwareやVirtualBoxといった仮想化ソフトウェアを利用すべきです。
> またFreeBSDなど非Linuxの環境を動作させたい場合もコンテナでは実現できません。これら従来の仮想環境とは目的が違うため、本来コンテナ技術はこれらと競合する存在ではありません。あくまでアプリケーションをデプロイすることに特化した箱と思ってください。

1.2 Dockerとは

コンテナの基本的な考えとユースケースに触れたところで、代表的なコンテナ技術であるDockerについて見ていきましょう。

図1.3　Dockerのロゴ

Dockerはコンテナ型仮想化を実装したプロダクトであり、図1.4の図のように3つのソフトウェアで構成されています。

図1.4　Dockerのソフトウェア構成

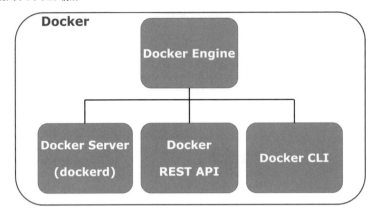

　Docker Serverはコンテナ型仮想化技術を実現するための常駐アプリケーション[7]で、コンテナの実行や管理といった中核を担うソフトウェアです。
　Docker REST APIはDocker Serverを操作するためのインターフェイスです。Docker Serverの直接操作は少し敷居が高いため、操作をREST API経由で代行します。
　Docker CLI[8]は`docker`コマンドを実現するコマンドラインアプリケーションで、Docker REST APIと通信することで対話的にDocker Serverの操作ができます。
　これら3つのソフトウェアで構成されるのが「Docker Engine」であり、シンプルに「Docker」と呼ばれることもあります。Dockerはアプリケーションのデプロイに特化しており、コンテナ[9]を中心とした開発・運用を可能とします。

1.2.1　DockerとDocker社の歴史

　2013年春にdotCloud社（現Docker社）[10]のエンジニアであるSolomon Hykes（ソロモン・ハイクス）氏が、Dockerをオープンソース・ソフトウェア[11]として公開しました。これがDockerの始まりです。そこから、使いやすさを背景にDockerの利用は着実に広がっていきます。
　Dockerはその手軽さもあって、程なくして多くの開発者に利用され始めます。また、Google CloudやAmazon Web Services(AWS)、Microsoft Azureといったパブリッククラウドにおけるコンテナマネージドサービスの台頭により、その重要性は一気に高まりました。

---

[7]　dockerdというアプリケーションが常駐しています。
[8]　CLI (Command Line Interface)と略して呼ばれています。
[9]　広義ではコンテナをインターネット上で共有する仕組みであるDocker Hubといった周辺のエコシステムを含めてDockerと呼ばれることもあります。世界中で広く利用されており、コンテナ仮想化の領域を支える代表的なプロダクトです。
[10]　Docker社（Docker, Inc.）はもともとdotCloud社というPaaSを展開する企業でした。Dockerの人気を受け、社名を現在のものに変更し、Dockerに集中してビジネスを展開することになります。Solomon Hykes氏はDocker社のCTOでしたがすでに退任しています。
[11]　以後、本書ではOSSと記述します。

2017年にはDockerのコアコンポーネントをOSSとして再編成した「Mobyプロジェクト」が始まりました*12。Dockerを支えるコンテナ技術をオープンにし、活発な開発コミュニティとともに開発していくことでより発展させていくという目的があります。

Docker社はコンテナ技術に多大な貢献をしているアイコン的企業でしたが、マネタイズには少し苦労していました。Docker社はエンタープライズ向け製品としてDocker Enterprise Editionを展開してきましたが、資金確保のためにこれをMirantis社に売却しています。また、サブスクリプションプランの導入といった安定した収益確保に舵を切りました。2021年にはシリーズB規模の資金調達にも成功し、企業買収*13も行いました。事業としては軌道に乗り始めたと言えるでしょう。

近年、Docker社はMobyでのオープンスタンダードを推進しつつも、Docker Desktop*14や周辺のエコシステムといった開発者向けの製品に注力しています。Dockerの黎明期に比べると、市場にはさまざまな競合製品やソリューションが存在しているためDockerの立ち位置は変わりつつありますが、それでも当面はコンテナ技術のメインストリームであり続けるでしょう。

1.2.2　アプリケーションのデプロイにフォーカスしたDocker

Docker以前にもコンテナ型仮想化を活用した技術は存在しました。Docker登場前はLXC（Linux Containers）が有名で、初期のDockerは実行環境としてLXCを採用していました。

LXCはホスト型仮想化技術よりパフォーマンス面で有利なため、システムコンテナ*15としての用途で一定の地位を確立しました。しかし、LXCではアプリケーションのデプロイ・運用の観点では、機能が不足していました。

これに対しDockerはコンテナがもたらす性能面での利点を活かしつつ、アプリケーションのデプロイにフォーカスを置きました。LXCに不足していた機能やエコシステムを整備し、より開発者フレンドリーなコンテナ技術を確立しました。LXCとは違い、以下のような特徴があります。

- ● ホストに左右されない実行環境(Docker Engineによる実行環境の標準化)
- ● DSL(Dockerfile)によるコンテナのファイルシステム構成やアプリケーション配置定義
- ● イメージのバージョン管理
- ● レイヤ構造を持つイメージフォーマット(差分ビルドが可能)
- ● コンテナレジストリ(イメージの保管サーバのようなもの)
- ● プログラマブルな各種API

DockerではDockerfileによりコンテナの情報をコードで管理できるようになりました。このコードをベースに取得や配布の支援も行われていて、再現性が保ちやすいのが特徴です。この他にも一

---

*12　Mobyプロジェクトについてはコラム「Mobyプロジェクト」で解説します。

*13　2023年にファイル同期機能を提供するMutagen IO, Inc.を買収。

*14　Docker社が開発するデスクトップ環境にDocker環境を構築するためのプロダクト。OSSではなく、拡張機能や商用サポートが存在します。

*15　アプリケーションデプロイを前提としない、単純なリソース分離の用途。

度作ったコンテナを他の環境で動かすための仕組みが整っています。このため旧来のLXCとは異なり、Dockerベースでデプロイのスタイルが確立・普及します。

Docker以前はアプリケーションをホストOS、またはゲストOSにデプロイするスタイルが主流でした。この旧来のデプロイ方式だとアプリケーションは実行環境（OS）に強く依存してしまいます。対して、Dockerはコンテナにアプリケーションと実行環境（OSを模したファイルシステム）を同梱してデプロイするスタイルを採用しています。実行環境ごと配布することで、依存問題の困難さを解決しています。加えて、このスタイルを採用することでアプリケーションのアーカイブを単純に配置するだけかのように、簡単にコンテナ（＝アプリケーション）をデプロイできるようになりました[16]。

環境依存が少なくデプロイが簡単なため、アプリケーションのデプロイ環境としてDockerが広く利用されるようになりました。

1.2.3　Dockerの考えに触れる

アプリケーションと実行環境を同梱してデプロイする、こういったDocker流のスタイルは説明だけではわかりづらいかもしれません。

実際にDockerでのアプリケーションデプロイをコードで追ってみましょう。どのようにアプリケーションを含んだコンテナイメージを作成し、コンテナが実行されるかという簡単な例を紹介します。この時点ではまだDockerをインストールしていない読者もいるはずですが、ここではイメージをつかむことが目的です。まだインストールの必要はありません[17]。

helloworldというファイル名のシェルスクリプトを用意します。簡単なスクリプトですが、これをアプリケーションと見なします。

```
#!/bin/sh
echo "Hello, World!"
```

続いてDockerのコンテナにスクリプトを詰め込みます。Dockerfileやアプリケーションの実行ファイルからコンテナの元となるイメージを作ることを、**コンテナイメージをビルドする**と言います。

シェルスクリプトと同じフォルダに、Dockerがどんなイメージを作成・実行するか定義するDockerfileを作成します。

Dockerfileはベース（コンテナのひな型）となるコンテナイメージをFROMで定義できます。ここではUbuntuのコンテナイメージを指定しており、Ubuntuのファイルシステムを持つコンテナを作

---

[16] Dockerがインストールされていれば、ホストOSがUbuntuのサーバにCentOSのファイルシステムを持つコンテナをデプロイすることもできます。

[17] Dockerfileの書き方については第2章で実践的に紹介します。本章で後ほどDockerをインストールするので、その後に振り返りこの内容を復習してもいいでしょう。

れます。

COPYでは作成したhelloworldファイルをホスト側から、コンテナ内の/usr/local/binにコピーしています。

RUNはコンテナ内で任意のコマンドを実行できる仕組みです。ここではhelloworldスクリプトに実行権限を与えています。ここまでがDockerビルド時に実行され、新たなコンテナイメージとして生成されます。

CMDはできあがったイメージをコンテナとして実行する前に行われるコマンドを定義します。ここは事実上、アプリケーションを実行するコマンドを指定することになります。

```
FROM ubuntu:23.10

COPY helloworld /usr/local/bin
RUN chmod +x /usr/local/bin/helloworld
CMD ["helloworld"]
```

Dockerfileをもとにビルド、実行してみましょう。Dockerfileのあるフォルダーでdocker image buildコマンドを実行します。

```
#0 building with "desktop-linux" instance using docker driver
# 省略...

#6 [1/3] FROM docker.io/library/ubuntu:23.10@sha256:4c32aacd...
# 省略...
# ...

#7 [2/3] COPY helloworld /usr/local/bin
#7 DONE 0.2s

#8 [3/3] RUN chmod +x /usr/local/bin/helloworld
#8 DONE 0.1s

#9 exporting to image
#9 exporting layers done
#9 writing image sha256:bf493bed04cc10ebe9fc193c14eb354bc353a462f21e48b583c846c680←
a479fb done
#9 naming to docker.io/gihyodocker/helloworld:latest done
#9 DONE 0.0s
```

ビルドが終わったら、docker container runコマンドでDockerのコンテナを実行するのが基本的な流れです。コンテナ内でスクリプトが実行され、標準出力に表示されます。

```
$ docker container run gihyodocker/helloworld:latest
Hello, World!
```

このようにアプリケーションや必要なファイルを、コンテナイメージにパッケージングして、コ

1. コンテナとDockerの基礎

ンテナとして実行していくのがDockerの基本的なスタイルです。今回の例ではシェルスクリプトを、Ubuntuに同梱してコンテナとして実行しています。

より実践的なコンテナの実行

今回の例ではechoコマンドを実行するだけのスクリプトを指定しているため、コンテナは起動後すぐにスクリプトを実行して終了します[*18]。

実際の開発において、Dockerコンテナに配置するアプリケーションはWebサーバのように常に稼働し続けるプロセスがほとんどを占めます。

たとえばNode.jsのWebアプリケーションで考えてみましょう。アプリケーションは起動しっぱなしです。コンテナのビルドも今回の例より複雑になります。依存するバージョンのNode.jsベースのイメージ[*19]を利用し、npmでのモジュールインストールやビルド処理をコンテナ内で行ってイメージを完成させます。実行についてはechoを実行するときと変わりません。できあがったイメージはDockerさえ実行されていれば、特殊な条件を除いてホスト環境を問わず実行できます。ホストにNode.jsやnpmをインストールする必要はありません。

多少、実際の実行例とは異なりますがDockerの雰囲気はつかめたでしょう。こういったDockerのより実践的な利用方法は以後の章で身につけていきましょう。

コラム　Mobyプロジェクト

2017年春に開催されたDockerCon17において、MobyプロジェクトがOSSだったgithub.com/docker/dockerのリポジトリをgithub.com/moby/mobyに名称変更し、新たなOSSプロジェクトとしてスタートしました。

これは一見わかりにくい動きですが、Mobyプロジェクトについて、当時Docker社のCTOを務めていたSolomon Hykes氏はX(旧Twitter)でこのように述べています[*a]。

> Moby is the project to build Docker itself (or something like it).
>
> MobyはDockerそのもの（と、似たようなもの）をビルドするためのプロジェクトだ。

つまりMobyは標準的なコンテナフレームワークとツールキットを提供するコンテナ技術の開発

[*18] dockerコマンドについては、本章の以後の節や第2章で解説します。
[*19] Node.jsが実行できるように環境を整えたLinuxファイルシステムのイメージ。

プロジェクトであり、Dockerはこれらを用いてアセンブルされたプロダクトであるという位置付けになります。

Mobyが公開したフレームワークにより、コンテナ技術開発者はこれらを取捨選択したり、Docker以外の別の選択肢を自ら開発したりもできます。

コンテナ技術の標準化においては Red Hat 社が主導する Containers(Open Repository for Container Tools)[b] との競争もありますが、Moby が今後もコンテナ技術の発展に貢献し、Docker を始めとするさまざまなコンテナプロダクトへ還元されていくでしょう。

[a] https://x.com/solomonstre/status/855041639718506496よりリプライ先を省いて引用。訳文は筆者による。
[b] https://github.com/containers

1.3 コンテナを利用する意義

先述のように本書はアプリケーションの開発、デプロイ、運用のためにDockerをはじめとするコンテナ技術について解説します。2010年代後半は、アプリケーション開発におけるコンテナ技術の活用はまだまだ黎明期にあり、多くの開発者がまだまだ懐疑的にとらえていました。

しかし、時間を経てコンテナ技術のローカルや開発環境での活用はまたたく間に進みました。さらに、各種 IaaS におけるコンテナ技術のマネージドサービスの台頭など、本番環境で安定的に運用できるだけの土壌が整ったことで、今日ではコンテナ技術をベースとしたアプリケーション開発はメインストリームになったと言って良いでしょう。

ここでは、実際の開発で問題となる点を例に、コンテナ技術を利用する意義を解説します。この節を読めば、コンテナ技術を導入したくなるはずです。

筆者はコンテナ技術を利用する意義を、次のように考えています。

- 不変なアプリケーションと実行環境による冪等性の確保
- アプリケーションの構成管理のしやすさ
- 環境を意識せずに実行できるポータビリティ（可搬性）の高さ
- コンテナネイティブな開発がもたらす効率化

Webアプリケーションの開発を例に考えてみましょう。コンテナを使えばローカル開発環境として必要なアプケーションを迅速に用意したり、そのままプラットフォームを問わずデプロイしたりできます。コンテナによって不変な実行環境が手に入ることで、環境起因のトラブルを最小限にできます。さらに、WebアプリケーションのフロントエンドにApacheやnginxといったWebサーバを配置するのも、複雑な手順なしにコンテナで設定できます。ミドルウェアを含めたシステムの構成管理も設定ファイルで定義できます。コンテナを導入することで今まで以上に開発・運用がしやすくなります。

1. コンテナと Docker の基礎

それでは1つずつ順を追って、あらためて確認していきましょう。

1.3.1　不変なアプリケーションと実行環境による冪等性の確保

アプリケーション開発をしていてこのような事態に遭遇したことはないでしょうか?

『Bのサーバにも同じアプリケーションをデプロイしたんですが、A←
のサーバとでアプリケーションの挙動が違うんですよね・・・』
「うーん、どちらのサーバにも同じアーカイブを配布しているはずですが・・・」
『サーバの設定や、インストールしてるライブラリに差異があるかもしれませんよ?』
「あー、B←
のサーバにインストールされてるライブラリが古かったようです。アップデートしますね!」
『やはり・・・、各サーバの状態を同じように保てるようにする仕組みが必要ですね・・・』

デプロイ先のサーバに差異があって期待された挙動を得られないケースです。この問題の根本的な発生原因は可変的なインフラ(Mutable Infrastructure)を許容していることにあります。

我々が開発しているアプリケーションは常に何かに依存することは避けられません。OSはもちろん、CPUやメモリといったコンピュータリソース、言語ランタイム、ライブラリ、アプリケーション内部から別プロセスとして実行されるアプリケーション等、さまざまな要素に依存しています。

各サーバにデプロイしているアプリケーション自体が同じならば、アプリケーションが依存する環境差異を限りなく排除することが、この問題を解決する近道です。

Infrastructure as Code(IaC) と Immutable Infrastructure

この問題を解決するため、近年定着してきたのが **Infrastructure as Code**(コードによるインフラの構成管理、以下IaC)と **Immutable Infrastructure**(不変なインフラ)という考え方です。

IaCはコードベースでインフラ構築を定義する考え方です。どのようなサーバの構成にするか、インストールするライブラリ、ツール等は何かをコードベースで定義し、ChefやAnsible、Terraformといったプロビジョニングツール[20]を使ってサーバを構築します。手作業が介する余地を減らし、コード中心にすることで、複数の同じ構成のサーバを再現しやすくなります。

ただし、IaCは万能ではありません。たとえば、プロビジョニングツールによって次のようなコードが実行されるとしましょう。

```
$ nvm install node
```

Node.jsのバージョン管理ツールであるnvmで最新版のバージョンをインストールするコマンドです。最新版のインストール処理では、最新版が指すバージョンはリリースされる度に更新されま

＊20　ChefやAnsibleは命令実行型、Terraformは宣言型のプロビジョニングツールです。

す。このため常に同じ結果が得られるとは限りません。

　環境差異の問題を避けるには、いつ、何度実行しても同じ結果が保証される**冪等性（べきとうせ
い）**を保つことが重要になります[21]。アプリケーションが依存するランタイムやライブラリの全て
は、確実に特定のバージョンをインストールするようにコードを書くべきです。

　近年では Terraform に代表される宣言型のプロビジョニングツールが台頭し、命令実行型に比べ
ると冪等性を保ちやすいコードを書きやすくなりました。ただし、それでも完全な冪等性を確保で
きるわけではありません。

　そこで登場するのが Immutable Infrastructure という考えです。Immutable Infrastructure はあ
る時点のサーバの状態[22]を保存し、複製可能にする考え方です。正しくセットアップされた状態の
サーバを常に使えるというのが最大の利点です。

　サーバに変更を加えたい場合は、既存のインフラをアップデートするのではなく作り直して新し
いサーバのイメージとして保存し、複製できるようにします。一度セットアップしたサーバは二度
と手を加えずに破棄するため、冪等性を気にする必要はありません。

　IaC と Immutable Infrastructure、これらの考え方を簡単かつ低コストに実現するのがコンテナ
技術です。

　コンテナイメージは構成ファイルによって構成を管理するため、IaC がコンテナの大原則となり
ます。ホスト型仮想化技術は仮想マシンの OS を再現しますが、コンテナ技術では OS 部分の多く
をホスト OS と共有しており、ファイルシステムを含む環境をカプセル化したものに過ぎないため、
起動時間が非常に短いのです。この速さは開発におけるリードタイムの短縮にも大きく寄与しま
す。起動が高速な分、インフラを新しく作り直す Immutable Infrastructure との相性がいいです。

　Docker はコンテナイメージの構成を Dockerfile として管理でき、既存のコンテナを高速に破棄し
て新たに構築できます。IaC と Immutable Infrastructure の両方の側面を兼ね備えた使い勝手のい
いツールと言えるでしょう。

> **コラム** ## クラウドの IaC と Immutable Infrastructure
>
> 　インフラを毎回作り直すというと大ごとに感じられますが、これを可能にする条件はクラウドプ
> ラットフォームなどで十分整ってきています。
>
> 　近年は Amazon Web Services(AWS) や Google Cloud、Microsoft Azure といった IaaS の充実が著
> しいです。これらのプラットフォームでは物理マシン上にある仮想化ソフトウェア上で仮想マシン
> を実行する方式（ホスト型）を採用しています。基本的にユーザがクラウドプラットフォーム上で
> 作成しているサーバは仮想マシンです。仮想マシンの特性として、その状態をイメージとして保存
> し、これを元に新たにサーバを作れます。いつでも同じ状態のサーバを手に入れることが容易に可
> 能です。クラウドを利用しているのであれば、以下のような運用をすることで環境差異によって起

---

[21]　Chef や Ansible といったプロビジョニングツールにも冪等性を実現する手段はあります。ただし、実装次第の部分もあり、冪等性が完
全に保証されているわけではありません。

[22]　サーバのイメージと呼ばれます。

1. コンテナと Docker の基礎

こるトラブルの多くを回避できるでしょう。

- プロビジョニングツールで仮想環境のイメージを作成し保存しておく
- アプリケーションのデプロイ時に、作成したイメージから新たにサーバを作成する
- 作成されたサーバにアプリケーションをデプロイする
- 新しいサーバをサービスインさせ、古いサーバを破棄する（Blue-Green Deployment）

しかし、いくら仮想マシンを容易に作成・破棄ができる時代になったとはいえ、ホスト型では仮想マシンの起動には少なくとも1分から数分はかかります。ホスト型の仮想化技術は仮想化ソフトウェアによってコンピュータリソースを抽象化して再現する特性があるため、それだけの時間がかかってしまうのです。これらの面を考えるとクラウドでもコンテナ技術を適切に使う方がより効果的でしょう。

アプリケーションとファイルシステムをセットで構築する

旧来のアプリケーションのデプロイ方法を思い出してみてください。ビルドしたアプリケーションをそれぞれサーバにデプロイするだけではなく、サーバや依存するミドルウェアの設定、必要なファイルの配置といった作業を行っていたのではないでしょうか？

この手法では、自動化は可能とはいえ、インフラの再現とアプリケーションのデプロイは完全に分離された作業でした。この分断も環境の差異を生み出す温床になっていました。

対してコンテナ技術にはファイルシステムごとパッケージングできるという特徴があります。これを活かし、**アプリケーションとファイルシステムを同梱した箱として**デプロイするという手法がもたらされました。実行するコンテナのイメージをビルドするということは**アプリケーションとファイルシステムをセットでビルドできること**に他なりません。分断がおきないために作業環境の差異が生まれづらくなります。コンテナはコンテナイメージとして保存、再利用もできます。

アプリケーションとファイルシステムをセットで管理することから生まれる、ポータビリティの高さはコンテナの大きな魅力です。作成したコンテナイメージは Docker がインストールされているマシンであれば基本的に実行できます[23]。ローカル環境で Docker を実行できるのであれば、サーバで実行しているコンテナを開発者の環境でも実行させられます。SaaS 系の CI のサービスでもコンテナが広く利用されています。GitHub Actions や CircleCI といったサービスではコンテナを使った CI が可能なため、作成したコンテナイメージを使って E2E テストをしたりといった応用が可能です。

コラム **コンテナ技術とサーバレスプラットフォーム**

クラウドプラットフォームにおいてコンテナベースでアプリケーションを構築することは珍しくなくなりましたが、近年ではコンテナの実行環境である仮想マシンの管理・運用をユーザがしなく

＊23　例外となるケースも存在します。

14

ても良いサーバレス技術も台頭しつつあります。

　サーバレスとは言っても、サーバの存在なしでアプリケーションを実行できる技術ではありません。サーバレスはこれまでユーザが担ってきた仮想マシンの管理を、クラウド側のマネージドサービスによってカプセル化する技術です。サーバレス技術により、ユーザは仮想サーバの管理・運用から開放され、コンテナの構成管理のみに集中できます。

　AWS は AWS Lambda と AWS App Runner が、Google Cloud は Cloud Run が、Microsoft Azure は Azure Container Instances がコンテナを実行できるサーバレス技術として利用を着実に伸ばしています。

1.3.2　アプリケーションの構成管理のしやすさ

　コンテナはアプリケーションとファイルシステムを同梱した箱のようなものです。一定の規模のシステムは複数のアプリケーションやミドルウェアを組み合わせることで初めて成立します。つまりいくつかの箱を組み合わせなければ、システムは作れないということです。システム全体の適切な構成管理が必要になります。

　コンテナでこのようなシステムを作ろうと考えたとき、必要なコンテナをそれぞれ実行していきます。コンテナはデプロイの容易さをもたらしましたが、今日のアプリケーション開発においては複数のモジュールやミドルウェアを組み合わせてシステムが構成されることが多く、それぞれの依存関係や設定は適切に管理されてなくてはいけません。複数のアプリケーションやミドルウェアを組み合わせて正確に動作させることは、たとえコンテナ技術を利用していなくても難しいことです。

Dockerから生まれたコンテナオーケストレーションシステム

　Docker は、初期のころから Docker Compose（以下、Compose）というシンプルなコンテナオーケストレーションシステムを備えていました。Compose は yaml 形式の設定ファイルで実行するコンテナを定義したり、依存関係を定義して起動順を制御したりできます。たとえば、ある Web サーバが Redis を必要とする場合、Web サーバコンテナと Redis のコンテナの構成を次のように定義して実行できます。

```
version: "3.9"
services:
  web:
    build: .
    ports:
      - "3000:3000"
    environment:
      REDIS_TARGET: redis
    depends_on:
      - redis
  redis:
    image: redis:7.0.11
```

1. コンテナとDockerの基礎

　Composeにより、本来複雑だった複数のアプリケーションのミドルウェアと依存関係をコードで簡潔に管理できるようになりました。

　ComposeはDocker用のオーケストレーションツールとして登場しましたが、そのシンプルな仕様からも手軽にローカル開発環境を立ち上げるようなケースで根強く使われています。

　十分なトラフィックをさばくなど、多くの処理が必要なシステムにおいてはDockerがインストールされたサーバ（ノード）を複数用意し、ノードを跨いで必要なだけのアプリケーションコンテナ群をデプロイする必要があります。Dockerはこれを解決するためにDocker Swarm(Swarm Mode)を提供しました。

　Docker SwarmではDocker Composeでの複数コンテナ群の管理だけではなく、コンテナの増減はもちろん、コンテナを効率的に配置してノードのリソースを無駄なく活用したり、負荷分散機能等といった実践的な機能が用意されています。また、デプロイにおいてもローリングアップデート[24]が用意されており、運用的なメリットも大きいです。このように複数のノードをまたいで多くのコンテナ群を管理する手法をコンテナオーケストレーションと言います。

　非コンテナ環境において、サーバリソースを考慮したスケールアウトやローリングアップデートは、運用や自動化の仕組みをある程度作り込んで実現する必要がありました。しかし、コンテナオーケストレーションでは可用性を確保するための仕組みが当たり前のように組み込まれています。

　Dockerは最もポピュラーなコンテナランタイムですが、コンテナオーケストレーション分野においてDocker Swarmは定着しませんでした。この分野でデファクトスタンダードの地位を確立しつつあるのがKubernetesです。KubernetesはGoogle社が長年のコンテナ運用[25]で培われたノウハウを凝縮したOSSです。Docker Swarm以上に機能が充実し、拡張性の高さを持っています[26]。

　コンテナは単体実行やComposeでの複数実行の利便性だけではなく、KubernetesやAmazon ECSといったコンテナオーケストレーションプラットフォーム、その他充実したエコシステムによりアプリケーション開発を十分に行えます。

図1.5　Kubernetesのロゴ。近年コンテナの文脈では欠かせない存在になりつつある。

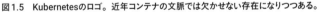

[24]　新旧のコンテナを用意して段階的にサービスインしていく仕組み。
[25]　GoogleはDocker登場・普及前からコンテナに注力していました。https://speakerdeck.com/jbeda/containers-at-scale
[26]　この点では複雑であり、用途においてはオーバーエンジニアリングだと言われることもあります。

1.3.3 環境を意識せずに実行できるポータビリティ（可搬性）の高さ

2010年代後半において、「Dockerは開発環境では使っているけど、本番では使っていない」という開発者の声をよく耳にしました。しかし、今日では開発環境・本番環境を問わず、Dockerに代表されるコンテナ技術が広く利用されるようになっています。それでも、コンテナ技術に対して一定の心理的抵抗や懸念を感じている人はまだ少なくないでしょう。

- **Dockerやコンテナ技術に対する信頼性への疑問**
- **可用性や性能面での心配**
- **中長期視点で運用可能か？**

これらの懸念はいずれも杞憂です。筆者は環境を問わずにコンテナ技術を導入することに意義があると考えています。ここ数年でコンテナ技術は全世界中でプロダクションで使われるようになっており、確実にメインストリームに乗ってコミュニティの成熟とともに信頼性も確かなものとなっています。パフォーマンス面でもごくわずかなオーバーヘッドに対してスケールアウトのしやすさなどのメリットが勝ります。システムの規模を問わずにコンテナの活用は広まったことで、懸念は十分に払拭されたと言って良いでしょう。

筆者が所属しているサイバーエージェントグループにおいても、コンテナ活用は浸透しています。動画配信事業の「ABEMA」やブログサービスの「アメーバブログ」のような中核サービスでも積極的に利用されていますし、新規サービスでもさまざまなコンテナオーケストレーションプラットフォームを通してコンテナ技術が活用されています。特にABEMAにおいては2022年末に開催された「FIFAワールドカップ カタール2022」においても、コンテナ技術をフル活用し、非常に高いシステムの可用性を内外に示す結果となりました。

コンテナの運用をサポートするさまざまなプラットフォームやツールも年々充実してきました。すでに主要クラウドプラットフォームでコンテナ運用環境が整っているのは特筆すべきでしょう。Google CloudにはKubernetesを利用したGoogle Kubernetes Engine(GKE)が、AWSにはAmazon Elastic Kubernetes Service(EKS)とAmazon Elastic Container Service(ECS)、Microsoft AzureであればAzure Kubernetes Service(AKS)といったコンテナを運用するためのマネージドサービスが存在しています。コンテナ前提の環境が整備されているため、コンテナを実戦で使うハードルは高くありません。クラウドプラットフォームにはトラフィックに応じてサーバ台数を増減させるオートスケールの仕組みがあり、コンテナ技術と親和性が強いためこのような需要変動にも向いています。

ここまでの情報だと全てをコンテナに移行したくなるかもしれませんが、全ての用途でコンテナ技術が向いているというわけではありません。データストアのようにコンテナで運用していく難易度が高いものも存在します。

最近はクラウドプラットフォーム上で運用負荷の少なくかつスケールするようなマネージドの

1. コンテナとDockerの基礎

データストアが充実しています[27]。無理をしてコンテナを使って運用せずとも、適切に組み合わせて使えます。あくまで適材適所で採用を決めていくのが重要です。WebサーバやAPIサーバのようにステートレスな性質のものであればそれほど時間をかけずにコンテナ化できるでしょう。

ポータビリティの高さというメリットを考えれば、コンテナ技術は開発環境や本番環境などの環境を問わずに導入してこそ開発に高い効果を発揮できるものです。実績はすでに多数あり、クラウド上での運用もマネージドサービスで容易なものになっています。

1.3.4 コンテナネイティブな開発がもたらす効率化

Dockerやコンテナオーケストレーションツールの普及やマネージドサービスの充実により、コンテナを活用した開発のハードルはかなり低くなりました。サーバやインフラの存在を完全に意識しなくても良いとまでは言えませんが、さまざまな領域で開発スタイルの変化をもたらしました。

コンテナ技術でインフラからアプリケーションまでがコンテナで提供されるようになり、その構成はコードレベルで容易に修正できるようになりました。これまではインフラエンジニアとサーバサイドエンジニアの担当領域がはっきりと分かれている傾向がありましたが、明確な垣根がなくなりつつあります[28]。開発者はアプリケーションの開発に集中できるようになってきており、今後もその流れは続くでしょう。

サーバサイドアプリケーション開発においては、近年Microservicesアーキテクチャが登場し、コンテナ技術を利用した開発との親和性もあり小さくアプリケーションを作っていくスタイルが一定の支持を得ました[29]。

外部のAPIを使った開発をする場合も、モックサーバや開発環境がコンテナで提供されることが増えてきました。

また、CIの高速化にコンテナを利用するのも有効な手法です。

コンテナ技術はもはやインフラエンジニアやサーバサイドエンジニアだけに必要な技術ではありません。現代的な開発をするうえでWebフロントエンドエンジニアやスマートフォンアプリエンジニアにとっても欠かせない技術です。近年はコンテナ技術を基軸としたコンテナネイティブな開発が定着してきており、開発サイクルの効率化がもたらされています。

1.4 ローカルコンテナ実行環境の構築

ここでは本書を読み進めるために必要なローカル環境の構築を行います。

---

[27] Google CloudのCloud SQLやCloud Spanner、AWSのAmazon AuroraやAmazon ElastiCache

[28] 開発と運用が協調（DevOps）しながら進めやすくなり、前述のInfrastrucre as CodeやImmutable Infrastructureの考え方がこれを支える要素になっています。

[29] Microservicesの運用の複雑性により、モノリスへの回帰も見られるようになりました。賛否両論がありますが、ここでは取り上げません。

コンテナ技術は黎明期から普及期を迎え、ローカル環境におけるコンテナ実行環境の選択肢も増えてきました。ここで代表的な方法を紹介します。

Windows環境においては、WSL2というLinuxカーネルを作る仕組みが必要なため、まずAppendix A.1を参照してWSL2のセットアップを行ってください。

1.4.1　Docker Desktopのセットアップ

Docker DesktopはWindows/macOS/Linux環境[*30]におけるデスクトップ環境向けに提供されているDocker実行環境です。

Docker Desktopは以下のURLからダウンロードします。

https://www.docker.com/products/docker-desktop/

図1.6　Docker Desktopのダウンロードページ

Docker DesktopはWindows版、Linux版、macOS版が用意されています。macOS版に関してはIntel Chip(Intel CPU)版とApple Chip(Apple Silicon)版で分かれているため、利用している環境に応じたものをダウンロードし、インストールを進めます。

Windows版では、インストール時にWSL2の設定ダイアログが表示されます。「Use WSL 2 instead of Hyper-V (recommended)」にチェックを入れます。

[*30]　Linuxデスクトップ向けのDocker Desktopは現時点ではベータ版です。

インストール完了後、Docker Desktopを起動します。初回起動時には次のように「Docker Subscription Service Agreement」が表示されます。

図1.7　Docker Desktopのサブスクリプション同意画面

かつてDocker Desktopは完全に無料で提供されていましたが、従業員250人を超える組織、もしくは年間収益が1,000万ドルを超える組織[*31]において利用する場合、有料のサブスクリプション契約を結ぶ必要があります。実際に業務で利用する際は、所属する企業がサブスクリプションの契約を結んでいることを確認してから利用すると良いでしょう。

「Accept」をクリックすると簡単なアンケートを経て、次の画面に遷移します。この画面はDashboardと呼ばれています。

[*31]　現時点での条件ですが、今後どうなっていくかは流動的なため、Docker社のアナウンスを注視しておくと良いでしょう。

　左下のDockerのロゴマーク部分は、Docker Engineの状態を示しています。緑色になっていれば、Docker Desktopによって構築されたDockerが利用可能になっています。

　試しにコマンドラインでDockerが実行されているか確認します。Dockerはコマンドラインのdockerコマンド（クライアント）と、Docker Engine（サーバ）からなるプロダクトです。この2つのコンポーネントのバージョン情報が**リスト1.1**のように表示されると、Dockerは正しく実行されていると言えます。

リスト1.1　Dockerのバージョン情報を表示する

```
$ docker version
Client:
 Cloud integration: v1.0.33
 Version:           24.0.2
 API version:       1.43
 Go version:        go1.20.4
```

1. コンテナと Docker の基礎

```
Git commit:        cb74dfc
Built:             Thu May 25 21:51:16 2023
OS/Arch:           darwin/arm64
Context:           desktop-linux

Server: Docker Desktop 4.20.0 (109717)
Engine:
 Version:          24.0.2
 API version:      1.43 (minimum version 1.12)
 Go version:       go1.20.4
 Git commit:       659604f
 Built:            Thu May 25 21:50:59 2023
 OS/Arch:          linux/arm64
 Experimental:     false
containerd:
 Version:          1.6.21
 GitCommit:        3dce8eb055cbb6872793272b4f20ed16117344f8
runc:
 Version:          1.1.7
 GitCommit:        v1.1.7-0-g860f061
docker-init:
 Version:          0.19.0
 GitCommit:        de40ad0
```

> **コラム** ▶ **ARMアーキテクチャ**
>
> Macでは長らくIntel製のCPUが採用されていました。
>
> Intel製CPUはMacだけではなくWindowsを始めとするさまざまなコンシューマ向けPCにも搭載されており、高い汎用性を誇っていました。しかし、Macに最適化されたCPUではなかったのです。
>
> そこでAppleはMacに最適なCPU開発を始め、2020年に自社製CPUであるApple SiliconのMシリーズ最初のプロセッサであるApple M1を搭載したMacBook Airをリリースしました。
>
> Apple M1は英ARM社が開発したARMアーキテクチャをベースに作られています。ARMは性能に対しての消費電力や発熱の少なさが特徴です。AppleはMacのCPUをIntelからApple Siliconへ段階的に移行しており、2023年6月に発表されたMac StudioとMac ProでもApple Siliconにも搭載されたことで、CPUのApple Siliconへの移行が完了しました[a]。
>
> Microsoftにおいても、2022年にARMベースのSnapdragon CPUを搭載したデバイスであるWindows Dev Kit(Project Volterra)を発売しており、ARMベースのコンシューマPCが増えつつあります。
>
> ARMデバイスの台頭により、ソフトウェアはARMで動作するようにクロスコンパイルする必要性が生じつつあります。コンテナの中で実行するソフトウェアも例外ではないため、近年ではコンテナイメージをマルチCPUアーキテクチャに対応させることでコンテナのポータビリティを高める手法が定着しつつあります。
>
> ~~~~~~
>
> ***a**　https://www.apple.com/jp/newsroom/2023/06/apple-unveils-new-mac-studio-and-brings-apple-silicon-to-mac-pro/

1.4.2　Docker Desktopの設定

ここではDocker Desktopの基本的な設定について説明します。Windows、Linux、macOS版で設定に大きな差分はありませんが、一部OS固有の設定が存在します。

設定はDashboardの右上にあるアイコンからできます。

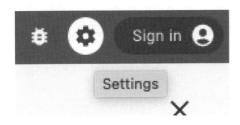

WSL2(Windows)

Windows環境おいては、本書ではWSL2モードでの利用を推奨します。「Settings」→「General」で、「Use the WSL 2 based engine」にチェックが入っていることを確認します。

Docker Desktopの自動起動

「Settings」→「General」の「Start Docker Desktop when you log in」でOSログイン時にDocker Desktopを起動するかを設定できます。OS起動後に都度起動するのは手間なので、有効にしておくことをおすすめします。

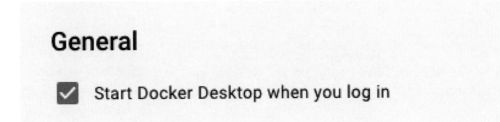

CPUやメモリの割り当て

「Settings」→「Resources」→「Advanced」では、ホストOSが持つCPUやメモリリソースをど

1. コンテナとDockerの基礎

れだけ割り当てるかを設定します。

macOSの場合、マシンスペックに応じて図1.8のようにCPU、メモリ、スワップサイズ、仮想ディスクの最大値を設定できます。設定した分のリソースが常に専有されるわけではありません。たとえばコンテナが1つも起動していないような状態ではあまり消費しません。

図1.8 Docker Desktop macOS版のリソース設定

しかし、Windows環境でWSL2モードの場合は図1.9のような設定画面になります。この場合はリソースの制限はDocker Desktopではなく、Windowsによって管理されるためです。

図1.9 Docker Desktop Windows版 WSL2モードでのリソース設定

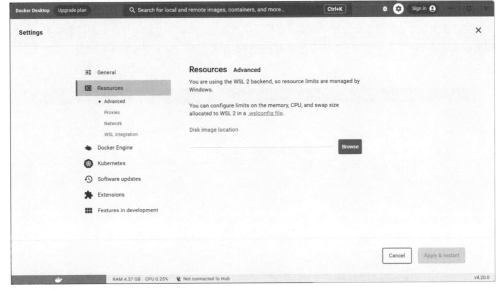

WSL2モードでのリソースの設定は、WindowsのホストOSの%USER_PROFILE%ディレクトリに.wslconfigファイルを配置して行います。ホストOS側か、WSL2側の仮想環境上で作成します。

```
$ gihyo@stormcat-winintel:/mnt/c/Users/storm$ cat .wslconfig
[wsl2]
memory=4GB
processors=4
swap=0
```

.wslconfigの変更を反映するには、対象の仮想マシンを一度シャットダウンしてから再度実行すると反映されます。

```
PS C:\Users\storm> wsl --shutdown
PS C:\Users\storm> wsl
gihyo@stormcat-winintel:/mnt/c/Users/storm$
```

ホストOS側とのファイル共有

「Settings」→「Resources」→「File sharing」では、コンテナにマウントを許可するホスト側のディレクトリを設定できます。ホストとコンテナ間でのファイル・ディレクトリ共有をマウントと呼びます。

WindowsのWSL2モードでDocker Desktopを実行する場合、WSL2が構築したLinux環境には

1. コンテナとDockerの基礎

自動でホストOSのディレクトリが共有されるため、「File sharing」の項目は表示されません[*32]。

macOSにおいて、デフォルトでは `/Users`、`/Volumes`、`/private`、`/tmp`、`/var/folders`が指定されています。ここで設定したディレクトリ配下にあるディレクトリはマウントが可能です。これ以外のディレクトリをマウントしようとすると警告が出て、マウントできません[*33]。

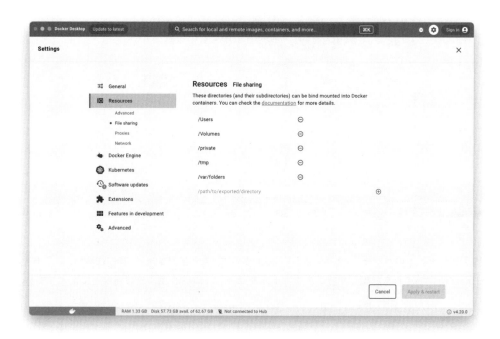

```
$ docker container run -v /opt:/opt ubuntu:23.10 ls -l /
Unable to find image 'ubuntu:23.10' locally
23.10: Pulling from library/ubuntu
2f6eed94ce9d: Pull complete
Digest: sha256:2cde79b4627d38d1448fc264f93e465f18b653bc9a62ee8ec85d99d4e8f39d4c
Status: Downloaded newer image for ubuntu:23.10
docker: Error response from daemon: Mounts denied:
The path /opt is not shared from the host and is not known to Docker.
You can configure shared paths from Docker -> Preferences... -> Resources -> File Sh←
aring.
See https://docs.docker.com/desktop/mac for more info.
ERRO[0005] error waiting for container:
```

Kubernetes

「Settings」→「Kubernetes」で、Docker Desktopで実行するKubernetesの設定ができます。

[*32] WindowsではHyper-Vモードでの実行でのみ表示される。
[*33] `/Users`ディレクトリ配下にマウントするディレクトリを配置しておけば、設定を追加する必要はありません。

「Enable Kubernetes」をチェックするとKubernetesが有効になりますが、第5章でKubernetesを利用するまでは利用しません。

最新バージョンへのアップデート

「Settings」→「Software updates」でDocker Desktopのアップデートに関する設定ができます。

「Check for updates」をクリックすると、インストール可能な最新バージョンがあるかをチェックし、アップデートを実行できます。

「Automatically check for updates」にチェックが入っていると、このチェックは自動化されます。あくまで自動チェックで最新バージョンのリリースを通知してくれるための設定なので、意図せぬ自動アップデートをされるわけではありません。

1. コンテナとDockerの基礎

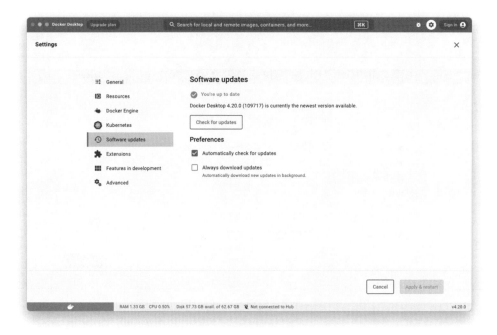

1.4.3　Docker Desktopのトラブルシュート

Docker Desktopの設定アイコンの左隣に「Troubleshoot」のアイコンがあります。

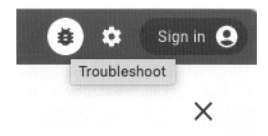

Troubleshootでは主に次の操作が可能です。

Restart Docker Desktop
Docker Desktopを再起動します。設定は保持され、再起動後にコンテナは再実行されます。

Reset Kubernetes Cluster
有効にしたKubernetesクラスタをリセットします。

Clean / Purge Data
全ての設定は保持したままで、仮想マシンのディスクイメージをリセットします。

Reset to factory defaults
全てのコンテナとイメージを削除し、出荷時設定にリセットします。

Uninstall
Docker Desktopを完全にアンインストールします。

1. コンテナと Docker の基礎

> ### コラム Linux 環境へのインストール
>
> Docker をサーバ上で稼働させる場合、多くのユーザは Linux を選択することでしょう。エッジの効いた開発者であれば、普段から Linux を開発マシンとして利用しているかもしれません。Linux 環境へのインストール、例として Ubuntu 22.04 系へのインストール方法を紹介します。
>
> パッケージマネージャ apt を利用する方法、dpkg のパッケージファイルを利用する方法があります。対話的にこれらを操作しても良いですが、Docker から提供されているスクリプトを利用するとより簡単にインストールできます。
>
> **リスト 1.2　スクリプトを利用した Docker のインストール方法**
>
> ```
> $ curl -fsSL https://get.docker.com -o get-docker.sh
> $ sudo sh get-docker.sh
> ```
>
> このスクリプトは Ubuntu だけではなく、CentOS や Debian、RHEL といったディストリビューションでも有効です。

> ### コラム Docker のサブスクリプションプラン
>
> 1.4.1 で紹介したように、Docker Desktop の利用は「従業員 250 人を超える組織、もしくは年間収益が 1,000 万ドルを超える組織」という条件に該当する場合、サブスクリプション契約が求められることになりました。
>
> 現在、サブスクリプションプランは次の 4 つが用意されています。これらのプランには全て Docker Desktop の利用も含まれています。
>
> - Docker Personal（無料）
> - Docker Pro
> - Docker Team
> - Docker Business
>
> 条件に該当する組織はチームメンバー数や使いたい機能に応じて Pro/Team/Business のいずれかを選択する必要があります。
>
> Docker Personal は無料のプランで、先述の条件に該当しない場合は Docker Personal を選択でき、引き続き Docker Desktop を無料で利用できます。本書ではローカルでのコンテナ環境に Docker Desktop を採用していますが、本書を学習する用途であれば無料で使ってもらって問題ありません。
>
> 詳細の料金表と機能比較については流動的な側面もあるため、Docker 公式サイトの https://www.docker.com/pricing/ を参照してください。

2.
コンテナのデプロイ

2. コンテナのデプロイ

第1章ではコンテナの基本概要と環境構築について説明しました。本章ではDockerを通じてコンテナの基本動作を学び、アプリケーションとしてデプロイするところまでを目指します。

2.1 コンテナでアプリケーションを実行する

コンテナでアプリケーションを実行する一連の手順を学ぶ前に、コンテナイメージ[*1]とコンテナの関係性について知りましょう。これらの役割、関係は端的にまとめると次に集約されます。

名称	役割
コンテナイメージ	コンテナを構成するファイルシステムや、実行するアプリケーションや設定をまとめたもので、コンテナを作成するために利用されるテンプレートとなるもの
コンテナ	コンテナイメージをもとに作成され、具現化されたファイルシステムとアプリケーションが実行されている状態

たとえば、Ubuntuのファイルシステムの利用を定義したコンテナイメージからコンテナを作成するとき、関係は次のようになります。

図2.1 コンテナイメージとコンテナの関係

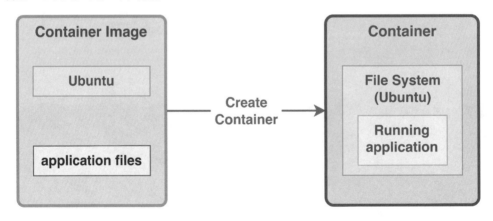

1つのコンテナイメージから複数のコンテナを生成できます。

この例におけるコンテナイメージはUbuntuのファイルシステムと実行するアプリケーションファイルを含みます。コンテナが作成されたときにコンテナイメージで定義したファイルシステムが具現化され、アプリケーションが実行されます。コンテナでアプリケーションを実行するに

[*1] Dockerがコンテナ実行環境の代名詞だったためDockerイメージと呼ばれることもありますが、本書ではコンテナイメージに統一します。

は、コンテナとして具現化するためのテンプレートとなるイメージを作成する作業から始まるわけです。

　本節では実際に簡単なHTTPレスポンスを返すだけのアプリケーションを作ってこれらの関係を整理します。コンテナイメージを構築するためのイメージ構成ファイルを作成し、できあがったイメージを使ってコンテナを実行していきます。

　さらに、コンテナのポートフォワーディング機能についても触れます。コンテナで実行しているアプリケーションに対してHTTPリクエストを発行し、レスポンスを取得できるようにするまでを解説します。

2.1.1　コンテナイメージとコンテナの基本

　詳細な解説に入る前に、Dockerを利用してコンテナイメージからコンテナを作成するという基本的な操作をここで体験しておきましょう。

コンテナレジストリとイメージの特定

　コンテナイメージはコンテナレジストリというイメージの置き場からダウンロードされます。コンテナレジストリはDocker Hub[2][3]か、それ以外のレジストリに分けられます。

　Docker Hubの場合[リポジトリ名[:タグ]]、もしくは[名前空間/リポジトリ名[:タグ]]という形式で取得できます。例としては次のような指定をします。タグを省略した場合は、latestとなります[4]。

- golang
- golang:1.20.5
- grafana/grafana:9.5.3

　Docker Hub以外のコンテナレジストリの場合、次のようにドメインの指定が必要です。ここではghcr.ioをドメインとして指定しています。

- ghcr.io/gihyodocker/echo
- ghcr.io/gihyodocker/echo:v0.1.0

　近年では、GitHub Container Registry（ghcr.io、通称GHCR）の利用が広まってきています。

コンテナイメージの取得と実行

　最初に簡単なコンテナイメージを取得し、コンテナを実行してみましょう。Ubuntuのコンテナ

＊2　https://hub.docker.com/

＊3　コンテナイメージをホスティングするためのサービスの1つで、デフォルトとして扱われている。

＊4　名前空間が省略されたイメージは、実際にはDocker Hubの中でlibraryという名前空間に属しています。

2. コンテナのデプロイ

イメージであるubuntu:23.10を取得します。次のようにdocker image pullコマンドでダウンロードできます。

```
$ docker image pull ubuntu:23.10
23.10: Pulling from library/ubuntu
Digest: sha256:ed5b80e7117fe03f4197adc76c64a86a290d31898a5d491e32f66c7eb7558fe3
Status: Image is up to date for ubuntu:23.10
docker.io/library/ubuntu:23.10
```

ダウンロードしたイメージは、docker container run ［コンテナイメージ］［コンテナで実行するコマンド］で実行できます。次のようにubuntu:23.10イメージを指定し、コンテナ内でuname -aを実行します。

```
$ docker container run ubuntu:23.10 uname -a
Linux 99fefe5d0137 5.15.49-linuxkit-pr #1 SMP PREEMPT Thu May 25 07:27:39 UTC 2023 a←
arch64 aarch64 aarch64 GNU/Linux
```

コンテナでのuname -aの結果が標準出力されました。これが一番シンプルなコンテナの実行です。なお、docker container runはイメージをダウンロードしてからのコンテナ実行もできるため、docker image pullは省略できます。

次に、ghcr.io/gihyodocker/echo:v0.1.0というコンテナイメージを利用します。このイメージは筆者が作成し公開したものです*5。

次のようにdocker container runコマンドで実行します*6。管理と識別を容易にするために、--nameオプションでechoという名前をつけています。任意の名前をつけると、コンテナを削除しやすいです。

```
$ docker container run --name echo -it -p 9000:8080 ghcr.io/gihyodocker/echo:v0.1.0
2023/06/08 11:46:09 Start server
```

ここで作成されたコンテナはオプションでポートフォワーディングを設定しています*7。ホストOSの9000ポート経由でHTTPリクエストを受けられるようになっています。

別のターミナルを起動してcurl*8でアクセスしてみます。レスポンスが表示され、正常に動作していることが確認できます。

＊5 本書用にGitHub Container Registry(ghcr.io、通称 GHCR)というレジストリへ公開しているコンテナイメージです。GHCRに関しては、2.3.6でも解説します。

＊6 Windowsや一部の環境ではファイアウォールが警告することがあります。この場合はアクセスを許可してください。

＊7 -p 9000:8080部分。ポートフォワーディングの機能については後ほど詳しく解説します。ここでは任意のポートからアプリケーションに到達できるようにするための機能があることだけを認識しておけば大丈夫です。

＊8 Windowsの場合、ターミナルでWSL2の仮想環境からcurlを実行すると良いでしょう。PowerShellのcurlはWebリクエスト用コマンドのエイリアスで、純粋なcurlではないため表示内容も異なります。

34

```
$ curl http://localhost:9000/
Hello Container!!
```

コンテナは docker container stop [コンテナ名|コンテナのID] コマンドで停止できます。

```
$ docker container stop echo
```

コンテナイメージの構築、イメージからコンテナを実行し、ポートフォワーディングでユーザが
コンテナ内のアプリケーションを利用できるようにする。この流れがコンテナを利用したアプリ
ケーション構築の基本です。ではさっそく始めていきましょう。

2.2 簡単なアプリケーションとコンテナイメージを作る

コンテナがどのように作られ、実行されているかのイメージをつかむ必要があります。その第一
歩としてGo言語で簡単なWebサーバを書き、これをコンテナ上で動作させてみましょう。
次の作業ディレクトリを作成し、その中で進めていきます。

```
$ mkdir -p ~/work/ch02/echo
```

作業ディレクトリに、**リスト2.1**のような main.go というファイルを作成します。

リスト2.1　Go言語で記述したシンプルなHTTPサーバ

~/work/ch02/echo/main.go

```
package main

import (
    "context"
    "fmt"
    "log"
    "net/http"
    "os"
    "os/signal"
    "syscall"
    "time"
)

func main() {
    http.HandleFunc("/", func(w http.ResponseWriter, r *http.Request) {
        log.Println("Received request")
        fmt.Fprintf(w, "Hello Container!!")
    })
```

2. コンテナのデプロイ

```
    log.Println("Start server")
    server := &http.Server{Addr: ":8080"}

    go func() {
        if err := server.ListenAndServe(); err != http.ErrServerClosed {
            log.Fatalf("ListenAndServe(): %s", err)
        }
    }()

    quit := make(chan os.Signal, 1)
    signal.Notify(quit, syscall.SIGINT, syscall.SIGTERM)
    <-quit
    log.Println("Shutting down server...")

    ctx, cancel := context.WithTimeout(context.Background(), 5*time.Second)
    defer cancel()
    if err := server.Shutdown(ctx); err != nil {
        log.Fatalf("Shutdown(): %s", err)
    }

    log.Println("Server terminated")
}
```

このコードはサーバアプリケーションとして動作し、以下の挙動をします[9]。

● どんな **HTTP**リクエストに対しても「Hello Container!!」とレスポンスをする

● 8080 ポートでサーバアプリケーションとして動作する

● クライアントからリクエストを受けた際は、「Received request」のログを標準エラー出力に[10]表示する

● SIGINT や SIGTERM の要求シグナルを受け取ると、Graceful Shutdownを行う[11]

次に、このGo言語のコードをコンテナの中に配置します。main.goファイルを持つイメージを新たに作成するわけです。そのために、main.go と同じディレクトリに Dockerfile を作成します。

リスト 2.2　main.goを実行するための Dockerfile

`~/work/ch02/echo/Dockerfile`

```
FROM golang:1.20.5

WORKDIR /go/src/github.com/gihyodocker/echo
COPY main.go .
RUN go mod init

CMD ["go", "run", "main.go"]
```

＊9　Go言語の経験がない方もいるでしょう。ここでは、コードの内容を事細かに理解する必要はありません。

＊10　Go言語の log パッケージでは、デフォルトで標準エラー出力されます。

＊11　受け取ったHTTPリクエストの処理中でアプリケーションを停止するのではなく、処理を完遂してから安全にアプリケーションを停止する手法。

36

2.2.1 Dockerfileのインストラクション

Dockerfileには DSL（ドメイン固有言語）を使ってイメージの構成を定義します。FROMやRUNといったキーワードは「インストラクション（命令）」と呼ばれています。

FROM

FROMは作成するコンテナイメージのベースとなるイメージ（ベースイメージ）を指定します。イメージをビルドする際、まず最初にFROMで指定されたイメージをダウンロードしてから実行されます。

main.goを実行するためはGo言語のランタイムがインストールされているイメージが必要です。ランタイムがインストールされているgolangのイメージはDocker Hubにホストされており[*12]、これを指定しています。

1.20.5の指定部分はタグです。各イメージのバージョンなどに関する識別子です。たとえば同じgolangのイメージでも、インストールされているGo言語バージョンが1.19.0のものもあれば1.18.0のイメージもあります。

コンテナイメージはそれぞれハッシュ値を持ちますが、ハッシュだけで必要なイメージを特定することは困難です。特定のバージョンにタグをつけることで認識しやすくできます[*13]。golangのコンテナイメージのように、言語のバージョン名等を利用したタグの付け方がポピュラーです。

WORKDIR

WORKDIRはコンテナ内のカレントディレクトリを指定します。指定したディレクトリが存在しない場合は、新たに作成されます。

Go言語のソースコードはGOPATHというディレクトリに配置することが多く、そのパスは環境変数GOPATHにセットされています[*14]。golangイメージではGOPATHは/goディレクトリとなっているため、WORKDIRは/go/src/github.com/gihyodocker/echoとしています。

COPY

COPYはビルドコンテキスト[*15]のファイルやディレクトリをコンテナ内にコピーするインストラクションで、COPY［コピー元(ビルドコンテキストからのパス)］［コピー先(コンテナ内の作業ディレクトリ)］という形式で定義します。

ここではホストで作成したmain.goをコンテナ内で実行させるため、COPYを利用してmain.goをコンテナ内にコピーします。

COPYに似た機能を持つADDというインストラクションがありますが、COPYとは少し用途が異な

[*12] https://hub.docker.com/_/golang/tags
[*13] Gitのコミットがハッシュ値で判別しづらいとき、git tagでタグ付けするのと近いイメージです。
[*14] go env GOPATHコマンドでも値を得られます。
[*15] コンテナイメージをビルドする環境のカレントディレクトリのこと。

2. コンテナのデプロイ

ります。ADDについては10.2.1で用途を紹介します。

RUN

RUNはコンテナイメージビルド時に、コンテナ内で実行するコマンドを定義します。パッケージマネージャでのツールのインストールや、アプリケーションのビルド処理などを記述します。

RUNの引数にはコンテナ内で実行するコマンドをそのまま指定します。ここではアプリケーションを起動するコマンドであるgo run main.goを実行するためのgo.modファイルを生成するために、go mod initを実行します[16]。

CMD

CMDはコンテナとして実行する際に、コンテナ内で実行するプロセスを指定します。イメージビルド時に実行されるRUNに対して、CMDはコンテナ起動時に一度実行されます。RUNでアプリケーションの更新や配置、CMDでアプリケーションそのものを動作させると考えてください。

```
(/go/src/github.com/gihyodocker/echo) $ go run main.go
```

これをCMDでは以下のように1つのコマンドを空白で分割し、配列化した形式で指定します[17]。

```
CMD ["go", "run", "main.go"]
```

コラム **CMDの実行時上書き**

CMDで指定した命令はdocker container runの指定で実行時に上書きできます。下記のDockerfileを作成し、docker container runの実行時に上書きするコマンドを指定してみます。

```
FROM ubuntu:23.10
CMD ["uname"]
```

通常通りにコンテナを実行するとunameコマンドの結果が出力されます。対して、echo yayを指定してCMDを実行時に上書きするとyayが出力されます（2.4.2も参照）。

＊16 複数のコマンドを実行できるよう、RUNはDockerfile内に複数回記述可能です。FROMやCMDは1つのコンテナイメージを作るのに1つしか使えません。ただし、1つのDockerfile中で複数個、有効な状態で記述することは可能です。10.4で紹介しています。

＊17 CMD go run main.goのように配列化しない記述も可能ですが、今回のような配列化した方式が推奨されています。配列化しない方式との違いはコラム「CMDの指定方式」で解説します。

38

```
$ docker container run $(docker image build -q .)
Linux

$ docker container run $(docker image build -q .) echo yay
yay
```

コンテナイメージをビルドする

main.go と Dockerfile を用意したら、コンテナイメージを docker image build コマンドを利用して作成してみましょう。

docker image build はコンテナイメージを作成するためのコマンド[18]で、基本的な書式は以下のようになっています。

-t オプションには任意のイメージ名を指定します。タグ名も指定でき、省略時は latest となります。 -t オプションとイメージ名は必ず指定するものと考えてください。 -t オプションなしでもビルドできますが、イメージ名が付かないとそのイメージをハッシュ値で管理することになり、非常に手間です。

```
docker image build -t イメージ名[:タグ名] Dockerfile配置ディレクトリのパス
```

この例では ch02/echo というイメージ名にします。

ここでイメージ名に先ほどの golang イメージにはなかった / (スラッシュ) が含まれているのが気になるかもしれません。左側の ch02 は名前空間です。イメージ名にはこのような独自の名前空間を含めることができます。ローカルでのビルド時は特に気にしなくても良いですが、2.3.7 のようにイメージをコンテナレジストリに登録する場合は、衝突しない名前空間をつけることをおすすめします[19][20]。

ビルドしてみましょう。カレントディレクトリが Dockerfile 配置ディレクトリであれば、最後の引数は . (カレントディレクトリ) にします。2.3.1 の解説も参照してください。

```
(~/work/ch02/echo) $ docker image build --no-cache -t ch02/echo:latest .
```

ビルドを実行すると、ベースイメージのダウンロードや、RUN や COPY の実行がステップ毎に行われていることがわかります。イメージのビルドのステップはキャッシュされる機構があるので、実行結果をわかりやすくするためここでは --no-cache オプションをつけて実行します。

＊18 docker コマンドはサブコマンドでコンテナイメージやコンテナを操作します。コンテナ実行用の docker container run などを先に使用しました。

＊19 golang のイメージの完全名は library/golang です。名前空間 library は公式のイメージにつけられるもので省略可能です。

＊20 本書でのローカル環境におけるイメージビルドは、章分けの意図で章番号をつけた ch02 という名前空間にしています。

2. コンテナのデプロイ

```
docker image build --no-cache -t ch02/echo:latest .

[+] Building 0.2s (9/9) FINISHED
 => [internal] load build definition from Dockerfile
 => => transferring dockerfile: 199B
 => [internal] load .dockerignore
 => => transferring context: 2B
 => [internal] load metadata for docker.io/library/golang:1.20.5
 => CACHED [1/4] FROM docker.io/library/golang:1.20.5
 => [internal] load build context
 => => transferring context: 883B
 => [2/4] WORKDIR /go/src/github.com/gihyodocker/echo
 => [3/4] COPY main.go .
 => [4/4] RUN go mod init
 => exporting to image
 => => exporting layers
 => => writing image sha256:c2c3fdd2ca3924c83b2e21222c3656d6ed922db1dd4aaaaf1279b08534148f58
 => => naming to docker.io/ch02/echo:latest
```

docker image ls コマンドでは作成されたイメージを REPOSITORY、 TAG、 IMAGE ID*21、CREATED*22、 SIZE*23 とともに確認できます。ここまでできればコンテナイメージのできあがりです。

```
$ docker image ls
REPOSITORY              TAG          IMAGE ID        CREATED         SIZE
ch02/echo               latest       0576e5a7f2c8    4 seconds ago   746MB
```

コラム **ENTRYPOINTでコマンドの実行のしかたを工夫する**

ENTRYPOINT を利用するとコンテナのコマンド実行のしかたを工夫できます。

ENTRYPOINT は CMD と同じくコンテナ内で実行するプロセスを指定するためのインストラクションです。ENTRYPOINT を指定すると、CMD の引数は ENTRYPOINT で実行するファイルへの引数となります。つまり、ENTRYPOINT によってコンテナが実行するデフォルトのプロセスを指定できます。

たとえば、golang:1.20.5のイメージは ENTRYPOINT が未指定で、CMD に bash が指定されています。これをそのまま実行すると、bash が実行されます。

```
$ docker container run -it golang:1.20.5
root@1e7f8a4f051c:/go#
```

このコンテナで go version を実行する場合、次のように引数でコマンドを渡すと bash が上書きされて go version が実行されます。

---

*21　イメージを一意に識別するために利用する ID。
*22　イメージが作成されてから経過した時間。
*23　イメージのファイルサイズ。

簡単なアプリケーションとコンテナイメージを作る **2.2**

```
$ docker container run -it golang:1.20.5 go version
go version go1.20.5 linux/arm64
```

もう少しgoコマンドを実行しやすくするコンテナにしてみましょう。次のようなDockerfileを作成し、ENTRYPOINTにgoを設定します。CMDは空文字で上書きします。

```
FROM golang:1.20.5

ENTRYPOINT ["go"]
CMD [""]
```

ch02/golang:latestという名前でビルドします。

```
$ docker image build -t ch02/golang:latest .
```

```
docker image build -t ch02/golang:latest .

[+] Building 0.0s (5/5) FINISHED
 => [internal] load .dockerignore
 => => transferring context: 2B
 => [internal] load build definition from Dockerfile
 => => transferring dockerfile: 121B
 => [internal] load metadata for docker.io/library/golang:1.20.5
 => CACHED [1/1] FROM docker.io/library/golang:1.20.5
 => exporting to image
 => => exporting layers
 => => writing image sha256:26fad6ac3e6b94db176ca990b18ac35c96683dc3b19dbfb2bdc6240bd7fecdfb
 => => naming to docker.io/ch02/golang:latest
```

このコンテナを利用すると、goコマンドを引数で渡さずにgoを実行できます。引数で渡すのは、goのサブコマンド以降です。

```
$ docker container run ch02/golang:latest version
go version go1.20.5 linux/arm64
```

ENTRYPOINTはイメージの作成者側でコンテナの用途をある程度制限したい場合に活用できます[a]。

---

*a　ただし、docker container run --entrypointで実行時に上書きができてしまいます。

コラム **Dockerfileのその他のインストラクション**

紹介しなかったインストラクションのうち比較的よく目にするものを紹介します。詳細やその他の命令についてはドキュメント[a]を参照してください。

41

2. コンテナのデプロイ

インストラクション名	内容
LABEL	イメージの作者名記入などに使います。**MAINTAINER**というインストラクションが以前はありましたがdeprecatedです。
ENV	Dockerfileをもとに生成したDockerコンテナ内で使える環境変数を指定します。
ARG	ビルド時に情報を埋め込むために使います。イメージビルドのときだけ使用できる一時的な変数です。

```
FROM ubuntu:23.10
LABEL maintainer="dockertaro@example.com"

ARG builddate
ENV BUILDDATE=${builddate}
ENV BUILDFROM="from Ubuntu"

ENTRYPOINT ["/bin/bash", "-c"]
CMD ["env"]
```

　イメージビルド時にARGに渡す値を--build-argで指定してコンテナを実行すると、環境変数一覧が表示されます。ENVの値が表示され、ARGの値は表示されないことがわかります。

```
$ docker image build --no-cache --build-arg builddate=today -t ch02/arg-env .
$ docker container run ch02/arg-env
HOSTNAME=231152556f8e
PWD=/
HOME=/root
SHLVL=0
BUILDFROM=from Ubuntu
PATH=/usr/local/sbin:/usr/local/bin:/usr/sbin:/usr/bin:/sbin:/bin
BUILDDATE=today
_=/usr/bin/env
```

＊a　https://docs.docker.com/engine/reference/builder/

コラム　CMDの指定方式

　CMDの引数には大きく分けて3つの指定方式があります。

指定方式	動作
CMD ["実行ファイル","引数1","引数2"]	実行ファイルと引数を指定する。推奨方式。
CMD コマンド 引数1 引数2	コマンドと引数を指定する。シェル内で実行されるためシェルの変数を引き継ぐなど特徴あり。
CMD ["引数1","引数2"]	ENTRYPOINTに引数として渡す引数を指定する。

2.2.2　コンテナを実行する

作成したイメージを docker container run コマンドを利用してさっそく実行してみましょう。正しく起動すれば、「Start server」のログが出ます。

```
$ docker container run -it ch02/echo:latest
2023/06/11 05:40:16 Start server
```

docker container run コマンドで echo コンテナを実行しています。これだとずっとフォアグラウンドで動き続けてしまいます。コンテナの実行を終了したい場合は Ctrl+C（SIGINT の送信）をターミナルで実行すれば終了します。

今回 Go 言語で作ったのはサーバアプリケーションです。常駐させたいのでこの実行方法では少し使い勝手が悪いです。-d オプションをつけて docker container run するとバックグラウンドでコンテナを実行させます。

```
$ docker container run -d ch02/echo:latest
a41d2c357c1122c20f63f559af7ee01eb124ecbd772f17140c3af4243d70ddec
```

-d オプションをつけて実行した場合、ハッシュ値のような文字列が表示されます。これはコンテナの ID です。コンテナ ID はコンテナ実行時に付与される一意な ID で、docker コマンドでコンテナへの各種操作を行う際にコンテナを特定するための値として利用されます。

たとえば、現在実行中の Docker コンテナの一覧を表示する docker container ls というコマンドが存在しますが、このコマンドを実行すると CONTAINER ID の列に実行中のコンテナを識別する ID が表示されます。docker container run で表示されたコンテナ ID を最初の 12 文字に省略したものです。docker コマンドでコンテナ ID を指定する場合は、この省略された長さのコンテナ ID が使えます。

```
$ docker container ls
```

```
docker container ls
CONTAINER ID   IMAGE              COMMAND           CREATED              STATUS             PORTS      NAMES
a41d2c357c11   ch02/echo:latest   "go run main.go"  About a minute ago   Up About a minute             hardcore_khayyam
```

> **コラム　短い docker コマンド**
>
> 読者の中には docker run や docker pull といった、本書で解説に用いるそれよりも短いコマンドを見たことのある人もいるかもしれません。これらはそれぞれ docker container run、

docker image pullに相当するコマンドです。

Dockerでは旧来このような短いコマンドが使われてきました。本書で解説に用いている長いコマンドが使われることもあります。

長いコマンドを用いると、多少タイプ数は増えますが、各コマンドが何をするものかより分かりやすくなります。

docker runだけだと何に対する操作なのか不明瞭ですが、docker container runのように表記することで操作対象がより明確になっています。本書ではこの明瞭さを重視し、docker container runなどの長いコマンドを用いています。

コンテナ操作のdocker containerコマンド*a、イメージ操作のdocker imageコマンド*b、それぞれどのようなコマンドがあるか確認しておくと良いでしょう。

---

*a   https://docs.docker.com/engine/reference/commandline/container/

*b   https://docs.docker.com/engine/reference/commandline/image/

ポートフォワーディング

さて、このコンテナ上のアプリケーションが正しく実行されているかをどのように確認すればよいでしょうか？　今回Go言語で書いたコードでは、このアプリケーションは8080ポートで公開されています。ローカル環境で8080ポートに向けてcurlでGETリクエストを送信してみましょう。

```
$ curl http://localhost:8080/
curl: (7) Failed to connect to localhost port 8080 after 2 ms: Couldn't connect to s←
erver
```

8080ポートに接続できない旨のメッセージが表示されました。この挙動を見る限り、アプリケーションのポートはローカル環境の8080ポートでは公開されていないようです。ここにコンテナ実行環境ならではの特徴があります。

コンテナは仮想環境ですが、外から1つの独立したマシンのように扱える特徴があります。echoアプリケーションは8080ポートを公開していますが、このポートはコンテナポートと呼ばれるコンテナ内に限定されたポートです。もしcurlをコンテナの中で実行するのであれば正しくレスポンスを得ることができますが、コンテナの外からコンテナポートを直接利用できないため接続できないのです。

このようなHTTPリクエストを受けるアプリケーションの場合、コンテナの外から来たリクエストをコンテナ内で実行しているアプリケーションにまで到達させる必要があります。そこで登場するのがコンテナへのポートフォワーディングです。**ポートフォワーディング**ではホストマシンのポートをコンテナポートに紐づけ、コンテナの外から来た通信をコンテナポートに転送できます。この機能によって、コンテナポートをコンテナの外からでも利用できます[24]。

ポートフォワーディングを使う前に、先ほど実行したコンテナを以下のコマンドで停止しておき

---

*24   章の冒頭でコンテナの仕組みを試すために簡単に触れています。

簡単なアプリケーションとコンテナイメージを作る **2.2**

ます。docker container stopの引数にはコンテナIDが必要です。実際に取得したコンテナIDで
置き換えてください。

```
$ docker container stop a41d2c357c1122c20f63f559af7ee01eb124ecbd772f17140c3af4243d70←
ddec
```

　ポートフォワーディングはdocker container runコマンドに -pオプションで指定できます。 -p
オプションは{ホスト側ポート}:{コンテナポート}の書式で記述します。
　ホスト側も8080ポートにするとイメージしづらくなってしまうので、ホスト側の9000ポートを
コンテナ側の8080ポートにポートフォワーディングします。

```
$ docker container run -d -p 9000:8080 ch02/echo:latest
7ee9a535f0a8e78194f8285ba7a8d207e8f002b9afe37273c3c308b47ce9f1cf
```

　コンテナが実行されたらホスト側のポート、すなわちlocalhostの9000ポートにcurlでGETリク
エストを送信してみましょう。

```
$ curl http://localhost:9000/
Hello Container!!
```

　「Hello Container!!」が表示されましたね！コンテナ上で実行されているサーバアプリケーション
にHTTPリクエストを送り、レスポンスを得ることができました。
　コンテナイメージの作成、コンテナの実行、ポートフォワーディングによるコンテナ外への公
開、Dockerを利用した基礎的な操作はできるようになりました。
　また、ホスト側のポートは次のように省略できます。その場合はホスト側のエフェメラル
ポート[25]で空いているポートが自動的に割り当てられます。どのポートが割り当てられたかは、
docker container lsの結果のPORTSで確認できます。

```
$ docker container run -d -p 8080 ch02/echo:latest
$ docker container ls
```

＊25　一時的な通信のために自由に利用できるポート。多くのLinuxカーネルでは32768から61000が利用される

2. コンテナのデプロイ

```
~/work/ch02 (0.3s)
docker container run -d -p 8080 ch02/echo:latest
278ebddad8c8a24aea209ae3090727a74164a6351740f1bb3c3d4aded316917c

~/work/ch02 (0.13s)
docker container ls
CONTAINER ID   IMAGE              COMMAND           CREATED        STATUS        PORTS                    NAMES
278ebddad8c8   ch02/echo:latest   "go run main.go"  7 seconds ago  Up 6 seconds  0.0.0.0:61879->8080/tcp  vibrant_mcclintock

~/work/ch02 (0.082s)
curl http://localhost:61879

Hello Container!!
```

2.3 イメージの操作

　前節では実際にコンテナイメージを作成し、コンテナを実行するまでの基本的な操作を試しました。しかし、あくまでもコンテナ動作の感覚をつかんでもらうための、断片的なものにすぎません。

　コンテナ実行環境の基本操作は**イメージに関する操作**と**コンテナに関する操作**の2つに大別されます。Dockerを通じて、コンテナ環境の基本機能[*26]をこの2つの観点で見ていきましょう。本節ではイメージに関する操作を、次節でコンテナに関する操作を解説します。

　コンテナイメージの操作について学んでいく前に、コンテナイメージとは具体的にどのようなものか知っておくべきでしょう。

　一言で表すならコンテナイメージはコンテナを作成するためのテンプレートです。

　コンテナイメージは、UbuntuなどのOSとして構成されたファイルシステムはもちろん、コンテナ上で実行するためのアプリケーションや依存しているライブラリ・ツール、どのプロセスがコンテナ上で実行されるかといった実行環境としての設定情報まで含んだアーカイブのようなものです。また、Dockerfileはあくまでイメージを構築するための手順を記述したファイルに過ぎず、Dockerfile自身がコンテナイメージになるわけではありません。Dockerfileのようなテンプレートからイメージを構築することを一般的には**コンテナイメージをビルドする**と言います。そして、構築されたイメージはコンテナの実行時に利用されます。

　ここではイメージをビルドするための docker image build を始めとしたイメージ操作の基本的なコマンドを紹介します。最終的にはコンテナレジストリへのイメージの登録までを行い、独自に構築したイメージをコンテナとして広く利用できるようにすることまでを目指しましょう。イメージ操作の要点を押さえて解説していきますが、操作で利用できるオプションについて調べたくなったら次のように help を実行すると良いでしょう。

```
$ docker help
```

[*26]　主にコマンド。

46

また、Dockerのコマンドラインツールはサブコマンド構成になっていて、docker COMMAND SUBCO
MMANDのような形式でコマンドを受け付けられるようになっています。上位コマンドはdocker help
を実行すると次のように列挙されます。

```
Commands:
  attach    Attach local standard input, output, and error streams to a running co←
ntainer
  commit    Create a new image from a container's changes
  cp        Copy files/folders between a container and the local filesystem
  create    Create a new container
  diff      Inspect changes to files or directories on a container's filesystem
  events    Get real time events from the server
  export    Export a container's filesystem as a tar archive
  history   Show the history of an image
  import    Import the contents from a tarball to create a filesystem image
  inspect   Return low-level information on Docker objects
  kill      Kill one or more running containers
  load      Load an image from a tar archive or STDIN
  logs      Fetch the logs of a container
  pause     Pause all processes within one or more containers
  port      List port mappings or a specific mapping for the container
  rename    Rename a container
  restart   Restart one or more containers
  rm        Remove one or more containers
  rmi       Remove one or more images
  save      Save one or more images to a tar archive (streamed to STDOUT by defaul←
t)
  start     Start one or more stopped containers
  stats     Display a live stream of container(s) resource usage statistics
  stop      Stop one or more running containers
  tag       Create a tag TARGET_IMAGE that refers to SOURCE_IMAGE
  top       Display the running processes of a container
  unpause   Unpause all processes within one or more containers
  update    Update configuration of one or more containers
  wait      Block until one or more containers stop, then print their exit codes
```

イメージ操作に関するコマンドはimageを見てみましょう。imageのサブコマンドは次のように
--helpオプションで調べます。

```
$ docker image --help

Usage:  docker image COMMAND

Manage images

Commands:
  build     Build an image from a Dockerfile
  history   Show the history of an image
  import    Import the contents from a tarball to create a filesystem image
  inspect   Display detailed information on one or more images
  load      Load an image from a tar archive or STDIN
```

2. コンテナのデプロイ

```
  ls          List images
  prune       Remove unused images
  pull        Download an image from a registry
  push        Upload an image to a registry
  rm          Remove one or more images
  save        Save one or more images to a tar archive (streamed to STDOUT by defaul←
t)
  tag         Create a tag TARGET_IMAGE that refers to SOURCE_IMAGE

Run 'docker image COMMAND --help' for more information on a command.
```

docker image build --helpのようにサブコマンドのヘルプも見られます。なお、短い名前の docker buildは、docker image buildコマンドのエイリアス（別名）という扱いです。

実際にコマンドを見ていきましょう。

2.3.1　docker image build ― イメージのビルド

docker image buildはDockerfileをもとにコンテナイメージを作成するコマンドです[27]。

```
docker image build -t イメージ名[:タグ名] Dockerfileのあるディレクトリのパス
```

上記の記入例には、-tオプションも含めています。docker image buildにはいくつかオプションがありますが、-tは実際にDockerを利用するうえでほぼ必須です。イメージ名とタグ[28]名を指定します。引数にはDockerfileのあるディレクトリのパスを指定します。docker image buildでは必ずDockerfileを与える必要があるので、ディレクトリにDockerfileが存在しないと正しく実行できません。

Dockerfileのあるディレクトリのパスにカレントディレクトリを指定するには、次のようになります。

```
$ docker image build -t ch02/echo:latest .
```

-fオプション

docker image buildコマンドはデフォルトでDockerfileという名前のDockerfileを探しにいきます。そうでない名前のDockerfileを利用したい場合は-fオプションを利用します。たとえばDockerfile-testという名前のDockerfileを使うなら次のようにします。

```
$ docker image build -f Dockerfile-test -t ch02/echo:latest .
```

---

[27]　コマンドの記法、[]内は省略可です。

[28]　イメージ名を指定してタグ名を省略することも可。

--pullオプション

docker image buildでイメージをビルドする際、DockerfileのFROMで指定されているイメージを一度レジストリからダウンロードし、それをベースイメージにして新たにイメージをビルドします。

一度取得したコンテナイメージは削除しない限りホスト内に保持されます。DockerfileのFROMで指定されたベースイメージはdocker image buildにおいて、毎回リモートのリポジトリから取得されるわけではないということです。

--pullオプションでtrueを指定すると、docker image build時にベースイメージを強制的に再取得させることができます。

```
$ docker image build --pull=true -t ch02/echo:latest .
```

例として、次のようなベースイメージがlatestであるDockerfileを扱う場合とします。ghcr.io/gihyodocker/basetest:latestのイメージはGitHub Container Registry(GHCR)に配置されています。

```
FROM ghcr.io/gihyodocker/basetest:latest

RUN cat /var/gihyodocker/version
```

このDockerfileをdocker image buildすると、#5のステップでベースイメージに含まれているバージョン表示ファイルを出力しています[29]。

```
$ docker image build --progress=plain -t ch02/concretetest:latest .
```

＊29 --progress=plainのオプションをつけることで、イメージビルド時の出力を表示できます。

2. コンテナのデプロイ

```
docker image build --progress=plain -t ch02/concretetest:latest .
#1 [internal] load .dockerignore
#1 DONE 0.0s

#2 [internal] load build definition from Dockerfile
#2 DONE 0.0s

#1 [internal] load .dockerignore
#1 transferring context: 2B done
#1 DONE 0.0s

#2 [internal] load build definition from Dockerfile
#2 transferring dockerfile: 149B done
#2 DONE 0.0s

#3 [internal] load metadata for ghcr.io/gihyodocker/basetest:latest
#3 DONE 0.0s

#4 [1/2] FROM ghcr.io/gihyodocker/basetest:latest
#4 DONE 0.0s

#5 [2/2] RUN cat /var/gihyodocker/version
#0 0.122 version = v0.0.1
#5 DONE 0.1s

#6 exporting to image
#6 exporting layers done
#6 writing image sha256:04017846cb4e9ed77357824f4991f553a9f3d140aa3f6d66985207c94eb3d30d done
#6 naming to docker.io/ch02/concretetest:latest done
#6 DONE 0.0s
```

　続けて、Dockerfile に RUN で同じコマンドをもう一つ追加してみましょう。

リスト 2.3　RUNを追加した Dockerfile

```
FROM ghcr.io/gihyodocker/basetest:latest

RUN cat /var/gihyodocker/version
RUN cat /var/gihyodocker/version
```

　変更した Dockerfile（**リスト 2.3**）をビルドする前に、Docker Hub 上の ghcr.io/gihyodocker/basetest に、 /var/gihyodocker/version のファイルが version = v0.0.2 に変更され、イメージが更新されたとします。

　この状態で次のように docker image build すると、 #6 のステップで /var/gihyodocker/version が version = 1 を表示します。 #5 のステップを見てみると、 CACHED が表示されてすでにローカルに存在しているイメージを利用していることがわかります。

```
docker image build --progress=plain -t ch02/concretetest:latest .
#1 [internal] load .dockerignore
#1 transferring context: 2B done
#1 DONE 0.0s

#2 [internal] load build definition from Dockerfile
#2 transferring dockerfile: 182B done
#2 DONE 0.0s

#3 [internal] load metadata for ghcr.io/gihyodocker/basetest:latest
#3 DONE 0.0s

#4 [1/3] FROM ghcr.io/gihyodocker/basetest:latest
#4 DONE 0.0s

#5 [2/3] RUN cat /var/gihyodocker/version
#5 CACHED

#6 [3/3] RUN cat /var/gihyodocker/version
#0 0.095 version = v0.0.1
#6 DONE 0.1s

#7 exporting to image
#7 exporting layers 0.0s done
#7 writing image sha256:f237939b6413693353c65b7511463edb9bead29479fc559ef5c020286d17e8e1 done
#7 naming to docker.io/ch02/concretetest:latest done
#7 DONE 0.0s
```

このように、ローカルにベースイメージのキャッシュが存在している場合、Dockerは差分を活かしてビルドしようとします。

docker image build時に確実に最新のベースイメージを取得してからイメージをビルドしたい場合、次のように--pull=trueをつけてビルドします。

```
$ docker image build --pull=true --progress=plain -t ch02/concretetest:latest .
```

```
docker image build --pull=true --progress=plain -t ch02/concretetest:latest .
#2 [internal] load build definition from Dockerfile
#2 transferring dockerfile: 182B done
#2 DONE 0.0s

#3 [internal] load metadata for ghcr.io/gihyodocker/basetest:latest
#3 ...

#4 [auth] gihyodocker/basetest:pull token for ghcr.io
#4 DONE 0.0s

#3 [internal] load metadata for ghcr.io/gihyodocker/basetest:latest
#3 DONE 2.0s

#5 [1/3] FROM ghcr.io/gihyodocker/basetest:latest@sha256:ce42d8611b8ad9a3e6e6a2443b6f680790be9f5b13f5ce295c16fda7871a444e
#5 resolve ghcr.io/gihyodocker/basetest:latest@sha256:ce42d8611b8ad9a3e6e6a2443b6f680790be9f5b13f5ce295c16fda7871a444e done
#5 sha256:ce42d8611b8ad9a3e6e6a2443b6f680790be9f5b13f5ce295c16fda7871a444e 943B / 943B done
#5 sha256:93af91df77f426474012cec55eb609faea218b40cf80bb486f456c3bab2c241f 1.98kB / 1.98kB done
#5 DONE 0.0s

#6 [2/3] RUN cat /var/gihyodocker/version                    --pull=trueにより、latestのベースイメージが再取得される
#6 0.147 version = v0.0.2
#6 DONE 0.2s

#7 [3/3] RUN cat /var/gihyodocker/version
#7 0.267 version = v0.0.2
#7 DONE 0.3s

#8 exporting to image
#8 exporting layers 0.0s done
#8 writing image sha256:6a8900a18e9c304cd2f27dd2c353fa6f52489fc37ab3a1ed9650809c377900a6 done
#8 naming to docker.io/ch02/concretetest:latest done
#8 DONE 0.0s
```

2. コンテナのデプロイ

/var/gihyodocker/versionの内容がversion = v0.0.2になっているため、最新のベースイメージが利用されています。

--pull=trueは有用ですが、Docker HubやGHCR等のレジストリに最新版の有無を確認してからビルドするため、ビルド時間においては多少不利です。また、latestのイメージは常に最新バージョンであるとも限らず、利用者にとって予期していない変更が入ることもあります。そのため、実際の運用ではlatestのベースイメージを利用は避けられる傾向にあり、タグ付けされたイメージを利用することがほとんどです。

2.3.2　docker search ― イメージの検索

コンテナイメージのレジストリであるDocker Hubではユーザや組織（organization）がGitHubと同様に**リポジトリ**を持つことができ、リポジトリでそれぞれのコンテナイメージを管理していきます。

Docker Hubには全てのイメージのベースになるようなOS（CentOSやUbuntu）のリポジトリなど、言語のランタイムや著名なミドルウェアのイメージ等を管理しているリポジトリが無数に存在します。我々は全てのコンテナイメージを自前で用意する必要はなく、他のユーザや組織が作成したイメージを積極的に活用すればいいのです[30]。

Docker Hubを活用する上で欠かせないのがdocker searchコマンドです。docker searchを利用すると、Docker Hubのレジストリに登録されているリポジトリを検索できます。

```
docker search [options] 検索キーワード
```

たとえば、mysqlをキーワードに検索すると、その結果が一覧で表示されます。--limitを指定することで表示件数を制限できます。

```
$ docker search --limit 5 mysql
```

```
docker search --limit 5 mysql
NAME            DESCRIPTION                              STARS   OFFICIAL   AUTOMATED
mysql           MySQL is a widely used, open-source relation…   14217   [OK]
mariadb         MariaDB Server is a high performing open sou…   5430    [OK]
percona         Percona Server is a fork of the MySQL relati…   614     [OK]
phpmyadmin      phpMyAdmin - A web interface for MySQL and M…   817     [OK]
bitnami/mysql   Bitnami MySQL Docker Image                       89                 [OK]
```

このようにmysqlに関連するリポジトリの一覧が表示されます。1つ目に表示されているmysqlのリポジトリ名には名前空間であるオーナー名がついていませんが、このリポジトリは公式リポジ

＊30　Docker Hubに公開されているイメージ全てが完全に安全とは言い切れません。安全に利用するためには注意が必要です。よりセキュアなイメージを取得、活用する方法は10.6で解説します。

イメージの操作 **2.3**

トリであるためこのような表記となっています。公式リポジトリの名前空間には一律でlibraryがついています。MySQLも正確にはlibrary/mysqlというリポジトリ名です。公式リポジトリの名前空間は省略が可能です。

検索結果はSTARSの降順に表示されます。Docker Hubに登録されているリポジトリにはGitHubと同様にスターをつけられます。スターの数はコンテナイメージの重要な評価指標の一つです。

docker searchではリポジトリの検索はできますが、実は対象のリポジトリが持っているコンテナイメージのタグを取得することまではできません。リリースされているイメージのタグを知りたい場合は、Docker Hubの任意のリポジトリページの**Tags**を参照するか、次のようにAPIを利用するかのどちらかでしょう。

```
$ curl -s 'https://hub.docker.com/v2/repositories/library/golang/tags/?page_size=10'↩
 \
 | jq -r '.results[].name'
latest
windowsservercore-ltsc2022
windowsservercore-1809
windowsservercore
nanoserver-ltsc2022
nanoserver-1809
nanoserver
bullseye
alpine3.18
alpine3.17
```

2.3.3 docker image pull ― イメージの取得

コンテナレジストリからコンテナイメージをダウンロードしてくるには、docker image pullコマンドを利用します。

```
docker image pull [options] リポジトリ名[:タグ名]
```

たとえば、Docker Hubに存在するnginx[31]の場合は次のようになります。タグ名を省略した場合はデフォルトタグ[32]が利用されます。

```
$ docker image pull nginx:latest
latest: Pulling from library/nginx
95039a22a7cc: Already exists
...
Digest: sha256:593dac25b7733ffb7afe1a72649a43e574778bf025ad60514ef40f6b5d606247
Status: Downloaded newer image for nginx:latest
```

───────────────────────

＊31 代表的なWebサーバの一つ。

＊32 多くはlatest。

2. コンテナのデプロイ

```
docker.io/library/nginx:latest
```

docker image pullでダウンロードしてきたイメージは、そのままコンテナとして利用できます[33]。

docker container runの実行例です。フォアグラウンドでnginxが動作します。

```
$ docker container run -it nginx:latest
Unable to find image 'nginx:latest' locally
latest: Pulling from library/nginx
...(中略)...
2023/09/04 17:32:26 [notice] 1#1: start worker processes
2023/09/04 17:32:26 [notice] 1#1: start worker process 29
2023/09/04 17:32:26 [notice] 1#1: start worker process 30
2023/09/04 17:32:26 [notice] 1#1: start worker process 31
2023/09/04 17:32:26 [notice] 1#1: start worker process 32
2023/09/04 17:32:26 [notice] 1#1: start worker process 33
```

2.3.4　docker image ls ― イメージの一覧

docker image lsではDockerエンジンを実行している環境に保持されているイメージの一覧を表示します。docker image pullでリモートのコンテナレジストリからダウンロードしてきたイメージはもちろん、docker image buildでビルドしたイメージもホストのディスクに保持されます。

```
docker image ls [options] [リポジトリ[:タグ]]
```

```
$ docker image ls
REPOSITORY     TAG       IMAGE ID       CREATED       SIZE
nginx          latest    2d21d843073b   3 days ago    192MB
```

IMAGE IDはイメージのIDです。コンテナを指すCONTAINER IDとは別物です。混同しないように注意してください。

先述のようにDockerはイメージに関する操作とコンテナに関する操作、大きく分けて2つの操作があります。つまりイメージとコンテナは別々に管理されるということです[34]。IMAGE IDはイメージ管理、CONTAINER IDはコンテナ管理に用います。

---

[33] 今回の例ならdocker container run nginx:latest。本書では2.6.2でnginxを実際にコンテナ上で動作させています。

[34] コンテナ実行中は当該コンテナのもととなるイメージを削除できないなど相互に依存する部分はありますが、操作対象としては分かれています。

54

2.3.5 　docker image tag ― イメージのタグ付け

docker image tagはコンテナイメージの特定のバージョンにタグ付けを行います。

コンテナイメージのバージョン

コンテナイメージのタグは特定のバージョンのイメージにタグをつけることであることに触れました。Dockerにおいてコンテナイメージのバージョンは重要な概念です。バージョンとは具体的にはどのようなものなのでしょうか。

たとえば、あるアプリケーションch02/difference-testに少し変更を加えてイメージのビルドをするという操作を何回か繰り返すと、docker image lsは次のような結果を返します。

```
docker image ls
REPOSITORY            TAG          IMAGE ID        CREATED           SIZE
ch02/difference-test  latest       8c00866e0248    4 seconds ago     92.6MB
<none>                <none>       795cb5ef5801    16 seconds ago    92.6MB
<none>                <none>       108d7e973db7    28 seconds ago    92.6MB
```

上から作成が新しい順にイメージの一覧が表示されます。IMAGE IDで表示されているハッシュ値は作成されたそれぞれのコンテナイメージに割り当てられるIDです。イメージを識別するために利用されます。

このイメージIDはコンテナイメージのバージョン番号としての役割も果たします。アプリケーションに変更が加わったとき、イメージのビルドの度に作成されるイメージも毎回異なります。つまりもともとは同じコンテナイメージだったものも、変更を加えた後は別のIMAGE IDが割り振られるわけです。Dockerfileの編集だけでなくCOPYでコピーするファイルの内容が変わるといった変更でもIMAGE IDは変わります。

コンテナイメージのバージョンという表現は広く浸透していますが、**正確にはイメージIDのことである**と認識しておいてください。

REPOSITORYとTAGの項目を見てみると、一番若いイメージはch02/difference-test:latestで、それ以前のイメージには<none>が表示されています。<none>は今までch02/difference-testだったコンテナイメージの残りです。Dockerで1つのタグに紐づけられるイメージは1つまでです。ここではlatestは最新のものにしかつけられません。古いイメージはタグとの紐づけが解除されて、<none>になります。

イメージIDへのタグ付け

コンテナイメージのバージョンとは実際にはイメージIDであることがわかりました。つまり、docker image tagはイメージIDにタグ名という形で別名を与えるコマンドということになります。

タグはあくまで特定のイメージを参照しやすくするためのエイリアスにすぎません。コンテナイメージはビルドの度に生成され、内容に応じてイメージIDを持ち、新しいイメージには新しいID

が振られます。イメージIDはハッシュ値で表現され、Gitのコミットに付与されるリビジョンのように扱われます。

つまり、コンテナイメージのタグは**ある特定のイメージIDを持つコンテナイメージを識別しやすくする**ために利用されるのです。たとえば特定のアプリケーションバージョンに対応したイメージであることを示す、リリース番号をつけてイメージを管理しやすくするために使われます。

コンテナイメージの特定のバージョンに任意のタグをつけるためにはdocker image tagコマンドを利用します。今まで触れてきたように、タグを指定せずにdocker image buildをしてできあがったイメージはデフォルトでlatestのタグがつきます。

```
docker image ls
REPOSITORY    TAG        IMAGE ID       CREATED        SIZE
ch02/echo     latest     0576e5a7f2c8   3 days ago     746MB
```

差分変更を加えて再度ビルドした場合は、それまでのlatestのイメージとは違うハッシュ値を持つイメージができあがりますがタグはlatestのままです。

```
docker image ls
REPOSITORY    TAG        IMAGE ID       CREATED              SIZE
ch02/echo     latest     1c7e51b2dfa2   About a minute ago   746MB
<none>        <none>     0576e5a7f2c8   3 days ago           746MB
```

latestは開発のメインラインでビルドされたイメージを表すタグであり、メインラインが進むたびに更新するものです。実際にコンテナを運用することを考えると、latestの特定の地点をバージョン名等でタグをつけておき、いつでも特定のバージョンのコンテナイメージを取得できるようにしておくべきです。

docker image tagコマンドは次のように利用します。

```
docker image tag 元イメージ名[:タグ] 新イメージ名[:タグ]
```

たとえば、ch02/echoのlatestに0.0.1のタグをつける場合は次のようにします。

```
$ docker image tag ch02/echo:latest ch02/echo:0.0.1
```

新たに0.0.1のタグがつけられたイメージができました。docker image lsでイメージ一覧を表示するとlatestと0.0.1の両方が表示されます。IMAGE IDを見てみると0.0.1もlatestのイメージも1c7e51b2dfa2のハッシュ値を持っています。実体は同じコンテナイメージであることがわかります。

```
docker image ls
REPOSITORY       TAG       IMAGE ID       CREATED          SIZE
ch02/echo        0.0.1     1c7e51b2dfa2   36 minutes ago   746MB
ch02/echo        latest    1c7e51b2dfa2   36 minutes ago   746MB
```

2.3.6　docker login ― コンテナレジストリへのログイン

　タグ付けされたイメージをコンテナレジストリへpushする[35]ことで、他の開発者に配布できます。
　イメージをpushするには対象のコンテナレジストリにログインが必要です。

```
docker login [OPTIONS] [SERVER]
```

　docker loginコマンドではありますが、Docker Hubだけではないコンテナレジストリにもログイン可能です。今回はDocker HubとGitHub Container Registry(GHCR)それぞれにログインする方法を紹介します。

Docker Hubへのログイン

　Docker Hubはコンテナイメージを配信するための代表的なコンテナレジストリであり、Docker社が管理しています。
　すでにDocker Hubに公開されているイメージを利用するだけの用途であればDockerへのサインアップは不要ですが、自作のコンテナイメージをpushする場合はサインアップが必要です。図2.2、https://hub.docker.com/signupからサインアップを行います。

---

[35]　コンテナイメージをコンテナレジストリのストレージに登録して永続化すること。

2. コンテナのデプロイ

図2.2　Docker Hubのサインアップ画面

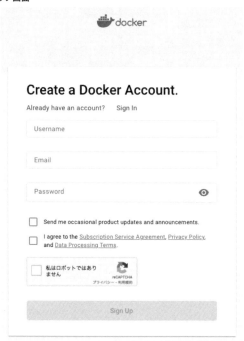

　フォームを入力し送信するとメールが送信されます。メールに記載されている「Verify email address」をクリックするとログイン画面に遷移するので、ログイン情報を入力します。

図2.3　Docker Hubのホーム画面

Dockerには複数のプランがあり、プランによって時間あたりのイメージ取得回数の最大数やプライベートリポジトリの制限が異なります。サインアップ直後は無料のPersonalプランとなっています。Personalプランでは、公開リポジトリは無制限に利用できます[36]。

　docker loginにはサインアップして作成したDockerの認証情報を利用します。パスワードはシェル変数等に格納しておいて、標準入力にパイプで渡して実行します。

```
docker login --username [Dockerのユーザー名] --password-stdin
```

```
echo $DOCKER_PASSWORD | docker login --username stormcat24gihyo --password-stdin
Login Succeeded

Logging in with your password grants your terminal complete access to your account.
For better security, log in with a limited-privilege personal access token. Learn more at https://docs.docker.com/go/access-tokens/
```

　Login Succeededが表示されれば成功です。

GitHub Container Registry(GHCR)へのログイン

　GitHub Container Registry(GHCR)はソフトウェアのパッケージを配信するGitHub Packages[37]でサポートされているコンテナレジストリです。

　GHCRにコンテナイメージをpushするためにはGitHubのパーソナルアクセストークンが必要であり、docker loginにはこのアクセストークンを利用します[38]。

　GitHubにログインし、プロフィールアイコンから「Settings」→「Developer settings」→「Personal access tokens」→「Tokens(classic)」を選択すると**図2.4**に遷移します。

　スコープにはrepo、write:packages、delete:packagesにチェックを入れます[39]。

＊36 実際の開発においてはパブリックに公開できるリポジトリばかりではないですが、今回は学習用途なのでPersonalプランのままで問題ありません。

＊37 https://github.co.jp/features/packages

＊38 https://docs.github.com/packages/working-with-a-github-packages-registry/working-with-the-container-registry

＊39 pushだけを行うのであればwrite:packagesだけのチェックで十分です。

2. コンテナのデプロイ

図2.4　GitHubの personal access token 生成画面

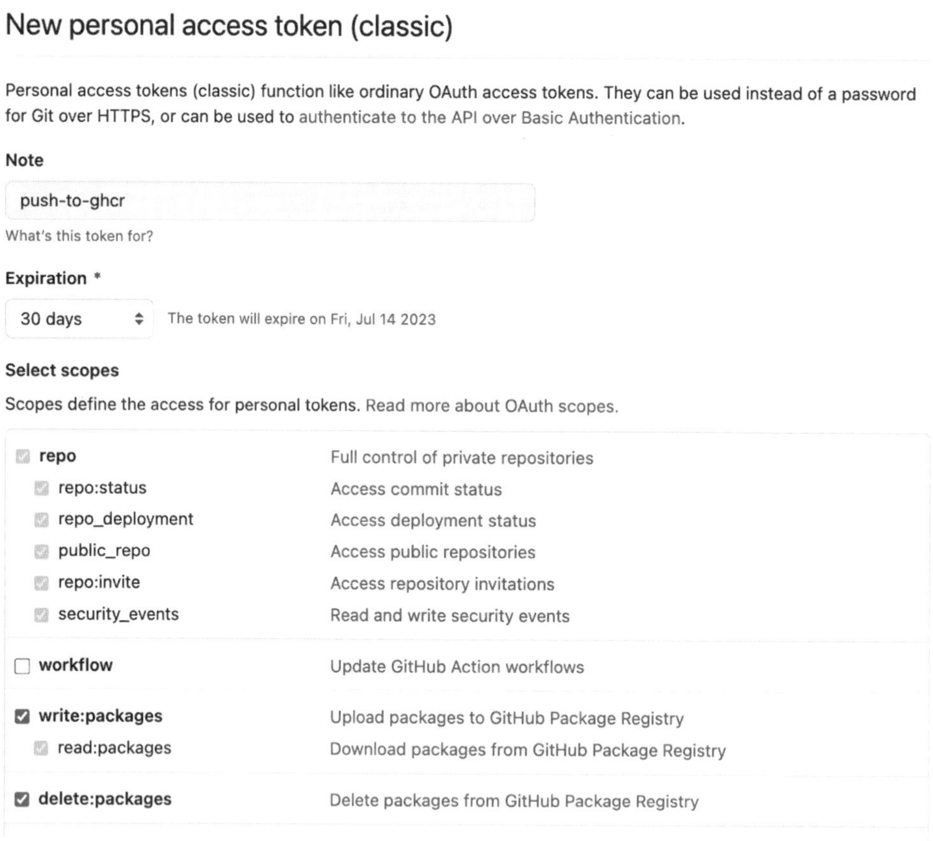

New personal access token (classic)

Personal access tokens (classic) function like ordinary OAuth access tokens. They can be used instead of a password for Git over HTTPS, or can be used to authenticate to the API over Basic Authentication.

Note

```
push-to-ghcr
```

What's this token for?

Expiration *

```
30 days    ⇕
```
The token will expire on Fri, Jul 14 2023

Select scopes

Scopes define the access for personal tokens. Read more about OAuth scopes.

☑ **repo**	Full control of private repositories	
☑ repo:status	Access commit status	
☑ repo_deployment	Access deployment status	
☑ public_repo	Access public repositories	
☑ repo:invite	Access repository invitations	
☑ security_events	Read and write security events	
☐ **workflow**	Update GitHub Action workflows	
☑ **write:packages**	Upload packages to GitHub Package Registry	
☑ read:packages	Download packages from GitHub Package Registry	
☑ **delete:packages**	Delete packages from GitHub Package Registry	

「Generate token」をクリックするとパーソナルアクセストークンが生成されます。生成されたトークンは第三者に漏洩しないよう、パスワードマネージャ等で管理しておくと良いでしょう。

このパーソナルアクセストークンを使って、GHCRのレジストリに次のようにログインします。

```
$ CR_PAT=[生成したパーソナルアクセストークン]
$ echo $CR_PAT | docker login ghcr.io -u [GitHubのユーザー名] --password-stdin
```

```
echo $CR_PAT | docker login ghcr.io -u stormcat24 --password-stdin
Login Succeeded
```

60

イメージの操作 **2.3**

Login Suncceeded が表示されれば成功です[40]。

2.3.7 docker image push ― イメージの公開

docker image pushコマンドは保持しているコンテナイメージをコンテナレジストリに登録できます。

```
docker image push [options] リポジトリ名[:タグ]
```

ここではGHCRとDocker Hubそれぞれにコンテナイメージを登録する方法を説明します。近年はGHCRの利用機会が多いため、Docker Hubへの登録は興味のある方だけ試してみてください。

GitHub Container Registry(GHCR)へのpush

Docker Hub以外のレジストリにイメージをpushするには、タグに対象のコンテナレジストリのドメインが必要です。そこで、 ch02/echo:latest のイメージにGHCRのドメインをつけた形式のタグを次のように作成し、pushします。

```
$ docker image tag ch02/echo:0.0.1 ghcr.io/[GitHubのユーザー名]/echo:0.0.1
$ docker image push ghcr.io/[GitHubのユーザー名]/echo:0.0.1
```

```
~/work/ch02 (0.189s)
docker image tag ch02/echo:0.0.1 ghcr.io/stormcat24/echo:0.0.1


~/work/ch02 (3.047s)
docker image push ghcr.io/stormcat24/echo:0.0.1

The push refers to repository [ghcr.io/stormcat24/echo]
19ce17db862c: Layer already exists
4194a93376ba: Layer already exists
fad6e036e381: Layer already exists
d9d1414b3c8b: Layer already exists
6630f0c8edeb: Layer already exists
67a13016443c: Layer already exists
f389a469af97: Layer already exists
737e3d34f974: Layer already exists
5db8071bd6c0: Layer already exists
67974f604d8a: Layer already exists
0.0.1: digest: sha256:842a9111cd008895e8738dc34f3db59a7423914d3be64330b105ec7728f9987e size: 2412
```

GitHubのログインアカウントのPackagesページへ遷移すると、パッケージとしてechoのコンテナイメージが追加されています。

───────────────

[40] docker login 後にパーソナルアクセストークンが削除・失効した場合、GHCRの公開イメージをpullできないことがあります。その際は、一度docker logout ghcr.ioを実行してください。

2. コンテナのデプロイ

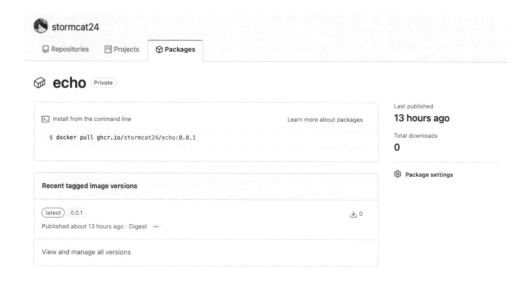

Docker Hubへのpush

すでに作成済みのch02/echo:0.0.1のイメージをDocker Hubへpushします。これまでch02という名前空間でイメージをビルドしてきましたが、Docker Hubの名前空間は2.3.6で作成したユーザ名や組織名が利用されるため、これを別名に変更します。`docker image tag`コマンドで別のタグをつけます。

```
docker image tag ch02/echo:0.0.1 [ユーザー名または組織名]/echo:0.0.1
```

新しくつけたタグを利用して、`docker image push`コマンドでDocker Hubにpushします。

```
~/work/ch02 (0.188s)
docker image tag ch02/echo:0.0.1 stormcat24gihyo/echo:0.0.1

~/work/ch02 (15.317s)
docker image push stormcat24gihyo/echo:0.0.1
The push refers to repository [docker.io/stormcat24gihyo/echo]
19ce17db862c: Pushed
4194a93376ba: Pushed
fad6e036e381: Pushed
d9d1414b3c8b: Pushed
6630f0c8edeb: Mounted from library/golang
67a13016443c: Mounted from library/golang
f389a469af97: Mounted from library/golang
737e3d34f974: Mounted from library/golang
5db8071bd6c0: Mounted from library/golang
67974f604d8a: Mounted from library/golang
0.0.1: digest: sha256:842a9111cd008895e8738dc34f3db59a7423914d3be64330b105ec7728f9987e size: 2412
```

Docker Hubには自身がpushしたイメージのリポジトリができあがっています。このリポジトリ

はパブリックなので、誰でも `docker image pull` してダウンロードできます。そのため公開リポジトリに push するイメージや Dockerfile には、パスワードや API キーといった機密情報を含めないように注意が必要です。

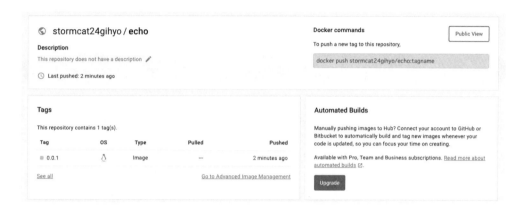

コラム GHCRでコンテナイメージを公開する

GHCR に push されたコンテナイメージはデフォルトでは公開されていないため、第三者がそのイメージを pull して利用できません。

GHCR のコンテナイメージを公開するには、パッケージの visibility を `Public` に変更する必要があります。

コンテナイメージがパブリックなイメージであれば利用料金は無料ですが、プライベートなイ

2. コンテナのデプロイ

> メージの場合はストレージと月あたりのデータ転送量によって利用料金が発生します*a。
>
> *a* https://docs.github.com/ja/billing/managing-billing-for-github-packages/about-billing-for-github-packages

2.4 コンテナの操作

　コンテナイメージの操作に続いて、コンテナに関する操作を学びましょう。コンテナはイメージをもとに作成されるため、コンテナの操作より先にイメージの操作に慣れることがまずは重要でした。ここからはコンテナの操作に慣れるためにもう少し踏み込んで解説します。

　コンテナは外から見ると仮想環境です。ファイルシステムとアプリケーションが同梱されている箱のようなものです。なんとなくどのようなものかを想像はできても、これだけでは概念の域を出ません。

　実際にdockerコマンドによって扱われるコンテナとは具体的にどのようなものか、基本の仕組みを把握し、手を動かして身に着けていきましょう。

2.4.1　コンテナのライフサイクル

　コンテナの具体的な動きを知るには、コンテナのライフサイクルを理解する必要があります。

　コンテナは**実行中・停止・破棄**という3つの状態のいずれかに分類されます。これをコンテナのライフサイクルと呼びます。docker container runで起動された直後は実行中の状態です。

　一度作成されたコンテナは同じイメージを利用していたとしても、それぞれ個別に状態を持ちます。この点がテンプレートであり状態を持たないイメージとの大きな違いです。

実行中

　docker container runで指定されたコンテナイメージをもとにコンテナが作成され、Dockerfileの CMDや ENTRYPOINTで定義されているアプリケーションの実行を開始します。このアプリケーションが実行中なら、コンテナは実行中にあるということになります。

　HTTPリクエストを受けるようなサーバアプリケーションであれば異常終了をしない限り実行中の状態が続くため、長い実行期間を持ちます。対して、コマンドを一度実行して即終了するコマンドラインツールなどでは、実行中の状態は長くは続きません。

　実行が完了すると、停止の状態に移行します。

停止

実行中のコンテナはユーザが明示的にコンテナを停止[41]するか、コンテナで実行されているアプリケーションが正常・異常を問わず終了した場合に自動的に停止します。

停止により仮想環境としての役割を終えますが、ディスクにコンテナ終了時の状態は保持されています[42]。そのため停止したコンテナは再実行可能です。

破棄

停止したコンテナは明示的に破棄しない限りディスクに残り続けます[43]。頻繁にコンテナの実行・停止を繰り返すような環境ではどんどんディスクを専有していくことになるため、完全に不要なコンテナは破棄することが望ましいです。

一度破棄されたコンテナを再び開始することはできないので、その点には注意が必要です。同じイメージから新しくコンテナを作成したとしても、それぞれのコンテナが開始された時間や実行時間も異なる上に、アプリケーションで実行される処理も異なるため完全に同じ状態を持ったコンテナを新たに作成することは不可能です。

本節におけるDockerコンテナの操作は、このライフサイクルの内いずれかの状態にあるコンテナの操作を行うことを意味します。このことを把握しておけばDockerコンテナの操作の理解も進みやすいはずです。それでは具体的な操作について解説していきます。

2.4.2　docker container run ─ コンテナの作成と実行

docker container runはコンテナイメージからコンテナを作成、実行するコマンドです。コンテナのライフサイクルにおける実行中の状態にするのに使います。

```
docker container run [options] イメージ名[:タグ] [コマンド] [コマンド引数...]
```

```
docker container run [options] イメージID [コマンド] [コマンド引数...]
```

ch02/echo:latestからコンテナをバックグラウンドで実行するには次のようにします。

```
$ docker container run -d -p 9000:8080 ch02/echo:latest
a191fda10d34c99e6d4f52cdcdea07f48e81013d7cded9509541ed244d7e8010
```

-pオプションでホスト側の9000ポートからコンテナ側の8080ポートへポートフォワーディングできるようにしているため、次のようにHTTPリクエストを発行できます。

＊41　具体的にはdocker container stopで止めたときなど。

＊42　docker container ls -aで停止しているものも含め全てのコンテナを確認できます。

＊43　macOSなどホストOSを終了しても残っています。

2. コンテナのデプロイ

```
$ curl http://localhost:9000/
Hello Container!!%
```

Dockerはサーバアプリケーションで利用する例が多いため、必然的に -dオプションや -pプショ
ンの利用は多くなります[44]。

docker container run 時に引数を与える

docker container runにコマンド引数を与えることで、Dockerfileで指定していたCMDを上書き
できます。たとえば、ubuntu:23.10のCMDは /bin/bashが定義されています。そのまま実行すると、
bashシェルに入ります[45]。

コマンド引数としてコンテナに実行させたいコマンド（下の例ではuname -r）を与えて実行する
とCMDを上書きしてこれを実行できます。

```
$ docker container run -it ubuntu:23.10
root@3b04cbd5709c:/#
```

```
$ docker container run -it ubuntu:23.10 uname -r
6.4.16-linuxkit
```

```
~/work/ch02 (4.372s)
docker image pull ubuntu:23.10

23.10: Pulling from library/ubuntu
2f6eed94ce9d: Already exists
Digest: sha256:2cde79b4627d38d1448fc264f93e465f18b653bc9a62ee8ec85d99d4e8f39d4c
Status: Downloaded newer image for ubuntu:23.10
docker.io/library/ubuntu:23.10

~/work/ch02 (19.391s)     #CMDの/bin/bashが実行され、シェルに入る
docker container run -it ubuntu:23.10

root@803fa0f8d5e0:/# uname -a
Linux 803fa0f8d5e0 5.15.49-linuxkit-pr #1 SMP PREEMPT Thu May 25 07:27:39 UTC 2023 aarch64 aarch64 aarch64 GNU/Linux
root@803fa0f8d5e0:/# exit
exit

~/work/ch02 (0.354s)      #CMDの/bin/bashをuname -aで上書き
docker container run -it ubuntu:23.10 uname -a
Linux c825ef97aa8a 5.15.49-linuxkit-pr #1 SMP PREEMPT Thu May 25 07:27:39 UTC 2023 aarch64 aarch64 aarch64 GNU/Linux
```

名前付きコンテナ

docker container runでコンテナを実行する際、docker container lsで表示されるNAMES（コ
ンテナ名）には適当な単語で作られた名前が自動でつけられます。

---

[44]　コマンドラインツールの実行環境としてDockerを使う場合は -iや -t、 --rmといったオプションが頻出します。
[45]　シェルに入るには -itを付けて実行する必要があります。

66

```
~/work/ch02 (0.144s)
docker container ls
CONTAINER ID   IMAGE              COMMAND          CREATED          STATUS         PORTS                     NAMES
a191fda10d34   ch02/echo:latest   "go run main.go" 10 seconds ago   Up 9 seconds   0.0.0.0:9000->8080/tcp    hardcore_keldysh
```

　コンテナの停止といったコンテナを制御するコマンドを実行する際、コンテナIDかコンテナ名を指定する必要があります。しかし、コンテナIDも自動付与されたコンテナ名も実行後になって初めて知ることができる情報です。開発の最中においては同じdockerコマンドをトライアンドエラーで何度も繰り返し実行することはよくあるので、そのたびにdocker container lsを実行してコンテナIDやコンテナ名を確認する手間は省きたいところです。

　この問題を解決するのが**名前付きコンテナ**という機能です。docker container runに --name オプションを付与するとコンテナに任意の名前をつけることができます。名前付きコンテナによりdockerコマンドでのコンテナの指定がしやすくなるため、開発時には非常に便利です。

```
docker container run --name [コンテナ名] [イメージ名]:[タグ]
```

　名前付きコンテナは開発用途でしばしば利用されますが、本番環境ではあまり使いません。同名のコンテナを新たに実行するには既存の同名コンテナを削除[*46]する必要があります。そのため次々とコンテナを実行・停止・破棄する本番環境においての利用には不向きです。

コラム　コマンド実行時の頻出オプション

　Dockerは対話的なLinux実行環境、コマンドラインツールとして使うことも多くあります。こういったユースケースでdocker container runするときに頻出するオプションが -i、-t、--rm、-vの4つです。

　-iはコンテナ起動後にコンテナ側の標準入力を開いたままにします。このためシェルに入ってコマンド実行などができます。実際のケースでは-tとともに使うことが多いでしょう。-tは疑似端末を有効にします。-iがつかないと端末を起動しても入力できないので-i -tもしくは省略形の-itの形で使うことが多いです。

[*46] 破棄状態。

2. コンテナのデプロイ

```
$ docker container run -i ubuntu:23.10
# ターミナルが表示されないが入力できる。echo yay↩
などのフレーズを入力すると反応がある。

$ docker container run -t ubuntu:23.10
# ターミナルが表示され入力もできるが、実際には入力はコンテナに届かない

$ docker container run -it ubuntu:23.10
# ↩
ターミナルが表示されて文字が入力できる。仮想環境にログインしたように使える。
```

　--rmはコンテナ終了時にコンテナを破棄します。1回走らせればその後保持しておく必要がない
コマンドラインツールなどの実行時に使うのに適しています。2.4.5を参照してください。
　-vはホストとコンテナ間でディレクトリ、ファイルを共有するときに使います。3.5.1を参照し
てください。
　これらはWebのDockerの解説記事などで目にすることも多いでしょう。本書では第9章で本格
的に活用します。

2.4.3　docker container ls ─ コンテナの一覧

　docker container lsは実行中のコンテナおよび終了したコンテナの一覧を表示するためのコマ
ンドです。

```
docker container ls [options]
```

　docker container lsの確認用に次のように名前付きコンテナを2つを実行します。

```
$ docker container run -t -d -p 8080 --name echo1 ch02/echo:latest
$ docker container run -t -d -p 8080 --name echo2 ch02/echo:latest
```

　オプションなしでdocker container lsを実行すると現在実行中のコンテナ一覧が表示されます。

```
docker container ls
CONTAINER ID   IMAGE              COMMAND          CREATED         STATUS          PORTS                     NAMES
ff11ac7757b1   ch02/echo:latest   "go run main.go"   5 seconds ago   Up 5 seconds    0.0.0.0:52131->8080/tcp   echo2
6b8373c25339   ch02/echo:latest   "go run main.go"   9 seconds ago   Up 8 seconds    0.0.0.0:52129->8080/tcp   echo1
```

　一覧の表示項目は次のようになっています。docker container lsはコンテナの操作で利用頻度
の高いコマンドです。項目の意味を把握しておきましょう。

コンテナの操作　**2.4**

項目	内容
CONTAINER ID	コンテナに付与される一意のID
IMAGE	コンテナ作成に使用されたコンテナイメージ
COMMAND	コンテナで実行されているアプリケーションのプロセス
CREATED	コンテナが作成されてから経過した時間
STATUS	Up（実行中）、Exited（終了）といったコンテナの実行状態
PORTS	ホストのポートとコンテナポートの紐づけ（ポートフォワーディング）
NAMES	コンテナにつけられた名前

コンテナIDだけを抽出する

docker container lsコマンドで取得できる実行コンテナの情報にはコンテナIDやイメージ等の情報が含まれていますが、-qオプションを付与することでコンテナID（省略形）だけを抽出できます。コンテナの操作全般でコンテナIDを使うため、頻繁に利用するオプションです[47]。

```
$ docker container ls -q
ff11ac7757b1
6b8373c25339
```

filterを使う

docker container lsの結果で特定の条件に一致するものだけを抽出するには--filterオプションを利用します。

```
docker container ls --filter "filter名=値"
```

さまざまなfilterが用意されています。詳細は公式リファレンス[48]を参照してください。

たとえばコンテナ名で抽出するにはdocker container ls --filter "name=echo1"のようにnameフィルターを利用します。

```
docker container ls --filter "name=echo1"
CONTAINER ID   IMAGE            COMMAND          CREATED        STATUS         PORTS                    NAMES
6b8373c25339   ch02/echo:latest "go run main.go"  3 minutes ago  Up 3 minutes   0.0.0.0:52129->8080/tcp  echo1
```

イメージで抽出するにはdocker container ls --filter "ancestor=ch02/echo"のようにancestorフィルターを利用します。ancestorは「祖先」という意味であり、コンテナにとっての祖先であるイメージを指定できます。

---

[47] ここまでもコンテナの停止等に使っています。

[48] https://docs.docker.com/engine/reference/commandline/ps/#filter

69

2. コンテナのデプロイ

```
docker container ls --filter "ancestor=ch02/echo"

CONTAINER ID   IMAGE             COMMAND           CREATED          STATUS          PORTS                    NAMES
ff11ac7757b1   ch02/echo:latest  "go run main.go"  12 minutes ago   Up 12 minutes   0.0.0.0:52131->8080/tcp  echo2
6b8373c25339   ch02/echo:latest  "go run main.go"  12 minutes ago   Up 12 minutes   0.0.0.0:52129->8080/tcp  echo1
```

停止したコンテナを取得する

docker container ls -aのように -aオプションを付与することで、停止したコンテナも含めたコンテナ一覧を取得できます。停止したコンテナの実行時のログを参照したり、再実行するようなケースで利用することになるでしょう。

```
~/work/ch02 (0.255s)
docker container stop echo1
echo1

~/work/ch02 (0.208s)
docker container stop echo2
echo2

~/work/ch02 (0.131s)
docker container ls -a

CONTAINER ID   IMAGE             COMMAND           CREATED          STATUS               PORTS       NAMES
ff11ac7757b1   ch02/echo:latest  "go run main.go"  14 minutes ago   Exited (2) 3 seconds ago          echo2
6b8373c25339   ch02/echo:latest  "go run main.go"  14 minutes ago   Exited (2) 4 seconds ago          echo1
```

2.4.4　docker container stop ― コンテナの停止

実行しているコンテナを終了（停止）するにはdocker container stopコマンドを実行します。

```
docker container stop コンテナIDまたはコンテナ名
```

```
~/work/ch02 (0.282s)
docker container run -d -p 9000:8080 ch02/echo:latest
a8189051c922216575aaaac9a3c5fd7a51d16c556b2054f9c2c08c3bdc762cd9

~/work/ch02 (0.329s)
docker container stop a8189051c922216575aaaac9a3c5fd7a51d16c556b2054f9c2c08c3bdc762cd9
a8189051c922216575aaaac9a3c5fd7a51d16c556b2054f9c2c08c3bdc762cd9
```

名前付きコンテナの場合は次のようになります。

コンテナの操作　**2.4**

```
~/work/ch02 (0.283s)
docker container run -d --name echo ch02/echo:latest
38ff3adb5394c92adab302987bc169c388f9b9a95c1dc0d8efb6082aaf9a23e0

~/work/ch02 (0.278s)
docker container stop echo
echo
```

2.4.5 ___ docker container rm — コンテナの破棄

コンテナを停止させるのは docker container stop コマンドですが、停止したコンテナをディスクから完全に破棄する場合は docker container rm コマンドを使用します。

```
docker container rm コンテナIDまたはコンテナ名
```

たとえば、開発中にコンテナの実行と停止を何回も繰り返すと、次のように停止したコンテナがどんどんたまっていきます。docker container ls --filter "status=exited" で確認できます。

```
docker container ls --filter "status=exited"
CONTAINER ID   IMAGE            COMMAND          CREATED        STATUS                    PORTS    NAMES
38ff3adb5394   ch02/echo:latest "go run main.go"  5 minutes ago  Exited (2) 5 minutes ago           echo
a8189051c922   ch02/echo:latest "go run main.go"  6 minutes ago  Exited (2) 6 minutes ago           peaceful_hamilton
```

コンテナのライフサイクルでも解説したように、コンテナは停止しても状態を持ったままでディスク上に残り続けます。これは明示的に廃棄しない限りは残り続け、コンテナの実行・停止を頻繁に繰り返すような環境だとディスクを専有することにつながります。

また、名前付きコンテナの名前はユニークである必要があり、同名のものは新しく作成できません。その場合はすでにある同一の名前を持つコンテナを先に削除する必要があります。次のように docker container rm に引数でコンテナIDを指定すると、停止したコンテナをディスクから破棄できます。

```
$ docker container rm 38ff3adb5394
38ff3adb5394
```

また、通常 docker container rm コマンドでは実行中のコンテナは破棄できませんが、-f オプションをつけることで実行中のコンテナを停止・削除まで行えます。

71

```
~/work/ch02 (0.302s)
docker container run -d ch02/echo:latest
a7641cd46d8e310b00dd7b2bf5475755535e51bcce14c5c80508588d19761c2e

~/work/ch02 (0.376s)
docker container rm -f a7641cd46d8e310b00dd7b2bf5475755535e51bcce14c5c80508588d19761c2e
a7641cd46d8e310b00dd7b2bf5475755535e51bcce14c5c80508588d19761c2e
```

docker container run --rmで停止の際にコンテナを破棄する

　コンテナ停止後、ディスクに保持しておく必要がないことが自明なユースケースも存在します。停止したコンテナは docker container rm で破棄できますが、一度コンテナを停止してから破棄するのは少し手間です。

　このようなケースでは docker container run コマンドのオプションを利用します。通常コンテナは停止をしてもディスクに残り続けますが、 --rm オプションを付与するとコンテナ実行停止時に破棄できます。

　たとえば、次のような jq のコマンドをコンテナで実行する例を考えます。

```
$ echo '{"version":100}' | jq '.version'
```

　このコマンド実行例をコンテナでも同じように動作させるには次のようにします。 imega/jq:1.6 は jq コマンドを配置したコンテナイメージで、 docker container run 引数に jq の引数を渡せば同様に機能します。

```
$ echo '{"version":100}' | docker container run -i --rm imega/jq:1.6 '.version'
...
100
```

　このようなコマンドラインツールでの利用においては、コンテナを停止後に保持する必要はないので --rm オプションで即時破棄するのが便利です。

　また、 --rm オプションは名前付きコンテナの --name オプションと組み合わせて利用されることも多いです。一度停止した名前付きコンテナと同名のコンテナを再度 docker container run で実行しようとすると、次のように Conflict エラーになるため実行できません。これを回避するには別名で実行するか、停止した名前つきコンテナを破棄するかになりますが、名前付きコンテナを頻繁に実行・停止を繰り返すような場合は --rm オプションをつけておくと良いでしょう。

コンテナの操作　**2.4**

```
~/work/ch02 (0.294s)
docker container run -d --name echo ch02/echo:latest     #名前付きコンテナを実行する
8f6cb4dc49d84164efe7a748a5cf00e82a5a5447ac9b8ac577822573df3981f7

~/work/ch02 (0.15s)
docker container run -d --name echo ch02/echo:latest     #同名コンテナが存在するためエラーとなる
docker: Error response from daemon: Conflict. The container name "/echo" is already in use by container "8f6cb4dc49
d84164efe7a748a5cf00e82a5a5447ac9b8ac577822573df3981f7". You have to remove (or rename) that container to be able t
o reuse that name.
See 'docker run --help'.
```

2.4.6　docker container logs ― ログ（標準ストリーム出力）の取得

docker container logsコマンドでは実行している特定のコンテナのログ（標準ストリーム出力[49]）を表示できます。標準ストリーム出力されているものだけが表示されるため、コンテナの中でアプリケーションがファイルに出力したようなログは表示されないことに注意が必要です。

一般的にコンテナにおけるログとは、コンテナに標準ストリーム出力として出されるものを指します。

```
docker container logs [options] コンテナIDまたはコンテナ名
```

-fオプションをつけると、標準ストリーム出力の取得をし続けます[50]。

ch02/echo:latestイメージを利用して名前付きのecho-debugコンテナを作り、docker container logs -fで標準ストリーム出力を待ちます。続いて9000ポートに対してHTTPリクエストを送信すると、Received requestが表示されます。

```
$ docker container run -d -p 9000:8080 --rm --name echo-debug ch02/echo:latest
b6ab53d4e64bfee236d312bc1eaef64f4e79eac7606329439398612cea021db2

$ docker container logs -f echo-debug
2023/06/15 17:13:07 Start server
2023/06/15 17:13:07 Received request
```

実際にアプリケーションを運用する段階においては、9.1.3で紹介するように実行中のコンテナのログを収集してWebブラウザやコマンドラインで閲覧するためのツールがあるため、docker container logsを利用するケースは少ないでしょう。しかし、このような仕組みがない環境においてはデバッグ用途で役に立ちます。

2.4.7　docker container exec ― 実行中コンテナでのコマンド実行

---

[49]　標準出力と標準エラー出力のこと。

[50]　tail -fコマンドのようなものです。

73

2. コンテナのデプロイ

docker container exec コマンドでは実行しているコンテナの中で任意のコマンドを実行できます。docker container exec を実行したいコンテナ ID、またはコンテナ名を指定し、その次の引数に実行したいコマンドを指定します。

```
docker container exec [options] コンテナIDまたはコンテナ名 ↩
コンテナ内で実行するコマンド
```

試しに echo-debug コンテナ内で pwd コマンドを実行してみましょう。このコンテナはカレントディレクトリが /go/src/github.com/gihyodocker/echo で実行されているため、このパスが出力されます。

```
$ docker container exec echo-debug pwd
/go/src/github.com/gihyodocker/echo
```

docker container exec を利用すると、あたかもコンテナの中に SSH でログインしたかのようにコンテナ内部を操作可能です。コンテナ内で実行するシェルコマンド（sh や bash）を対話的に実行すれば良いわけです。標準入力を開いたままにする -i オプションと、仮想ターミナルを割り当てるオプション -t を組み合わせることでコンテナをシェル経由で操作できます。この用途の場合は -it オプションを無条件でつけると覚えておくと良いでしょう。

```
$ docker container exec -it echo-debug sh
# pwd
/go/src/github.com/gihyodocker/echo
```

このように docker container exec はコンテナ内の状態確認やデバッグ用途で利用されます。ただし、コンテナ内のファイルを変更したりするような利用はアプリケーションに意図しない副作用をもたらす可能性もあるため、本番環境での利用は極力避けるべきです。

2.4.8 docker container cp — ファイルのコピー

docker container cp を利用すると、コンテナ間、コンテナ・ホスト間でファイルのコピーができます。Dockerfile の COPY はイメージビルド時にホストからファイルをコピーするために利用されますが、docker container cp は実行中のコンテナとのファイルのやりとりのために使用します。

```
docker container cp [options] コンテナIDまたはコンテナ名:コンテナ内のコピー元 ↩
ホストのコピー先
```

```
docker container cp [options] ホストのコピー元 コンテナIDまたはコンテナ名:↵
コンテナ内のコピー先
```

コンテナ内にある /go/src/github.com/gihyodocker/echo/main.go をホストのカレントディレク
トリにコピーするには次のようにします。

```
$ docker container cp echo-debug:/go/src/github.com/gihyodocker/echo/main.go .
Successfully copied 2.56kB to /Users/stormcat/work/ch02/.
```

ホスト側からコンテナへコピーする場合は逆向きに指定します。

```
$ echo "gihyo" > dummy.txt

$ docker container cp dummy.txt echo-debug:/tmp
Successfully copied 3.07kB to echo-debug:/tmp

$ docker container exec echo-debug ls /tmp | grep dummy
dummy.txt
```

docker container cp はコンテナの中で生成されたファイルをホストにコピーして確認するよう
なデバッグ用途でのユースケースが代表的です。また、破棄されていない終了したコンテナに対し
ても実行できます。

2.5 運用管理向けコマンド

ここまではイメージ、コンテナの2つの観点から代表的なコマンドを見てきました。コマンド解
説の最後にDockerを運用・管理する上で有用なコマンドを紹介します。

2.5.1 prune — 破棄

長期間Dockerを利用し続けると多くのDockerコンテナやイメージがディスクを専有していきま
す。そのような場合には各種の prune コマンドを使って不要なイメージやコンテナを一括削除でき
ます。

docker container prune

docker container prune では実行していないコンテナを一括で削除できます。

docker container ls -a では、停止したものも含めてコンテナの一覧が表示されます。停止し
たコンテナはまだディスクに保存されているため、ログ参照やコンテナの再利用（docker contain

er restart）が可能です。こういった特徴は検証などに役立ちますが、実際は停止したコンテナの多くは不要です。定期的に削除すると良いでしょう。

```
docker container prune [options]
```

確認を求められるのでyを入力して同意すると一括削除が実行されます。

```
$ docker container prune
WARNING! This will remove all stopped containers.
Are you sure you want to continue? [y/N] y
Deleted Containers:
783f5d43a2d851f3d7378374e482de00bef141595f7ac8ca49ebca5926fdb36b
59b9e5c5030df09c59a78124eca0a920381789f9041aaf6840f2335ae8635426

Total reclaimed space: 254.6MB
```

docker image prune

コンテナと同様、コンテナイメージもどんどん蓄積されていきます。ビルドの度に差分である<none>のイメージが残り、ディスクを専有するため定期的に削除しましょう。docker image pruneで不要なイメージを削除します。

```
docker image prune [options]
```

```
$ docker image prune
WARNING! This will remove all dangling images.
Are you sure you want to continue? [y/N] y
Deleted Images:
deleted: sha256:29fcdbba3e96fca723aa2f23f286f822edeb7fc0fb30f91db169181501fa42cd

Total reclaimed space: 0B
```

--allオプションをつけて実行すると全てのイメージを一括削除できます。一括削除後にdocker image lsするといくつかのイメージは残ることがあります。これらはDockerが自動で判断して残しています。実行中コンテナのイメージであるなど、必ず残されている理由が存在します。

docker system prune

利用されていないコンテナやイメージ、ボリューム、ネットワークといった全てのリソースを一括で削除するにはdocker system pruneを利用します。

```
$ docker system prune
WARNING! This will remove:
  - all stopped containers
  - all networks not used by at least one container
  - all dangling images
  - all dangling build cache
Are you sure you want to continue? [y/N]
```

2.5.2 docker container stats — 利用状況の取得

コンテナ単位でのシステムリソースの利用状況を知るには docker container stats を利用します。UNIX系OSにおける top コマンドの Docker 版のようなものです[51]。

```
docker container stats [options] [表示するコンテナID...]
```

```
~/work/ch02
docker container stats

CONTAINER ID   NAME                 CPU %    MEM USAGE / LIMIT    MEM %    NET I/O       BLOCK I/O     PIDS
b1c70792c4e1   determined_mendel    0.00%    87.34MiB / 7.765GiB  1.10%    796B / 0B     0B / 132MB    19
69001c4c3f92   amazing_babbage      0.00%    87.49MiB / 7.765GiB  1.10%    796B / 0B     0B / 132MB    20
cc021b557e97   xenodochial_joliot   0.00%    85.19MiB / 7.765GiB  1.07%    1.01kB / 0B   0B / 132MB    19
```

2.6 Docker Compose

前節までは Docker の基本的な扱い方を紹介してきました。コンテナイメージの作成や、コンテナレジストリにあるイメージを利用してのコンテナの実行、ホストマシンのポートをコンテナへポートフォワーディングするといった操作についてです。これらはいずれも重要な基礎知識です。

しかし、果たして基本操作だけで Docker を利用した実践的なシステムを構築していけるだけのイメージは膨らんだでしょうか？　おそらく多くの読者がそうは感じないでしょう。

一般に、システムは単一のアプリケーションやミドルウェアだけでは成り立ちません。Web アプリケーションであればリバースプロキシの役割を果たすフロントエンドの Web サーバを配置し、その背後にはビジネスロジックを持つアプリケーションサーバが存在し、データストアや別のアプリケーションと通信することで完成しているはずです。複数のアプリケーションの連携、通信やそれぞれの依存関係で一つのシステムとして成立するのです。

すでに解説したように、コンテナはアプリケーションのデプロイに特化した技術です。コンテ

---

[51]　docker top というコンテナで実行中のプロセスを確認できるコマンドも存在します。混同しないよう注意してください。

2. コンテナのデプロイ

ナ＝単一のアプリケーションと言い換えましょう。仮想サーバとは対象とする粒度が異なります。

アプリケーションどうしの連携がなければ実用的なシステムは作れません。つまり、コンテナでシステムを構築するということは、複数存在するコンテナどうしが通信し、かつコンテナがコンテナの依存を持つはずです。

こういったシステムを組む上では、単一のコンテナでは問題とならなかった部分に注意を払う必要があります。コンテナの挙動を制御するための設定ファイルや環境変数をどのように与え、コンテナどうしの依存関係を意識し、どのようなポートフォワーディングをするか、これらの要素を適切に管理し運用しなくてはいけません。

こういったシステムをコンテナで作ろうと思ったとき、基本操作を知るだけでは難しいでしょう。

2.6.1 Docker Composeによる単一コンテナの実行

そこで**Docker Compose**[52]の登場です。Composeはyaml形式の設定ファイルで、複数のコンテナ実行を一括で管理できます。

さっそく利用してみましょう。Docker Desktopをローカル環境にインストールしていれば、docker composeコマンドですぐに使えます。

```
$ docker compose version
Docker Compose version v2.18.1
```

まずは1つのコンテナを実行してみましょう。次の実行例と同じものをComposeで作成します。

```
$ docker container run -d -p 9000:8080 ghcr.io/gihyodocker/echo:v0.1.0
```

~/work/ch02/echo/ディレクトリにcompose.yamlというファイルを作成し、**リスト2.4**のように記述します。これで、上述のdocker container run ...と同等のことをやっています。先頭のversion: "3.9"はcompose.yamlのファイルフォーマットのバージョンを宣言しています[53]。例として、本章で作成したghcr.io/gihyodocker/echo:v0.1.0のコンテナイメージをComposeで利用しています。

リスト2.4　echoコンテナを実行するcompose.yaml

~/work/ch02/echo/compose.yaml

```
version: "3.9"

services:
  echo:
    image: ghcr.io/gihyodocker/echo:v0.1.0
```

＊52　以後**Compose**と表記。コマンドについてはdocker-composeと表記しています。

＊53　3.x系はファイルの記述定義のうち安定して利用できる最新版です。

```
      ports:
        - 9000:8080
```

　compose.yamlの内容を見ていきましょう。services要素のechoはコンテナの名前の定義であり、さらにその1つ下の階層が実行するコンテナの定義です。image要素はコンテナイメージ、portsではポートフォワーディングを指定しています。

　これを利用してコンテナを実行します。compose.yamlを作成したディレクトリで、定義をもとにコンテナ群を起動するdocker compose upを実行します。ここでは-dオプション[*54]をつけてバックグラウンド起動するようにしています。

```
(~/work/ch02/echo) $ docker compose up -d
```

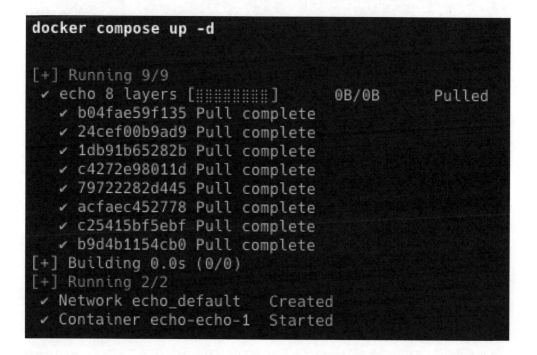

　docker container lsで確認してみましょう。Compose経由で実行したコンテナが実行されています。

[*54]　-dはバックグラウンド実行用の起動オプションです。

2. コンテナのデプロイ

コンテナを停止させましょう。`docker compose down`で`compose.yaml`に定義しているコンテナを全て停止・削除できます。停止したいコンテナIDを必要とする`docker container stop`よりも簡単です。

```
(~/work/ch02/echo) $ docker compose down
```

```
docker compose down

[+] Running 2/1
 ✔ Container echo-ch02-echo-1   Removed
 ✔ Network echo-ch02_default    Removed
```

Composeではすでにあるコンテナイメージだけではなく、`docker compose up`時にイメージのビルドも一緒に行い、そのままできあがったイメージを実行できます。先ほど作成した`compose.yaml`を編集します。

ここでの`compose.yaml`には`image`属性を指定するのではなく、`build`属性としてDockerfileが存在するディレクトリの相対パスを指定します。この例では同じ階層に存在しているので.（カレントディレクトリ）を指定します。

リスト2.5　イメージビルド後にコンテナを実行するcompose.yaml

`~/work/ch02/echo/compose.yaml`

```
version: "3.9"

services:
  echo:
    build: .
    ports:
      - 9000:8080
```

再び`docker compose up -d`を実行します。すでにComposeでイメージをビルドされている場合はビルドを省略してコンテナを実行しますが、`--build`オプションをつけることで、`docker compose up`の際に必ずイメージのビルドをさせることができます。開発で頻繁にイメージを更新して実行するような場合では`--build`オプションをつけておくと良いでしょう。

```
docker compose up -d --build
[+] Building 0.7s (10/10) FINISHED
 => [echo internal] load .dockerignore
 => => transferring context: 2B
 => [echo internal] load build definition from Dockerfile
 => => transferring dockerfile: 221B
 => [echo internal] load metadata for docker.io/library/golang:1.20.5
 => [echo 1/5] FROM docker.io/library/golang:1.20.5@sha256:6b3fa4b908676231b50acbbc00e84d8cee9c6ce072b1175c0ff352c57d8a612f
 => [echo internal] load build context
 => => transferring context: 66B
 => CACHED [echo 2/5] WORKDIR /go/src/github.com/gihyodocker/echo
 => CACHED [echo 3/5] COPY main.go .
 => CACHED [echo 4/5] RUN go mod init
 => CACHED [echo 5/5] RUN echo "hogehoge"
 => [echo] exporting to image
 => => exporting layers
 => => writing image sha256:d4bca9e25cd851858a17d896ce2260f2a91f1479e106d70d4cf18a3353d1e451
 => => naming to docker.io/library/echo-ch02-echo
[+] Running 2/2
 ✔ Network echo-ch02_default    Created
 ✔ Container echo-ch02-echo-1   Started
```

2.6.2　Composeによる複数コンテナの実行

　compose.yamlを記述することで、これまでdockerコマンドで行っていたコンテナの実行構成を設定ファイルとして管理できるようになりました。これだけでも有用ですが、Composeでの構成管理が真価を発揮するのは複数のコンテナを実行する場合です。

　Composeでの複数コンテナ実行における基本的な要素を押さえるために、echoサーバとnginxを連携させるシンプルな構成を実現していきましょう。

複数コンテナの構成

　前節ではechoサーバに対して直接HTTPリクエストを送っていました。ここでは次のようにechoサーバの前段にリバースプロキシとしてnginxを配置する構成を考えます。

図2.5　nginxコンテナとechoコンテナの構成

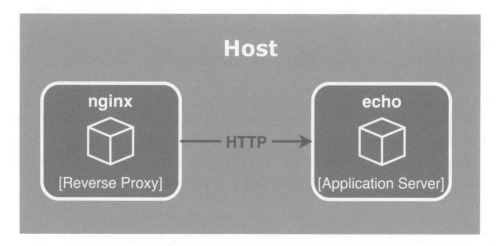

2. コンテナのデプロイ

次の作業ディレクトリを作成し、その中で進めていきます。

```
$ mkdir -p ~/work/ch02/nginx-echo
```

作業ディレクトリに**リスト2.6**のようなcompose.yamlを作成します。echoコンテナのイメージとしてghcr.io/gihyodocker/echo:v0.1.0を利用します。

リスト2.6 echoコンテナを定義したcompose.yaml

`~/work/ch02/nginx-echo/compose.yaml`

```yaml
version: "3.9"

services:
  echo:
    image: ghcr.io/gihyodocker/echo:v0.1.0
```

今回はnginxからechoコンテナに対してコンテナ間通信をするため、ポートフォワードの設定は不要です。次にリバースプロキシとなるnginxを構成していきましょう。

nginxコンテナの構成

nginxコンテナはDocker Hubに公開されているnginx:1.25.1をベースイメージとして利用します。nginxをechoサーバのリバースプロキシとして動作させるには、いくつかの設定が必要となります。そこで、nginxコンテナにデフォルトでどのような設定ファイルが配置されているか確認します。次のようにnginxコンテナを実行し、bashで操作してみましょう。

```
$ docker container run -d --name nginx --rm nginx:1.25.1
762bba0446bc53ffc2553badbc500290d46a0924b2304276b5304c6b75df11a4

$ docker container exec -it nginx bash
root@762bba0446bc:/#
```

/etc/nginxがnginxの設定ファイルのルートディレクトリです。

●———/etc/nginx.conf

コンテナ内に/etc/nginx.confというnginxの基本設定ファイルがあります。**リスト2.7**の内容はcatコマンドで確認できます。

Webサーバとしての基本的な設定がされていますが、重要なのはincludeの部分です。/etc/nginx/conf.dディレクトリにconf拡張子で配置された設定ファイルを全てロードすることを示しています。

リスト 2.7　nginxコンテナ内の/etc/nginx/nginx.conf

```
user  nginx;
worker_processes  auto;

error_log  /var/log/nginx/error.log notice;
pid        /var/run/nginx.pid;


events {
    worker_connections  1024;
}


http {
    include       /etc/nginx/mime.types;
    default_type  application/octet-stream;

    log_format  main  '$remote_addr - $remote_user [$time_local] "$request" '
                      '$status $body_bytes_sent "$http_referer" '
                      '"$http_user_agent" "$http_x_forwarded_for"';

    access_log  /var/log/nginx/access.log  main;

    sendfile        on;
    #tcp_nopush     on;

    keepalive_timeout  65;

    #gzip  on;

    include /etc/nginx/conf.d/*.conf;
}
```

　/etc/nginx/conf.dディレクトリには、default.confというnginxのデフォルトページを返すための設定ファイルだけが配置されています[55]。

　nginxをechoサーバへのリバースプロキシとして機能させるためにはいくつかの設定が必要であり、これの設定ファイルをコンテナの/etc/nginx/conf.dディレクトリに配置すれば良いことがわかります。

　設定ファイルはイメージビルドの際にコンテナの/etc/nginx/conf.dディレクトリに設定ファイルをコピーすることになります。ローカルの作業ディレクトリにnginxディレクトリを作成し、その下にさらに/etc/nginx/conf.dディレクトリを作成しておきます[56]。

＊55　内容は割愛します。

＊56　nginx 配下のディレクトリをコンテナの設定ファイルディレクトリと同じパスにしておくことで、DockerfileでCOPYを書きやすくなります。

2. コンテナのデプロイ

```
.
├── nginx
│   └── etc
│       └── nginx
│           └── conf.d
└── compose.yaml
```

● ──── /etc/nginx/conf.d/upstream.conf

echoサーバへのリバースプロキシを実現するための設定ファイルを作ります。nginxではupstreamディレクティブを**リスト2.8**のように記述することでリバースプロキシ先のサーバ情報を設定できます[57]。upstream.confという名称で配置されることが多いです。

リスト2.8　nginxコンテナ内の/etc/nginx/conf.d/upstream.conf

`~/work/ch02/nginx-echo/nginx/etc/nginx/conf.d/upstream.conf`

```
upstream echo {
    server echo:8080 max_fails=3 fail_timeout=10s;
}
```

echoサーバのアドレスがecho:8080になっていることが気になったのではないでしょうか。Composeにおいてコンテナ間通信をする際は、compose.yamlのservicesで定義した名称による名前解決が可能です。echoコンテナは8080ポートを開いているため、echo:8080となるわけです。

upstream.confは次のように ./nginx/etc/nginx/conf.dディレクトリに配置します。

```
.
├── nginx
│   └── etc
│       └── nginx
│           └── conf.d
│               └── upstream.conf
└── compose.yaml
```

● ──── /etc/nginx/conf.d/echo.conf

echoサーバへのリバースプロキシを実現するためのバーチャルホストの設定も必要です。**リスト2.9**のようにserverディレクティブを定義します。

リスト2.9　nginxコンテナ内の/etc/nginx/conf.d/echo.conf

`~/work/ch02/nginx-echo/nginx/etc/nginx/conf.d/echo.conf`

```
server {
    listen 80;
    server_name echo.gihyo.local;
```

───────────────────────────────

＊57　max_failsとfail_timeoutはヘルスチェックの設定。

```
    location / {
        proxy_pass http://echo;
        proxy_set_header Host $host;
        proxy_set_header X-Forwarded-For $remote_addr;
        access_log  /dev/stdout main;
        error_log   /dev/stderr;
    }
}
```

`listen 80`は80ポートでHTTPリクエストを待ち受けるという設定です。

`server_name echo.gihyo.local`はリクエストホスト名を定義します。ここに定義したホストでリクエストを受けた場合のみ、このディレクティブの設定が適用されます[58]。これはバーチャルホスト機能の特徴です。

`location /`では全てのリクエストパスをリバースプロキシ先に転送することを示しています。`proxy_pass`はリバースプロキシ先であり、**リスト 2.8**において`upstream`ディレクティブの名称である`echo`を参照できるため、`http://echo`としています。

`echo.conf`は次のように`./nginx/etc/nginx/conf.d`ディレクトリに配置します。

```
.
├── nginx
│   └── etc
│       └── nginx
│           └── conf.d
│               ├── upstream.conf
│               └── echo.conf
└── compose.yaml
```

●──── nginx の Dockerfile を作る

設定ファイルの準備ができたので、これらをコンテナに含めるためのDockerfileを作成します。

リスト 2.10のように`FROM`にはベースイメージである`nginx:1.25.1`を、`COPY`で作業ディレクトリに配置した設定ファイルをコンテナ側の`/etc/nginx/conf.d`へコピーします。

リスト 2.10　nginxのDockerfile

`~/work/ch02/nginx-echo/nginx/Dockerfile`

```
FROM nginx:1.25.1

COPY ./etc/nginx/conf.d/* /etc/nginx/conf.d/
```

Dockerfileは次のように作業ディレクトリの`./nginx`ディレクトリに配置します。

＊58　Host: echo.gihyo.localのリクエストヘッダが付与された際も同様。

2. コンテナのデプロイ

```
.
├── nginx
│   ├── Dockerfile
│   └── etc
│       └── nginx
│           └── conf.d
│               ├── echo.conf
│               └── upstream.conf
└── compose.yaml
```

compose.yamlを完成させる

compose.yamlにnginxコンテナの構成を**リスト2.11**のように定義して完成させましょう。

リスト2.11　compose.yamlの完成形

```
                                          ~/work/ch02/nginx-echo/compose.yaml
version: "3.9"

services:
  echo:
    image: ghcr.io/gihyodocker/echo:v0.1.0

  nginx:
    # nginxディレクトリをコンテキストにし、イメージをビルドする
    build: ./nginx
    # コンテナ間通信をするため、echoコンテナへの依存を追加
    depends_on:
      - echo
    # ホストの9000ポートをnginxの80ポートにフォワード
    ports:
      - "9000:80"
```

nginxのイメージはCompose起動時にビルドするようにbuildで作業ディレクトリの ./nginx を指定しています[59]。

depends_onではコンテナの依存関係を定義できます。別のコンテナへの依存を追加することで、nginxからechoへのコンテナ間通信が可能になります。

最後に、ホストの9000番ポートをnginxの80番ポートへフォワードします[60]。

Composeで複数コンテナを実行する

作業ディレクトリのルートで次のようにdocker compose up -dを実行します。

＊59　別途docker image buildをして、イメージ名を指定しても問題ありません。

＊60　環境によっては、ホストマシンの80ポートへのポートフォワードがセキュリティ上の制限でできないこともあるため避けています。

```
~/work/ch02/nginx-echo (6.039s)
docker compose up -d

[+] Running 9/9
 ✔ echo 8 layers [████████]       0B/0B        Pulled
    ✔ b04fae59f135 Already exists
    ✔ 24cef00b9ad9 Already exists
    ✔ 1db91b65282b Already exists
    ✔ c4272e98011d Already exists
    ✔ 79722282d445 Already exists
    ✔ acfaec452778 Already exists
    ✔ c25415bf5ebf Pull complete
    ✔ b9d4b1154cb0 Pull complete
[+] Building 2.8s (8/8) FINISHED
 => [nginx internal] load .dockerignore
 => => transferring context: 2B
 => [nginx internal] load build definition from Dockerfile
 => => transferring dockerfile: 138B
 => [nginx internal] load metadata for docker.io/library/nginx:1.25.1
 => [nginx auth] library/nginx:pull token for registry-1.docker.io
 => [nginx internal] load build context
 => => transferring context: 370B
 => [nginx 1/2] FROM docker.io/library/nginx:1.25.1@sha256:593dac25b7733ffb7afe1a72649a43e574778bf025ad60514ef40f6b5d606247
 => => resolve docker.io/library/nginx:1.25.1@sha256:593dac25b7733ffb7afe1a72649a43e574778bf025ad60514ef40f6b5d606247
 => CACHED [nginx 2/2] COPY ./etc/nginx/conf.d/* /etc/nginx/conf.d/
 => [nginx] exporting to image
 => => exporting layers
 => => writing image sha256:77bed6a5c8035857c8d7d394e3247d9f7978ad54bb020aac7d42e80f391304a8
 => => naming to docker.io/library/nginx-echo-nginx
[+] Running 3/3
 ✔ Network nginx-echo_default    Created
 ✔ Container nginx-echo-echo-1   Started
 ✔ Container nginx-echo-nginx-1  Started
```

9000ポートでHTTPリクエストを待ち受けているので、curlで次のようにリクエストを送信します。バーチャルホストの設定でHostヘッダがecho.gihyo.localが必要であるためこれを付与します[61]。

```
$ curl -H 'Host: echo.gihyo.local' http://localhost:9000
Hello Container!!%
```

このようにComposeを利用して、nginxをリバースプロキシとしたシステムを構築できました。

しかし、ここで紹介した複数コンテナ構成は非常にシンプルなのもあり、基本的な機能の紹介にとどまります。実際の開発においては、それぞれのアプリケーションの設定はもっと細かく制御しますし、コンテナ間の連携においてもケアすべきことがあります。

Composeを本番環境で利用するケースはあまり見受けられませんが、ローカル開発環境の統一の用途では広く利用されています。

次章からはより実践的なアプリケーションとコンテナの考え方の基本を学び、複数のコンテナを協調させた複合的なシステムの作り方を実際に体験していきましょう。

＊61　Hostヘッダを付与しない場合は/etc/hostsにecho.gihyo.local 127.0.0.1を追加します。

3.

実用的なコンテナの構築とデプロイ

3. 実用的なコンテナの構築とデプロイ

前章ではコンテナイメージのビルドやコンテナの実行、簡単なデプロイについて触れました。本章では、より実用的なコンテナの構築とデプロイについて解説します。

コンテナをどのような粒度で作成・実行していくか、ポータビリティを意識したコンテナフレンドリなアプリケーションの作り方、クレデンシャル（秘匿情報）や永続化対象データの扱い方について学習します。

3.1 アプリケーションとコンテナの粒度

コンテナを利用して一つのシステムを作る場合、自分で作成したアプリケーションのコンテナだけでなく、コンテナレジストリに公開されているアプリケーションやミドルウェアのイメージから作成したコンテナと協調させるスタックを構築することが多いです（図3.1）。

図3.1　Webアプリケーションをコンテナで構成するスタックの例

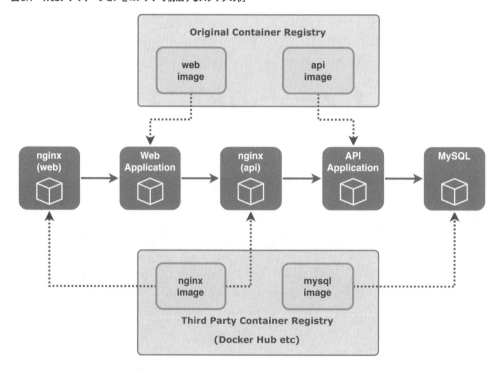

本番環境で実際に運用することを考えると同じコンテナを複製して複数のホストに配置させたりということも珍しくはありません。

図3.2　複製して複数ホストに配置されるコンテナの例

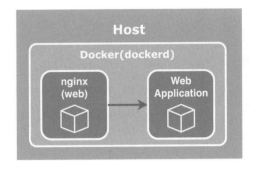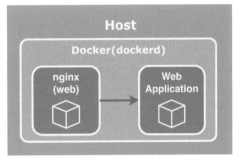

　実運用ではアプリケーションをコンテナの中にどのように配置するかを意識することが重要です。「1つのコンテナにどれだけの役割を担わせるべきか？」、「細かく役割を分割したが、システム全体として複雑になっていないか？」、といったようにさまざまな側面からアプリケーションとコンテナの粒度が適切かどうかを考えていく必要があります。

　それでは、実際にどのような粒度でコンテナを構築していくべきでしょうか？

3.1.1　1コンテナ＝1プロセス？

　第1章、第2章で説明したように、コンテナ型仮想化技術はアプリケーションのデプロイに特化しています。アプリケーションとファイルシステムをコンテナという単位で分離したようなものです。

　この考え方にのっとると、Webサーバや、ワーカー型の常駐アプリケーションのプロセスにつき1つのコンテナを用意する方式、すなわち**1コンテナ＝1プロセス**が良さそうに思えるかもしれません。Dockerの黎明期において、**1コンテナ＝1プロセス**を厳守すべきという考え方は一部のユーザの間で存在し、しばしば議論の対象になっていました。

　果たしてこの考え方は妥当でしょうか？　次のユースケースを通して考察してみましょう。

定期的にジョブを実行するアプリケーション

　定期的にジョブを実行するようなアプリケーションを考えてみましょう。

　スケジューラとジョブが一体となったアプリケーションを作るなら、1コンテナ＝1プロセスを実現できそうです。しかし、都合よくスケジューラも併せ持つアプリケーションばかりではありません。多くは、スケジューラは外部に持つでしょう。今回の例もアプリケーションはスケジューラ機能を持たないものとします。

3. 実用的なコンテナの構築とデプロイ

図3.3 cronでのJobの実行イメージ

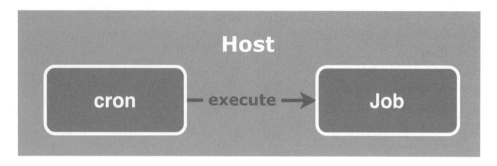

スケジューラを持たないアプリケーションで定期的なジョブの実行にはcronの利用を選択するのが自然です[*1]。

cronは1つの常駐プロセスとして動作し、スケジューラによって実行されるジョブも1つのプロセスとして動作します。

もし**1コンテナ＝1プロセス**の方式にのっとれば、cronで1つのコンテナ、ジョブでさらに1つのコンテナを構成すべきということになります。これを実現するイメージとして次のような手法が考えられます。

- ジョブコンテナ側にジョブの実行のトリガーとなるようなAPIを用意し、cronコンテナからコンテナ間通信でこのAPIをコールすることで実行する
- cronコンテナ上にDockerを構築して、そのうえでジョブコンテナを実行する[*2]

実現しようと思えば不可能ではないですが、これではあまりにも複雑になりすぎです。

シンプルに1つのコンテナでcronとジョブを実行する方法を試してみましょう。cronが実行されているコンテナで、シェルスクリプト（ジョブ）を実行するコンテナを次のようなディレクトリ構成で作ります。

```
~/work/ch03
└── cronjob
    ├── Dockerfile
    ├── cron-example
    └── task.sh
```

task.sh(**リスト3.1**)は時刻に加えて「Hello!」を標準出力に出力します。

[*1] cronではなくsystemdのtimer機能の利用も増えています。
[*2] この方法論はdind=Docker in Dockerと呼ばれています。

リスト3.1　cronで実行するシェルスクリプト

~/work/ch03/cronjob/task.sh

```
#!/bin/sh
echo "[`date`] Hello!"
```

　cron-example(**リスト3.2**)はcronの定義ファイルで、task.shを毎分実行します。/proc/1/fd/1 2>&1へリダイレクトすることでコンテナの標準出力で結果を確認できます。

リスト3.2　cronの定義ファイル

~/work/ch03/cronjob/cron-example

```
* * * * *          root  sh /usr/local/bin/task.sh > /proc/1/fd/1 2>&1
```

　最後にDockerfile(**リスト3.3**)です。ubuntu:23.10のイメージを利用しパッケージマネージャapt でcronをインストールしています。task.shとcron-exampleをコンテナ内に追加し、cron-example には644でパーミッションを設定します。

　CMDにはフォアグラウンドで同期的に動くコマンドを指定します。コンテナはCMDで指定したコマンドが同期的に動き続ける限り停止しません。

　通常、cronはサービスとして登録しバックグラウンドで実行させますが、cronをコンテナで動かし続けるためにはフォアグラウンドで実行する必要があります。cronコマンドに-fオプションをつけると、フォアグラウンドで実行できます[*3]。

リスト3.3　cronを実行するコンテナイメージのDockerfile

~/work/ch03/cronjob/Dockerfile

```
FROM ubuntu:23.10

RUN apt update
RUN apt install -y cron

COPY task.sh /usr/local/bin/
COPY cron-example /etc/cron.d/
RUN chmod 0644 /etc/cron.d/cron-example

CMD ["cron", "-f"]
```

　この状態でコンテナイメージをビルドしましょう。docker image build -t ch03/cronjob:latest .を実行します。

＊3　コンテナの終了を防ぐテクニックの一つとして、tail -f /dev/nullを実行する手法があります。ただし、外側からdocker container stopなどでSIGTERMを送って止めようとしたとき、SIGTERMでtailが終了しないためdocker container stopの10 秒のタイムアウトが経過するまでコンテナが完全に終了しないという問題もあります。

3. 実用的なコンテナの構築とデプロイ

```
docker image build -t ch03/cronjob:latest .

[+] Building 2.4s (12/12) FINISHED
 => [internal] load build definition from Dockerfile
 => => transferring dockerfile: 255B
 => [internal] load .dockerignore
 => => transferring context: 2B
 => [internal] load metadata for docker.io/library/ubuntu:23.10
 => [auth] library/ubuntu:pull token for registry-1.docker.io
 => [1/6] FROM docker.io/library/ubuntu:23.10@sha256:bd1e0eb3171a6e499c84211e73c4f5f5b2a585507256f772f5c4f4420a3d8591
 => [internal] load build context
 => => transferring context: 133B
 => CACHED [2/6] RUN apt update
 => CACHED [3/6] RUN apt install -y cron
 => CACHED [4/6] COPY task.sh /usr/local/bin/
 => CACHED [5/6] COPY cron-example /etc/cron.d/
 => CACHED [6/6] RUN chmod 0644 /etc/cron.d/cron-example
 => exporting to image
 => => exporting layers
 => => writing image sha256:486f11e316286d08001087e6af5723c084c346ae376cd036c73871ee476aadda
 => => naming to docker.io/ch03/cronjob:latest
```

できあがったイメージを実行してみましょう。

```
$ docker container run -d --rm --name cronjob ch03/cronjob:latest
f17e2bb860d31d7b4e3b528c403fdbd8438e2263e1e93c49d6b6cb9e093c90ec
```

実行中のコンテナ内のログ出力を -f オプションで待ち受け状態にして見てみると、 task.sh が出力した文字列が1分ごとに追記されていくことがわかります。

```
$ docker container logs -f cronjob
[Sun Jun 18 05:53:01 UTC 2023] Hello!
[Sun Jun 18 05:54:01 UTC 2023] Hello!
```

1コンテナ内でcronとジョブのスクリプトの2つのプロセスを実行することで、定期的なジョブの実行が実現できました。無理にコンテナを独立させるよりも見通しが良くなります。

1コンテナ＝1プロセスの方式より、無理せず1つのコンテナで複数のプロセスを実行する、この方式の方がシンプルに完結するユースケースも多いのです。

子プロセスまで意識するのは本末転倒

プロセスを過剰に意識しすぎるとコンテナをうまく使えません。

cronとジョブのユースケースはシンプルな例です。もう少し実践的なケースも考えてみます。Apache httpd ならクライアントからリクエストを受けるたびに master プロセスが子プロセスを fork することもありますし、nginx は master プロセスに加え worker プロセスやキャッシュマネジメントプロセスも存在します。

このようなケースにおいてまで**1コンテナ＝1プロセス**を守ろうとするのは難しすぎます。デプロイのしやすさを得るためにコンテナ技術を利用しているのに本末転倒です。用途によっては結果的に1コンテナ＝1プロセスになるケースもありますが、これを絶対条件と認識しないようにスタックを構築していくことが重要です。

3.1.2　1コンテナに1つの関心事

1コンテナ=1プロセスの考え方でアプリケーションを構築していくのは、無理があるケースも存在するとわかりました。Dockerはこの問題についてどのように考えているでしょう？　実はDockerの公式ドキュメントにある「General best practices for writing Dockerfiles」[4]において、次のように公式的な見解が示されています。

> Each container should have only one concern

> コンテナは1つの関心事だけに集中すべきだ

1つの関心事、これは1つのコンテナはある1つの役割（ロール）や問題領域（ドメイン）のみにフォーカスするべきであるということに他なりません。

オーソドックスなWebアプリケーションのスタックを考えるとどうでしょう。非コンテナスタックにおいてはリバースプロキシ、アプリケーション、データストアがそれぞれ独立して役割を果たしてシステム全体を構成することが多いです。この粒度であれば、そのままコンテナ化しても違和感はないでしょう。多くのトラフィックをさばく場合、コンテナなら、図3.4のようなリバースプロキシ・アプリケーション・データストアのスタックそれぞれを複製してスケールアウトしていけば良さそうです[5]。

図3.4　コンテナで一般的なWebアプリケーションのスタック

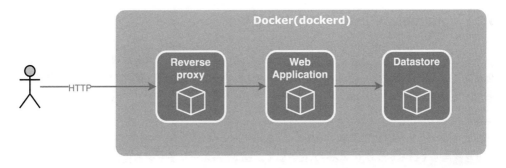

2.6.2で紹介したnginxとechoサーバの構築も、それぞれのコンテナが1つの関心事にフォーカスしたスタックの例です。nginxはリバースプロキシ、echoサーバはアプリケーションサーバの役割にそれぞれ分けることができますし、それぞれの数が足りなければ複製するだけです。

---

[4]　https://docs.docker.com/develop/develop-images/guidelines/ から引用。邦訳は筆者による。
[5]　このとき、複製したコンテナをレプリカと呼びます。

3. 実用的なコンテナの構築とデプロイ

　先ほどの定期的にジョブを実行するアプリケーションは、「1分おきにジョブのトリガーを発火するcron」と「Hello!と出力するジョブ」の2つの役割に分けることができますが、この通りにコンテナも分けてしまうとかえって余計な手間がかかることがわかりました。そこで、2つの役割を「1分置きにHello!を出力する」という、よりわかりやすい1つの役割にすることでコンテナを1つにしました。細かすぎた役割を再定義することでシンプルな構成になったわけです。

　このように、アプリケーションとコンテナの粒度について考える場合、「それぞれのコンテナが担うべき役割を適切に見定め、かつそれがレプリカとして複製された場合でも副作用なくスタックとして正しく動作できる状態になるか？」という考えにもとづいて設計すると良いわけです。

3.2　コンテナのポータビリティ

　1.3.3でも触れましたが、コンテナの大きな利点はポータビリティ（可搬性）にあります。コンテナではアプリケーションとファイルシステムをコンテナという単位で分離でき、Dockerのようなコンテナ実行環境がインストールされているホストであればアプリケーションとして同じ挙動が期待できる再現性があります。ホストOSも問いませんし、実行するプラットフォームがオンプレミス環境でもクラウド環境でも関係なく動作します。

　ここまで言われるとコンテナはまさに理想郷と感じるかもしれません。この説明に違和感を感じた方は非常に察しが良いです。残念ながらコンテナのポータビリティは完璧なものではなく、いくつかの例外が存在します。

3.2.1　Kernel、アーキテクチャの違い

　ホスト型仮想技術のようにハードウェアを演算によって再現する方式とは違い、コンテナ型仮想化技術ではホストOSとカーネルのリソースを共有しています。これは事実上、コンテナが実行できるホストは、ある特定のCPUアーキテクチャやOSの前提の上に成立しているということを意味しています。

　たとえば、近年のMacに搭載されているApple SiliconのようなARM系CPUでarmアーキテクチャを採用しているプラットフォームにおいて、x64アーキテクチャを前提にビルドされたコンテナを実行することはできません。Intel CPUのMacでビルドしたイメージがApple SiliconのMacで動作しないため、戸惑ったユーザもいるのではないでしょうか。コンテナのポータビリティへの誤解の1つがまさにこの事象と言えるでしょう。

　Apple Silicon搭載のMacユーザも増えつつありますが、まだ多くの開発者はx64アーキテクチャでコンテナイメージをビルドします。CPUアーキテクチャがx64一辺倒でなくなりつつある今、コンテナイメージの共有を考えるとマルチアーキテクチャに対応したコンテナイメージをビルドすることが重要です。

そこで登場したのがBuildKit[6]です。BuildKitは従来の`docker image build`コマンドを拡張し、マルチプラットフォーム対応のコンテナイメージを簡単にビルド可能です。BuildKitの普及により、Docker Hubのようなコンテナレジストリにも CPU アーキテクチャを問わず実行できる公開イメージが増えてきました。

コラム　Windows前提で動くコンテナ

Windowsプラットフォーム下のDockerでの動作を前提とした`mcr.microsoft.com/windows/servercore`というWindows Serverのベースイメージも提供されています。

これによってWindowsプラットフォームにおけるWindowsベースコンテナの利用が可能になりましたが、これらのコンテナはLinuxやmacOSといったプラットフォームでは実行させることはできません。全てのコンテナがあらゆるホストのDocker環境で実行できるわけではありません[a]。

[a]　本書ではWindowsベースコンテナについては解説しません。

3.2.2　ライブラリ・ダイナミックリンクの課題

アプリケーションが利用しているライブラリによっても、ポータビリティが損なわれるケースが存在します。C/C++・Go言語・Rustを使った開発において、ネイティブライブラリをダイナミックリンクするようなケースです。具体的にはコンテナ内に必要なライブラリがなく、コンテナ外の別のOS上では動作していたアプリケーションが動作しない事例が発生します。

スタティックリンクとダイナミックリンクには、それぞれ次の表のような特徴があります。

スタティックリンク	ダイナミックリンク
ビルド時にバイナリにライブラリを紐付ける（リンクする）	実行時にライブラリを紐付ける（リンクする）
バイナリサイズは大きくなりがち。ライセンスの問題[7]が発生する可能性	バイナリサイズは小さくなるもののOSに必要なライブラリがないと実行不可

これはDockerを利用する際もしばしば悩まされる問題の一つです。Dockerfileには`ADD`や`COPY`でホストからファイルをコピーできる機能があるため、アプリケーションをコンテナの外からコピーするというユースケースも少なくありません。

CIを使ってアプリケーションのテストなどを行って最終的にコンテナイメージとしてパッケージングするようなケースを考えます。我々はなるべくCIにかかる時間を短縮したいはずです。CIのプロセス中に生成したアプリケーションをそのままコンテナ内にコピーすれば各コンテナでのコンパイル時間を削減して、一度のコンパイルでアプリケーションの配置が終わりそうです。この手法

---

[6]　BuildKitについては10.5で解説します。

[7]　LGPL(GNU Lesser General Public License)ライセンスのライブラリを使用する場合、ソースコードの公開やライセンス表示を求められることがあります。この制約を避けるために、スタティックリンクではなくダイナミックリンクを選択することもあります。

3. 実用的なコンテナの構築とデプロイ

は高速かつ、コンテナ内でアプリケーションをビルドするよりも手軽であるため、一つのテクニックとして認識されています。

ただ、この手法にはトラップがあります。それがダイナミックリンクを利用したアプリケーションのコンテナでの利用です。

たとえばCI側とコンテナ側で採用している標準Cライブラリが違えば、CI側からコピーしたバイナリはコンテナ側では動作しません。ありがちなのは、CI側がglibc[8]をダイナミックリンクするバイナリを生成、コンテナ側がmusl[9]を採用しているために動かないケースです。これを回避するには全ての依存ライブラリをスタティックリンクするか、実行プラットフォーム上にglibcをインストールするかになるでしょう[10]。

標準Cライブラリを都度CIサービスに応じて切り替えるのは効率的ではありません。そこで、コンテナ上での実行を想定したアプリケーションを作るには、ネイティブライブラリを極力スタティックリンクしてビルドすることを第一に考えるべきです。

スタティックリンクは実行ファイルのサイズを大きくしてしまう欠点もあります。これを避けたいのであれば全てのビルドプロセスを実行するコンテナを作成し、その内でビルドして同一のライブラリが担保されている別コンテナにコピーするという手法も考えられますが、手間のかかる手法であることは否めません。

Multi-stage buildsを活用したポータビリティの確保

Dockerはこの問題に対して**Multi-stage builds**という仕組みを用いることで解決する手法を提供しました[11]。ビルド用のコンテナと実行用のコンテナを分離するという仕組みで、実行用のコンテナをビルドに用いるさまざまなツールのインストールにより肥大化させないための手法で、安定したポータビリティを担保しやすいため定着しています。

コンテナ技術において**ポータビリティ**という言葉はしばしば独り歩きしがちですが、さまざまな考慮を経てようやく成立するものであることを理解しておかなければなりません。

3.3 コンテナフレンドリなアプリケーション

アプリケーションにはコンテナ化しやすい特徴というものがあります。このような特徴を兼ね備えた、コンテナフレンドリなアプリケーションはコンテナ化の恩恵を最大限受けられます。

コンテナ化の潮流において、新たにコンテナで実行することを念頭にアプリケーションを構築す

---

[8] GNU Cライブラリ。UbuntuやDebianなど通常のデスクトップ、サーバLinuxディストリビューションでは最も広く使われています。機能が多いがその分ファイルサイズが大きく、組み込みでは敬遠されることもあります。

[9] musl libcが正式名称。マッスルと呼称。サイズが小さく、組み込みやDockerで人気がある。一時期、人気のベースイメージとなったAlpine Linuxはmuslを使っている。

[10] 10.2.2で解説しています。

[11] Multi-stage buildsの詳細については10.4で解説します。

ることもあれば、すでに運用している既存のアプリケーションをコンテナに移行することもあるでしょう。

ポータビリティが高く運用しやすいアプリケーションを構築していくために必要な要素は何でしょうか？コンテナの挙動の制御、設定という視点で考えてみましょう。

3.3.1 設定ファイルを含めてイメージをビルドすること

2.6.2において、nginxのコンテナイメージをビルドしたことを思い出してください。このときはnginxをリバースプロキシとして利用するために`upstream.conf`と`echo.conf`という設定ファイルを追加しました。

もし、このコンテナ内に追加した設定ファイルを変更したい場合はどうすれば良いでしょうか。再度`docker image build`や`docker compose up`をする必要が生じます。ファイルシステムをカプセル化して、その状態をコンテナとしてさまざまな環境にデプロイできるポータビリティがコンテナの利点ですから、再度ビルドすることは決して悪いことではありません。

nginxのリバースプロキシの例はあまり変更が生じない設定ファイルであるため、変更の際のイメージビルドは許容できるかもしれませんが、設定によってはイメージビルドを伴わずに更新したいというケースもあります。アプリケーションの挙動を変えるためのフラグ値[12]や、APIやデータベースの接続先情報、コネクション数やタイムアウト時間といったアプリケーションの性能を制御するような設定値など、イメージのビルドを伴わずに設定変更だけでトライアンドエラーできるようになれば手間は省けます。設定の更新頻度が少なければイメージの中に設定ファイルを含めてしまい、更新頻度が多ければコンテナの外から渡すと良いでしょう。

3.3.2 コンテナの外から設定を渡す

では、コンテナ実行時にコンテナの外から設定を渡すにはどうすればよいでしょうか。まず、実装するアプリケーションや利用するミドルウェアが設定を受け取れるようになっており、再利用性や柔軟性が高い構造になっているかが重要です。

コンテナで実行するアプリケーションの挙動をコンテナの外から制御するには次のような手法があります。

- ●**コマンドライン引数で値を渡す**
- ●**環境変数で値を渡す**
- ●**設定ファイルで渡す**

それぞれ特徴があるのでメリット・デメリットを確認していきましょう。

＊12　フィーチャーフラグ制御。アプリケーションの挙動をコードの変更を伴わずに行い、さまざまな実験を行う手法。

3. 実用的なコンテナの構築とデプロイ

コマンドライン引数で値を渡す

コンテナでは CMD や ENTRYPOINT でコンテナ実行時のコマンドを指定できますが、コマンドライン引数を追加したり上書きして値を渡せます。

Compose でコマンドライン引数を追加して渡す場合は**リスト 3.4** のように command 属性で設定します。ポートやログレベル、デバッグモードといった値を渡しています。アプリケーション側ではこれらの引数を受け取って制御を行う実装が必要です。

リスト 3.4　コマンドライン引数で値を渡す

```
version: "3.9"
services:
  api:
    build: .
    command:
      - server
      - --port=8080
      - --log-level=warn
      - --debug-mode=true
```

この手法はコマンドライン引数が増えるとアプリケーション側での引数の処理の実装が増えます。また、Compose の yaml ファイルが大きくなるでしょう。

環境変数で値を渡す

コマンドライン引数と同様に、環境変数でもコンテナの外から設定を渡せます。

docker container run で環境変数を渡す場合は、-e オプションで次のように設定します。

```
docker container run -e VARIABLE=VALUE ...
```

Compose で環境変数を渡す場合は**リスト 3.5** のように environment 属性で設定します。コマンドライン引数の場合と同様に、アプリケーション側ではこれらの環境変数を受け取って制御を行う実装が必要です。

リスト 3.5　環境変数で値を渡す

```
version: "3.9"
services:
  api:
    build: .
    command:
      - server
    environment:
      PORT: 8080
      LOG_LEVEL: warn
      DEBUG: true
```

Composeであればcompose.yamlのcommandやenvironment属性に列挙します。Kubernetes[13]やAmazon ECSにおいても同様の仕組みが存在します。

コマンドライン引数と環境変数方式に共通するデメリットとしては、そのシンプルさがゆえにKeyとValueなデータであり、階層構造を持つような複雑なデータを持たせることが難しいです。設定ファイルであればJSONやXML、TOMLといった階層的なデータ構造を持たせやすいため、その点では不利です。

複雑なデータをBase64形式でエンコードした文字列にして渡すという手法もありますが、アプリケーション側でデコードの処理が必要になります。さらに、yamlとしてGitHub等のリポジトリで管理するのであれば、エンコードされたことによる検索性の低下が考えられます。

コンテナ実行においてコマンドライン引数方式との決定的な優位性はそれほどありませんが、それでもアプリケーションを非コンテナ環境で動かす場合は環境変数方式の方が取り回しやすいです。また、現存するサードパーティのソフトウェアやフレームワークは、どちらかと言えば環境変数方式の採用が多いです。

独自のアプリケーションを実装する場合は、環境変数方式を優先しつつもそれぞれの方式を処理するライブラリや実装のしやすさも含めて総合的に判断すると良いと考えます。

設定ファイルで渡す

3.3.1で言及した手法はコンテナイメージビルド時に設定ファイルを含める手法ですが、コンテナ実行時にコンテナの外から設定ファイルを渡す手法もあります。

先述の複雑なデータ構造を無理をして環境変数で渡してしまうと、実装面でも運用面でも複雑になってしまいます。そういう場合は無理をせずに設定ファイルごとコンテナの外から渡すことを選択肢に入れるべきです。

アプリケーションの挙動を設定ファイルによって制御する手法は非常にポピュラーで、コンテナの流行以前はオーソドックスな方法でした。実行するアプリケーションにdevelopmentやproductionといった環境名を与えることで、利用する設定ファイルを切り替える手法です。Ruby on Railsや、Maven・Gradleなどを使ったJavaのWebサーバでよく利用されています。

このようなアプリケーションをコンテナ化する場合どうするのが適切でしょうか？ 設定ファイル式のアプリケーションの場合、アプリケーションのリポジトリに必要な全ての環境に対応する設定ファイルを用意する形式が多いはずです。この場合、1つのコンテナイメージにアプリケーションと全ての設定ファイルを含めてビルドすることをまず思いつきます。

しかし、コンテナの良いところをもう一度思い返してみてください。いつでもどんな環境にでもデプロイできるのが大きな利点です。特定の環境の設定ファイルをコンテナイメージに閉じ込めることは、ポータビリティを損ねる結果になりかねません。完全に特定の環境のみに限定してしまうという用途であればこの妥協は許容されるものかもしれませんが、実行したい環境を増やす場合はコンテナに新しい設定ファイルを追加しなければならないため、このオペレーションの度にコンテ

＊13　第5章で解説。

3. 実用的なコンテナの構築とデプロイ

ナイメージをビルドしなければならないでしょう。

　設定ファイルを利用するとき、コンテナの外から実行時に渡すことができれば環境が増えても新たにコンテナイメージをビルドしなくても済みます。Composeでコンテナの外から設定ファイルを渡すには、**リスト3.6**のように、volumesを定義すると実現できます。

リスト3.6　設定ファイルで値を渡す

```
version: "3.9"
services:
  api:
    build: .
    command:
      - server
      # ホストからコンテナに渡された設定ファイルのパスを指定
      - config-file=/var/lib/server/conf/dev.yaml
    volumes:
      # [ホスト側のパス]:[コンテナ側のパス]
      - ./conf:/var/lib/server/conf
```

コラム 　**コンテナフレンドリなプロダクトばかりじゃない**

　多くの著名なプロダクトはDocker Hubで公式イメージが存在しています。また、近年実装されたプロダクトはコンテナでの利用を前提に作られていることも少なくありません。ただ、世界中で多くの開発者に利用されているコンテナイメージでさえも、コンテナフレンドリとは言い切れないものが存在することも事実です。

　アプリケーションを構築する上では、データストアやWebサーバといったミドルウェアのコンテナイメージに頼ることも多いです。設定ファイルに環境変数が埋め込めるような仕組みがあるプロダクトであれば苦労することはほとんどないですが、そうでないものも当然あります。その場合は、実行時に環境変数を元に設定ファイルを生成する仕組みを用意したり、コンテナで利用しやすくするためのさまざまな手解きが必要になります。そのため既存のプロダクトをコンテナで利用しやすくする技術や、コンテナに親和性のあるアプリケーションを書く技術が重要になってきます。

3.4　クレデンシャル（秘匿情報）の扱い方

　前節ではコマンドライン引数や環境変数によるコンテナの挙動の制御について解説しましたが、コンテナに渡している値は非常にシンプルな例にとどまりました。

　しかし、実際のコンテナの運用ではもっとたくさんの値を設定するケースもあります。アプリケーションがサードパーティのシステムやAPIに依存することも珍しくなく、これらと連携するためのIDやパスワード、APIのキーといったクレデンシャル（秘匿情報、機密情報）をコンテナが必

要とすることもあります。クレデンシャルは第三者には知られないような管理をする必要があります。具体的な例を紹介します。

3.4.1 クレデンシャルを受け取るコンテナ

クレデンシャルとしてパスワードをコンテナで扱う例を見ていきましょう。たとえば、リレーショナルデータベースである MySQL を実行するためのコンテナイメージとして mysql:8.0.33 があります。このコンテナには実行時にいくつかの環境変数が必要で、root ユーザのパスワードを環境変数 MYSQL_ROOT_PASSWORD で設定します[*14]。

リスト 3.7 のように MYSQL_ROOT_PASSWORD を設定したうえで MySQL コンテナを実行すると、コンテナ内で設定したパスワードでログインできます。

リスト 3.7　MySQLコンテナにrootパスワードを設定して実行する（コマンドライン）

```
$ docker container run -d --rm --name mysql \
  -e "MYSQL_ROOT_PASSWORD=root_password" \
  -e "MYSQL_DATABASE=test" \
  mysql:8.0.33

$ docker exec -it mysql bash
bash-4.4# mysql -u root -p
Enter password:
Welcome to the MySQL monitor.  Commands end with ; or \g.
Your MySQL connection id is 10
Server version: 8.0.33 MySQL Community Server - GPL
...
Type 'help;' or '\h' for help. Type '\c' to clear the current input statement.

mysql>
```

Compose で実行する際は**リスト 3.8** のような compose.yaml を記述します。

リスト 3.8　MySQLコンテナにrootパスワードを設定して実行する（Compose）

```
version: "3.9"

services:

  mysql:
    container_name: mysql
    image: mysql:8.0.33
    environment:
      MYSQL_ROOT_PASSWORD: root_password
      MYSQL_DATABASE: test
```

MySQL を始めコンテナレジストリで広く公開されているイメージは、このようにクレデンシャ

[*14]　環境変数 MYSQL_ALLOW_EMPTY_PASSWORD を yes に設定すると、root パスワードに空文字が許可されます。

3. 実用的なコンテナの構築とデプロイ

ルを環境変数で設定するか、コマンドライン引数で渡す手法が多いです。

3.4.2　バージョン管理システムでクレデンシャルを管理する難しさ

ローカル環境での利用なら直接のクレデンシャル設定を許容できますが、実際のチーム開発においてはそうはいきません。

実際のチーム開発では開発環境や本番環境で実行するコンテナの構成は、compose.yamlのようなYAMLベースの構成ファイルでコード化し、Gitを始めとするバージョン管理システム（以下、VCS）を使います。このようにチーム内で共有することで、環境を再現しやすくなります。

しかし、コンテナで利用するクレデンシャルをVCS上のコードに直接記述することはセキュリティ上のリスクがあります。これをケアするためのいくつかの手法がありますが、これらは完璧な手法ではないことを理解する必要があります。

VCSのリポジトリをプライベートリポジトリにし、閲覧権限で制限する方法は最もオーソドックスな手法です。ユーザやチーム単位での閲覧権限を適切に制御できれば十分ではないか？と思うかもしれませんが、この考えは危ういです。権限制御やネットワーク制限があっても、クレデンシャルを記述することには次のようなリスクがあることを把握しておかなくてはなりません。

- 人為的なミスによるパブリックな場所への公開
- マルウェアによる漏洩
- リポジトリへのアクセス権限を与えたサードパーティ製ツールやサービスからの漏洩

さまざまな脅威が潜んでいますが、特にサードパーティ製ツールの利用には注意が必要です。これらは開発生産性や品質の向上をもたらしますが、トレードオフとしてセキュリティリスクがあります。このようなソフトウェアサプライチェーン[*15]を狙った攻撃が存在するため、VCS上のコードにクレデンシャルを定義すること自体を回避するという運用が重要になります。

3.4.3　シークレット(secrets)を使ったクレデンシャルの管理

では、クレデンシャルをVCS上のコードに定義せずにコンテナへ渡すにはどうしたらよいでしょうか？　Composeには、コンテナの外からクレデンシャルをできるだけ安全に渡すための**シークレット（secrets）**という仕組みがあります。

mysql:8.0.33のコンテナにはrootのパスワードを直接渡すMYSQL_ROOT_PASSWORDのほかに、パスワードが記述されたファイルを渡すMYSQL_ROOT_PASSWORD_FILEという環境変数も備えています。

次の作業ディレクトリを作成します。

```
$ mkdir -p ~/work/ch03/mysql-secrets/
```

[*15]　ソフトウェアの開発プロセス全体になんらかの関与をするシステムやツール、仕組みの総称のこと。

クレデンシャル（秘匿情報）の扱い方 **3.4**

具体的な設定例として compose.yaml（**リスト 3.9**）を作成します。

リスト 3.9　シークレットを用いてクレデンシャルをコンテナに渡す

```
                                                    ~/work/ch03/mysql-secrets/compose.yaml
version: "3.9"

services:

  mysql:
    container_name: mysql
    image: mysql:8.0.33
    environment:
      MYSQL_ROOT_PASSWORD_FILE: /run/secrets/mysql_root_password ## ①
      MYSQL_DATABASE: test
    secrets:  ## ②
      - mysql_root_password

secrets: ## ③
  mysql_root_password: ## 任意のシークレット名
    file: ./mysql_root_password
```

compose.yamlのトップレベルに③のようなsecrets要素を定義できます。secretsではコンテナの外のファイルシステム（つまりホスト環境）からクレデンシャルを読み取ることができます。ここでは作業ディレクトリにmysql_root_passwordというrootパスワードが記述されたファイルを用意します。

コンテナでこのクレデンシャルファイルを利用するための設定が②です。③で定義したシークレット名をsecrets要素に定義することで利用可能になります。secrets要素は配列型のため、複数の値を設定可能です。この設定は一般的に「シークレットをコンテナにマウントする」と呼ばれます[16]。シークレットは内部的には後述のData Volume(3.5.1)と同じ仕組みが使われています。

②でコンテナにマウントされたシークレットは、コンテナの内部では /run/secretsディレクトリに配置されます。実際にmysqlコンテナを確認してみると、このディレクトリにmysql_root_passwordが配置されていることがわかります。

```
$ docker exec -it mysql bash
bash-4.4# ls -l /run/secrets
total 4
-rw-r--r-- 1 root root 10 Jun 26 04:34 mysql_root_password
```

①ではこのクレデンシャルのファイルパスを環境変数MYSQL_ROOT_PASSWORD_FILEに設定しています。これがファイルパスベースでクレデンシャルを渡す手法です。

VCSリポジトリでComposeの構成を管理する場合、コンテナの外のクレデンシャルファイルを

---

*16　Composeだけではなく、KubernetesやAmazon ECSといったコンテナオーケストレーションシステムにも同様の仕組みがあります。Kubernetesについては第5章で解説します。

3. 実用的なコンテナの構築とデプロイ

バージョン管理の対象外とすればクレデンシャルを直接定義せずに済みます。Gitであればシーク
レットとして登録するファイルを.gitignoreファイルに列挙して、バージョン管理の対象外にし
ます。

　シークレットを使いファイルパスベースでクレデンシャルを設定する手法は、mysql:8.0.33の
ようにコンテナ側で実装されている必要があります。直接クレデンシャルを取り回すだけではな
く、ファイルパスベースにも対応できるようにするとよりコンテナフレンドリなアプリケーション
と言えるでしょう。

> **コラム** **ソフトウェアサプライチェーン攻撃**
>
> 　近年、ソフトウェアサプライチェーンを狙った攻撃が急増しています。代表的なインシデントと
> しては、2021年に発生したCodecov[*a][*b]が提供するスクリプトを利用するユーザを標的にした事例
> です。
>
> 　Codecovによるテストカバレッジの収集は主にCI環境で実施されます。CI環境ではCodecovに
> テストカバレッジを送信するために、Codecovが提供するBash Uploaderというスクリプトを都
> 度ダウンロードして実行します。今回のインシデントでは、インターネット上に存在するBash
> Uploaderが不正に書き換えられてしまいました。
>
> 　書き換えられたBash Uploaderはアプリケーションコードやさまざまなクレデンシャルなど、ス
> クリプトがアクセス可能なリソースが第三者へ送信される実装になっていたため、多くの情報が流
> 出しました。
>
> 　これによりCodecovを利用していた多くの開発プロジェクトが、クレデンシャルの迅速な無効化
> や影響範囲の調査といったインシデント対応に追われることになり、全世界的に大きな影響を及ぼ
> しました。
>
> 　このインシデントはあらためてサードパーティ製ツールに依存するセキュリティリスクを浮き彫
> りにし、多くの開発者や企業の安全なソフトウェアサプライチェーンづくりへの意識を高める契機
> となりました。
>
> *a　https://about.codecov.io/
> *b　テストコードのカバレッジを計測し可視化するためのサービス。

3.4.4　完璧な対策は存在しないと認識する

　コンテナでクレデンシャルを扱う際のリスクや対処法について解説してきました。シークレット
のファイルパスベースの仕組みを使えばVCSでの管理上は安全性は高いと言えますが、ソフトウェ
アサプライチェーン攻撃（同名コラム参照）のようなスクリプト改竄による攻撃や、第三者のコン
テナのホスト環境への侵入の前では無力です。

　基本的な対策を確実に積み重ねるのが大事ですが、コンテナに対するセキュリティインシデント
は起こさないというよりも、起きた際にどう立ち回るか？という観点でシステムを設計・運用し、

被害を最小限に食い止める減災の意識が重要です。次のような機構の構築は減災の観点では非常に有効です。

- **クレデンシャルの不正利用に気づける仕組み（監査ログと不正検知）**
- **迅速にクレデンシャルを無効化し、ローテートできる仕組み**
- **有効期限が短い一時的なクレデンシャルを利用する仕組み[*17]**

筆者は第1版において環境変数の積極的な利用を推奨していましたが、セキュリティ面でのリスクの言及が足りなかったと感じています。コンテナ技術の普及や数々のリスクが顕在化し、実際に世界中で多くの重篤なセキュリティインシデントが発生したことを考えると、コンテナでのクレデンシャルの運用は今後よりシビアなレベルが求められていくと考えます。

3.5 永続化データの扱い方

コンテナを実行中に書き込まれたファイルは、ホスト側にファイル・ディレクトリをマウントしない限りコンテナを破棄したタイミングでディスクから消去されます。コンテナの中で実行されているアプリケーションが変更したファイルやディレクトリを利用する、すなわち状態を持つステートフルな性質を持つのであれば、一度コンテナを破棄してしまうと同じ状態を持つコンテナを再現することは容易ではありません。

ステートレスなアプリケーションに比べ、データの永続性・コンテナの複製といった運用の難易度が上がります。データストアのようなステートフルなアプリケーションは、コンテナでの構築を避け、割り切ってマネージドサービスに頼ることも現実的な選択肢です。

それでも、ステートフルなコンテナを運用したい場合もあるでしょう。ここではステートフルなコンテナに必要不可欠な、永続化データの扱い方を解説します。

ステートフルな性質を持つアプリケーションをコンテナで運用するには、新しいバージョンのコンテナがデプロイされても以前のバージョンのコンテナで利用していたファイル・ディレクトリをそのまま継続して利用できることが求められます。このようなケースではData Volumeが利用されます。

Data Volumeで各コンテナとホストで永続化データを共有するほかに、Data Volumeコンテナという永続化データ用のコンテナを起動する手法もあります。

3.5.1 Data Volume

Data Volumeはコンテナ内のディレクトリをホストのディスクに永続化するための仕組みであ

＊17　OIDC(OpenID Connect)トークンを用いた手法が普及しつつある。

3. 実用的なコンテナの構築とデプロイ

り、ホスト・コンテナ間でのディレクトリの共有・再利用が可能になります。イメージを更新して新しくコンテナを作成しても、同じData Volumeを利用し続けることができます。コンテナでステートフルなアプリケーションを実行する用途に向いています。

Data Volumeの作成は、次のように`docker container run`コマンドの`-v`オプションを利用して行います。

```
docker container run [options] -v ホスト側ディレクトリ:コンテナ側ディレクトリ ←
リポジトリ名[:タグ] [コマンド] [コマンド引数]
```

まずは、一番簡単なData Volumeの使い方を試してみましょう。Data Volumeのユースケースの一つに、コンテナの中で生成したファイルをホストで参照することがあります。例として、`ubuntu:23.10`イメージを利用して作成したコンテナの中でテキストファイルを生成します。

リスト3.10のコマンドで`ubuntu`コンテナを実行し、`bash`で操作できる状態にします。

リスト3.10　Data Volumeにテキストファイルを出力する

```
(~/work/ch03/volume-test) $ docker container run -v ${PWD}:/var/local/ch03 -it ubunt←
u:23.10 bash
root@1a009911ad65:/# echo "Volume test" > /var/local/ch03/text.txt
root@1a009911ad65:/# exit
exit

(~/work/ch03/volume-test) $ cat text.txt
Volume test
```

`-v`オプションでData Volumeの設定をしており、コンテナ内の`/var/local/ch03`ディレクトリは環境変数`$PWD`で表現されるディレクトリ（つまりホストのカレントディレクトリ）にマウントされます。`/var/local/ch03`ディレクトリにテキストファイルを生成し、`exit`コマンドでコンテナの`bash`を終了します。ホスト側のカレントディレクトリを見ると、コンテナで生成されたテキストファイルが配置されているはずです。

```
$ ls -l
.rw-r--r-- stormcat 1796141739 12 B Wed Jun 21 17:53:44 2023 📄 test.txt
```

Data Volumeは共有の仕組みです。このため、ホスト側で編集したファイルをData Volumeを通じてイメージの更新なしにコンテナへと共有することも可能です。

この手法はホストからコンテナ内の設定ファイルを修正しやすくなるといったメリットはあります。ただし、ホストの特定のパスに依存していますし、ホスト側のData Volumeへの誤操作によってアプリケーションに副作用が起きないとも限りません。このため、ポータビリティの面では課題のある手法であるということを認識しておきましょう。

3.5.2　Data Volume コンテナ

コンテナのデータ永続化のもう一つの手法として **Data Volume コンテナ** という仕組みがあります。

先述の Data Volume[18] はコンテナ間とホスト間で直接ディレクトリを共有していましたが、Data Volume コンテナを利用する手法ではコンテナ間でディレクトリを共有します。

Data Volume コンテナはその名の通りデータだけを持つためのコンテナです。前章においてコンテナは破棄されない限り、その内容がディスクに保持されるということを紹介しました。Data Volume コンテナはこの特性を活かしています。ディスクに保持されたコンテナが持つ永続化データの一部を Volume として別のコンテナに共有できるようにしたものが Data Volume コンテナです。

Data Volume コンテナによって共有されるディレクトリも、ホスト側のストレージに存在するという点では Data Volume と同じです。

ホストコンテナ間 Data Volume ではホスト側の特定のディレクトリに依存する性質を持ちます。Data Volume コンテナの Volume は Docker の管理領域であるホスト側の `/var/lib/docker/volumes/` 以下に配置されています。Data Volume コンテナ方式は Docker の管理下にあるディレクトリのみに影響します。ホストコンテナ間 Data Volume 方式に比べるとコンテナに与える影響を最小限に抑えられます。また、Data Volume コンテナはこの Volume への仲介役としての役割を持つため、Volume を必要とするコンテナはホスト側のその場所を知る必要はなく、ディレクトリを提供してくれる Data Volume コンテナを指定すればいいだけです。

＊18　以後区別のためにホストコンテナ間 Data Volume と記載。

図3.5 Volumeの共有とData Volumeコンテナの違い

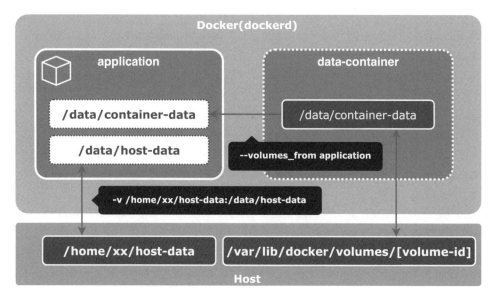

　Data VolumeコンテナによってData Volumeへの操作がカプセル化されるため、ホストをあまり意識せずにData Volumeを利用できるでしょう。コンテナ内のアプリケーションとデータの密結合が緩和されることにより、アプリケーションコンテナとData Volumeコンテナの付け替えや移行をスムーズに行うことが可能です。

MySQLのデータをData Volumeコンテナに保持する

　実際にMySQLを利用してData Volumeコンテナを試してみましょう。次の作業ディレクトリを作成します。

```
$ mkdir -p ~/work/ch03/mysql-volume/
```

　Data Volumeコンテナとなるコンテナイメージを用意するために次のようなDockerfileを作成します。

リスト3.11　Data Volumeコンテナ用のイメージを作るDockerfile

~/work/ch03/mysql-volume/Dockerfile
```
# ① ベースイメージ
FROM busybox

# ② ディレクトリがVolumeとしてホストに保持される
VOLUME /var/lib/mysql
```

```
CMD ["bin/true"]
```

①の busybox は最小限の OS の機能を備えた非常に軽量な OS で、しばしばベースのコンテナイメージとして利用されます。Data Volume コンテナはデータを保持する目的だけのコンテナです。このような小さいイメージを利用することは有効です[19]。

②の VOLUME に任意のパスを設定すると、そのディレクトリの内容はコンテナが終了してもホストに保持されます。この Volume は、終了したコンテナの再起動[20]時に再度利用したり、他のコンテナから参照も可能です。

次のコマンドでイメージをビルドします。

```
(~/work/ch03/mysql-volume) $ docker image build -t ch03/mysql-data:latest .
```

mysql-data という名前をつけて Data Volume コンテナを実行します。このコンテナは busybox の bin/true が実行されるだけなのでコンテナは実行直後にすぐ終了します。

リスト 3.12 名前付きの Data Volume コンテナの実行

```
$ docker container run -d --name mysql-data ch03/mysql-data:latest
163ff06a567b59be01f2439a8ea235e855007f6fd78eff7b9e8d0a917eab3bdc
```

続いて MySQL コンテナを次のコマンドで実行します。

```
$ docker container run -d --rm --name mysql \
 -e "MYSQL_ALLOW_EMPTY_PASSWORD=yes" \
 -e "MYSQL_DATABASE=volume_test" \
 --volumes-from mysql-data \
 mysql:8.0.33
```

環境変数によってデータベースやユーザ、パスワードが設定されます。

--volumes-from は他のコンテナにマウントされている Volume を、実行するコンテナにもマウントするためのオプションです。

先に**リスト 3.12** で実行した mysql-data のコンテナを、ここで実行するコンテナにマウントします。これにより、MySQL コンテナの /var/lib/mysql のデータはホストの Volume に永続化されます。このコンテナを終了しても、再度他のコンテナを実行して Volume への書き込み・参照が可能になります。

実行中の mysql コンテナに root アカウントでログインし（パスワードは空）、初期データとして次のような CREATE 文と INSERT 文を MySQL コンテナに流します。

---

[19] 10.2.2 参照。

[20] docker container restart [コンテナID|コンテナ名] コマンド。

3. 実用的なコンテナの構築とデプロイ

```
$ docker container exec -it mysql mysql -u root -p volume_test
Enter password:
mysql>
```

```
CREATE TABLE user(
  id int PRIMARY KEY AUTO_INCREMENT,
  name VARCHAR(191)
) ENGINE=InnoDB DEFAULT CHARSET=utf8mb4 COLLATE utf8mb4_unicode_ci;

INSERT INTO user (name) VALUES ('gihyo'), ('docker'), ('Solomon Hykes');
```

これでデータが投入されました。試しにコンテナを停止してみましょう。mysqlコンテナは--rmオプションを付与して実行したため、停止するとコンテナも削除されます。再度、新しいコンテナを実行し、先ほど登録したデータが保持されているかを確認します。

```
$ docker container stop mysql
mysql

$ docker container run -d --rm --name mysql \
  -e "MYSQL_ALLOW_EMPTY_PASSWORD=yes" \
  -e "MYSQL_DATABASE=volume_test" \
  --volumes-from mysql-data \
  mysql:8.0.33

$ docker container exec -it mysql mysql -u root -p volume_test
Enter password:
mysql> SELECT * FROM user;
+----+---------------+
| id | name          |
+----+---------------+
|  1 | gihyo         |
|  2 | docker        |
|  3 | Solomon Hykes |
+----+---------------+
3 rows in set (0.00 sec)
```

先ほど登録したデータが残っていますね！　このように、アプリケーションコンテナとData Volumeコンテナとを分離することで、データとコンテナの付替えが容易となります。

また、Composeでも**リスト3.13**の設定で同じことが可能です。

リスト3.13　ComposeでData Volumeコンテナを使う例

`~/work/ch03/mysql-volume/compose.yaml`

```
version: "3.9"

services:

  mysql:
    container_name: mysql
```

112

```
    image: mysql:8.0.33
    environment:
      MYSQL_ALLOW_EMPTY_PASSWORD: yes
      MYSQL_DATABASE: volume_test
    volumes_from:
      - mysql_data

  mysql_data:
    container_name: mysql-data
    build: .
```

データのエクスポートとリストア

Data Volumeコンテナは良い仕組みですが、あくまで同一コンテナホスト[21]内でのみ有効であることを忘れてはいけません。Data Volumeコンテナで利用しているデータを他のコンテナホストにもリストアしたいケースが生じるでしょう。データをエクスポートして別の場所にリストアするには、まずはData Volumeコンテナからエクスポートしたいデータをファイルとしてホストに取り出す必要があります。そこで、先ほどの例をもとにVolumeのデータをホスト側にエクスポートしてみましょう。

新たにbusyboxコンテナを実行し、Data Volumeコンテナに`mysql-data`を指定します。コンテナの中で`tar`コマンドでアーカイブを行い、出力先の`/tmp`ディレクトリをカレントディレクトリにマウントします。これで、ホストにアーカイブされたデータを取り出せます。

```
$ docker container run -v ${PWD}:/tmp \
  --volumes-from mysql-data \
  busybox \
  tar cvzf /tmp/mysql-backup.tar.gz /var/lib/mysql
```

別のホストにリストアする場合は、このアーカイブを展開したData Volumeコンテナを作成するだけです。

`docker image save`といったコマンドが存在しますが、これはコンテナイメージをファイルとしてアーカイブする機能のため、Data Volumeには適用されないということを理解しておかなければなりません。コンテナはアプリケーションのポータビリティには長けていますが、標準機能だけで複数ホストを跨いだデータのポータビリティを実現することはかなり難しいです。この課題はKubernetesに代表されるコンテナオーケストレーション技術によって解決されます[22]。

次章では、第2章と第3章で学習したコンテナの構築技術を活かし、複数コンテナでの実践的なアプリケーション開発に取り組みます。

---

[21] dockerdのようなコンテナ実行環境がインストールされていて、コンテナを実行可能なホスト。

[22] 6.2.3で具体例と併せて解説します。

4.
複数コンテナ構成での
アプリケーション構築

4. 複数コンテナ構成でのアプリケーション構築

前章まではコンテナを利用したアプリケーションづくりの基本的な考え方、Compose を利用したデプロイやコンテナ間連携等といったコンテナを実用的に利用していくための基礎を学びました。

本章はこれまで学習してきた内容の実践として、オーソドックスな Web アプリケーションを構築してみましょう[1][2]。

4.1 Webアプリケーションの構成

まずはどのようなテーマで Web アプリケーションを構築していくか全体像を押さえましょう。なお、このアプリケーションの完成形は GitHub に github.com/gihyodocker/taskapp[3] で公開していますので、ローカルに clone して内容を確認しながら読み進めてください。

```
$ mkdir -p ~/go/src/github.com/gihyodocker
$ cd ~/go/src/github.com/gihyodocker
(~/go/src/github.com/gihyodocker) $ git clone https://github.com/gihyodocker/taskapp
```

また、タスクアプリの実装や実行のためにいくつか必要なツールがあり、これは .tool-versions で定義されています。

```
(~/go/src/github.com/gihyodocker/taskapp) $ cat .tool-versions
golang 1.21.6
tilt 0.33.10
kustomize 5.3.0
kubectx 0.9.5
helm 3.13.3
```

.tool-versions は、asdf というパッケージマネージャの設定ファイルです。asdf のセットアップは、別途 Appendix A.2 を参照して行ってください。

hack/install-tools.sh のスクリプトを実行すると、asdf を使って必要なツールを全てインストールできます[4]。

---

[1] データベースの構築やアプリケーションの実装も行いますが、これらの技術についての予備知識は特に必要ありません。コンテナでシステムを構築する上で、アプリケーションの実装やミドルウェアの設定等で押さえておくポイントをつかむイメージで読み進めていってください。

[2] 本章で構築するサンプルアプリの仕様を実現するためアプリケーションコードの解説は多少行いますが、本書はあくまでコンテナを実践的に使えるようになることを目的としているため、コンテナにポイントを置いた部分の解説を重点的に行います。

[3] https://github.com/gihyodocker/taskapp

[4] asdf install コマンドで .tool-versions に記述されたツールをインストールできますが、プラグインの追加は都度行う必要があるため少し面倒です。

116

```
(~/go/src/github.com/gihyodocker/taskapp) $ sh hack/install-tools.sh
```

4.1.1　アプリケーションの仕様

お題は「タスク管理アプリ」です。機能仕様は次の要件とします。一般的なものですが、間にプロキシを挟む、APIサーバを用意するなど実用的な構成を意識しています。

- タスクを登録・更新・削除できる
- 登録されているタスクの一覧を表示できる
- ブラウザから利用できる**Webアプリケーションとして構築する**
- ブラウザ以外のプラットフォームからでも利用できるように、**JSON APIのエンドポイントも作成する**

4.1.2　アーキテクチャ

今回はコンテナオーケストレーションシステムに Compose を利用します。Kubernetes や Amazon ECS といったオーケストレーションシステムが広く普及していますが、今回は第3章までで学習した基礎技術を活かしつつ、手元で手早く構築することを重視して Compose を選定します[*5]。

さて、今回構築するアプリケーションのアーキテクチャは次の図（**図4.1**）のようになります。

＊5　本書の第1版ではComposeを複数ノードや複数コンテナを稼働させるSwarmモードを利用しましたが、KubernetesやECSに押されて普及しなかったこと、手元での取り回しが難しいことから本書では取り上げません。

4. 複数コンテナ構成でのアプリケーション構築

図4.1 タスクアプリのアーキテクチャ

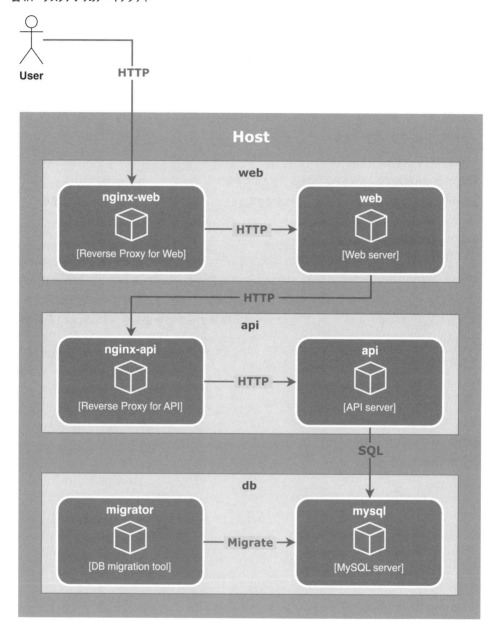

アーキテクチャの構成要素

アーキテクチャの構成要素をコンテナごとに追っていきましょう。わかりやすいよう便宜上の論

理名をつけています。本章ではこの表の順序で、アプリケーションの実装とコンテナの構成を解説していきます。

論理名	コンテナ名	コンテナの用途
MySQL	mysql	taskappのデータストア
データベースマイグレータ	migrator	MySQLに対しDDLを発行してスキーマを構築
APIサーバ	api	タスクを操作するためのAPIサーバ
Webサーバ	web	Web UIを生成するWebサーバ
リバースプロキシ (API)	nginx-api	apiへのリバースプロキシ
リバースプロキシ (Web)	nginx-web	Webへのリバースプロキシ

詳細を解説する前に、それぞれのコンテナの概要について簡単に説明します。

MySQL

データストアはMySQLを利用します[6]。1つのコンテナだけのMySQLを構築し、冗長性の確保は行わずに更新系・参照系クエリともこのコンテナが引き受けます。今回は学習用途ということもあり、1つのMySQLコンテナがSPOF[7]となることを許容します。

ローカル環境や開発環境でデータストアをコンテナ化して利用するケースは多いですが、本番環境では可用性を担保するためのストレージの運用や冗長化の作業[8]といった考慮が必要です。クラウドでのマネージドサービスも充実しているため、コンテナでのデータストアの構築は避けた方が良いでしょう。

データベースマイグレータ

データベースマイグレータはデータベースマイグレーション[9]を行うためのコンテナです。 MySQLコンテナに対して、 タスクアプリのデータ永続化に必要なテーブルを構築するためのDDLを実行します。 ここではデータベースマイグレーションツールにgithub.com/golang-migrate/migrate[10]を利用します。

APIサーバ

APIサーバはタスクアプリにおけるタスクの基本的な操作を提供するRESTful APIです。APIサーバはGoで実装しています。

タスクアプリのドメインに特化したマイクロサービスといったところでしょうか。APIサーバは

---

*6　第3章でも、Data Volumeの話を通じてMySQLコンテナには触れていますが動作確認程度でした。

*7　「Single Point Of Failure」の略で、単一障害点と訳されます。

*8　MHAのようなツールを用い、source（旧称はmaster）に障害が発生した場合にreplica(旧称はslave)をsourceに昇格させてフェイルオーバーさせるような仕組みなど。

*9　データベースのテーブルやインデックス定義としったデータベーススキーマの変更履歴を管理します。変更を反映したり、場合によってはロールバックを行います。

*10　https://github.com/golang-migrate/migrate

4. 複数コンテナ構成でのアプリケーション構築

MySQLに対してデータの更新や問い合わせを行います。

Webサーバ

Webサーバはブラウザで表示するWebページのHTMLを返します[11]。WebサーバはAPIサーバ同様にGoで実装しています[12]。

Webサーバからは直接MySQLを操作せず、APIサーバを経由します。HTML生成もAPIからデータを取得し、その結果を利用して動的に生成します。

リバースプロキシ

アプリケーションのWebサーバおよびAPIサーバの前段にnginxを配置し、リバースプロキシとして動作させます。

nginxを配置するのはキャッシュ利用、バックエンドへの柔軟なルーティングや、アクセスログの出力を容易にするためです。

4.2 MySQLの構築

まずはタスクアプリのデータストアとなるMySQLコンテナの構築から行います。第3章では`mysql:8.0.33`のコンテナイメージには手を加えずそのまま利用していましたが、ここでは多少手を加えます。タスクアプリのリポジトリを見ながら進めましょう。

リポジトリにおけるMySQL関連のディレクトリ構成は**リスト4.1**のようになっています。

リスト4.1　MySQL関連のディレクトリ構成

---

[11] サーバサイドで動的なHTML生成までを担う方式。SSR(Server Side Rendering)とも呼ばれる。
[12] SSRの役割を成すWebサーバはNode.jsとNext.jsで実装されることがポピュラーですが、本書の題材として利用するには機能過多のため、シンプルにGoで実装しています。

secretsディレクトリは、MySQLに接続するユーザのパスワードを記述したファイルを配置するディレクトリですが、バージョン管理の対象外です。secretsディレクトリと、その中のパスワードファイルは後に各自で作成する必要があります（4.2.1を参照）。

containers/mysqlはイメージビルドの起点となるディレクトリで、Dockerfileやコンテナに含めたい設定ファイルを配置します。順に見ていきましょう。

4.2.1 MySQLに接続するユーザのパスワードを作成する

3.4.1においてmysql:8.0.33のコンテナは環境変数でパスワードを設定できることを紹介しました。また、パスワードを環境変数で設定するとVCSでの構成管理上リスクがあり、そのリスク軽減手法としてシークレットを用いてパスワードを設定したファイルパスを渡す手法を3.4.3で解説しました。今回もこの手法を利用します。

secretsディレクトリはパスワードファイルを配置するディレクトリです。mysql_root_passwordはrootユーザのパスワードで、mysql_user_passwordはタスクアプリのアプリケーションから接続するためのパスワードを記述します。

パスワードはタスクアプリのリポジトリで**リスト4.2**のようにmake make-mysql-passwordsコマンドで実行するとランダムで適度な安全性を持ったパスワードを生成できます[*13]。また、直接任意のパスワードを記述したファイルを作成してもらってもかまいません。

リスト4.2　taskappのパスワードの生成コマンド

```
(~/go/src/github.com/gihyodocker/taskapp) $ make make-mysql-passwords
2023/07/01 08:53:38 INFO running application by generate-password command
2023/07/01 08:53:38 INFO Completed generating the root and user passwords
```

また、この構成をsecretsディレクトリにはパスワードファイルが含まれるため、.gitignoreファイルでバージョン管理の対象外にしています（**リスト4.3**）。

リスト4.3　secretsディレクトリをバージョン管理から除外

```
# ...
secrets/
# ...
```

これでパスワードの準備が完了しました。

4.2.2 MySQLコンテナの追加の設定をする

MySQLに追加の設定をするにはどうすればよいでしょうか。2.6.2において追加の設定ファイル

＊13　本書のタスクアプリのため筆者が実装したパスワード生成ユーティリティです。

4. 複数コンテナ構成でのアプリケーション構築

をnginxにロードさせる方法について解説しました。nginxでは/etc/nginx/conf.dディレクトリにファイルを配置する手法でしたが、MySQL 8系のコンテナイメージにも同様の仕組みが備わっています。

MySQLには基本的な設定を記述するmy.cnfというファイルがあります。mysql:8.0.33コンテナでは/etc/my.cnfに配置されており、ファイルの内容は**リスト4.4**のようになっています[*14]。

リスト4.4　MySQL8系コンテナの/etc/my.cnfファイル

```
[mysqld]
# (コメント部のため省略)
skip-host-cache
skip-name-resolve
datadir=/var/lib/mysql
socket=/var/run/mysqld/mysqld.sock
secure-file-priv=/var/lib/mysql-files
user=mysql

pid-file=/var/run/mysqld/mysqld.pid
[client]
socket=/var/run/mysqld/mysqld.sock

# ① /etc/mysql/conf.d/*.cnfファイルがあればロードする
!includedir /etc/mysql/conf.d/
```

最後尾の①に、/etc/mysql/conf.d/にある設定ファイルをロードする記述がされています。つまり、コンテナイメージをビルドする際はこのディレクトリに設定ファイルを配置すると良いことがわかります。

次に、例として追加する設定ファイルを見ていきましょう。

設定ファイルとしてslowlog.cnfを用意します。このファイルはスロークエリ[*15]の設定をしていて、その設定は**リスト4.5**のようになっています。long_query_time = 1によって1秒以上時間のかかるクエリはスロークエリとしてスローログファイルに出力されます[*16]。

リスト4.5　slowlog.cnf

`~/go/src/github.com/gihyodocker/taskapp/containers/mysql/etc/mysql/conf.d/slowlog.cnf`

```
[mysqld]
slow_query_log = on
slow_query_log_file = /var/log/mysql/mysql-slow.log
long_query_time = 1
log_queries_not_using_indexes = on
```

[*14] [mysqld]は常駐アプリケーションであるMySQLサーバの設定で、[client]はMySQLサーバに接続するクライアントの設定。

[*15] 計算量が大きく応答に時間がかかるクエリのこと。MySQLではスロークエリの検知はデフォルトオフですが、実運用ではデータベースの性能に悪影響を及ぼすクエリを特定するためにオンにすることが多いです。

[*16] 今回のタスクアプリではデータ量も少ないため、この設定を超えるようなクエリが実行されることはほとんどないでしょう。

4.2.3　MySQLのDockerfile

　次に、このファイルをコンテナに追加するためのDockerfileを見ていきます。Dockerfileはイメージビルドの起点となるcontainers/mysqlディレクトリ直下に配置します。Dockerfileは**リスト4.6**のように、ホスト側の./etc/mysql/conf.dディレクトリをコンテナ側の/etc/mysql/conf.dにコピーする処理を記述します。これで今回作成するMySQLイメージの準備が完了です。

リスト4.6　MySQLのDockerfile

~/go/src/github.com/gihyodocker/taskapp/containers/mysql/Dockerfile

```
FROM mysql:8.0.33

COPY ./etc/mysql/conf.d /etc/mysql/conf.d
```

4.2.4　MySQLコンテナの構成を設定する

　実行したいMySQLコンテナの構成はcompose.yamlに記述されています（**リスト4.7**）。

リスト4.7　compose.yamlのMySQLに関連する部分

~/go/src/github.com/gihyodocker/taskapp/compose.yaml

```
version: '3.9'
services:

  mysql:
    build: # ④ イメージビルドのコンテキストディレクトリを設定
      context: ./containers/mysql
    environment: # ③ 環境変数の設定
      MYSQL_ROOT_PASSWORD_FILE: /run/secrets/mysql_root_password
      MYSQL_DATABASE: taskapp
      MYSQL_USER: taskapp_user
      MYSQL_PASSWORD_FILE: /run/secrets/mysql_user_password
    secrets: # ②-1 コンテナにシークレットファイルをマウント
      - mysql_root_password
      - mysql_user_password
    volumes: # ①-1 MySQLのデータをData Volumeにマウント
      - mysql_data:/var/lib/mysql
    ports:
      - "3306:3306"

secrets: # ②-2 パスワードファイルをシークレットとして設定
  mysql_root_password:
    file: ./secrets/mysql_root_password
  mysql_user_password:
    file: ./secrets/mysql_user_password

volumes: # ①-2 Data Volumeの作成
  mysql_data:
```

　①-1と①-2はData Volumeの設定です。①-2のvolumesでmysql_dataというData Volumeを作

4. 複数コンテナ構成でのアプリケーション構築

成し、①-1 の volumes でコンテナ側の永続化したいディレクトリである /var/lib/mysql ディレクトリにマウントしています。

②-1 と ②-2 はシークレットの設定です。②-2 の secrets ではホスト側に用意したパスワードファイルをシークレットして登録します。②-1 の secrets ではコンテナにシークレットをマウントしています。マウントされたファイルはそれぞれ、/run/secrets/mysql_root_password と /run/secrets/mysql_user_password というパスで参照できます。

③はコンテナに与える環境変数の設定で、詳細は以下のようになっています。

環境変数名	内容
MYSQL_ROOT_PASSWORD_FILE	root ユーザのパスワードファイルのパス
MYSQL_DATABASE	作成するデータベース名。タスクアプリのため、taskapp とする
MYSQL_USER	アプリケーションから接続する MySQL のユーザ名。taskapp_user とする
MYSQL_PASSWORD_FILE	アプリケーションから接続する MySQL のユーザパスワードファイル。taskapp_user のパスワードとなる

④ではこのコンテナイメージをビルドする起点となるホスト側のディレクトリを設定します。コンテナビルドのコンテキストディレクトリと呼ばれます。

これで MySQL コンテナの構成が完成です。

4.3 データベースマイグレータの構築

続いてデータベースマイグレータを構築します。データベースのテーブルやインデックス定義はコンテナの MySQL にログインして SQL を発行すれば可能ですが、開発者が直接 SQL を実行してその作業をするより、コンテナ化をして手順や構成をコードで管理する方がよりシームレスな運用と言えるでしょう。

リポジトリにおけるデータベースマイグレータ関連のファイル構成は**リスト 4.8** のようになっています。containers/migrator ディレクトリはこのイメージをビルドする起点となるディレクトリです。

リスト 4.8　データベースマイグレータ関連のファイル構成

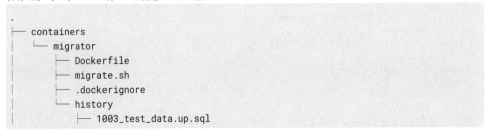

```
.
└── containers
    └── migrator
        ├── Dockerfile
        ├── migrate.sh
        ├── .dockerignore
        └── history
            └── 1003_test_data.up.sql
```

```
|          ├── 1003_test_data.down.sql
|          ├── 1002_index_status.up.sql
|          ├── 1002_index_status.down.sql
|          ├── 1001_init.up.sql
|          ├── 1001_init.down.sql
└── compose.yaml
```

4.3.1 golang-migrateを利用したデータベースマイグレーション

データベースマイグレーションツールとして、github.com/golang-migrate/migrate （以下、golang-migrate） を利用します。golang-migrate は Go 言語で実装されたデータベースマイグレーションツールであり、MySQL を始め PostgresSQL や MongoDB といったデータベースに対応しています。golang-migrate を利用したタスクアプリのデータベースマイグレーションを行っていきましょう。

タスクアプリでは**リスト 4.9** のような内容の DDL でテーブルとインデックスを構築します。タスクの内容を永続化する task テーブルと、そのタスクの状態（BACKLOG|PROGRESS|DONE）を表現する status カラムに対するインデックスです。

リスト 4.9　タスクアプリの DDL

```
CREATE TABLE task
(
    `id`      CHAR(26)     NOT NULL COMMENT 'ULID 26bytes',
    `title`   VARCHAR(191) NOT NULL COMMENT 'タイトル',
    `content` TEXT COMMENT '内容',
    `status`  ENUM('BACKLOG', 'PROGRESS', 'DONE') COMMENT 'ステータス',
    `created` DATETIME     NOT NULL COMMENT '作成時間',
    `updated` DATETIME     NOT NULL COMMENT '更新時間',
    PRIMARY KEY (`id`)
) ENGINE=InnoDB DEFAULT CHARSET=utf8mb4 COLLATE=utf8mb4_unicode_ci;

ALTER TABLE task ADD INDEX idx_status (`status`);
```

golang-migrate では任意のディレクトリにこれらの SQL を配置すればマイグレーションを実行できます。タスクアプリでは containers/migrator/history というディレクトリを作成して配置します。

golang-migrate でマイグレーションさせたい SQL ファイル名には次のような命名規則があります。

- 任意の番号_任意の名前.up.sql
- 任意の番号_任意の名前.down.sql

containers/migrator/history に配置した SQL ファイルには、1001、1002、1003 という番号を

4. 複数コンテナ構成でのアプリケーション構築

つけています。golang-migrateはこの番号の昇順でSQLを実行し、どのファイルまでがデータベースに適用されたかを記録します。ファイル名のサフィックスがup.sqlとなっているファイルには次のようにDDLを定義します。3つのSQLをそれぞれ**リスト4.10**、**リスト4.11**、テストデータである1003_test_data.up.sqlといった形で記述し、番号の昇順で適用されます[17]。

リスト4.10　1001_init.up.sql

~/go/src/github.com/gihyodocker/taskapp/containers/migrator/history/1001_init.up.sql

```
CREATE TABLE task
(
    `id`      CHAR(26)    NOT NULL COMMENT 'ULID 26bytes',
    `title`   VARCHAR(191) NOT NULL COMMENT 'タイトル',
    `content` TEXT COMMENT '内容',
    `status`  ENUM('BACKLOG', 'PROGRESS', 'DONE') COMMENT 'ステータス',
    `created` DATETIME    NOT NULL COMMENT '作成時間',
    `updated` DATETIME    NOT NULL COMMENT '更新時間',
    PRIMARY KEY (`id`)
) ENGINE=InnoDB DEFAULT CHARSET=utf8mb4 COLLATE=utf8mb4_unicode_ci;
```

リスト4.11　1002_index_status.up.sql

~/go/src/github.com/gihyodocker/taskapp/containers/migrator/history/1002_index_status.up.sql

```
ALTER TABLE task ADD INDEX idx_status (`status`);
```

　golang-migrateはこれらのDDLをどこまで適用したかをチェックポイントとして記録しており、その特性を活かしたスキーマのロールバックする機能を備えています。この機能を利用するためにスキーマを巻き戻すためのDDLも用意します。これはファイル名のサフィックスをdown.sqlとして定義します。タスクアプリではそれぞれ**リスト4.12**、**リスト4.13**、テストデータの削除SQLである1003_test_data.down.sqlといった形で記述し、チェックポイントから番号の降順で適用されます[18]。

リスト4.12　1001_init.down.sql

~/go/src/github.com/gihyodocker/taskapp/containers/migrator/history/1001_init.down.sql

```
DROP TABLE IF EXISTS `task`;
```

リスト4.13　1002_index_status.down.sql

~/go/src/github.com/gihyodocker/taskapp/containers/migrator/history/1002_index_status.down.sql

```
ALTER TABLE task DROP INDEX idx_status;
```

　1003に関するSQLはテストデータの挿入・削除のSQLであるため、内容は割愛します。
　golang-migrateの実行はmigrateコマンドで行えます。migrateコマンドは**リスト4.14**のような

---

[17]　この例ではマイグレーションのイメージを理解しやすくするために2つのファイルに分けていますが、1つのファイルにまとめることも可能です。

[18]　データベースの純粋なロールバック機能ではなく、あくまでロールバックするためのSQLを開発者が用意する仕組みです。

実行のしかたです。 up は全ての up.sql を実行、 down は全ての down.sql を実行します。 up|down の後に数字を指定すると、その数だけの SQL ファイル実行にとどめることもできます。

リスト 4.14　golang-migrateの実行例

```
# チェックポイント以降の全てのup.sqlを実行する
$ migrate -path [マイグレーションSQLディレクトリ] -database [データベース接続文字列]←
 up

# チェックポイント以降のup.sqlを1つだけ実行する
$ migrate -path [マイグレーションSQLディレクトリ] -database [データベース接続文字列]←
 up 1

# チェックポイント以前の全てのdown.sqlを実行する
$ migrate -path [マイグレーションSQLディレクトリ] -database [データベース接続文字列]←
 down

# チェックポイント以前のdown.sqlを1つだけ実行する
$ migrate -path [マイグレーションSQLディレクトリ] -database [データベース接続文字列]←
 down 1
```

4.3.2　マイグレーションを実行するスクリプト

　マイグレーション用の SQL が準備できたので、データベースマイグレータコンテナにこれを実行させるための仕組みを考えます。データベースマイグレータのコンテナから MySQL のコンテナへの実行のため、 containers/migrator/migrate.sh という**リスト 4.15** のような内容のスクリプトを用意します。いくつかの考慮がなされているためそれぞれ見ていきましょう。

リスト 4.15　マイグレーションを実行するためのスクリプト

`~/go/src/github.com/gihyodocker/taskapp/containers/migrator/migrate.sh`

```
#!/usr/bin/env bash

set -o errexit
set -o nounset
set -o pipefail

# ①-1 コマンドライン引数の数をチェック
if [ "$#" -ne 6 ]; then
  echo "usage: $0 <db_host> <db_port> <db_name> <username> <password> <command>"
  exit 1
fi

# ①-2 コマンドライン引数を変数に格納
db_host=$1
db_port=$2
db_name=$3
db_username=$4
# ①-3 ファイルパス指定とパスワード指定に対応
if [ -e "$5" ]; then
  db_password=`cat $5`
```

4. 複数コンテナ構成でのアプリケーション構築

```
else
  db_password=$5
fi

command=$6

# ② マイグレーション対象のMySQLへのヘルスチェックを毎秒行う
echo "Waiting for MySQL to start..."
until mysql -h $db_host -P $db_port -u $db_username -p$db_password -e "show database↩
s;" &> /dev/null; do
  >&2 echo "MySQL is unavailable - sleeping"
  sleep 1
done
echo "MySQL is up - executing command"

# ③ golang-migrateを実行する
migrate -path ./history -database mysql://$db_username:$db_password@tcp\($db_host:$d↩
b_port\)/$db_name $command
```

①-1、①-2ではスクリプトに対して渡されたコマンドライン引数をシェル変数に格納しています。①-3はパスワードをファイルパスとパスワードの直接指定の両方に対応しておきます。コマンドライン引数として、マイグレーションを実行するMySQLの接続情報等を格納します。 command には③で利用するgolang-migrateに与えるサブコマンドを取れるようにします。

②はマイグレーション対象のMySQLが正しく実行され、SQLを実行可能であるかどうかをチェックしています。タスクアプリのコンテナ群はComposeで実行するためコンテナ間通信や依存関係の設定が可能ですが、データベースマイグレータのコンテナが実行タイミングでMySQLの準備が完全に整っている保証はないためこのようなヘルスチェック処理が必要です。

③の migrate コマンドでgolang-migrateを実行します。 -path オプションでマイグレーションのSQLファイルのディレクトリを指定し、 -database でシェル変数からデータベースへの接続文字列を指定します。 $command にはgolang-migrateのサブコマンドである up や down が入力されます。

4.3.3 データベースマイグレータのDockerfile

次に、このファイルをコンテナに追加するためのDockerfileを記述します。Dockerfileはイメージビルドの起点となる containers/migrator ディレクトリ直下に配置します。Dockerfileは**リスト4.16**のように記述します。

リスト4.16 データベースマイグレータのDockerfile

`~/go/src/github.com/gihyodocker/taskapp/containers/migrator/Dockerfile`

```
# ① ベースイメージ
FROM golang:1.21.6

WORKDIR /migrator

# ② 必要なパッケージをインストールする
```

128

```
RUN apt update
RUN apt install -y default-mysql-client
# ③ golang-migrateをインストールする
RUN go install -tags 'mysql' github.com/golang-migrate/migrate/v4/cmd/migrate@←
v4.17.0

# ④ containers/migrate以下をWORKDIRにそのままコピーする
COPY . .
```

①ではベースイメージとして golang のイメージを指定します。golang-migrate が Go 言語製のため、go install コマンドで手軽にインストールできるからです。

②では最初に必要なパッケージをインストールします。golang:1.21.6 は Debian をベースとしたイメージで作られているため、パッケージマネージャの apt が利用できます。apt update でパッケージ一覧を更新し、golang-migrate の実行に必要となる default-mysql-client をインストールします。

③では go install コマンドで golang-migrate をインストールします。今回は MySQL に対する実行のため、--tag オプションで mysql の指定が必要です。

④はホスト側の migrator ディレクトリの中身をディレクトリをコンテナ側の WORKDIR である /migrator ディレクトリにコピーする処理を記述します。

> **コラム** **.dockerignoreファイル**
>
> リスト 4.16 のように COPY . [コンテナ側のディレクトリ] でホスト側のディレクトリを丸ごとコンテナにコピーできて便利ですが、余分なファイルも含めてしまいがちです。
>
> その場合は、Dockerfile と同じディレクトリに .dockerignore を用意することで COPY の対象となるファイルやディレクトリを除外できます。
>
> .dockerignore ファイルは Git における .gitignore と似ています。たとえば Dockerfile はコンテナの中には必要ないため、リスト 4.17 のように記述します。
>
> **リスト 4.17 .dockerignoreファイルの例**
>
> ```
> Dockerfile
> ```
>
> ただし、.dockerignore はワイルドカードの記述も可能ですが、.gitignore のような正規表現の記述はできない点に注意してください。

4.3.4 データベースマイグレータコンテナの構成を設定する

先述の MySQL の構成を定義した compose.yaml に、データベースマイグレータの構成も定義します。内容は**リスト 4.18**のようになっています。

4. 複数コンテナ構成でのアプリケーション構築

リスト 4.18　MySQLとマイグレータの構成を記述した compose.yaml

```
                                              ~/go/src/github.com/gihyodocker/taskapp/compose.yaml
version: '3.9'
services:

  mysql:
    build:
      context: ./containers/mysql
    environment:
      MYSQL_ROOT_PASSWORD_FILE: /run/secrets/mysql_root_password
      MYSQL_DATABASE: taskapp
      MYSQL_USER: taskapp_user
      MYSQL_PASSWORD_FILE: /run/secrets/mysql_user_password
    secrets:
      - mysql_root_password
      - mysql_user_password
    volumes:
      - mysql_data:/var/lib/mysql
    ports:
      - "3306:3306"

  migrator:
    build:
      context: ./containers/migrator
    depends_on: # ① mysqlコンテナへの依存を設定
      - mysql
    working_dir: /migrator
    environment: # ② 環境変数の設定
      DB_HOST: mysql
      DB_NAME: taskapp
      DB_PORT: "3306"
      DB_USERNAME: taskapp_user
    # ④ パスワードをシェル変数に展開し、スクリプトを実行
    command: >
        sh -c '
            bash /migrator/migrate.sh $$DB_HOST $$DB_PORT $$DB_NAME $$DB_USERNAME /r↩
un/secrets/mysql_user_password up
        '
    secrets: # ③ コンテナにシークレットファイルをマウント
      - mysql_user_password

secrets:
  mysql_root_password:
    file: ./secrets/mysql_root_password
  mysql_user_password:
    file: ./secrets/mysql_user_password

volumes:
  mysql_data:
```

　①の depends_on では mysql コンテナに migrator コンテナを依存させています。これにより migra
tor コンテナから MySQL コンテナを mysql で名前解決して通信ができます。

　②はコンテナに与える環境変数の設定です。MySQLの接続先や接続ユーザ名等を設定していま

す。この環境変数は後述の④で利用します。

③ではmysqlコンテナにもマウントしたmysql_user_passwordのシークレットをマウントします。

④のcommandではコンテナ実行時のシェルスクリプトを記述します。パスワードをコードに残さないために、マウントされたパスワードファイルである/run/secrets/mysql_user_passwordの内容をDB_PASSWORD変数に設定します。そして、bashコマンドで/migrator/migrate.shを実行します。②の環境変数とDB_PASSWORD変数を指定しますが、$を2つ重ねた記述になっているところが注意です。Composeのcommandで変数を参照する場合、$が1つだけの場合はホスト側の環境変数が展開されてしまいます。これを回避するために$を2つ重ねて（$$）エスケープし、コンテナ内の変数を展開できるようにしています。最後の引数としてupを指定して、マイグレーションを実行します。

MySQLとデータベースマイグレータの動作を確認する

これでMySQLとデータベースマイグレータそれぞれの構成ができましたので、ここで一度動作確認をしてみましょう。docker compose up -d --build mysql migratorを実行します*19。

図4.2　Composeでのmysqlとmigratorコンテナの実行

```
~/go/src/github.com/gihyodocker/taskapp git:(main) (41.462s)
docker compose up -d --build mysql migrator

[+] Building 40.6s (20/20) FINISHED
 => [mysql internal] load build definition from Dockerfile
 => => transferring dockerfile: 134B
 => [mysql internal] load .dockerignore
 => => transferring context: 2B
 => [mysql internal] load metadata for docker.io/library/mysql:8.0.33
 => [mysql auth] library/mysql:pull token for registry-1.docker.io
 => [mysql internal] load build context
 => => transferring context: 370B
 => [mysql 1/2] FROM docker.io/library/mysql:8.0.33@sha256:232936eb036d444045da2b87a90d48241c60b68b376caf509051cb6cffea6fdc
 => => resolve docker.io/library/mysql:8.0.33@sha256:232936eb036d444045da2b87a90d48241c60b68b376caf509051cb6cffea6fdc
 => => sha256:232936eb036d444045da2b87a90d48241c60b68b376caf509051cb6cffea6fdc 549B / 549B
 => => sha256:69da292eb326146b0c10267953b72d6fcd767e284c36c30d51473fbcb67ca5a2 885B / 885B
 => => sha256:1d42cf001a7bd8cb99fcc41ff98730b69094317cd3f78f9e9990c289e193da7e 2.62kB / 2.62kB

    ※長いため省略

 => [migrator internal] load build context
 => => transferring context: 543B
 => [migrator 2/6] WORKDIR /migrator
 => [migrator 3/6] RUN apt update
 => [migrator 4/6] RUN apt install -y default-mysql-client
 => [migrator 5/6] RUN go install -tags 'mysql' github.com/golang-migrate/migrate/v4/cmd/migrate@v4.16.2
 => [migrator 6/6] COPY . .
 => [migrator] exporting to image
 => => exporting layers
 => => writing image sha256:d3213336ba78862ac4d36add68dfd6ddc337bef5cd34d268ce71d1dfe60db2fc
 => => naming to docker.io/library/taskapp-migrator
[+] Running 4/4
 ✓ Network taskapp_default       Created
 ✓ Volume "taskapp_mysql_data"   Created
 ✓ Container taskapp-mysql-1     Started
 ✓ Container taskapp-migrator-1  Started
```

少し経過してからdocker compose ps -aを実行すると、MySQLコンテナは実行中ですがデータベースマイグレータコンテナのSTATUSがExitedで終了していることがわかります。

*19　taskappリポジトリのcompose.yamlは完成形のため他のコンテナ定義もされていますが、このように実行したいコンテナを限定することが可能です。

4. 複数コンテナ構成でのアプリケーション構築

図4.3　終了したmigratorコンテナ

```
docker compose ps -a
NAME                 IMAGE              COMMAND                SERVICE    CREATED           STATUS                   PORTS
taskapp-migrator-1   taskapp-migrator   "sh -c '\n  DB_PASS_"  migrator   About a minute ago  Exited (0) 56 seconds ago
taskapp-mysql-1      taskapp-mysql      "docker-entrypoint.s…"  mysql      About a minute ago  Up About a minute        0.0.0.0:3306->3306/tcp, 33060/tcp
```

　終了したデータベースマイグレータのログを次のように docker compose logs コマンドで確認してみましょう。

```
(~/go/src/github.com/gihyodocker/taskapp) $ docker compose logs -f migrator
taskapp-migrator-1  | Waiting for MySQL to start...
taskapp-migrator-1  | MySQL is unavailable - sleeping
taskapp-migrator-1  | MySQL is unavailable - sleeping
taskapp-migrator-1  | MySQL is unavailable - sleeping
taskapp-migrator-1  | MySQL is unavailable - sleeping
taskapp-migrator-1  | MySQL is unavailable - sleeping
taskapp-migrator-1  | MySQL is unavailable - sleeping
taskapp-migrator-1  | MySQL is unavailable - sleeping
taskapp-migrator-1  | MySQL is unavailable - sleeping
taskapp-migrator-1  | MySQL is unavailable - sleeping
taskapp-migrator-1  | MySQL is up - executing command
taskapp-migrator-1  | 1001/u init (25.173667ms)
taskapp-migrator-1  | 1002/u index_status (47.704917ms)
taskapp-migrator-1  | 1003/u test_data (59.115042ms)
```

　ログの内容を確認すると、 migrator.sh において echo で記述した標準出力が表示されており、数回のヘルスチェックを経て MySQL の接続が確立されていることがわかります。 1001/u と 1002/u と 1003/u は対象の番号の SQL が実行されたことを示しています。

　続いて、実際に taskapp データベースにスキーマが構築されているかを確認します。**リスト 4.19** のように、 mysql コンテナで bash を実行します。 コンテナ内部で mysql コマンドを経由して、 show tables; のクエリを実行すると task テーブルが作成されていることがわかります。

リスト 4.19　show tablesの実行

```
(~/go/src/github.com/gihyodocker/taskapp) $ docker compose exec -it mysql bash
bash-4.4# mysql -u taskapp_user -p taskapp --default-character-set=utf8
Enter password:
Reading table information for completion of table and column names
You can turn off this feature to get a quicker startup with -A

Welcome to the MySQL monitor.  Commands end with ; or \g.
Your MySQL connection id is 10
Server version: 8.0.33 MySQL Community Server - GPL

Copyright (c) 2000, 2023, Oracle and/or its affiliates.

Oracle is a registered trademark of Oracle Corporation and/or its
affiliates. Other names may be trademarks of their respective
owners.
```

```
Type 'help;' or '\h' for help. Type '\c' to clear the current input statement.

mysql> show tables;
+-------------------+
| Tables_in_taskapp |
+-------------------+
| schema_migrations |
| task              |
+-------------------+
2 rows in set (0.01 sec)
```

さらに、 `show create table task;`でテーブルの内容を確認すると、**リスト 4.20** のように task テーブルが作成されて`idx_status`のインデックスも確認できます。

リスト 4.20　show create tableの実行

```
mysql> show create table task\G
*************************** 1. row ***************************
       Table: task
Create Table: CREATE TABLE `task` (
  `id` char(26) COLLATE utf8mb4_unicode_ci NOT NULL COMMENT 'ULID 26bytes',
  `title` varchar(191) COLLATE utf8mb4_unicode_ci NOT NULL COMMENT 'タイトル',
  `content` text COLLATE utf8mb4_unicode_ci COMMENT '内容',
  `status` enum('BACKLOG','PROGRESS','DONE') COLLATE utf8mb4_unicode_ci DEFAULT NULL←
 COMMENT 'ステータス',
  `created` datetime NOT NULL COMMENT '作成時間',
  `updated` datetime NOT NULL COMMENT '更新時間',
  PRIMARY KEY (`id`),
  KEY `idx_status` (`status`)
) ENGINE=InnoDB DEFAULT CHARSET=utf8mb4 COLLATE=utf8mb4_unicode_ci
1 row in set (0.00 sec)
```

task テーブルに SELECT 文を発行すると、**リスト 4.21** のような結果が得られ、1003 番の sql ファイルで定義したデータが挿入されていることもわかります。

リスト 4.21　テストデータの確認

```
mysql> SELECT id, title, status FROM task;
+----------------------------+----------------------------------+----------+
| id                         | title                            | status   |
+----------------------------+----------------------------------+----------+
| 01H4QEZ39F0MCJERZ7BFHSG92E | Kubernetesの検証                 | PROGRESS |
| 01H4QEZ39F1NMC3CKQ8BPSCNA8 | 継続的デリバリーの検証           | BACKLOG  |
| 01H4QEZ39F1ZKC2T54SAYQZPCC | コンテナイメージのCI             | PROGRESS |
| 01H4QEZ39FBP67SS9V042ZJ5H1 | Dockerのインストール             | DONE     |
| 01H4QEZ39FHB1QQJAYJEN373VA | パブリッククラウドの選定         | PROGRESS |
| 01H4QEZ39FKNA78DZQ6CGSCJJM | OrbStackの検証                   | BACKLOG  |
| 01H4QEZ39FZVW6Y6HVQDHQ192K | asdfのインストール               | DONE     |
+----------------------------+----------------------------------+----------+
7 rows in set (0.01 sec)
```

4. 複数コンテナ構成でのアプリケーション構築

また、`schema_migrations`というテーブルが作成されていることに気づくでしょう。このテーブルはgolang-migrateがSQLファイルをどこまで適用したかを記録するためのテーブルです。

```
mysql> SELECT * FROM schema_migrations;
+---------+-------+
| version | dirty |
+---------+-------+
|    1003 |     0 |
+---------+-------+
1 row in set (0.00 sec)

mysql> exit
Bye
bash-4.4# exit
exit
```

内容が確認できたら、`exit`で`mysql`コマンドとシェルを終了します。

これでMySQLとデータベースマイグレータの構築までできました。Composeで実行した`mysql`と`migrator`コンテナは次節でも利用するため、そのままにしておいてください。

4.4 APIサーバとWebサーバの構築

続いてタスクアプリのAPIサーバとWebサーバの構築を見ていきましょう。APIサーバとWebサーバはGo言語[20]で実装してあります。

最終的にはコンテナイメージのビルド時にコンテナ内でGo言語のアプリケーションをビルドし、生成された実行ファイルをコンテナで実行できるようにします。

4.4.1 リポジトリのディレクトリ構成

APIサーバとWebサーバの実装はともにtaskappリポジトリ内で共存しています。今回は一つのリポジトリ内に全てのサブシステムを管理下に置くMonorepoというスタイルで実装します[21]。

API・WebサーバともにGo言語で実装しており、サブシステム間で共通コンポーネントの共有をしやすくなること、一つのリポジトリであることによる学習やコードリーディングのしやすさを考慮してMonorepoを選択しています[22]。

タスクアプリのリポジトリのディレクトリ構成は**リスト4.22**のようになっています。本章では

---

[20] 読者の中にはGo言語の経験がない方もいるでしょう。あくまでアプリケーションをDockerでどのように実行するかを理解するが目的なので、実装に関しては雰囲気だけをつかんでもらえれば十分です。

[21] Monorepoに対して、それぞれに独立したリポジトリを用意するPolyrepoという開発するスタイルもあります。

[22] これらの考察についてはコラム「PolyrepoとMonorepo」で説明します。

134

全てのファイルと実装を紹介しませんが、APIサーバとWebサーバのコンテナを構築する上でポイントとなる実装やファイルに焦点を絞り解説します[*23]。

リスト4.22　APIサーバ・Webサーバ関連のディレクトリ構成

```
.
├── cmd
│   ├── tools
│   │   └── main.go
│   ├── web
│   │   └── main.go
│   └── api
│       └── main.go
├── go.mod
├── bin
├── Makefile
├── secrets
│   ├── mysql_user_password
│   └── mysql_root_password
├── go.sum
├── api-config.yaml
├── containers
│   ├── web
│   │   └── Dockerfile
│   └── api
│       └── Dockerfile
├── assets
│   └── bootstrap.min.css
├── compose.yaml
└── pkg
    ├── repository
    ├── app
    │   ├── tools
    │   ├── web
    │   │   ├── page
    │   │   │   ├── index.go
    │   │   │   ├── create.go
    │   │   │   ├── update.go
    │   │   │   ├── delete.go
    │   │   │   ├── page.go
    │   │   │   └── template
    │   │   │       ├── update.html
    │   │   │       ├── index.html
    │   │   │       ├── create.html
    │   │   │       └── delete.html
    │   │   └── server
    │   │       └── command.go
```

[*23]　ファイルが空で表示されているディレクトリにも実装がありますが、本質からは逸れた実装なため省略しています。

4. 複数コンテナ構成でのアプリケーション構築

> **コラム** **PolyrepoとMonorepo**
>
> 　今日のシステムはいくつかのサブシステムやコンポーネントを組み合わせて成立している構成が多いです。マイクロサービスアーキテクチャ（Microservices）の台頭や、コンテナ技術の普及によりこのような構成を開発・運用しやすくなりました。
> 　しかし、複数のサブシステムをリポジトリでどのように管理すべきか？については現在でもさまざまな試行錯誤や議論が繰り広げられています。
> 　特にマイクロサービスアーキテクチャの黎明期においては、切り出されたサブシステムやマイクロサービス毎にリポジトリを用意して開発するスタイルが流行しました。マイクロサービスとリポジトリを1対1で管理するPolyrepoという手法です。
> 　Polyrepoはリポジトリが独立しているため、変更が他のリポジトリへ影響を及ぼしにくいです。また、特定の業務ドメインや機能に焦点が当てられやすいため、コードベースの肥大化は回避しやすいためビルドやCI時間も短い傾向があります。
> 　反面、複数のリポジトリ間でのコードの重複や開発組織として全てのリポジトリで一貫性を持たせることが難しいといった側面もあります。セキュリティアップデートを各リポジトリに迅速に行うことも、うまく仕組み化しない限り難しい運用となります。
> 　このような課題を解消するための方法の一つとして近年注目されているのがMonorepoです。Monorepoは1つのリポジトリで複数のサブシステムやマイクロサービスのコード、その他共通するユーティリティなどを管理する手法です。
> 　Polyrepoとは違いコードの再利用や共有がしやすく、一貫性を保ちやすくなるためサブシステムによってコードベースの品質に差異が出にくくなります。セキュリティアップデート対応もPolyrepoに比べると短い時間で行えるでしょう。
> 　しかし、Monorepoではこれらをうまく扱えるがゆえに、コードベースがどうしても大きくなっ

てしまうことが最大の難しさでしょう。コードベースの大きさはビルド時間、CIやデプロイ時間の増大につながりやすいです。これを軽減するために差分ビルドやキャッシュの活用といった工夫が必要ですが、その仕組みの構築は決して簡単ではありません。

このようにPolyrepo、Monorepo両者ともに一長一短の特徴があり、正直なところ筆者は現時点で正解はないと考えています。事業状況や開発組織の規模・文化・習熟度などを総合的に判断し、適切なリポジトリ選択をすることが求められるのではないでしょうか。

4.4.2　実行ファイルとコマンドの仕様

Go言語で書かれたアプリケーションをビルドするとアーティファクト[24]としてバイナリ実行ファイルが生成されます。APIサーバとWebサーバをそれぞれビルドし、コンテナ内で実行し、アプリケーションを動作させます。

taskappリポジトリでは、makeのタスクとして定義されているvendorタスクを実行すると依存ライブラリをダウンロードします。build-api、build-webを実行すると./binディレクトリにそれぞれ実行ファイルが生成されます。この処理はコンテナ外でも実行できますが、最終的にコンテナイメージをビルドする必要があるため、後にコンテナ内（**リスト4.30**）で実行します。

```
(~/go/src/github.com/gihyodocker/taskapp) $ make vendor
(~/go/src/github.com/gihyodocker/taskapp) $ make build-api
(~/go/src/github.com/gihyodocker/taskapp) $ make build-web
```

./bin/apiファイルのserver --helpコマンドを実行すると、APIサーバのコマンドライン仕様（**リスト4.23**）が表示されます。

リスト4.23　**APIサーバのコマンドライン仕様**
```
(~/go/src/github.com/gihyodocker/taskapp) $ ./bin/api server --help
Start up the api server

Usage:
  taskapp-api server [flags]

Flags:
      --config-file string     The path to the config file.
      --grace-period duration  How long to wait for graceful shutdown. (default 5s)
  -h, --help                   help for server
      --port int               The port number used to run HTTP api. (default 8180)
```

--port（ポート番号）や--grace-period（Graceful Shutdownまでの秒数）といったオプションを取りますが、APIサーバ固有のオプションとして--config-fileがあります。

---

[24]　アプリケーションがビルドされた実行・配布可能状態になったもの。実行ファイルやアーカイブされたzipファイル、広義の意味ではコンテナイメージもアーティファクト。

4. 複数コンテナ構成でのアプリケーション構築

--config-fileオプションはデータベースの接続情報等を記述した設定ファイルのパスを取ります。設定ファイルについては4.4.3で詳しく解説します。

./bin/webファイルの server --helpコマンドを実行すると、Webサーバのコマンドライン仕様（**リスト 4.24**）が表示されます。

リスト 4.24　Webサーバのコマンドライン仕様

```
(~/go/src/github.com/gihyodocker/taskapp) $ ./bin/web server --help
Start up the web server

Usage:
  taskapp-web server [flags]

Flags:
      --api-address string      The API address. (default "http://127.0.0.1:8180")
      --assets-dir string       The path to the assets directory.
      --grace-period duration   How long to wait for graceful shutdown. (default 5s)
  -h, --help                    help for server
      --port int                The port number used to run HTTP api. (default 8280)
```

--portと --grace-periodを扱うのはAPIサーバと同様ですが、Webサーバ固有のオプションとして --api-address（APIサーバのアドレス）や --assets-dir（静的ファイルのディレクトリ）を取ります。

4.4.3　APIサーバの構築

APIサーバの構築について解説します。サーバの起動、設定ファイル、HTTPハンドラ、Dockerfileを順に解説します。

APIサーバの起動まで

APIサーバのアプリケーション実行は**リスト 4.25**から始まります。ここではコマンドラインアプリケーション（以下、CLI）としてどのような処理を追加するかを定義しています。

リスト 4.25　APIサーバのコマンドラインアプリケーションを開始するためのコード

~/go/src/github.com/gihyodocker/taskapp/cmd/api/main.go

```
package main

import (
    "log"

    "github.com/gihyodocker/taskapp/pkg/app/api/cmd/config"
    "github.com/gihyodocker/taskapp/pkg/app/api/cmd/server"
    "github.com/gihyodocker/taskapp/pkg/cli"
)

func main() {
    // ① コマンドラインアプリケーションのインスタンスを作成
```

```
    c := cli.NewCLI("taskapp-api", "The API application of taskapp")
    // ② サブコマンドの定義
    c.AddCommands(
        // ②-1 APIサーバの起動コマンド
        server.NewCommand(),
        config.NewCommand(),
    )
    // ③ ①と②の定義を元にコマンドラインアプリケーションを実行
    if err := c.Execute(); err != nil {
        log.Fatal(err)
    }
}
```

リスト4.26ではAPIサーバを起動するためのサブコマンドであるserverの処理を行っています。コマンドラインラインオプションの値を取得し、その値に応じてMySQLへの接続処理等といった初期処理を行ってからHTTPリクエストの待ち受け状態を作ります。

リスト4.26　コマンドラインを処理し、APIサーバを開始するためのコード

~/go/src/github.com/gihyodocker/taskapp/pkg/app/api/cmd/server/command.go

```go
package server

import (
    "context"
    "database/sql"
    "net/http"
    "time"

    "github.com/spf13/cobra"
    "golang.org/x/exp/slog"
    "golang.org/x/sync/errgroup"

    "github.com/gihyodocker/taskapp/pkg/app/api/handler"
    "github.com/gihyodocker/taskapp/pkg/cli"
    "github.com/gihyodocker/taskapp/pkg/config"
    "github.com/gihyodocker/taskapp/pkg/db"
    "github.com/gihyodocker/taskapp/pkg/repository"
    "github.com/gihyodocker/taskapp/pkg/server"
)

type command struct {
    port        int
    gracePeriod time.Duration
    configFile  string
}

// ① CLIライブラリのcobraのインスタンスを作成
func NewCommand() *cobra.Command {
    // ①-1 CLIのオプションとして取る値のデフォルト値を設定
    c := &command{
        port:        8180,
        gracePeriod: 5 * time.Second,
    }
```

4. 複数コンテナ構成でのアプリケーション構築

```go
    cmd := &cobra.Command{
        Use:   "server",
        Short: "Start up the api server",
        RunE:  cli.WithContext(c.execute),
    }
    // ①-2 APIサーバをListenするポート番号を定義
    cmd.Flags().IntVar(&c.port, "port", c.port, "The port number used to run HTTP ap←
i.")
    // ①-3 Graceful Shutdownまでの待ち時間を定義
    cmd.Flags().DurationVar(&c.gracePeriod, "grace-period", c.gracePeriod, "How long←
 to wait for graceful shutdown.")
    // ①-4 APIサーバの設定ファイルのパスを定義
    cmd.Flags().StringVar(&c.configFile, "config-file", c.configFile, "The path to t←
he config file.")

    // ①-5 --config-fileオプションの指定を必須に設定
    cmd.MarkFlagRequired("config-file")
    return cmd
}

func (c *command) execute(ctx context.Context) error {
    group, ctx := errgroup.WithContext(ctx)

    // ② --config-fileオプションで指定されたAPIサーバの設定ファイルを読み込む
    appConfig, err := config.LoadConfigFile(c.configFile)
    if err != nil {
        slog.Error("failed to load api configuration",
            slog.String("config-file", c.configFile),
            err,
        )
        return err
    }
    // ③ 設定ファイルの情報を元にMySQLへのコネクションを作成
    dbConn, err := createMySQL(*appConfig.Database)
    if err != nil {
        slog.Error("failed to open MySQL connection", err)
        return err
    }

    // ④ taskテーブルを操作するリポジトリを作成
    taskRepo := repository.NewTask(dbConn)

    // ⑤ task関連のAPIの処理を行うHTTPハンドラを作成
    taskHandler := handler.NewTask(taskRepo)

    options := []server.Option{
        server.WithGracePeriod(c.gracePeriod),
    }
    // ⑥ HTTPサーバのインスタンスを作成し、エンドポイントを登録
    httpServer := server.NewHTTPServer(c.port, options...)
    // ⑥-1 ヘルスチェック用のAPIを設定
    httpServer.Get("/healthz", func(w http.ResponseWriter, r *http.Request) {
        w.WriteHeader(http.StatusOK)
    })
```

APIサーバとWebサーバの構築　**4.4**

```
    // ⑥-2 taskHandlerの実装をAPIのパスにマッピングする
    httpServer.Put("/api/tasks/{id}", taskHandler.Update)
    httpServer.Delete("/api/tasks/{id}", taskHandler.Delete)
    httpServer.Get("/api/tasks/{id}", taskHandler.Get)
    httpServer.Post("/api/tasks", taskHandler.Create)
    httpServer.Get("/api/tasks", taskHandler.List)

    // ⑦ 非同期でHTTPサーバを開始する
    group.Go(func() error {
        return httpServer.Serve(ctx)
    })

    // ⑧ 待ち状態にする
    if err := group.Wait(); err != nil {
        slog.Error("failed while running", err)
        return err
    }
    return nil
}

func createMySQL(conf config.Database) (*sql.DB, error) {...}
```

APIサーバの設定ファイル

　APIサーバにおけるMySQLへの接続情報等の設定はyaml形式の設定ファイルで定義できるようになっています。**リスト 4.27**は具体的なファイルの例です[*25]。実際に利用する設定ファイルは、後ほど**リスト 4.43**でコマンドを使って生成します。

リスト 4.27　APIサーバのyaml形式設定ファイル

```
database:
  host: 127.0.0.1
  username: taskapp_user
  password: ********
  dbname: taskapp
  maxIdleConns: 5
  maxOpenConns: 10
  connMaxLifetime: 1h0m0s
```

　このyamlの設定ファイルをAPIサーバに渡す必要があります。**リスト 4.28**は設定ファイルを読み込み、APIサーバで扱いやすくするためのApplicationという構造体に格納するための処理をしています。

リスト 4.28　設定ファイルの値を詰め込むための構造体

`~/go/src/github.com/gihyodocker/taskapp/pkg/config/config.go`

```
package config

import (
```

＊25　passwordはアスタリスクでマスクしています。

```go
    "os"
    "time"

    "gopkg.in/yaml.v3"
)

// ① トップレベルとして展開される構造体を定義
type Application struct {
    Database *Database `yaml:"database"`
}

// ② databaseの子要素で構成される構造体を定義
type Database struct {
    Host            string        `yaml:"host"`
    Username        string        `yaml:"username"`
    Password        string        `yaml:"password"`
    DBName          string        `yaml:"dbname"`
    MaxIdleConns    int           `yaml:"maxIdleConns"`
    MaxOpenConns    int           `yaml:"maxOpenConns"`
    ConnMaxLifetime time.Duration `yaml:"connMaxLifetime"`
}

// ③ yamlの設定ファイルを読み込み、そのデータを構造体に設定して返すための関数
func LoadConfigFile(configPath string) (*Application, error) {
    data, err := os.ReadFile(configPath)
    if err != nil {
        return nil, err
    }

    var appConfig Application
    if err := yaml.Unmarshal([]byte(data), &appConfig); err != nil {
        return nil, err
    }
    return &appConfig, nil
}
```

HTTPハンドラ

HTTPハンドラはクライアントからのHTTPリクエストを受け取り、レスポンスを返すための処理をするためのものです。APIサーバのHTTPハンドラはRESTFul APIの役割を担っています。ハンドラの実装は**リスト4.29**を参照してください。

②の GET /api/tasks のエンドポイントに対応する関数ですが、データベースからタスクデータを取得し、JSONでクライアントに返すための処理をしています。その他にも参照系・更新系の関数を用意していますが、データベースアクセスからレスポンスを返す処理という点では同じなため省略します。

リスト 4.29 HTTPエンドポイントを処理するためのコード

`~/go/src/github.com/gihyodocker/taskapp/pkg/app/api/handler/task.go`

```go
package handler

import (
    "database/sql"
    "encoding/json"
    "net/http"
    "time"

    "github.com/go-chi/chi/v5"
    "golang.org/x/exp/slog"

    "github.com/gihyodocker/taskapp/pkg/id"
    "github.com/gihyodocker/taskapp/pkg/model"
    "github.com/gihyodocker/taskapp/pkg/payload"
    "github.com/gihyodocker/taskapp/pkg/repository"
)

type Task struct {
    // ① taskテーブルに対して参照・更新・削除などを行うリポジトリ
    taskRepo repository.Task
}

func NewTask(taskRepo repository.Task) *Task {
    return &Task{
        taskRepo: taskRepo,
    }
}

func (h *Task) Update(w http.ResponseWriter, r *http.Request) {...}

func (h *Task) Delete(w http.ResponseWriter, r *http.Request) {...}

func (h *Task) Get(w http.ResponseWriter, r *http.Request) {...}

func (h *Task) Create(w http.ResponseWriter, r *http.Request) {...}

// ② GET /api/tasks の実装
func (h *Task) List(w http.ResponseWriter, r *http.Request) {
    // ②-1 タスクデータを全件取得する
    tasks, err := h.taskRepo.FindAll(r.Context())
    if err != nil {
        slog.Error("failed to get tasks", err)
        http.Error(w, http.StatusText(http.StatusInternalServerError), http.StatusIn←
ternalServerError)
        return
    }

    // ②-2 レスポンスヘッダやステータスコードの設定する
    w.Header().Set("Content-Type", "application/json; charset=utf-8")
    w.WriteHeader(http.StatusOK)
    // ②-3 タスクのリストをJSONに変換してレスポンスする
    if err := json.NewEncoder(w).Encode(tasks); err != nil {
        slog.Error("failed to marshal json", err)
```

4. 複数コンテナ構成でのアプリケーション構築

```
    }
}
```

Dockerfile

APIサーバのDockerfileは**リスト4.30**のようになっています。APIサーバのビルドに必要なファイルをコピーしてビルドを行い、できあがった実行ファイルを `ENTRYPOINT` に設定します。

リスト4.30　APIサーバのDockerfile

`~/go/src/github.com/gihyodocker/taskapp/containers/api/Dockerfile`

```dockerfile
FROM golang:1.21.6

WORKDIR /go/src/github.com/gihyodocker/taskapp

# ① ビルドに必要なファイル群をコピー
COPY ./cmd ./cmd
COPY ./pkg ./pkg
COPY go.mod .
COPY go.sum .
COPY Makefile .

# ② ビルドに関連する処理
RUN make mod
RUN make vendor
RUN make build-api

# ③ APIサーバの実行ファイルをENTRYPOINTに設定
ENTRYPOINT ["./bin/api"]
```

4.4.4　Webサーバの構築

Webサーバの構築について解説します。サーバの起動、HTTPハンドラ、HTMLテンプレート、Dockerfileを順に解説します。

Webサーバの起動まで

続いてWebサーバの実装を見ていきましょう。起動まではAPIサーバの実装とそれほど変わりません。アプリケーション実行は**リスト4.31**から始まります。

リスト4.31　Webサーバのコマンドラインアプリケーションを開始するためのコード

`~/go/src/github.com/gihyodocker/taskapp/cmd/web/main.go`

```go
package main

import (
    "log"

    "github.com/gihyodocker/taskapp/pkg/app/web/cmd/server"
    "github.com/gihyodocker/taskapp/pkg/cli"
)
```

```
func main() {
    c := cli.NewCLI("taskapp-web", "The web application of taskapp")
    c.AddCommands(
        server.NewCommand(),
    )
    if err := c.Execute(); err != nil {
        log.Fatal(err)
    }
}
```

リスト 4.32 では Web サーバを起動するためのサブコマンドである server の処理を行っています。API サーバでは MySQL の接続情報等を記述した設定ファイルを扱っていましたが、API サーバに比べると設定がシンプルなためコマンドラインオプションだけで完結させています。これらの値を取得し、初期処理を行ってから HTTP リクエストの待ち受け状態を作ります。

リスト 4.32　コマンドラインを処理し、Web サーバを開始するためのコード

~/go/src/github.com/gihyodocker/taskapp/pkg/app/web/cmd/server/command.go

```
package server

import (
    "context"
    "net/http"
    "time"

    "github.com/spf13/cobra"
    "golang.org/x/exp/slog"
    "golang.org/x/sync/errgroup"

    "github.com/gihyodocker/taskapp/pkg/app/web/client"
    "github.com/gihyodocker/taskapp/pkg/app/web/handler"
    "github.com/gihyodocker/taskapp/pkg/cli"
    "github.com/gihyodocker/taskapp/pkg/server"
)

type command struct {
    port        int
    apiAddress  string
    assetsDir   string
    gracePeriod time.Duration
}

// ① CLIライブラリのcobraのインスタンスを作成
func NewCommand() *cobra.Command {
    // ①-1 CLIのオプションとして取る値のデフォルト値を設定
    c := &command{
        port:        8280,
        apiAddress:  "http://127.0.0.1:8180",
        gracePeriod: 5 * time.Second,
    }
    cmd := &cobra.Command{
        Use:   "server",
```

145

4. 複数コンテナ構成でのアプリケーション構築

```
        Short: "Start up the web server",
        RunE:  cli.WithContext(c.execute),
    }
    // ①-2 WebサーバをListenするポート番号を定義
    cmd.Flags().IntVar(&c.port, "port", c.port, "The port number used to run HTTP ap←
i.")
    // ①-3 APIサーバのアドレスを定義
    cmd.Flags().StringVar(&c.apiAddress, "api-address", c.apiAddress, "The API addre←
ss.")
    // ①-4 assetsのディレクトリパスを定義
    cmd.Flags().StringVar(&c.assetsDir, "assets-dir", c.assetsDir, "The path to the ←
assets directory.")
    // ①-5 Graceful Shutdownまでの待ち時間を定義
    cmd.Flags().DurationVar(&c.gracePeriod, "grace-period", c.gracePeriod, "How long←
 to wait for graceful shutdown.")

    return cmd
}

func (c *command) execute(ctx context.Context) error {
    group, ctx := errgroup.WithContext(ctx)

    options := []server.Option{
        server.WithGracePeriod(c.gracePeriod),
    }

    // ② APIに接続するためのクライアントを作成
    taskCli := client.NewTask(c.apiAddress)

    // ③ Webページを返すためのpageを実装
    indexHandler := handler.NewIndex(taskCli)
    deleteHandler := handler.NewDelete(taskCli)
    updateHandler := handler.NewUpdate(taskCli)
    createHandler := handler.NewCreate(taskCli)

    // ④ HTTPサーバのインスタンスを作成し、エンドポイントを登録
    httpServer := server.NewHTTPServer(c.port, options...)
    // ④-1 ヘルスチェック用のAPIを設定
    httpServer.Get("/healthz", func(w http.ResponseWriter, r *http.Request) {
        w.WriteHeader(http.StatusOK)
    })

    // ⑤ 静的ファイルのディレクトリを /assets で配信する
    if c.assetsDir != "" {
        httpServer.Handle("/assets/*", http.StripPrefix("/assets", http.FileServer(h←
ttp.Dir(c.assetsDir))))
    }

    // ⑥ 各pageの実装をパスにマッピングする
    httpServer.Post("/tasks/{id}/update/complete", updateHandler.Complete)
    httpServer.Get("/tasks/{id}/update", updateHandler.Input)
    httpServer.Post("/tasks/{id}/delete/complete", deleteHandler.Complete)
    httpServer.Get("/tasks/{id}/delete", deleteHandler.Confirm)
    httpServer.Post("/tasks/create/complete", createHandler.Complete)
    httpServer.Get("/tasks/create", createHandler.Input)
```

```
    httpServer.Get("/", indexHandler.Index)
    // ⑦ 非同期でHTTPサーバを開始する
    group.Go(func() error {
        return httpServer.Serve(ctx)
    })

    // ⑧ 待ち状態にする
    if err := group.Wait(); err != nil {
        slog.Error("failed while running", err)
        return err
    }
    return nil
}
```

HTTPハンドラ

WebサーバではWebページのHTMLを返すためのHTTPハンドラを実装します。Webページを生成するハンドラは複数実装してありますが、ここではタスク一覧を表示する画面の実装である**リスト4.33**を紹介します。

ここでは②-1で取得したタスクデータをHTMLテンプレートに埋め込むための構造体である`indexParam`にデータを入れ直し、動的に生成したHTMLをレスポンスします。

リスト4.33　動的にHTMLを生成してクライアントにレスポンスするためのコード

`~/go/src/github.com/gihyodocker/taskapp/pkg/app/web/handler/index.go`

```
package handler

import (
    "html/template"
    "net/http"

    "golang.org/x/exp/slog"

    "github.com/gihyodocker/taskapp/pkg/app/web/client"
    "github.com/gihyodocker/taskapp/pkg/model"
)

type Index struct {
    // ① APIサーバに接続するためのクライアント
    taskCli client.TaskClient
}

func NewIndex(taskCli client.TaskClient) *Index {
    return &Index{
        taskCli: taskCli,
    }
}

type indexParam struct {
    Backlog  []*model.Task
    Progress []*model.Task
    Done     []*model.Task
}
```

4. 複数コンテナ構成でのアプリケーション構築

```go
// ② GET / の実装
func (p *Index) Index(w http.ResponseWriter, r *http.Request) {
    // ②-1 API経由でタスクデータを全件取得する
    tasks, err := p.taskCli.List()
    if err != nil {
        slog.Error("failed to get tasks", err)
        http.Error(w, http.StatusText(http.StatusInternalServerError), http.StatusIn←
ternalServerError)
        return
    }

    // ②-2 テンプレートに埋め込まれた変数に値を渡すための構造体を作る
    param := indexParam{
        Backlog:  make([]*model.Task, 0),
        Progress: make([]*model.Task, 0),
        Done:     make([]*model.Task, 0),
    }

    // ②-3 タスクデータをBACKLOG, PROGRESS, DONEの状態に振り分け、構造体に格納する
    for _, t := range tasks {
        switch t.Status {
        case model.TaskStatusBACKLOG:
            param.Backlog = append(param.Backlog, t)
        case model.TaskStatusPROGRESS:
            param.Progress = append(param.Progress, t)
        case model.TaskStatusDONE:
            param.Done = append(param.Done, t)
        default:
            slog.Error("unknown status: %s", t.Status)
            http.Error(w, http.StatusText(http.StatusInternalServerError), http.Stat←
usInternalServerError)
            return
        }
    }

    // ②-4 HTMLテンプレートを読み込む
    tmpl := template.Must(template.ParseFS(templateFS, "template/index.html"))
    // ②-5 HTMLテンプレートに構造体を適用してHTMLを描画
    if err := tmpl.Execute(w, param); err != nil {
        slog.Error("failed to execute template", err)
        http.Error(w, http.StatusText(http.StatusInternalServerError), http.StatusIn←
ternalServerError)
        return
    }
}
```

HTMLテンプレート

リスト 4.33 の②-4で指定したHTMLテンプレートの内容が**リスト 4.34** です。このテンプレートは html/template というGo言語の標準パッケージに対応した実装となっています。

indexParam構造体の Backlog, Progress, Done それぞれが配列となっていて、①～③で range 句を使ってデータの件数分だけループして描画するようになっています。

148

リスト 4.34　タスクアプリのトップページ用の HTML テンプレート

`~/go/src/github.com/gihyodocker/taskapp/pkg/app/web/page/template/index.html`

```html
<!DOCTYPE html>
<html>
<head>
    <meta http-equiv="Content-Type" content="text/html; charset=UTF-8"/>
    <title>Task Management Application by gihyodocker</title>
    <link href="/assets/bootstrap.min.css" rel="stylesheet">
</head>

<body>
<div class="container">
    <div class="row my-md-3">
        <h2>Task Management Application</h2>
        <div class="row">
            <div class="alert alert-primary" role="alert">
                This is a simple application implemented for learning purposes.
            </div>
            <a href="/tasks/create">Create Task</a>
        </div>
    </div>
    <div class="row">
        <div class="col-sm mx-md-2">
            <h4>BACKLOG</h4>
            <!-- ① indexParam.Backlogの配列をrangeでループさせる -->
            {{ range .Backlog }}
            <div class="row my-md-2">
                <div class="card" stype="width: 18rem;">
                    <div class="card-body">
                        <!-- ①-1 構造体のTitle変数を設定 -->
                        <h5 class="card-title">{{ .Title }}</h5>
                        <!-- ①-2 構造体のContent変数を設定 -->
                        <p class="card-text">{{ .Content }}</p>
                        <a href="/tasks/{{ .ID }}/update" class="card-link">Update</↩
a>
                        <a href="/tasks/{{ .ID }}/delete" class="card-link">Delete</↩
a>
                    </div>
                </div>
            </div>
            {{ end }}
        </div>
        <div class="col-sm mx-md-2">
            <h4>PROGRESS</h4>
            <!-- ② indexParam.Progressの配列をrangeでループさせる -->
            {{ range .Progress }}
            <div class="row my-md-2">
                <div class="card" stype="width: 18rem;">
                    <div class="card-body">
                        <h5 class="card-title">{{ .Title }}</h5>
                        <p class="card-text">{{ .Content }}</p>
                        <a href="/tasks/{{ .ID }}/update" class="card-link">Update</↩
a>
                        <a href="/tasks/{{ .ID }}/delete" class="card-link">Delete</↩
a>
```

4. 複数コンテナ構成でのアプリケーション構築

```
                    </div>
                </div>
            </div>
            {{ end }}
        </div>
        <div class="col-sm mx-md-2">
            <h4>DONE</h4>
            <!-- ③ indexParam.Doneの配列をrangeでループさせる -->
            {{ range .Done }}
            <div class="row my-md-2">
                <div class="card" stype="width: 18rem;">
                    <div class="card-body">
                        <h5 class="card-title">{{ .Title }}</h5>
                        <p class="card-text">{{ .Content }}</p>
                        <a href="/tasks/{{ .ID }}/update" class="card-link">Update</↩
a>
                        <a href="/tasks/{{ .ID }}/delete" class="card-link">Delete</↩
a>
                    </div>
                </div>
            </div>
            {{ end }}
        </div>
    </div>
</div>
</body>

</html>
```

Dockerfile

Webサーバの Dockerfile も API サーバとほぼ同じで、**リスト 4.35** のようになっています。

リスト 4.35　**Webサーバの Dockerfile**

`~/go/src/github.com/gihyodocker/taskapp/containers/web/Dockerfile`

```
FROM golang:1.21.6

WORKDIR /go/src/github.com/gihyodocker/taskapp

① ビルドに必要なファイル群をコピー
COPY ./cmd ./cmd
COPY ./pkg ./pkg
COPY go.mod .
COPY go.sum .
COPY Makefile .
COPY ./assets ./assets

② ビルドに関連する処理
RUN make mod
RUN make vendor
RUN make build-web

③ Webサーバの実行ファイルをENTRYPOINTに設定
ENTRYPOINT ["./bin/web"]
```

150

4.5 リバースプロキシの構築

クライアントから受け取ったHTTPリクエストを、nginxのリバースプロキシ機能を用いてバックエンドWebに転送します。また、WebからAPI側へのリクエストを転送するためにも利用します。

nginxの設定ファイルはAPIサーバ用とWebサーバ用で多少内容が異なるため、今回はそれぞれ違うコンテナイメージを構築します。ディレクトリ構成は**リスト4.36**のようになっています。

リスト4.36 nginx関連のディレクトリ構成

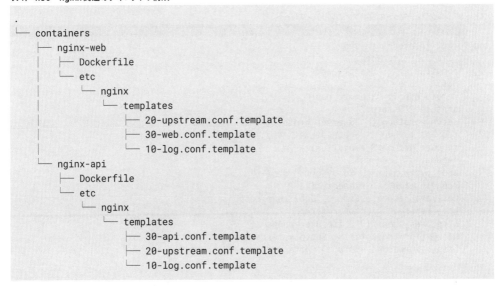

4.5.1　nginxコンテナのテンプレート機構

2.6.2において、コンテナ側の`/etc/nginx/conf.d`ディレクトリに設定ファイルをコピーすればバーチャルホスト等の任意の設定を追加できることに触れました。たしかにこの方法で任意の設定を追加できますが、その内容を変更したい場合は都度コンテナイメージをする必要が生じます。3.3でも解説したように、設定によってはイメージのビルドを伴わない設定変更に対応した方がコンテナフレンドリと言えるでしょう。nginxコンテナにはこれを解決するためのテンプレート機構が備えられています。

envsubstでnginxコンテナに環境変数を設定する

nginxコンテナには文字列やテキストファイルに環境変数の値を埋め込む**envsubst**というコマンドラインツールが備えられています。これはnginxをよりコンテナフレンドリに運用するための工夫です。envsubstにより、環境変数の値によって動的に設定ファイルの内容を変えられます。

4. 複数コンテナ構成でのアプリケーション構築

　ここではコンテナイメージビルド時に /etc/nginx/templates へ配置したテンプレートファイル
を、コンテナ実行時に環境変数の値を適用して /etc/nginx/conf.d へ出力します。具体的にテンプ
レートファイルを見ていきましょう。

10-log.conf.template
　リスト 4.37 では nginx のアクセスログのフォーマットを JSON 形式で新たに定義しています。通
常 nginx では main という名前のログフォーマットがデフォルトで定義されていますが、このように
独自のログフォーマットを追加できます。
　API サーバ、Web サーバともに同じ内容のファイルを配置します。

リスト 4.37　ログフォーマットの設定ファイル用テンプレート

```
~/go/src/github.com/gihyodocker/taskapp/containers/nginx-(web|api)/etc/nginx/templates/10-log.conf.template
log_format json escape=json '{'
    '"time": "$time_local",'
    '"remote_addr": "$remote_addr",'
    '"host": "$host",'
    '"remote_user": "$remote_user",'
    '"status": "$status",'
    '"server_protocol": "$server_protocol",'
    '"request_method": "$request_method",'
    '"request_uri": "$request_uri",'
    '"request": "$request",'
    '"body_bytes_sent": "$body_bytes_sent",'
    '"request_time": "$request_time",'
    '"upstream_response_time": "$upstream_response_time",'
    '"http_referer": "$http_referer", '
    '"http_user_agent": "$http_user_agent",'
    '"http_x_forwarded_for": "$http_x_forwarded_for",'
    '"http_x_forwarded_proto": "$http_x_forwarded_proto"'
'}';
```

　このファイルでは nginx のビルトイン変数が定義されていますが、環境変数は定義せずそのまま
/etc/nginx/conf.d へ出力させます。 /etc/nginx/conf.d ディレクトリはファイル名の昇順でロー
ドされますが、log_format の定義だけは他の設定より確実に前でロードさせる必要があるためファ
イル名に便宜上の番号をつけています。

20-upstream.template
　リスト 4.38 ではリバースプロキシのバックエンドとなるサーバを backend という名前で定義しま
す。この設定ファイルの値はイメージをビルドせずに変更できる方が運用しやすいため、環境変数
で変更できるようにしています。
　API サーバ、Web サーバともに同じ内容のファイルを配置します。

リバースプロキシの構築 **4.5**

リスト 4.38　バックエンドの設定ファイル用テンプレート

`~/go/src/github.com/gihyodocker/taskapp/containers/nginx-(web|api)/etc/nginx/templates/20-upstream.conf.template`

```
upstream backend {
    server ${BACKEND_HOST} max_fails=${BACKEND_MAX_FAILS} fail_timeout=${BACKEND_FAIL↩
_TIMEOUT};
}
```

　バックエンドの宛先は BACKEND_HOST、バックエンドアクセスが失敗した場合の設定値も BACKEND
_MAX_FAILS と BACKEND_FAIL_TIMEOUT という名称でデフォルト値を持つ形で環境変数化します。

　プロキシ先はnginxの proxy_pass ディレクティブに直接記述可能ですが、upstreamディレクティ
ブを定義すると、プロキシ先のサーバを複数指定してロードバランスしたり、障害時に Sorry サー
バへプロキシしたりできるメリットがあります。今回はnginx起点でのロードバランスはしません
が、upstreamを利用する癖をつけておくと良いでしょう。

30-vhost.template

　最後に、バーチャルホストの設定ファイルです。API サーバと Web サーバで内容が異なるため、
それぞれ見ていきましょう。

　リスト 4.39 は API サーバ向けのリバースプロキシの設定です。

リスト 4.39　APIサーバのリバースプロキシ設定用テンプレート

`~/go/src/github.com/gihyodocker/taskapp/containers/nginx-api/etc/nginx/templates/30-vhost.conf.template`

```
server {
    listen ${NGINX_PORT};
    server_name ${SERVER_NAME};

    location / {
        proxy_pass http://backend;
        proxy_set_header Host $host;
        proxy_set_header X-Forwarded-For $remote_addr;
        access_log /dev/stdout json;
        error_log  /dev/stderr;
    }
}
```

　NGINX_PORT はHTTPリクエストを待ち受けるポート番号です。また、バーチャルホストのサーバ
名として設定できる値も SERVER_NAME として環境変数化します。

　location ディレクティブはバックエンドへのプロキシの設定で、パスとして / を定義しているた
め、受け取ったリクエストを全てバックエンドに転送します。proxy_pass は 20-upstream.conf の
upstreamディレクティブで定義したものがあるので、http://backend と設定します。

　リスト 4.40 は Web サーバ向けのリバースプロキシの設定で、API とは少し異なります。

153

4. 複数コンテナ構成でのアプリケーション構築

リスト 4.40　Webサーバのリバースプロキシ設定用テンプレート

`~/go/src/github.com/gihyodocker/taskapp/containers/nginx-web/etc/nginx/templates/30-vhost.conf.template`

```
server {
    listen ${NGINX_PORT};
    server_name ${SERVER_NAME};

    # ① 静的ファイルを/assetsで返す設定
    location /assets/ {
        # ①-1 コンテナ内部のディレクトリ内のファイルを返す
        alias ${ASSETS_DIR}/;
        access_log /dev/stdout json;
        error_log /dev/stderr;
    }

    location / {
        proxy_pass http://backend;
        proxy_set_header Host $host;
        proxy_set_header X-Forwarded-For $remote_addr;
        access_log /dev/stdout json;
        error_log /dev/stderr;
    }
}
```

基本的な設定はAPIサーバと変わりないですが、相違点は①のlocationディレクティブ部分です。/assetsというパスでリクエストされた際はWebサーバにプロキシせず、①-1のASSETS_DIRという環境変数で定義されたディレクトリのファイルをそのまま返すようにしています。ルーティングは**図 4.4**のようになります。

図4.4　assetsはnginx-webから返す

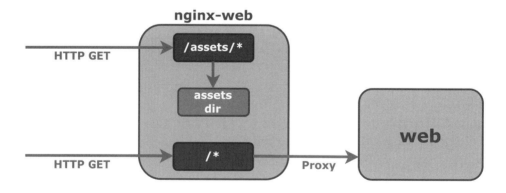

リバースプロキシの構築 **4.5**

　タスクアプリの Web サーバは単独でも css や js といった静的ファイルを返せるように実装されていますが、実際は nginx のようなサーバに静的ファイルを配置してレスポンスさせる運用が多いです[*26]。

　静的ファイルは基本的に対象のバージョンにおいてファイルの内容は不変なため、わざわざ Web サーバへプロキシさせることがオーバーヘッドになってしまいます。

　また、nginx では gzip や Brotli といった圧縮技術をサポートしている点もメリットでしょう。これらの圧縮技術によってクライアントへの転送量を削減でき、Web フロントエンドのパフォーマンス向上が見込めます。Web サーバ側でも実装可能ですが、nginx のようなサーバではこれを手軽に導入できるという点もメリットです。

　nginx のコンテナから静的ファイルを返すには、Web サーバのコンテナイメージに含めた assets のディレクトリが nginx コンテナにも必要になります。このディレクトリをどのように渡すかは、4.6.1 で解説します。

> **コラム** **entrykit**
>
> 　コンテナ実行時に環境変数の値を利用した設定ファイルの生成と適用の仕組みとして、entrykit[*a] というツールがあります。
>
> 　entrykit のテンプレート機能は envsubst と同様に環境変数の埋め込みに対応していて、かつ if での条件分岐もサポートしています。また、ENTRYPOINT や CMD で実行したい処理を prehook を挿入できるといった強力な機能もあり、非常に表現力に富んだツールです。
>
> 　本書の第 1 版においても entrykit をコンテナイメージのビルドで活用していました。しかし、最新版においては entrykit の利用はいくつかの理由で避けています。
>
> - **entrykit のメンテナンスがほとんどされていない**
> - **多くのコンテナイメージがコンテナフレンドリになった**
>
> 　第 1 版出版時には開発が活発であった entrykit ですが、現在はほぼ開発がストップしています。entrykit のリポジトリを fork してパッチを当てているユーザも見受けられますが、今後の開発コミュニティの発展はまず見込めないでしょう。
>
> 　また、これまでは entrykit のリポジトリにあるアーティファクトをコンテナイメージビルド時にダウンロードしてインストールしていましたが、このアーティファクトは複数の CPU アーキテクチャをサポートしていません。Linux 環境で利用するのであれば問題ありませんが、ARM アーキテクチャである M1 CPU の Mac ではそのまま利用できません。ソースコードからビルドしてマルチ CPU に対応する方法もありますが、コンテナイメージをビルドする手間もビルド時間も増えてしまいます。
>
> 　entrykit が広く利用された時代、nginx を始め多くの代表的なコンテナイメージは決してコンテナフレンドリとは言えない状態でした。entrykit はイメージのビルドにおいて高い表現力や自由度を

[*26] ローカルで開発する際は Web サーバに静的ファイルをレスポンスさせる方が機敏です。

155

もたらしたため、良い意味でのコンテナハックツールでした。反面、Dockerfileの可読性の低下といった負の側面があったことも事実です。

　その間、コンテナ技術の普及とともに多くのイメージが運用しやすいように改善が進められました。あまりentrykitでがんばらないでも、良いコンテナイメージの構築と運用ができるようになったのです。特に公式のイメージについてはよく考えられて作られており、ドキュメントにも利用方法が記載されているのでこれを踏襲すると良いでしょう。

　筆者の考えとしては、今日におけるentrykitの利用は推奨しません。コンテナイメージをビルドする際にentrykitが欲しいと思うときもあるかもしれませんが、そうなった場合は今後の運用の手間をトレードオフとして認識して採用可否を熟考してみてください。

a https://github.com/progrium/entrykit

4.5.2　Dockerfile

nginx-apiはcontainers/nginx-api/、nginx-webはcontainers/nginx-web/ディレクトリにそれぞれDockerfileを配置していますが、ともに内容は同じです（**リスト 4.41**）。

リスト 4.41　nginx-apiとnginx-webのDockerfile

~/go/src/github.com/gihyodocker/taskapp/containers/nginx-(web|api)/Dockerfile

```
FROM nginx:1.25.1

COPY ./etc/nginx /etc/nginx
RUN rm /etc/nginx/conf.d/default.conf
```

　それぞれの./etc/nginxディレクトリをコンテナの/etc/nginxディレクトリに丸ごとコピーしています。

4.6　複数コンテナ構成でタスクアプリを実行する

　タスクアプリを構成するための各コンポーネントの準備は完了しました。本節では完成形のcompose.yamlの内容を解説し、実際にタスクアプリを実行します。

4.6.1　compose.yaml

　リスト 4.7ですでにcompose.yamlの共有をしていました。ここではAPIサーバ・Webサーバ・各リバースプロキシの設定も加えた完成形である**リスト 4.42**を見ていきましょう。

複数コンテナ構成でタスクアプリを実行する **4.6**

リスト 4.42　完成形の compose.yaml

~/go/src/github.com/gihyodocker/taskapp/compose.yaml

```
version: '3.9'
services:

  mysql:
    build:
      context: ./containers/mysql
    environment:
      MYSQL_ROOT_PASSWORD_FILE: /run/secrets/mysql_root_password
      MYSQL_DATABASE: taskapp
      MYSQL_USER: taskapp_user
      MYSQL_PASSWORD_FILE: /run/secrets/mysql_user_password
    secrets:
      - mysql_root_password
      - mysql_user_password
    volumes:
      - mysql_data:/var/lib/mysql
    ports:
      - "3306:3306"

  migrator:
    build:
      context: ./containers/migrator
    depends_on:
      - mysql
    environment:
      DB_HOST: mysql
      DB_NAME: taskapp
      DB_PORT: "3306"
      DB_USERNAME: taskapp_user
    command: >
        sh -c '
          bash /migrator/migrate.sh $$DB_HOST $$DB_PORT $$DB_NAME $$DB_USERNAME /r←
un/secrets/mysql_user_password up
        '
    secrets:
      - mysql_user_password

  api:
    # ① イメージビルドの設定
    build:
      # ①-1 taskappディレクトリを起点にビルド
      context: .
      # ①-2 Dockerfileのパスを指定
      dockerfile: ./containers/api/Dockerfile
    depends_on:
      - mysql
    # ④ ヘルスチェックの設定
    healthcheck:
      test: "curl -f http://localhost:8180/healthz || exit 1"
      interval: 10s
      timeout: 10s
      retries: 3
      start_period: 30s
```

157

4. 複数コンテナ構成でのアプリケーション構築

```yaml
    command:
      - "server"
      # ③-3 シークレット化した設定ファイルのパスを指定
      - "--config-file=/run/secrets/api_config"
    secrets:
      # ③-2 シークレットをマウント
      - api_config

  nginx-api:
    build:
      context: ./containers/nginx-api
    # ⑧ apiがHealthyであれば起動を行う
    depends_on:
      api:
        condition: service_healthy
    healthcheck:
      test: "curl -H 'Host: api' -f http://localhost:80/healthz || exit 1"
      interval: 10s
      timeout: 10s
      retries: 3
      start_period: 30s
    environment:
      NGINX_PORT: 80
      SERVER_NAME: api
      BACKEND_HOST: api:8180
      BACKEND_MAX_FAILS: 3
      BACKEND_FAIL_TIMEOUT: 10s
    ports:
      - "9180:80"

  web:
    # ② イメージビルドの設定
    build:
      # ②-1 taskappディレクトリを起点にビルド
      context: .
      # ②-2 Dockerfileのパスを指定
      dockerfile: ./containers/web/Dockerfile
    depends_on:
      - nginx-api
    # ⑤ ヘルスチェックの設定
    healthcheck:
      # ⑤-1 ヘルスチェックコマンド
      test: "curl -f http://localhost:8280/healthz || exit 1"
      interval: 10s
      timeout: 10s
      retries: 3
      start_period: 30s
    command:
      - "server"
      # ⑦-1 APIサーバのアドレス。nginx-apiで名前解決できる
      - "--api-address=http://nginx-api:80"
    volumes:
      # ⑩-2 静的ファイルを共有するために、assets_dataボリュームにマウントする
      - assets_data:/go/src/github.com/gihyodocker/taskapp/assets
```

複数コンテナ構成でタスクアプリを実行する **4.6**

```
  nginx-web:
    build:
      context: ./containers/nginx-web
    # ⑨ webがHealthyであれば起動を行う
    depends_on:
      web:
        condition: service_healthy
    healthcheck:
      test: "curl -f http://localhost:80/healthz || exit 1"
      interval: 10s
      timeout: 10s
      retries: 3
      start_period: 30s
    environment:
      NGINX_PORT: 80
      SERVER_NAME: localhost
      # ⑩-4 静的ファイルのディレクトリを設定
      ASSETS_DIR: /var/www/assets
      BACKEND_HOST: web:8280
      BACKEND_MAX_FAILS: 3
      BACKEND_FAIL_TIMEOUT: 10s
    ports:
      - "9280:80"
    volumes:
      # ⑩-3 静的ファイルのボリュームをコンテナにマウントする
      - assets_data:/var/www/assets

secrets:
  mysql_root_password:
    file: ./secrets/mysql_root_password
  mysql_user_password:
    file: ./secrets/mysql_user_password
  # ③-1 APIサーバの設定ファイルをシークレット化
  api_config:
    file: ./api-config.yaml

volumes:
  mysql_data:
  # ⑩-1 静的ファイル用のボリュームを定義
  assets_data:
```

servicesキー直下にapi、nginx-api、web、nginx-webを定義しています。commandでのコマンドラインの設定、environmentでの環境変数はそれぞれの仕様に合わせて定義しているので内容を確認してみてください。

　ここでは、本章までで利用していなかった機能や留意事項を中心に解説していきます。

ビルドコンテキストの設定

　taskappのリポジトリでは./containers/[コンテナ名]という形式でディレクトリを切り、そこを起点にDockerfileを配置しています。mysql、migrator、nginx-api、nginx-webはこのディレクトリ内のファイルでコンテナイメージをビルドできますが、apiとwebに関してはGoで実装してビ

159

4. 複数コンテナ構成でのアプリケーション構築

ルドするため ./containers/[コンテナ名] のディレクトリをさかのぼってビルドしなくてはなりません[*27]。

apiとwebはこれを②と③の設定で対処しています。contextでコンテキストディレクトリ（イメージビルドの起点）を設定し、dockerfileでそれぞれのDockerfileへの相対パスを指定すると、このようなディレクトリ構成にも対応できます。

compose実行用のAPIサーバ設定ファイル

タスクアプリのAPIサーバは設定ファイルを読み込む実装（**リスト4.26**を参照）となっており、コマンドラインオプション --config-file でそのパスを指定する必要があります。

まず、ComposeでAPIサーバを実行するために必要な設定ファイルを作成します。簡単に作れるようにmakeタスクを用意したので、これを実行します（**リスト4.43**）。

リスト4.43　api-config.yamlの生成コマンド

```
(~/go/src/github.com/gihyodocker/taskapp) $ make api-config.yaml
2023/07/07 16:37:09 INFO running application by config command
2023/07/97 16:37:09 INFO Completed generating the api config file. outputPath=/User↩
s/stormcat/go/src/github.com/gihyodocker/taskapp/api-config.yaml
```

するとtaskappディレクトリの直下に次のようなapi-config.yamlが生成されます[*28][*29]。

リスト4.44　データベースの接続情報を定義した設定ファイル

`~/go/src/github.com/gihyodocker/taskapp/api-config.yaml`

```
database:
    host: mysql
    username: taskapp_user
    password: ****************
    dbname: taskapp
    maxIdleConns: 5
    maxOpenConns: 10
    connMaxLifetime: 1h0m0s
```

この設定ファイルはMySQLの接続情報を含むため、できればシークレットファイルとして扱いたいところです。そのためcompose.yamlの③-1でこのファイルをapi_configという名称でシークレット化しています。シークレットファイルは③-2でコンテナにマウントし、③-3の --config-file のオプションにマウントされたシークレットファイルのパスである /run/secrets/api_config を指定しています。

ヘルスチェックの設定

Composeにはヘルスチェック（死活監視）の機能が備えられています。ヘルスチェックはコン

＊27　DockerfileのCOPYでホスト側の起点となるディレクトリをさかのぼれないため。

＊28　書籍上ではMySQLのパスワードはアスタリスクでマスクしています。

＊29　このファイルは .gitignore に登録されているため、バージョン管理の対象外となっています。

テナアプリケーションの健康状態のモニタリングに不可欠な仕組みです。また、異常が発生した際に自動的に再起動するといった対応も可能になります[30]。

④と⑤のhealthcheckキーで対象のコンテナのヘルスチェックを設定しています。**リスト4.26**と**リスト4.32**ではGET /healthzでリクエストするとステータスコード200を返す実装をしています。ヘルスチェックの設定をすると、対象のコンテナが継続的に**健康（Healthy）**か**不健康（Unhealthy）**であるかをチェックできます。ヘルスチェックの詳細な設定項目は次のようになっています。

キー	用途
test	ヘルスチェックコマンド
interval	ヘルスチェックコマンドを実施する間隔
timeout	ヘルスチェックが完了するまでの最大時間で、これを超えると失敗とみなす
retries	ヘルスチェックが連続して失敗する回数で、これを超えるとUnhealthlyとみなす
start_period	コンテナ起動からヘルスチェックが開始されるまでの時間。コンテナ起動に時間がかかる場合に設定

今回のタスクアプリにおけるヘルスチェックのエンドポイントは200のステータスコードを返すだけですが、実際の運用では背後のデータベースへの接続チェックなど、アプリケーションの正常動作に必要不可欠な必要条件を満たすような処理を実装します。

⑦-1の--api-addressにはAPIサーバのアドレスが必要です。Composeでは他のコンテナ（サービス）を定義した名称で名前解決できるため、nginx-apiを接続先に指定しています。

また、他のコンテナの健康状態を見てからコンテナの起動を行う制御も可能です。depends_onではコンテナの依存関係を設定できますが、⑧と⑨ではその条件としてヘルスチェックのservice_healthyの結果を期待しています。conditionキーには次の値を設定できます。

conditionキーの値	内容
service_started	依存先が起動していれば起動する
service_healthy	依存先が起動し、かつHealthlyであれば起動する
service_completed_successfully	依存先が正常終了したら起動する

これらの値をユースケースによって使い分けることで細やかな設定が可能です。

静的ファイルのnginx-webからの配信

静的ファイルはwebではなくnginx-webからレスポンスさせたいため、webのコンテナに含まれるassetsディレクトリをnginx-webコンテナにも共有する必要があります。assetsディレクトリはボリューム経由して共有します。

⑩-1ではそのためのボリュームを定義しています。webコンテナの/go/src/github.com/gihyo docker/taskapp/assetsディレクトリをこのボリュームにマウントして共有する設定を⑩-2でしています。nginx-webの⑩-3でボリュームをコンテナにマウントし、そのパスを⑩-4で環境変数

---

[30]　再起動によってHealthlyな状態に戻ることが保証されているわけではありません。

4. 複数コンテナ構成でのアプリケーション構築

`ASSETS_DIR` に設定しています。

4.6.2　タスクアプリを実行する

　これでタスクアプリ実行の全ての準備が完了しました。タスクアプリのリポジトリは実装に手を入れることなく Compose で実行できますが、以下の作業は必須の作業となるので忘れずに行ってください。

- `make make-mysql-passwords` コマンドで MySQL 用のパスワードファイルの生成（リスト 4.2）
- `make api-config.yaml` コマンドで API 用の設定ファイルの生成（リスト 4.43）

　実際に Compose で実行してみましょう。`docker compose up -d --build` を実行すると、正常であれば**図 4.5** のようになります。

図4.5　Composeで全てのコンテナを実行

```
[+] Running 7/7
 ✔ Network taskapp_default          Created
 ✔ Container taskapp-mysql-1        Started
 ✔ Container taskapp-api-1          Healthy
 ✔ Container taskapp-migrator-1     Started
 ✔ Container taskapp-nginx-api-1    Started
 ✔ Container taskapp-web-1          Healthy
 ✔ Container taskapp-nginx-web-1    Started
```

　では、ブラウザからタスクアプリを見てみましょう。`nginx-web` コンテナはホストの 9280 ポートにポートフォワーディングを設定しているため、`http://localhost:9280` をブラウザで閲覧すると**図 4.6** のような Web ページが表示されます。

図4.6　ブラウザでタスクアプリを表示

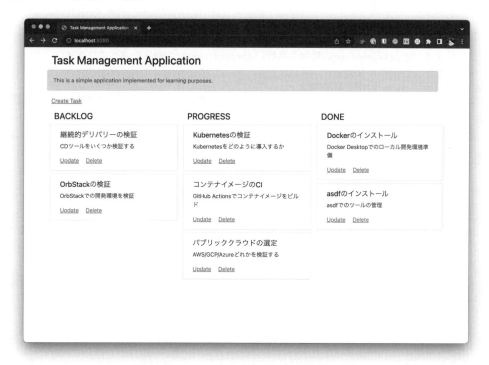

4.7　Tiltで複数コンテナ構成の開発体験を向上させる

　これまでは都度docker compose upを実行し、コンテナのログを確認するためのdocker compose logs -fといったComposeのコマンドを頻繁に実行する必要がありました。開発者としてはなるべくアプリケーションの開発に集中できる方が良いため、少し煩わしさを感じたかもしれません。

　このような開発体験を改善するツールとして、Tilt[31]が存在します。Tiltはローカル環境において複数コンテナ構成のアプリケーションを効果的に扱えるようにするツールです。Kubernetesだけではなく、Composeにも対応しています。

　タスクアプリもTiltを使って管理してみましょう[32]。

---

[31]　https://tilt.dev/
[32]　Tiltはasdfによってインストールされています。

4. 複数コンテナ構成でのアプリケーション構築

4.7.1　Tiltの実行

　TiltをComposeで利用するための設定はわずかです。**リスト4.45**のようなファイル（Tiltfile）を作ります。docker_composeの関数の引数にcompose.yamlへのパスを渡しています。

リスト4.45　TiltでComposeを利用するための設定

```
                                          ~/go/src/github.com/gihyodocker/taskapp/Tiltfile
config.define_string_list("to-run", args=True)
cfg = config.parse()

docker_compose("./compose.yaml")
```

　Tiltの実行は次のようにtilt upというコマンド1つでできます。

```
(~/go/src/github.com/gihyodocker/taskapp) $ tilt up
Tilt started on http://localhost:10350/
v0.32.3, built 2023-04-28

(space) to open the browser
(s) to stream logs (--stream=true)
(t) to open legacy terminal mode (--legacy=true)
(ctrl-c) to exit
```

　Tiltのコマンドラインアプリケーションはフォアグラウンドで実行されたまま、キー入力の待機待ちとなります。スペースを押すとブラウザが自動で開き、**図4.7**のようなTiltのダッシュボード画面に遷移します。

図4.7 Tiltのダッシュボード

4.7.2　Tiltの強力な機能

　Tiltを使い、ログのリアルタイム表示、ライブアップデートといった強力な機能について解説します。

コンテナログのリアルタイム表示

　ダッシュボードの「Resource Name」から`nginx-web`をクリックすると、タスクアプリのアクセスログが図4.8のように表示されます。

4. 複数コンテナ構成でのアプリケーション構築

図4.8 Tiltでのログの表示

　この画面を表示しながら、タスクアプリの操作をいろいろやってみてください。Tiltの画面に新しいログがほぼリアルタイムで流れてきます。これまではコンテナのログを確認したい場合は、`docker logs -f [コンテナID]`もしくは`docker compose logs -f [サービス名]`で行っていましたが、Tiltでは非常に簡単にログを閲覧できます。

ライブアップデート機能

　Composeのコマンドを直接使って開発する場合、ソースコードの変更の度に`docker compose up`をする必要があって手間です。対して、Tiltでは変更を自動検出して自動でリビルド、コンテナのデプロイまでを一貫して行うライブアップデートという強力な機能があります。

　タスクアプリの各コンテナは次のようなリソースをコンテナにコピーしたり、ビルドすることでイメージをビルドします。

- Dockerfile
- MySQLの設定ファイル
- データベースマイグレータ
- リバースプロキシの設定ファイル
- APIサーバ、Webサーバが依存するライブラリ
- APIサーバ、Webサーバの`.go`ファイル
- Webサーバの`.html`ファイル

166

docker compose upでもサービス名を指定し、部分的にコンテナを更新することは可能です。しかし、修正したリソースを確認して更新が必要なコンテナを指定する作業を繰り返すのは骨が折れるでしょう。

Tiltではcompose.yamlの内容からコンテナイメージのビルドの内容をたどり、修正されたリソースを含むコンテナだけを検知して自動で更新してくれます。

試しにcontainers/nginx-web/etc/nginx/templates/30-vhost.conf.templateを少し修正してみましょう。**リスト4.46**のように、2つのlocationディレクティブにおけるaccess_logのフォーマットをjsonからmainに変更してみます。

リスト4.46 30-vhost.conf.templateのログフォーマットを変更

```
~/go/src/github.com/gihyodocker/taskapp/containers/nginx-web/etc/nginx/templates/30-vhost.conf.template
server {
    listen ${NGINX_PORT};
    server_name ${SERVER_NAME};

    location /assets/ {
        alias ${ASSETS_DIR}/;
        # ログフォーマットをjsonからmainに変更
        access_log /dev/stdout main;
        error_log  /dev/stderr;
    }

    location / {
        proxy_pass http://backend;
        proxy_set_header Host $host;
        proxy_set_header X-Forwarded-For $remote_addr;
        # ログフォーマットをjsonからmainに変更
        access_log /dev/stdout main;
        error_log  /dev/stderr;
    }
}
```

保存後すぐにTiltによって更新が始まります。**図4.9**ではnginx-webが一度終了して更新処理が行われていることがわかります。

4. 複数コンテナ構成でのアプリケーション構築

図4.9 Tilt上でコンテナが更新される様子

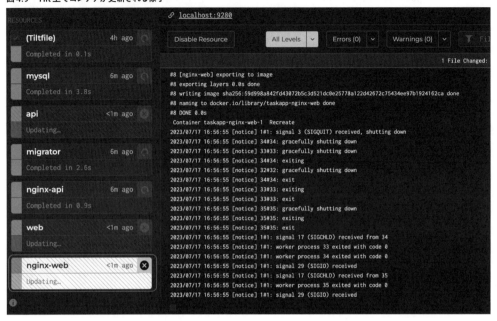

　nginx-webであれば、**図4.10**のように十数秒で更新が完了します。更新完了後にタスクアプリにアクセスして適当に操作してみると、更新前はJSON形式で表示されていたアクセスログがmainフォーマット（構造化されていない形式）で出力されています。

図4.10　更新後のコンテナ

　このように開発者は更新したコードをあまり意識せずに、Tiltが更新が必要なコンテナを検知してリビルド・デプロイまで行ってくれます。Tiltはコンテナ開発におけるデバッグやトライアンドエラーを大きくサポートしてくれるため、開発者体験を大きく向上してくれます。
　Composeでのマルチコンテナの構成やTiltfileを整備さえしてしまえば、コンテナ技術やTiltに詳しくない他のメンバーでも直感的に利用できますし、チームの開発標準の平準化にも寄与するでしょう。

4.8　コンテナオーケストレーションの基礎を経て

　本章ではタスクアプリを題材に、MySQL・データベースマイグレータ・APIサーバ・Webサーバ・リバースプロキシといった複数コンテナ構成でのアプリケーション構築に取り組みました。
　Composeは最もシンプルなコンテナオーケストレーションシステムであり、同じコンテナの複製による負荷分散といった本番環境を想定した利用には向きません。しかし、コンテナオーケストレーション技術の初歩としては最適な仕組みです。
　次章では、代表的なコンテナオーケストレーションツールであるKubernetesを利用したアプリケーションの構築を学びます。Composeにはなかった技術的な用語も多いため身構えてしまうかもしれませんが、本章での経験は必ず理解を早めてくれるはずです。

5.
Kubernetes入門

5. Kubernetes 入門

コンテナの歴史において、さまざまなコンテナオーケストレーションシステムが登場してきました。Docker も独自に Docker Swarm を開発していました。

しかし、Google 社が開発を推進したコンテナオーケストレーションシステムの Kubernetes が、Docker Swarm をはるかに凌ぐ速度で普及しました。躍進の背景には、Kubernetes が多くの企業や開発者コミュニティから支持を獲得したことがあります。

さらに 2017 年秋に Kubernetes の優位を決定づける象徴的な出来事が起こります。Docker Desktop 上で公式に Kubernetes の実行環境がサポートされたのです。これにより、Kubernetes は名実ともにコンテナオーケストレーションシステムのデファクトスタンダードとしての地位を確立したと言ってよいでしょう[1]。

Kubernetes は、今後はコンテナの基礎技術の一部として、ますます重要性を増していくことは間違いありません。

本章では Kubernetes を使ったコンテナオーケストレーションを経験することで Kubernetes の概念や基本的操作を身につけます。

本章の作業ディレクトリとして ~/k8s/intro を作成し、その中で進めていきます。

```
$ mkdir -p ~/k8s/intro
```

5.1 Kubernetesとは

Kubernetes[2]は Google 社主導で開発された、コンテナの運用を自動化するためのコンテナオーケストレーションシステムです[3]。コンテナオーケストレーションを実現・管理するための統合的なシステムであり、その操作のための API や CLI ツール[4]も併せて提供します。

さらに、コンテナを用いたアプリケーションのデプロイをはじめ、さまざまな運用管理の自動化を実現します。コンテナホストの管理、サーバリソースの空き具合を考慮したコンテナ配置、スケーリングや、複数のコンテナ群へのアクセスを取りまとめるロードバランサ、死活監視などの仕組みを備えています。

Kubernetes はさまざまな部品[5]を組み合わせることで、柔軟性の高いアプリケーションを構築できるのが最大の特徴です。5.3 で解説します。

＊1 Kubernetesは高機能であるがゆえに複雑で学習が難しいという意見もあり、シンプルな Amazon ECS(Amazon Elastic Container Service)にも根強い人気があります。

＊2 https://kubernetes.io/

＊3 ここまで紹介してきた Composeと似た役割を果たします。Composeやその他のシステムと比べて機能が豊富で周辺のエコシステムも充実していることから、今ではコンテナオーケストレーションシステムの代表格になっています。

＊4 CLIツールとしては kubectl、ローカル検証のためのツールとしては Minikube・MicroK8s・k3sなど種々のツールを提供します。いずれも本章で解説します。

＊5 リソースと呼ばれます。

5.1.1 　 Dockerの隆盛とKubernetesの誕生

　Dockerがアーリーアダプターの開発者に利用され始めたころ、コンテナを迅速に実行・破棄できるといった大きな利点がある一方で、本格的なシステムを多種多様のコンテナで運用するという点では多くの課題を抱えていました。デプロイやコンテナの配置戦略、スケールイン・スケールアウト、サービスディスカバリ、運用のしやすさといった点です。

　このようなエコシステムの不足という状況下でも、Dockerはコンテナ技術のメインストリームとして開発者に支持され爆発的に広まっていきます。それとともにさまざまな企業やコミュニティでDockerをより良く利用するための仕組みやツールが開発されていきました[6]。Docker社自身もComposeやSwarmを投入しています[7]。

　アプローチは異なるもののさまざまなオーケストレーションシステムが登場してきました。Apache Mesosでの構築されたシステムの事例が増え、AWS[8]ではAmazon ECS[9]の登場によってコンテナを使ったアプリケーション開発が現実的なものとなりました。

　その中でもここ数年特に存在感を発揮したのが2014年にGoogle社がOSSとして公開した**Kubernetes**です[10]。

　Googleがコンテナ運用で得られた知見を元に作られています[11][12]。OSSでありながらも、コンテナ黎明期からGoogleが運用で得てきたコンテナオーケストレーションの多くのノウハウを取り入れており、多くのユースケースに対応できるだけの汎用性と柔軟性を持っています。

　加えて、多くの企業や開発コミュニティから広くコントリビューションを得られるプロダクト体制であったという点でも多くの支持を集めます。

クラウドプラットフォームのKubernetesサポート

　Googleのクラウドプラットフォームである Google Cloud[13] には GKE[14] というコンテナマネージド・サービスがありますが、KubernetesはGoogle Cloudのためだけのプロダクトではありません。GKEはGoogle CloudにおけるKubernetesのマネージドサービスという位置付けであり、あくまでKubernetesは独立したOSSプロダクトです。

---

*6　先述のようにComposeは元をたどるとOrchard社が開発していたFigを買収し取り入れたものです。

*7　当初はSwarmはもちろん、Composeも存在しなかったためDockerが提供している技術だけでシステムを構築して運用していくには少し無理がありました。Docker社もこれらの課題については認識しており、エコシステムの充実は急務でした。しかしながらDocker本家のオーケストレーションシステムであるSwarmの登場もDocker 1.12まで待たなければなりませんでした。

*8　Amazon Web Services。以後本書では適宜省略して表記します。

*9　Amazon Elastic Container Service。本書ではAppendix B.5で解説。

*10　Kubernetesは非常に読み書きしにくいスペルをしています。「クーベネティス」や「クーベルネティス」、あるいは和製英語的に「クバネテス」と呼ばれることが多いです。k8s（ケーハチエス）やkube（クベもしくはキューブ）と略して記述、呼称することも多くあります。

*11　Googleは最も先進的、大規模なコンテナ活用企業の1つです。 https://speakerdeck.com/jbeda/containers-at-scale

*12　Kubernetesは、もともとGoogleにおいて開発・運用されていたコンテナクラスタマネジメントシステムである**Borg**がベースです。https://cloudplatform-jp.googleblog.com/2016/05/kubernetes.html

*13　Google Cloud。以前はGoogle Cloud Platformを略してGCPと呼ばれていましたが、現在はGoogle Cloudに改称されています。https://cloud.google.com/

*14　Google Kubernetes Engine。 https://cloud.google.com/kubernetes-engine/

その他のクラウドプラットフォームにおいてはどうでしょうか？　Microsoft Azure は AKS[*15]を、AWS は EKS[*16]を発表し、マネージドの Kubernetes サービスの提供を始めました。クラウド事業者にとって、Kubernetes とそれぞれのプラットフォームをシームレスに連携させ、効率的に開発できるサービスを提供していくということが競争力として必要不可欠になったことを意味しています。

5.1.2　Kubernetes の位置付け

さて、前章までは Docker 本来のエコシステムである Compose を利用してアプリケーションを構築してきました[*17]。Compose でコンテナオーケストレーションの基礎を身につけたはずです。そこでこれらの経験をもとに Docker、Compose、Swarm、Kubernetes の関係をここで整理しておきましょう。

[*15]　Azure Kubernetes Service。https://azure.microsoft.com/products/kubernetes-service/

[*16]　Amazon Elastic Kubernetes Service。https://aws.amazon.com/eks/

[*17]　本書ではコンテナオーケストレーションの取っ掛かりとして Compose を扱いました。Compose の発展形である Swarm は普及しませんでしたが、Compose は手軽なマルチコンテナ環境としては定評がありますし、何よりもコンテナを使った開発のイロハを学ぶための入り口としては最適です。Kubernetes はかなり便利ですが、現状コンテナの初学者には多少ハードルも高い面も否めませんし、最初にコンテナの基礎技術を段階的に経験しておいた方が結果的に Kubernetes の理解も早くなるといった考え方からです。

図5.1　Docker/Compose/Swarm/Kubernetesでのコンテナ実行

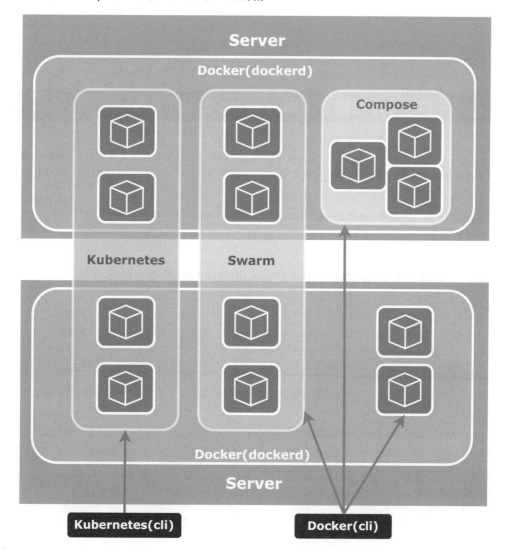

　Dockerはコンテナを管理するためのdockerdという常駐プログラムとCLIから成ります。Composeはマルチコンテナをデプロイできますが単一のホストでの管理にとどまります。Swarmは複数のホストを束ねて基本的なコンテナオーケストレーションを実現するためのDockerの関連技術の一部です。KubernetesはSwarmより機能が充実したコンテナオーケストレーションシステムです。複数のサーバに跨ったコンテナを管理するという意味でKubernetesはSwarmとほぼ同様の立ち位置にあります。
　KubernetesはCompose/Swarmの機能を統合しつつ、より高度に管理できるものと考えてくだ

5. Kubernetes入門

さい。実際に本章でKubernetesを体験することで、Kubernetesの人気とシステムとしての立ち位置が鮮明になるはずです。Kubernetesでのコンテナオーケストレーションの世界に足を踏み出してみましょう。

5.2 ローカル環境でKubernetesを実行する

ローカルでKubernetesを体験しながら基本的な使い方について学びましょう[18]。Kubernetesの特徴的な概念については環境を整えてから5.3で解説します。

本書ではローカル環境のDocker Desktop上でKubernetesを実行します。

まずはローカルの環境であるDocker DesktopにKubernetes環境を構築します。次にKubernetesを操作するCLIツールであるkubectlを実際に操作していきます。

5.2.1　Docker DesktopでローカルKubernetes環境を構築する

ローカル環境でKubernetes環境を実行するためにDocker DesktopでKubernetesの実行環境を作ります[19]。すでに利用しているDocker Desktop上でKubernetes環境を構築できます。

Kubernetes環境の設定

Docker DesktopのKubernetes環境はデフォルトでは無効になっているため、有効にすることでKubernetes環境を構築できます[20]。

Windowsではタスクバー、macOSではのDockerのメニューバーの右上にあるDockerのアイコンからコンテキストメニューを表示し、「Settings」で設定画面を開きます。「Kubernetes」のタブがKubernetes環境の設定です。

「Enable Kubernetes」にチェックを入れ、「Apply & restart」をクリックします。

---

[18] Kubernetesをサポートしているパブリッククラウドはいくつか存在しますが、検証環境としてはローカルを用いるのが最適でしょう。

[19] Docker Desktopの他に、Rancher DesktopでもKubernetesの実行環境をサポートしています。

[20] 今回構築した環境は以後「ローカルKubernetes環境」と呼んでいきます。

176

図 5.2 Docker Desktop で Kubernetes を有効にする

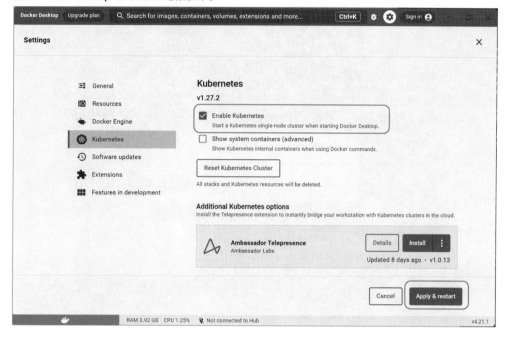

確認のダイアログが表示されるので、「Install」をクリックします。

5. Kubernetes入門

図5.3 Kubernetesのインストール確認ダイアログ

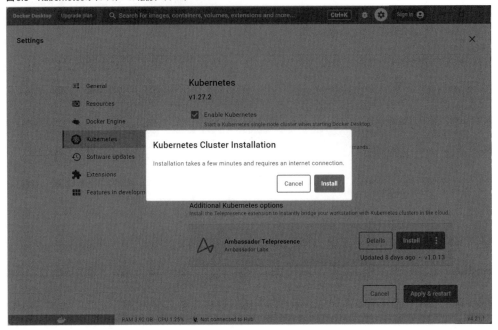

インストールが正常に完了すると、設定画面下部にあるKubernetesのアイコン部分が緑に変わり、「Kubernetes running」が表示されます。

図 5.4　Docker Desktop での Kubernetes の実行状態

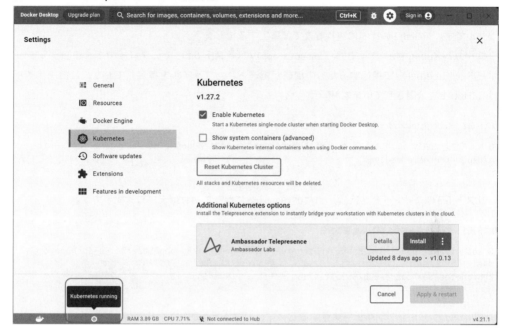

kubectl

kubectl は Kubernetes を操作するためのコマンドラインツールです。kubectl はローカル Kubernetes 環境でもマネージドの Kubernetes でも利用します。Docker Desktop をインストールしていれば kubectl も自動でインストールされるようになっています。

試しに、`kubectl cluster-info` というコマンドを実行してみましょう。実際に Kubernetes 環境の API と通信し、**リスト 5.1** のように Kubernetes が問題なく実行しているかを確認できます。

リスト 5.1　Kubernetes の API との疎通を確認する

```
$ kubectl cluster-info
Kubernetes control plane is running at https://127.0.0.1:6443
CoreDNS is running at https://127.0.0.1:6443/api/v1/namespaces/kube-system/services/←
kube-dns:dns/proxy

To further debug and diagnose cluster problems, use 'kubectl cluster-info dump'.
```

kubectl は 5.6 などで、実際に Kubernetes クラスタを操作しながら利用法を学んでいきます[*21]。

[*21] kubectl について本書ではサブコマンドやオプションを網羅的には解説しません。重要なコマンドなので、https://kubernetes.io/docs/reference/kubectl/ を参照して身につけてください。

5. Kubernetes入門

ダッシュボードのインストール

ダッシュボードはKubernetesにデプロイされているコンテナ等を確認できるWebベースの管理ツールです。 kubectlの操作に慣れるまでは重宝するでしょう。

ローカルKubernetes環境では、 kubectl apply （**リスト5.2**）でデプロイできます。ダッシュボードをKubernetesで実行するための構成が記述されたファイルを指定しており、このファイルはGitHub上で公開されています[*22]。

リスト5.2　Kubernetesダッシュボードのデプロイ

```
$ kubectl apply -f https://raw.githubusercontent.com/kubernetes/dashboard/v2.7.0/ai←
o/deploy/recommended.yaml
```

リスト5.3のコマンドを実行し、 STATUS=Running になっていればデプロイ完了です。

リスト5.3　ダッシュボードのSTATUSを確認する

```
$ kubectl get pod --namespace=kubernetes-dashboard -l k8s-app=kubernetes-dashboard
NAME                                     READY    STATUS     RESTARTS    AGE
kubernetes-dashboard-6967859bff-t7dbm    1/1      Running    0           3h57m
```

ダッシュボードをブラウザで閲覧するために、**リスト5.4**のコマンドでダッシュボードへのプロキシサーバを立ち上げます。

リスト5.4　ダッシュボードを閲覧するための proxyの実行

```
$ kubectl proxy
Starting to serve on 127.0.0.1:8001
```

http://localhost:8001/api/v1/namespaces/kubernetes-dashboard/services/https:kubernetes-dashboard:/proxy/ にブラウザでアクセスすると、**図5.5**のようなサインインのページが表示されます。

図5.5　Kubernetesダッシュボードのサインイン画面

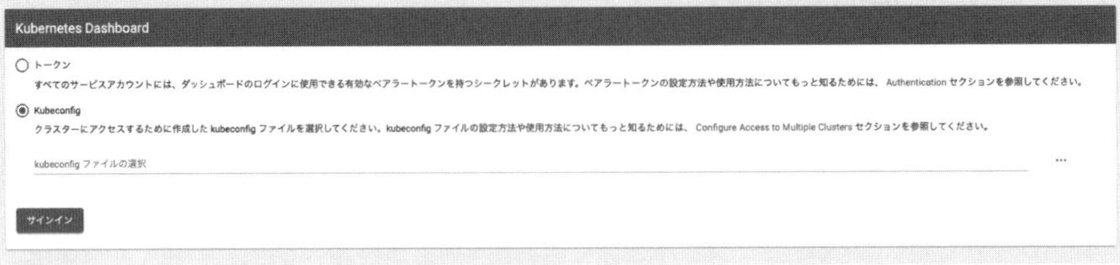

ダッシュボードを利用するには認証トークンが必要です。そのトークンを発行するために、まず

＊22　kubectlの利用法をまだ解説していませんが、ここではダッシュボードを適用（追加）する操作をしています。

ダッシュボードのユーザを作成します。`dashboard-user.yaml`というファイル名で**リスト 5.5**のようなマニフェストファイルを作成します。

リスト 5.5　ダッシュボードのユーザーと権限を作成するマニフェストファイル

```
                                                    ~/k8s/intro/dashboard-user.yaml
apiVersion: v1
kind: ServiceAccount
metadata:
  name: admin-user
  namespace: kubernetes-dashboard

---
apiVersion: rbac.authorization.k8s.io/v1
kind: ClusterRoleBinding
metadata:
  name: admin-user
roleRef:
  apiGroup: rbac.authorization.k8s.io
  kind: ClusterRole
  name: cluster-admin
subjects:
- kind: ServiceAccount
  name: admin-user
  namespace: kubernetes-dashboard
```

`dashboard-user.yaml`を**リスト 5.6**のように反映します。

リスト 5.6　ダッシュボードのユーザー関連リソースを作成

```
(~/k8s/intro) $ kubectl apply -f dashboard-user.yaml
serviceaccount/admin-user created
clusterrolebinding.rbac.authorization.k8s.io/admin-user created
```

作成したユーザの認証トークンを生成するために、**リスト 5.7**を実行します。長い文字列の認証トークンが標準出力されるので、これを控えておきます。

リスト 5.7　認証トークンを生成する

```
$ kubectl -n kubernetes-dashboard create token admin-user
eyJhbGciOi......(省略)
```

図 5.6のように「トークン」にチェックを入れ、テキストフィールドに認証トークンを貼り付け、「サインイン」をクリックします。

5. Kubernetes 入門

図5.6 トークンに認証トークンを設定してサインイン

サインインに成功するとダッシュボードのページが表示されます。どのようなものがデプロイされているか確認できます。

図5.7 Kubernetesダッシュボードのトップ画面

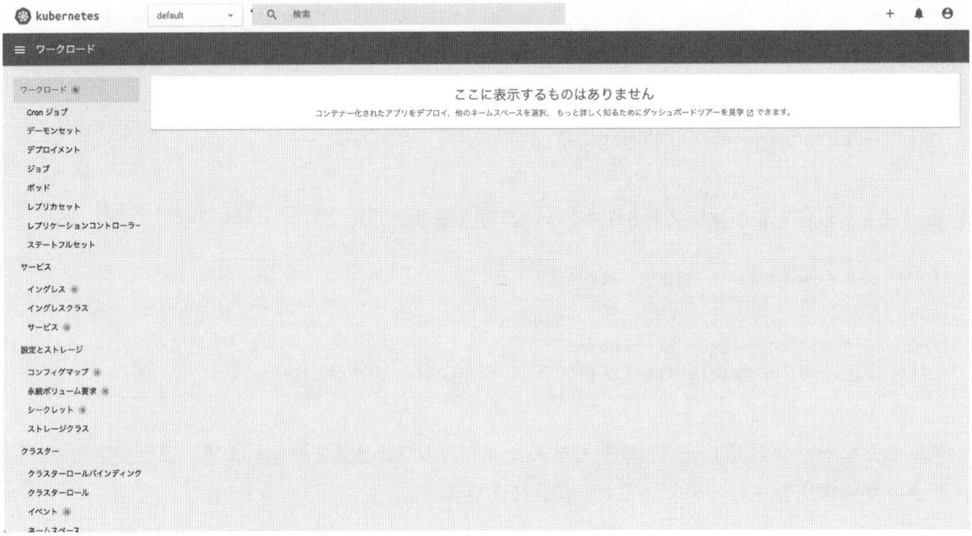

> **コラム** **その他のKubernetes構築ツール**
>
> Docker Desktop以外にもローカルKubernetes環境を作成できるツールがあります。
> Minikube[a]はDocker DesktopのKubernetesサポート以前から存在していたツールで、現在も根強く利用されています。
> Microk8s[b]はさまざまなLinux環境にシングルバイナリで簡単にインストールできるツールです。非常に軽量に作られており、少ないマシンリソースでも利用が可能です。WindowsであればWSL2上のLinux、Multipass[c][d]で作成したLinux上でも構築可能です。
> k3s[e]もMicrok8s同様に軽量なKubernetes環境を実現するツールです。k3sではいくつかの

Kubernetes の機能を無効にしており、リソースの効率化やセットアップの簡素化を実現しています。

*a   https://github.com/kubernetes/minikube
*b   https://microk8s.io/
*c   https://multipass.run/
*d   Canonical 社が開発した仮想環境管理ツール。複数の仮想環境を手軽に作成、操作できる。
*e   https://k3s.io/

5.3 Kubernetesの概念

Kubernetes のローカル環境が整ったところで、Kubernetes の概念について学んでいくことにしましょう。

Kubernetes で実行されるアプリケーションはさまざまなリソースと協調して動作することで成立しています。

Kubernetes のリソース*23とは、アプリケーションのデプロイ構成するための部品のようなもので、これから解説する Node、Namespace、Pod といった構成要素のことを指しています*24。

コンテナとリソースは別の粒度です。

本書で扱っている Kubernetes のリソースは次の通りです。Kubernetes クラスタ内でこれらのリソースが協調しながら、コンテナシステムを構成しています。

---

*23   以後、リソースとだけ表記されている箇所は Kubernetes のリソースとし、Kubernetes と区別すべきリソースに関しては「○○リソース」と表記して区別します。

*24   リソースに関するさまざまな概念が登場してきますが、コンテナオーケストレーションについては第3章、第4章の Compose で学んでいるので、全くのゼロから Kubernetes を学ぶよりは理解が早いはずです。

リソース名	用途
Node	Kubernetesクラスタで実行するコンテナを配置するためのサーバ
Namespace	Kubernetesクラスタ内で作る仮想的なクラスタ
Pod	コンテナ集合体の単位で、コンテナを実行する方法を定義する
ReplicaSet	同じ仕様のPodを複数生成・管理する
Deployment	ReplicaSetの世代管理をする
Service	Podの集合にアクセスするための経路を定義する
Ingress	ServiceをKubernetesクラスタの外に公開する
ConfigMap	設定情報を定義し、Podに供給する
PersistentVolume	Podが利用するストレージのサイズや種別を定義する
PersistentVolumeClaim	PersistentVolumeを動的に確保する
StorageClass	PersistentVolumeが確保するストレージの種類を定義する
StatefulSet	同じ仕様で一意性のあるPodを複数生成・管理する
DaemonSet	全てのWorker Nodeで単一のPodを生成・管理する
Job	常駐目的ではない複数のPodを作成し、正常終了することを保証する
CronJob	cron記法でスケジューリングして実行されるJob
Secret	認証情報等の機密データを定義する
Role	Namespace内で操作可能なKubernetesリソースのルールを定義する
RoleBinding	RoleとKubernetesリソースを利用するユーザを紐づける
ClusterRole	Cluster全体で操作可能なKubernetesリソースのルールを定義する
ClusterRoleBinding	ClusterRoleとKubernetesリソースを利用するユーザを紐づける
ServiceAccount	PodにKubernetesリソースを操作させる際に利用するユーザ

5.4 KubernetesクラスタとNode

　Kubernetesクラスタ*25はKubernetesのさまざまなリソースを管理する集合体のことを指します。

　クラスタが持つリソースで最も大きな概念がNode（ノード）です。NodeはKubernetesのクラスタの管理下に登録されているコンテナホスト*26のことで、Kubernetesでコンテナをデプロイするために利用されます。

　また、Kubernetesクラスタには全体を管理するサーバであるControl Plane（コントロールプレーン）が少なくとも一つは配置されています。Kubernetesクラスタは、次のようにControl Plane Node群とWorker Node群によって構成されます。

---

*25　以下、クラスタ。
*26　物理マシン、VMは問わずNodeです。

図5.8 KubernetesクラスタとNodeの関連図

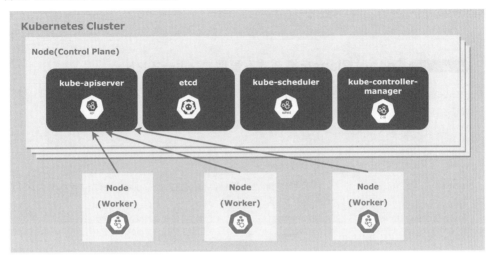

　KubernetesはNodeの使用リソース状況や、配置戦略によって適切にコンテナを配置します。つまり、クラスタに配置されているNodeの数、Nodeのマシンスペックによって配置できるコンテナの数は変わってくるということです。Nodeによってクラスタのキャパシティを調整します。
　ローカル環境のKubernetesであれば、クラスタ作成時に作られたVMがNodeの1つとして登録されており、これがControl PlaneもWorkerの働きも兼ねます。`kubectl get nodes`コマンドでクラスタに参加しているNodeの一覧を取得できます[27]。

```
$ kubectl get nodes
NAME             STATUS   ROLES           AGE     VERSION
docker-desktop   Ready    control-plane   3h53m   v1.27.2
```

図5.9 Kubernetesダッシュボードでのノードの一覧画面

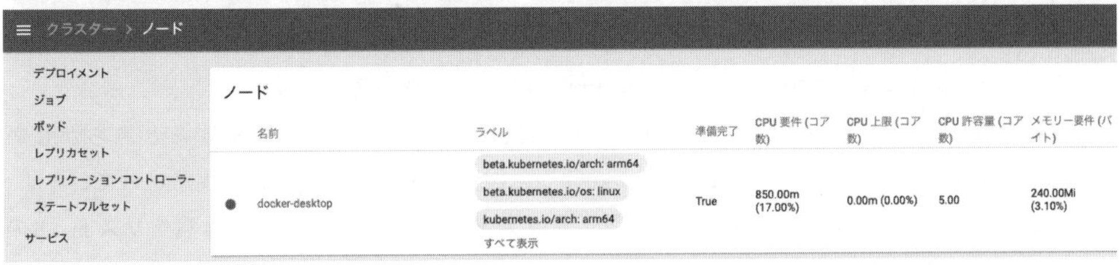

---

*27 `kubectl get` リソース名でリソース一覧を取得します。

5. Kubernetes入門

クラウドで動作させているKubernetesであれば、Google CloudにおけるGCE[28]、AWSにおけるEC2[29]のインスタンスがNodeとなります。

コラム **Control Planeを構成する管理コンポーネント**

KubernetesのControl Planeサーバにデプロイされる管理コンポーネントは、次のようなもので構成されています。

コンポーネント名	役割
kube-apiserver	KubernetesのAPIを公開するコンポーネント。kubectlからのリソース操作を受け付ける。
etcd	高可用性を備えた分散key-valueストアで、Kubernetesクラスタのバッキングストアとして利用される
kube-scheduler	Nodeを監視し、コンテナを配置する最適なNodeを選択する。
kube-controller-manager	リソースを制御するコントローラーを実行する。

Control Planeでこれらの管理コンポーネントが協調することでKubernetesクラスタは動作しています。

Appendix Bで紹介するGKE・EKS・AKSはKubernetesのマネージドサービスであるため、開発者がControl Planeの存在を意識する必要はほとんどありません。

Kubernetesの内部の実装について踏み込んで知りたい場合は、Control Planeがどう構成されているかを把握しておくと理解もしやすいでしょう。

非マネージド環境でKubernetesを運用する場合は、Control Planeが単一障害点にならないよう、マルチControl Planeで3台[a]配置することが一般的です。

---

*a　3台配置することで、1台のノードが故障やメンテナンス状態になっても耐障害性を保てます。

5.5 Namespace

Kubernetesはクラスタの中に入れ子となる仮想的なクラスタを作成できます。

これがNamespace（ネームスペース）という概念です。クラスタを構築するとあらかじめ default、kube-node-lease、kube-public、kube-system というNamespaceが用意されています。 kubectl get namespace コマンドを実行すると、クラスタが持つNamespaceの一覧を**リスト5.8**のように取得できます[30]。

---

*28　Google Compute Engine
*29　Amazon Elastic Compute Cloud
*30　Kubernetesダッシュボードのデプロイにより、kubernetes-dashboardというNamespaceも作成されています。

リスト5.8　Namespaceの一覧を表示

```
$ kubectl get namespace
NAME                  STATUS   AGE
default               Active   4h42m
kube-node-lease       Active   4h42m
kube-public           Active   4h42m
kube-system           Active   4h42m
kubernetes-dashboard  Active   4h38m
```

図5.10　KubernetesダッシュボードのNamespace一覧画面

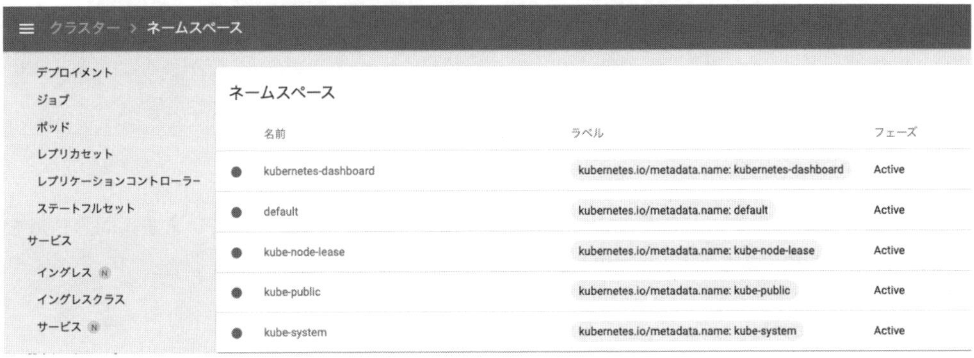

　Namespaceの利用は一定の規模を有するチーム開発で有用です。たとえば、開発者それぞれの
Namespaceを用意することでメインのNamespaceが散らかるのを防げます。Namespaceごと
に操作権限を設定できるのでより堅牢で細やかな権限制御ができます[*31]。

5.6　Pod

　Pod（ポッド）はコンテナの集合体の単位で、少なくとも1つのコンテナを持ちます。
　第4章でも体験しましたが、複数コンテナのアプリケーションを構築していくと、nginxコンテ
ナとGoのアプリケーションコンテナのように密結合な関係であることの方が都合が良いケースが
出てきます。
　Kubernetesでは図5.11のようにPodという単位でコンテナを一くくりにしてデプロイします。
コンテナが1つだけの場合もPodとしてデプロイします。

---

*31　権限制御については7.3で解説します。

5. Kubernetes入門

図5.11　Podとコンテナの関連図

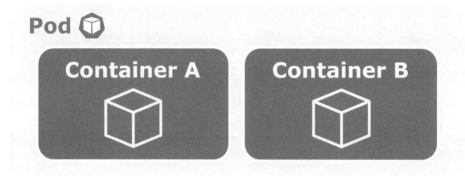

Podは**図5.12**のように、どこかのWorker Nodeに配置されるようになっています。同じPodを複数のNodeに配置することも、1つのNodeに複数配置することも可能です。

図5.12　Nodeに配置されるPod

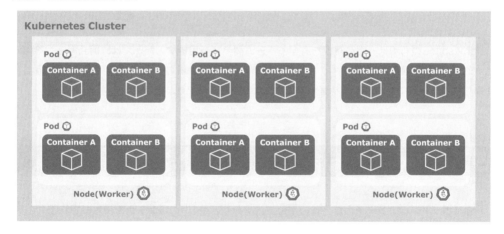

同一Pod内のコンテナは全て同一のNodeに配置されます。**図5.13**のように、1つのPod内のコンテナを複数Nodeに渡って配置することはできません。

図5.13　PodのNode跨ぎはできない

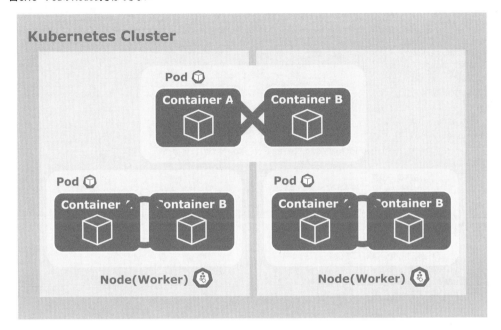

　Podをどのような粒度にすべきか？という点が最初の悩みどころかもしれません。同一Nodeに配置されるという特性から逆算してみるとわかりやすいです。たとえば、リバースプロキシとしてのnginxと、その背後のアプリケーションで1つのPodにまとめる方式はポピュラーな構成です。
　また、同時にデプロイしないと整合性を保つことができないようなケースにおいて、同一のPodでコンテナをひとまとめにしてしまうのはデプロイ戦略として有効です。
　ここからは実際にPodを始めとするKubernetesのリソースを作成し、動作を確認しながら進めます。

5.6.1　Podを作成してデプロイする

　Podを作成してデプロイしてみましょう。2.2で用いたechoアプリケーションに加え、リバースプロキシとなるnginxで構成されるPodをローカルKubernetes環境にデプロイします。nginxのコンテナイメージは`ghcr.io/gihyodocker/simple-nginx-proxy`として公開してあります。
　Podの作成はkubectlだけで行うことも可能ですが、バージョン管理の観点からもyamlファイルとして定義することがほとんどです。Kubernetesの各種リソースを定義するファイルをマニフェストファイルと呼びます。nginxとechoで構成されるPodを定義したマニフェストファイル`pod.yaml`を次のように作成します。

5. Kubernetes 入門

リスト 5.9　nginx と echo コンテナで構成される Pod のマニフェストファイル

```
                                                          ~/k8s/intro/pod.yaml
apiVersion: v1
kind: Pod # ①
metadata: # ②
  name: echo
  labels: # ②-1
    app: echo
spec: # ③
  containers: # ④
  - name: nginx # ④-1
    image: ghcr.io/gihyodocker/simple-nginx-proxy:v0.1.0 # ④-2
    env: # ⑤
    - name: NGINX_PORT
      value: "80"
    - name: SERVER_NAME
      value: "localhost"
    - name: BACKEND_HOST # ⑤-1
      value: "localhost:8080"
    - name: BACKEND_MAX_FAILS
      value: "3"
    - name: BACKEND_FAIL_TIMEOUT
      value: "10s"
    ports: # ⑥
    - containerPort: 80
  - name: echo
    image: ghcr.io/gihyodocker/echo:v0.1.0
    ports:
    - containerPort: 8080
```

Kubernetes での設定ファイルを解説していきます[*32]。

①の kind は Kubernetes のリソースの種類を指定する属性で、ここでは Pod を指定しています。kind の値次第で spec 配下のスキーマが変わってきます[*33]。

②の metadata は名前の通りリソースに付与するメタデータで、metadata.name 属性で指定した値がこのリソースの名称として利用されます。②-1 では任意のラベルを設定できます。ラベルにより Kubernetes のリソースをグループ化できるため、kubectl やプログラムからリソースの特定や操作がしやすくなります。

③の spec はリソースを定義するための属性で、Pod の場合は Pod を構成するコンテナ群を containers として定義します。

④の containers 以下を見ていきましょう。④-1 の name は各コンテナの名前、④-2 の image にはイメージ保存先を指定しています。ここでは ghcr.io にあるイメージを指定していますが、ローカル環境でビルドしたイメージも指定可能です。

⑤の env 属性で環境変数を列挙できます。nginx はリクエストのプロキシ先である⑤-1 の BACKEND

[*32]　Compose の yaml ファイルのスキーマとは毛色が違うため注意しましょう。

[*33]　Pod の他に ReplicaSet、Deployment、Service、Ingress、ConfigMap、DaemonSet 等のリソースを指定できます。

_HOST等の設定をしています。

⑥の ports 属性ではコンテナが公開するポートを指定します。

この Pod を**リスト 5.10** のコマンドでローカル Kubernetes クラスタに反映してみましょう。マニフェストファイルの内容をそのまま反映するには、次のように kubectl でマニフェストファイルファイルへのパスを -f オプションで指定して apply します。

apply は新規作成、および内容に変更があったときだけ反映されます。新規作成・更新を問わず apply を利用すると良いでしょう。

リスト 5.10　Podの反映

```
(~/k8s/intro) $ kubectl apply -f pod.yaml
pod "echo" created
```

動作はしていますが、このままではPodにアクセスできません。Podへのアクセスは5.9で解説します。

5.6.2　Podを操作する

マニフェストファイルからPodを作成できました。ここで基本的なPod操作を押さえておきましょう。

Podの状態は**リスト 5.11** のようにして一覧取得できます。STATUS が Running になっていれば Pod内の全てのコンテナが実行状態になったことを示しています。READY の分母はPodに定義されたコンテナ数、分子は実行状態になったコンテナ数です。

リスト 5.11　Pod一覧の取得

```
$ kubectl get pod
NAME    READY    STATUS     RESTARTS    AGE
echo    2/2      Running    0           7s
```

kubectlを使ってコンテナの中に入ることもできます。これまでDocker上で実行してきたコンテナに対して docker container exec を用いてコンテナ内でプログラムを実行できました。kubectl でも同じ要領 kubectl exec -it [Pod名] -c [コンテナ名] -- [コンテナで実行するコマンド] コマンドで実行できます。**リスト 5.12** のコマンドを実行します。

リスト 5.12　Pod内のコンテナに対してシェルを対話的に実行

```
$ kubectl exec -it echo -c nginx -- sh
#
```

kubectl logs -f [Pod名] -c [コンテナ名] コマンド[34] でPod内コンテナの標準ストリームへの

＊34　-f オプションは docker container logs -f と同様に、標準ストリーム出力をリアルタイムで表示し続けます。

5. Kubernetes 入門

出力を表示できます。**リスト5.13**コマンドを実行します。

リスト5.13　Podのコンテナを指定して標準ストリーム出力をリアルタイム表示

```
$ kubectl logs -f echo -c echo
2023/07/21 14:28:55 Start server
```

Podを削除するには**リスト5.14**のように kubectl delete pod [Pod名]コマンドを使います。kubectl delete は Pod 以外のリソースにも使えます。利用済みのリソースを削除するときなどに利用しましょう。

リスト5.14　Podの削除

```
$ kubectl delete pod echo
pod "echo" deleted
```

また、**リスト5.15**のようにマニフェストファイルベースでPod削除も可能です。この手法ではマニフェストファイルに記述されているリソース全てが削除されます。

リスト5.15　マニフェストファイルを使った削除

```
(~/k8s/intro) $ kubectl delete -f pod.yaml
```

> ### コラム　PodとPod内コンテナのアドレス
>
> 2.6.2 において Compose で nginx と echo を実行したときのことを覚えているでしょうか？ nginx コンテナの後ろに配置した echo コンテナへリクエストをプロキシするため、upstream.conf にはプロキシ先として echo:8080 という値を設定していました。Compose では同一ネットワーク上のコンテナ名（Compose での service名）であれば、その名称で名前解決ができたからです。
>
> 今回は Kubernetes で実行していますが、**リスト5.9**の⑤-1のように localhost:8080 を指定するだけで動作しています。PodとそのPodに所属するコンテナのネットワークの関連性を紐解いてみましょう。
>
> 実はPodにはそれぞれ固有の仮想IPアドレスが割り振られるようになっています。コンテナの集合体としての概念であるPodにIPアドレスが割り振られるというのは少し違和感があるかもしれません。
>
> Podに割り振られた仮想IPアドレスは、そのPodに所属する全てのコンテナと共有されます。同一Pod内の全てのコンテナの仮想IPアドレスは同じであるため、次の図のようなコンテナ間通信をできます。たとえば、Podからnginxコンテナの80ポートへは localhost:80 で到達できますし、nginxコンテナからechoコンテナの8080ポートへは localhost:8080 で到達できます。Podに割り当てられた仮想IPを使えば、別のPodへの通信も可能です。

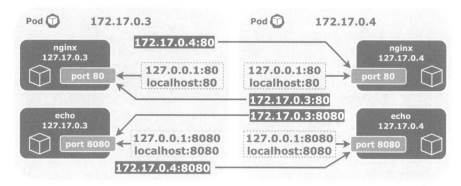

図5.14 Podとコンテナの仮想IPアドレス

つまりプロキシ先のアドレスとして指定すべきなのは、**PodのIPアドレス:echoコンテナのポート**であるため`localhost:8080`を指定すれば良いわけです。事実上Podは保持しているコンテナを内封した仮想マシンのようなものです[*a]。

> [*a] ただし、Pod内で実行しているコンテナがポートを公開する場合、他のコンテナが公開しているポートと衝突しないようにする必要があります。

5.7 ReplicaSet

　Podを定義したマニフェストファイルからは1つのPodしか作成できません。しかし、一定以上の規模のアプリケーションを構築していく上では、同一のPodを複数実行することで可用性を高めていくことが必要になります。

　このようなケースでは**ReplicaSet**を利用します。ReplicaSetは同じ仕様のPodを複数生成・管理するためのリソースです[*35]。5.6.1で作成したPodの内訳自体もReplicaSetのyamlファイルに記載します。

　ReplicaSetを定義したマニフェストファイル`replicaset.yaml`を**リスト5.16**のように作成します。別の設定ファイルなどは用意せず、1つのyamlファイルで完結しています。

リスト5.16　Podを複製するReplicaSetのマニフェストファイル

```
                                                    ~/k8s/intro/replicaset.yaml
apiVersion: apps/v1
kind: ReplicaSet
metadata:
```

[*35] かつてはReplicationControllerとして提供されていたリソースで、ReplicaSetはその後継にあたります。

```
  name: echo
  labels:
    app: echo
spec:
  replicas: 3
  selector:
    matchLabels:
      app: echo
  template: # template以下はPodリソースにおける定義と同じ
    metadata:
      labels:
        app: echo
    spec:
      containers:
      - name: nginx
        image: ghcr.io/gihyodocker/simple-nginx-proxy:v0.1.0
        env:
        - name: NGINX_PORT
          value: "80"
        - name: SERVER_NAME
          value: "localhost"
        - name: BACKEND_HOST
          value: "localhost:8080"
        - name: BACKEND_MAX_FAILS
          value: "3"
        - name: BACKEND_FAIL_TIMEOUT
          value: "10s"
        ports:
        - containerPort: 80
      - name: echo
        image: ghcr.io/gihyodocker/echo:v0.1.0
        ports:
        - containerPort: 8080
```

ReplicaSetでは作成するPod数をreplicasで設定します。template属性の内容はPod定義と同じものです。ReplicaSetがこの定義をreplicas数だけ複製することでPod定義とPodの複製を両立しています。

このReplicaSetを反映すると、Podが3つ作成されたことが確認できます。同一のPodが複製されるため、Pod名にはecho-8gr9pのようにランダムな識別子がサフィックスに付与されます。

リスト5.17　ReplicaSetの反映

```
(~/k8s/intro) $ kubectl apply -f replicaset.yaml
replicaset.apps/echo created

$ kubectl get pod
NAME          READY   STATUS    RESTARTS   AGE
echo-8gr9p    2/2     Running   0          14s
echo-kmh92    2/2     Running   0          14s
echo-lh54g    2/2     Running   0          14s
```

ReplicaSetを操作して[*36]Podの数を減らすと、減らした分のPodは削除されます。削除されたPodは復元できません。そのため、Webサーバのようなステートレスな性質を持つPodの利用に向いています[*37]。

作成したReplicaSetは、**リスト5.18**のようにマニフェストファイルを利用して削除しておきます。ReplicaSetと、関連するPodが削除されます。

リスト5.18　ReplicaSetの削除

```
(~/k8s/intro) $ kubectl delete -f replicaset.yaml
replicaset.apps "echo" deleted
```

5.8　Deployment

ReplicaSetより上位のリソースとして、**Deployment**というリソースが提供されています。Deploymentはアプリケーションデプロイの基本単位となるリソースです。

ReplicaSetは同一仕様Podのレプリカの数を管理・制御するためのリソースでした。対して、DeploymentはReplicaSetを管理・操作するために提供されているリソースです。

Pod、ReplicaSet、Deploymentの関係を整理したものが**図5.15**です。

図5.15　Deployment/ReplicaSet/Podの関係図

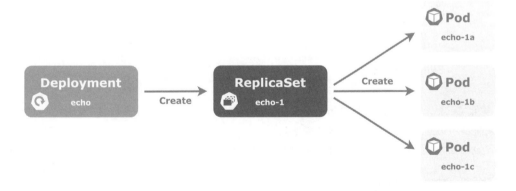

Deploymentを定義したマニフェストファイル`deployment.yaml`を次のように作成します。

[*36]　yamlファイルの編集と反映など。
[*37]　ステートフルなPodを複数作成するには、StatefulSetというリソースを作成します。6.2.3で利用します。

5. Kubernetes入門

リスト 5.19　Deploymentのマニフェストファイル

`~/k8s/intro/deployment.yaml`

```yaml
apiVersion: apps/v1
kind: Deployment
metadata:
  name: echo
  labels:
    app: echo
spec:
  replicas: 3
  selector:
    matchLabels:
      app: echo
  template: # template以下はPodリソースにおけるspec定義と同じ
    metadata:
      labels:
        app: echo
    spec:
      containers:
      - name: nginx
        image: ghcr.io/gihyodocker/simple-nginx-proxy:v0.1.0
        env:
        - name: NGINX_PORT
          value: "80"
        - name: SERVER_NAME
          value: "localhost"
        - name: BACKEND_HOST
          value: "localhost:8080"
        - name: BACKEND_MAX_FAILS
          value: "3"
        - name: BACKEND_FAIL_TIMEOUT
          value: "10s"
        ports:
        - containerPort: 80
      - name: echo
        image: ghcr.io/gihyodocker/echo:v0.1.0
        ports:
        - containerPort: 8080
```

　実は Deployment の定義は ReplicaSet とさほど差がありません。違いは Deployment が ReplicaSet の世代管理[*38]を可能にする点です。

　このマニフェストファイルを、**リスト 5.20** のように反映します。

リスト 5.20　Deploymentの反映

```
(~/k8s/intro) $ kubectl apply -f deployment.yaml
deployment.apps/echo created
```

　リスト 5.21 のコマンドで確認してみましょう。-1オプションでラベルに合致したリソースだけを取得できます。Deployment リソースはもちろん、ReplicaSet、Pod が作成されていることが確

[*38]　リビジョン付け。

認できます。

リスト5.21　Deploymentと関連リソースの取得

```
$ kubectl get pod,replicaset,deployment -l app=echo
NAME                          READY    STATUS    RESTARTS   AGE
pod/echo-cb8ccb665-fc4sh      2/2      Running   0          8s
pod/echo-cb8ccb665-kqxvc      2/2      Running   0          8s
pod/echo-cb8ccb665-l9hpd      2/2      Running   0          8s

NAME                              DESIRED   CURRENT   READY   AGE
replicaset.apps/echo-cb8ccb665    3         3         3       8s

NAME                    READY    UP-TO-DATE   AVAILABLE   AGE
deployment.apps/echo    3/3      3            3           8s
```

　Deploymentのリビジョンは**リスト5.22**のように`kubectl rollout history`で確認できます。初回の反映のため、`REVISION=1`となっています。Deploymentに変更を加えるたびにリビジョンが積み上がっていきます。

リスト5.22　Deploymentのリビジョンを取得

```
$ kubectl rollout history deployment echo
deployments "echo"
REVISION   CHANGE-CAUSE
1          <none>
```

5.8.1　ReplicaSetライフサイクル

　KubernetesではDeploymentを1つの単位として、アプリケーションをデプロイしていきます。実運用ではReplicaSetを直接用いることはなく、Deploymentのマニフェストファイルを扱う運用にすることがほとんどです。

　Deploymentが管理するReplicaSetは指定されたPod数の確保や、新しいバージョンのPodへの入れ替え、以前のバージョンへのPodのロールバックといった重要な役割を担っています。

　アプリケーションのデプロイを正しく運用していくためには、（Deploymentの中で）ReplicaSetがどのような挙動をするかを把握しておくことが重要です。Deploymentの更新によってReplicaSetが新しく作成され[39]、ReplicaSetの入れ替えが発生します。

　新規ReplicaSet作成のトリガーを見ていきましょう。

Pod数のみを更新しても新規ReplicaSetは生まれない

　まずはPod数だけを更新してみましょう。マニフェストファイル`deployment.yaml`の`replicas`を3から4に変更して反映してみます。

＊39　リビジョン番号が1つ増える。

5. Kubernetes入門

```
(~/k8s/intro) $ kubectl apply -f deployment.yaml
deployment.apps/echo configured
```

リスト5.23のように既存のPodがそのままで、1つコンテナが新たに作成されていくことが確認できます。

リスト5.23　replicasの増加により新たに作成されるPod

```
$ kubectl get pod
NAME                     READY   STATUS             RESTARTS   AGE
echo-cb8ccb665-fc4sh     2/2     Running            0          45s
echo-cb8ccb665-kqxvc     2/2     Running            0          45s
echo-cb8ccb665-l9hpd     2/2     Running            0          45s
echo-cb8ccb665-x4kdg     0/2     ContainerCreating  0          0s
```

新しくReplicaSetが生成されていればリビジョン番号2が表示されるはずですが、表示されていません。replicasの変更ではReplicaSetの入れ替えが発生しないことを示しています。

```
$ kubectl rollout history deployment echo
deployment.apps/echo
REVISION   CHANGE-CAUSE
1          <none>
```

コンテナ定義を更新

コンテナのイメージを変更した場合を確認してみましょう。**リスト5.24**のように`deployment.yaml`の`echo`コンテナのイメージを`ghcr.io/gihyodocker/echo:v0.1.0-patch`に変更します。

リスト5.24　echoのイメージを変更

`~/k8s/intro/deployment.yaml`

```
    # 省略...
  - name: echo
    image: ghcr.io/gihyodocker/echo:v0.1.0-patch
    ports:
    - containerPort: 8080
```

```
(~/k8s/intro) $ kubectl apply -f deployment.yaml
deployment.apps/echo configured
```

リスト5.25のように新しいPodが作成され、古いPodが段階的に停止していくことがわかります。

198

リスト 5.25　イメージの変更によるPodの入れ替え

```
$ kubectl get pod --selector app=echo
NAME                   READY   STATUS             RESTARTS   AGE
echo-5c6fff4fc9-cqf4g   0/2     ContainerCreating   0          0s
echo-5c6fff4fc9-wsdsx   0/2     ContainerCreating   0          0s
echo-cb8ccb665-fc4sh    2/2     Running             0          26s
echo-cb8ccb665-kqxvc    2/2     Running             0          25s
echo-cb8ccb665-l9hpd    2/2     Running             0          26s
echo-cb8ccb665-x4kdg    0/2     Terminating         0          25s
```

　Deploymentのリビジョンを確認すると、 REVISION=2 が作成されています。 kubectl apply をす
る際、Deploymentの内容に変更があった場合新しいリビジョンが作成されます。

```
$ kubectl rollout history deployment echo
deployment.apps/echo
REVISION   CHANGE-CAUSE
1          <none>
2          <none>
```

5.8.2　ロールバックを実行する

　Deploymentのリビジョンが記録されているため、特定のリビジョンの内容は**リスト 5.26**で確認
できます。

リスト 5.26　Deploymentのリビジョン詳細

```
$ kubectl rollout history deployment echo --revision=1
deployment.apps/echo with revision #1
Pod Template:
  Labels:    app=echo
    pod-template-hash=cb8ccb665
  Containers:
   nginx:
    Image:  ghcr.io/gihyodocker/simple-nginx-proxy:v0.1.0
    Port:   80/TCP
    Host Port:  0/TCP
    Environment:
      NGINX_PORT:   80
      SERVER_NAME:  localhost
      BACKEND_HOST: localhost:8080
      BACKEND_MAX_FAILS:    3
      BACKEND_FAIL_TIMEOUT: 10s
    Mounts: <none>
   echo:
    Image:  ghcr.io/gihyodocker/echo:v0.1.0
    Port:   8080/TCP
    Host Port:  0/TCP
    Environment:    <none>
    Mounts: <none>
  Volumes:  <none>
```

5. Kubernetes 入門

リスト 5.27 のように undo コマンド（kubectl rollout undo）を実行すれば直前の操作のリビジョンに Deployment をロールバックできます。

リスト 5.27　1つ前のDeploymentにロールバック

```
$ kubectl rollout undo deployment echo
deployment.apps/echo rolled back
```

ロールバックの仕組みがあることで、最新の Deployment に問題があった場合にすぐに以前のバージョンに戻すことができますし、アプリケーションの以前のバージョンの挙動を確認したいようなケースで活用できます。

作成した Deployment は、次のようにマニフェストファイルを利用して削除しておきます。Deployment と、関連する ReplicaSet と Pod が削除されます。

```
(~/k8s/intro) $ kubectl delete -f deployment.yaml
```

5.9　Service

Service は Kubernetes クラスタ内において、Pod の集合（主に ReplicaSet[*40]）に対する経路やサービスディスカバリ[*41]を提供するためのリソースです。Service のターゲットとなる一連の Pod は、Service で定義するラベルセレクタによって決定されます。

例として、`replicaset-with-label.yaml` という**リスト 5.28** のようなマニフェストファイルを作成し、ReplicaSet を 2 つ定義します。内容はすでに作成した echo の ReplicaSet とほぼ同じですが、`release` というラベルがつけられ、それぞれ `spring` と `summer` となっています。

リスト 5.28　springとsummerのReplicaSetを定義したマニフェストファイル

`~/k8s/intro/replicaset-with-label.yaml`

```yaml
apiVersion: apps/v1
kind: ReplicaSet
metadata:
  name: echo-spring
  labels: # ReplicaSet自身にラベルをつける
    app: echo
    release: spring
spec:
  replicas: 1
  selector:
```

[*40]　例外として、Kubernetesクラスタの外のサーバにアクセスするための ExternalService がある。

[*41]　APIへの接続先が動的に変わる場合、クライアントが接続先を切り替えるのではなく、クライアントからは一貫した名前でアクセスできるようにする仕組み

```yaml
      matchLabels:
        app: echo
        release: spring
  template:
    metadata: # ReplicaSetが生成するPodにラベルをつける
      labels:
        app: echo
        release: spring
    spec:
      containers:
      - name: nginx
        image: ghcr.io/gihyodocker/simple-nginx-proxy:v0.1.0
        env:
        - name: NGINX_PORT
          value: "80"
        - name: SERVER_NAME
          value: "localhost"
        - name: BACKEND_HOST
          value: "localhost:8080"
        - name: BACKEND_MAX_FAILS
          value: "3"
        - name: BACKEND_FAIL_TIMEOUT
          value: "10s"
        ports:
        - containerPort: 80
      - name: echo
        image: ghcr.io/gihyodocker/echo:v0.1.0
        ports:
        - containerPort: 8080

---
apiVersion: apps/v1
kind: ReplicaSet
metadata:
  name: echo-summer
  labels: # ReplicaSet自身にラベルをつける
    app: echo
    release: summer
spec:
  replicas: 2
  selector:
    matchLabels:
      app: echo
      release: summer
  template:
    metadata: # ReplicaSetが生成するPodにラベルをつける
      labels:
        app: echo
        release: summer
    spec:
      containers:
      - name: nginx
        image: ghcr.io/gihyodocker/simple-nginx-proxy:v0.1.0
        env:
        - name: NGINX_PORT
          value: "80"
```

5. Kubernetes入門

```
        - name: SERVER_NAME
          value: "localhost"
        - name: BACKEND_HOST
          value: "localhost:8080"
        - name: BACKEND_MAX_FAILS
          value: "3"
        - name: BACKEND_FAIL_TIMEOUT
          value: "10s"
        ports:
        - containerPort: 80
      - name: echo
        image: ghcr.io/gihyodocker/echo:v0.1.0
        ports:
        - containerPort: 8080
```

次の**リスト 5.29**のようにマニフェストファイルをapplyし、作成されたPodを確認してみます。
releaseラベルにspringとsummerを持つPodがそれぞれ実行されていることがわかります。

リスト 5.29　springとsummerのラベルを持つReplicaSetの作成

```
(~/k8s/intro) $ kubectl apply -f replicaset-with-label.yaml
replicaset.apps/echo-spring created
replicaset.apps/echo-summer created

# springのラベルを持つPodを取得
$ kubectl get pod -l app=echo -l release=spring
NAME                    READY   STATUS    RESTARTS   AGE
echo-spring-99v6q       2/2     Running   0          2m1s

# summerのラベルを持つPodを取得
$ kubectl get pod -l app=echo -l release=summer
NAME                    READY   STATUS    RESTARTS   AGE
echo-summer-fckhq       2/2     Running   0          2m13s
echo-summer-p59kk       2/2     Running   0          2m13s
```

5.9.1　ラベルセレクタを利用したトラフィックのルーティング

release=summerを持つPodだけにHTTPのトラフィックが流れるようなServiceを作ってみましょう。**リスト 5.30**の内容でservice.yamlを作成します。 spec.selector属性には、ServiceのターゲットとしたいPodが持つラベルを設定しています。

リスト 5.30　summerのPodにトラフィックを流すServiceのマニフェストファイル

`~/k8s/intro/service.yaml`

```
apiVersion: v1
kind: Service
metadata:
  name: echo
  labels:
    app: echo
spec:
```

```
selector: # トラフィックを流すPodを特定するラベル
  app: echo
  release: summer
ports:
  - name: http
    port: 80
```

このServiceとラベル付けで区別されたPodとの関係を表しているのが**図5.16**です。Podのラベルが Service にセレクタで定義しているラベルと合致した場合、対象のPodはそのServiceのターゲットとなり、Service経由でトラフィック[*42]が流れます。

図5.16　ServiceからPodへのトラフィックルーティング

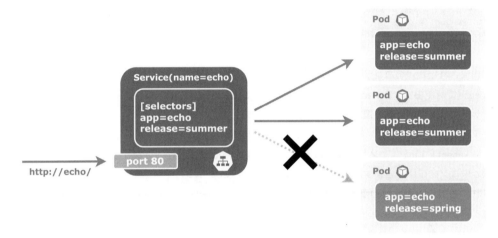

リスト5.31のように反映してServiceを作成します[*43]。

リスト5.31　Serviceの反映

```
$ kubectl apply -f service.yaml
service/echo created

$ kubectl get service echo
NAME   TYPE        CLUSTER-IP       EXTERNAL-IP   PORT(S)   AGE
echo   ClusterIP   10.106.160.179   <none>        80/TCP    7s
```

実際に、`release=summer`を持つPodだけにトラフィックが流れるか確認しましょう。

基本的にServiceはKubernetesクラスタの中からしかアクセスできません。そこで、Kubernetesクラスタ内に一時的なデバッグコンテナをデプロイ、curlコマンドでHTTPリクエストを送って確

[*42]　この場合はHTTPリクエスト。
[*43]　Serviceの確認は`kubectl get svc`という短いコマンドでも同様の結果が得られます。

認します。デバッグコンテナ内に入ったら、適当に http://echo/ に対して HTTP リクエストを何回
か送信します。

デバッグ Pod から HTTP リクエストを発行する

Kubernetes クラスタの中から HTTP リクエストを発行するために、デバッグ用の Pod を**リス
ト 5.32** のように作成します。HTTP リクエストは発行できる curl がインストールされたコンテナ
イメージである ghcr.io/gihyodocker/debug を利用します[44]。

リスト 5.32　デバッグ用 Pod を作成し、bash を実行

```
$ kubectl run -i --rm --tty debug --image=ghcr.io/gihyodocker/debug:v0.1.0 --restar←
t=Never -- bash
If you don't see a command prompt, try pressing enter.
root@debug:/# curl http://echo/
Hello Container!!root@debug:/#
```

作成された Pod のコンテナは Kubernetes クラスタ内にあるため、名前解決は Service の名前であ
る echo で可能です。Service による名前解決は欠かせない仕組みで、Kubernetes クラスタ内のアプ
リケーションどうしを協調させるようなケースで力を発揮します。

デバッグ用コンテナで何回か HTTP リクエストを発行してから Pod のログを確認してみましょ
う。kubectl logs コマンドでは**リスト 5.33** のように Pod 単位だけではなく、ラベルを使った複数
Pod のログを確認できます。release=summer を持つ Pod だけに「received request」のログが出力
され、release=spring のラベルを持つ Pod にはいっこうにログが出力されないことを確認できる
はずです。

リスト 5.33　ラベルを指定した標準ストリーム出力の確認

```
$ kubectl logs -f -l release=spring -c echo
2023/07/21 16:50:24 Start server

$ kubectl logs -f -l release=summer -c echo
2023/07/21 16:50:24 Start server
2023/07/21 17:31:06 Received request
2023/07/21 16:50:24 Start server
2023/07/21 17:32:41 Received request
2023/07/21 17:32:42 Received request
...
```

このようにデバッグ Pod はトラブルシューティングに有用ですが、デバッグ Pod を狙った攻撃を
しかけられる可能性もあるためセキュリティ面では課題があることも事実です。本書では検証のた
めに利用していますが、本番環境での利用は控えた方が良いでしょう。

---

[44]　このデバッグ用コンテナイメージは https://github.com/gihyodocker/container-kit/blob/main/containers/debug/Dockerfile で公開
しています。開発において自分好みのデバッグ用イメージを用意しておくと便利です。

類似のワークアラウンドとして Kubernetes 1.23 から導入されたエフェメラルコンテナ[45]という
機能があります。

コラム **Serviceの名前解決**

Kubernetes クラスタ内の DNS では、Service を `<Service名>.<Namespace名>.svc.local` で名前
解決できるようになっています。
たとえば、 `echo` は `default` の Namespace に配置しているので、次のようになります。

```
$ curl http://echo.default.svc.local
```

この `svc.local` は省略が可能です。異なる Namespace の Service の名前解決は次の表記方法が
最短です。

```
$ curl http://echo.default
```

同一 Namespace にあれば次のように Service 名だけで名前解決できます。この表記方法を最も多
く利用することになるでしょう。

```
$ curl http://echo
```

5.9.2   ClusterIP Service

作成される Service にはさまざまな種類があり、yaml 内で定義できます。デフォルトが ClusterIP
Service です[46]。

ClusterIP では Kubernetes クラスタ上の内部 IP アドレスで Service を公開できます。これにより、
ある Pod から別の Pod 群へのアクセスは Service を介して行うことができ、かつ Service 名で名前
解決ができます。ただし、Kubernetes クラスタの外からはリーチできません。

5.9.3   Headless Service

Headless Service は ClusterIP Service の一種ですが、少し特殊な Service です。
通常の ClusterIP Service では Pod 群へのアクセスポイントとして、次のように IP アドレスが与
えられます。

---

[45] エフェメラルコンテナについては Appendix C.2.1で解説します。
[46] `type: ClusterIP`

5. Kubernetes 入門

```
$ kubectl get service echo
NAME    TYPE        CLUSTER-IP      EXTERNAL-IP    PORT(S)    AGE
echo    ClusterIP   10.98.211.22    <none>         80/TCP     8s
```

これはロードバランサのようにトラフィックを均等に振り分けたり、サービスディスカバリの役割も担っています。

これに対して、Headless Service は Service に固有の IP アドレスを設定しない仕組みです。 service-headless.yaml というファイルを**リスト 5.34** のように作成し、 clusterIP に None を指定します。

リスト 5.34　Headless Service のマニフェストファイル

~/k8s/intro/service-headless.yaml

```
apiVersion: v1
kind: Service
metadata:
  name: echo
  labels:
    app: echo
spec:
  type: ClusterIP
  clusterIP: None
  selector:
    app: echo
  ports:
    - name: http
      port: 80
```

リスト 5.35 のように既存の Service を削除してから、 service-headless.yaml を反映します。

リスト 5.35　Headless Service の作成

```
$ kubectl delete service echo
(~/k8s/intro) $ kubectl apply -f service-headless.yaml
service/echo created
```

作成された Service の CLUSTER-IP が None になっており、IP アドレスが与えられていないことがわかります。

```
$ kubectl get service echo
NAME    TYPE        CLUSTER-IP    EXTERNAL-IP    PORT(S)    AGE
echo    ClusterIP   None          <none>         80/TCP     3s
```

その代わり、Service のバックエンドに紐づく各 Pod の IP アドレスを直接照会できます。通常の ClusterIP Service がロードバランサのようなものであれば、Headless Service は DNS ラウンドロビンのようなものです。

Service **5.9**

　Headless Serviceの用途としては、一度Headless Service経由で照会したIPアドレスのPodに
アプリケーション側から続けて接続し続けたいといったケースです。このような要件や、通常の
ClusterIP Serviceのようにトラフィックを均等に分散する必要性のない場合に利用を検討しても良
いでしょう。

5.9.4　NodePort Service

　NodePort Serviceはクラスタ外からアクセスできるServiceです。
　NodePort ServiceはClusterIPを作るという点においてはClusterIP Serviceと同じです。各ノー
ド上からServiceポートへ接続するためのグローバルなポートを開けるという違いがあります。
　`service-nodeport.yaml`というファイルを**リスト 5.36**のように作成し、`type`に`NodePort`を指定
します。

リスト 5.36　NodePort Serviceのマニフェストファイル

`~/k8s/intro/service-nodeport.yaml`

```
apiVersion: v1
kind: Service
metadata:
  name: echo
  labels:
    app: echo
spec:
  type: NodePort
  selector:
    app: echo
  ports:
    - name: http
      port: 80
```

　リスト 5.37のように既存のServiceを削除してから、`service-nodeport.yaml`を反映します。

リスト 5.37　NodePort Serviceの作成

```
$ kubectl delete service echo
(~/k8s/intro) $ kubectl apply -f service-nodeport.yaml
service/echo created
```

　作成されたNodePort Serviceを確認します。以下に`80:30434/TCP`と表示されているようにノー
ドの`30434`ポート[47]からServiceへアクセスできます。これによりServiceをKubernetesクラスタ
の外に公開できます[48]。

＊47　NodePortは`30000`番から`32767`番の範囲で採番されます。

＊48　NodePortではサービスをL4層（トランスポート層）レベルで公開可能なため、TCP/UDPを扱うことができます。HTTPはもちろん
　　　のこと、MySQLプロトコルを通すServiceを、Kubernetesクラスタの外にあるサーバでも利用できるように公開するということも可能
　　　です。

207

5. Kubernetes入門

```
$ kubectl get service echo
NAME    TYPE       CLUSTER-IP      EXTERNAL-IP   PORT(S)       AGE
echo    NodePort   10.103.68.156   <none>        80:30434/TCP  15s
```

次のようにローカルからHTTPでアクセスできます。

```
$ curl http://127.0.0.1:30434
Hello Container!!%
```

5.9.5　LoadBalancer Service

LoadBalancer ServiceはローカルKubernetes環境では利用できないServiceです。主に各クラウドプラットフォームで提供されているロードバランサと連携するためのものです。

Google CloudであればCloud Load Balancing[49]、AWSであればElastic Load Balancing[50]が対応しています。

5.9.6　ExternalName Service

ExternalName Serviceはselectorもport定義も持たないかなり特殊なServiceです。Kubernetesクラスタ内から外部のホストを解決するためのエイリアスを提供します。

たとえば、次のようなServiceを作成すると`gihyo.jp`を`gihyo`で名前解決できます[51]。

リスト 5.38　External Serviceのマニフェスト例

```
apiVersion: v1
kind: Service
metadata:
  name: gihyo
spec:
  type: ExternalName
  externalName: gihyo.jp
```

ExternalName Serviceを使うと外部のエンドポイントを抽象化できます。外部のエンドポイントがドメインやホスト名の変更を伴ってリプレイスされるような場合、ExternalNameで定義したService経由でアプリケーションを名前解決させておけば、ExternalNameを変更するだけでアプリケーション側の修正は必要ありません。

＊49　https://cloud.google.com/load-balancing/

＊50　https://aws.amazon.com/jp/elasticloadbalancing/

＊51　ExternalName Serviceを理解できれば十分なので、ここではマニフェストの作成と反映は行いません。

Ingress **5.10**

5.10 Ingress

Kubernetesクラスタの外にServiceを公開するためには、ServiceをNodePortで公開します。ただし、この手法はあくまでもL4層レベルまでしか扱えないため、HTTP/HTTPSのようにパスベースで転送先のServiceを切り替えるといったL7層レベルの制御までは行えません。

これを解決するためのリソースがIngressです。ServiceのKubernetesクラスタの外への公開と、VirtualHostやパスベースでの高度なHTTPルーティングを両立します。HTTP/HTTPSのサービスを公開するユースケースでは、間違いなくIngressを利用することになります。

5.10.1 IngressコントローラーとIngressClass

実は素の状態のローカルKubernetes環境ではIngressを使ったServiceの公開はできません。Ingressの定義に従って、実際にServiceへ向けてルーティングをする役割を担うコントローラーが必要です。これをIngressコントローラーといいます。

Ingressコントローラーにはいくつかの実装が存在しています。その中の1つであるIngress NGINX Controller[52]はnginxを活用したIngressコントローラーの実装であり、パブリッククラウド・オンプレミス・Docker Desktopといったプラットフォームを問わず利用できます。

本書でのローカルKubernetes環境ではIngress NGINX Controllerを利用します。Ingress NGINX Controllerは**リスト5.39**のコマンドでデプロイします。

リスト5.39 Ingress NGINX Controllerのインストール

```
$ kubectl apply -f https://raw.githubusercontent.com/kubernetes/ingress-nginx/contro←
ller-v1.8.1/deploy/static/provider/cloud/deploy.yaml
```

程なくしてingress-nginxというNamespace上にServiceとPodが**図5.17**のように作成されます。`kubectl -n ingress-nginx get service,pod`コマンドで確認できます。Ingressリソースを利用する準備はこれで完了です。

図5.17 Ingress NGINX Controller 関連のServiceとPod

```
kubectl -n ingress-nginx get service,pod
NAME                                       TYPE           CLUSTER-IP       EXTERNAL-IP   PORT(S)                      AGE
service/ingress-nginx-controller           LoadBalancer   10.103.169.239   localhost     80:31157/TCP,443:32633/TCP   102s
service/ingress-nginx-controller-admission ClusterIP      10.100.195.5     <none>        443/TCP                      102s

NAME                                           READY   STATUS      RESTARTS   AGE
pod/ingress-nginx-admission-create-lndvh       0/1     Completed   0          102s
pod/ingress-nginx-admission-patch-jm6v5        0/1     Completed   1          102s
pod/ingress-nginx-controller-79d66f886c-8x45k  1/1     Running     0          102s
```

---

*52 https://github.com/kubernetes/ingress-nginx

209

5. Kubernetes入門

```
$ kubectl -n ingress-nginx get service,pod
NAME                                          TYPE           CLUSTER-IP       EXTERNA←
L-IP    PORT(S)                   AGE
service/ingress-nginx-controller             LoadBalancer   10.103.169.239   localho←
st      80:31157/TCP,443:32633/TCP  102s
service/ingress-nginx-controller-admission   ClusterIP      10.100.195.5     <none>  ←
        443/TCP                   102s

NAME                                              READY   STATUS      RESTARTS   AGE
pod/ingress-nginx-admission-create-lndvh          0/1     Completed   0          102s
pod/ingress-nginx-admission-patch-jm6v5           0/1     Completed   1          102s
pod/ingress-nginx-controller-79d66f886c-8x45k     1/1     Running     0          102s
```

　Kubernetes クラスタ内で利用できる Ingress コントローラーは **IngressClass** として確認できます。Ingress NGINX Controller の場合は nginx という名前の IngressClass が作成されます。この IngressClass の名前は Ingress を定義する際に必要です。

リスト 5.40　IngressClassの確認

```
$ kubectl get ingressclass
NAME    CONTROLLER          PARAMETERS   AGE
nginx   k8s.io/ingress-nginx   <none>       11h
```

5.10.2　Ingressを通じたアクセス

　実際に Ingress を通して Service にアクセスしてみましょう。5.9.1で作成した service.yaml を**リスト 5.41** のように変更します。release ラベルをコメントアウトし、全ての echo Pod にトラフィックが流れるようにします。

リスト 5.41　releaseラベルをコメントアウトした Serviceのマニフェストファイル

~/k8s/intro/service.yaml

```
apiVersion: v1
kind: Service
metadata:
  name: echo
  labels:
    app: echo
spec:
  selector:
    app: echo
    # release: summer
  ports:
    - name: http
      port: 80
```

　リスト 5.42 のように既存の Service を削除してから、service.yaml を反映します。

210

Ingress **5.10**

リスト5.42　Ingressに公開するServiceの反映

```
$ kubectl delete service echo
(~/k8s/intro) $ kubectl apply -f service.yaml
```

Ingressを定義したマニフェストファイル ingress.yaml を**リスト5.43**の内容で作成します。

リスト5.43　Ingressを定義したマニフェストファイル

```
                                                             ~/k8s/intro/ingress.yaml
apiVersion: networking.k8s.io/v1
kind: Ingress
metadata:
  name: echo
  labels:
    app: echo
spec:
  ingressClassName: nginx # ①
  rules:
  - host: ch05.gihyo.local # ②
    http:
      paths:
      - pathType: Prefix # ③
        path: / # ④
        backend: # ⑤
          service:
            name: echo
            port:
              number: 80
```

このファイルを反映すると**リスト5.44**のように Ingress が作成されます。ADDRESS は、反映直後は空欄になっていますが、約数秒から十数秒経過すると localhost が表示されます。ADDRESS の値が表示されるまで、Ingress はリクエストを受け付けることができません。

リスト5.44　Ingressの反映

```
(~/k8s/intro) $ kubectl apply -f ingress.yaml
ingress "echo" created

$ kubectl get ingress echo
NAME    CLASS   HOSTS             ADDRESS     PORTS   AGE
echo    nginx   ch05.gihyo.local  localhost   80      99s
```

ここで、**リスト5.43**の内容を解説していきます。

①では**リスト5.40**で確認した IngressClass 名を指定しています。

②ではパスベースのルーティングを配列で記述できます[*53]。Ingress は L7 層のルーティングが可能で、VirtualHost の仕組みのように、指定したホストやパスに合致したサービスへリクエストを委

＊53　パスを配列で分けることで、それぞれ別の Service にルーティングするといったユースケースがあります。

211

5. Kubernetes入門

譲できるためホスト名を指定します。⑤ではルーティング先のService名とポート番号を指定しています。

パスマッチングの制御

③と④はHTTPリクエストのパスマッチングを制御するために必要な設定です。pathTypeはPrefix、Exact、ImplementationSpecificの3種類がサポートされており、それぞれ挙動が異なります。

●──Prefix

Prefixの場合、リクエストパスがpathの値で始まる場合にマッチングします。たとえばpathが/apiの場合は、http://ch05.gihyo.local/api-v2やhttp://ch05.gihyo.local/api/helloなどにマッチします。

今回の例では、pathTypeがPrefix、pathが/です。全てのパスが対象のServiceにルーティングされることになります。

●──Exact

Exactの場合、リクエストパスがpathの値に完全に一致する場合にのみマッチングします。pathが/helloであれば、http://ch05.gihyo.local/helloのみにマッチングすることになります。

●──ImplementationSpecific

ImplementationSpecificはIngressコントローラーの実装に委ねる設定です。

Ingressで公開したエンドポイントにHTTPリクエストを実行

実際にローカルからHTTPリクエストを投げてみましょう。Ingressを介してServiceからは**リスト5.45**のようにレスポンスが返ってきます。/etc/hostsにIngressで定義したホストを127.0.0.1で定義する方法でも同等の結果が得られます。

リスト5.45　Ingressで公開されたServiceに対してHTTPリクエストを投げる

```
$ curl http://127.0.0.1 -H 'Host: ch05.gihyo.local'
Hello Container!!%
```

Ingress層でのHTTPリクエストの制御

他にもHTTPリクエストをIngressの層でさまざまな制御をできます。たとえば、ingress.yamlに**リスト5.46**のような変更を加えます。

212

リスト 5.46　Ingress NGINX Controller 独自の制御を追加

```
                                                          ~/k8s/intro/ingress.yaml
apiVersion: networking.k8s.io/v1
kind: Ingress
metadata:
  name: echo
  labels:
    app: echo
  annotations:
    nginx.ingress.kubernetes.io/server-snippet: |
      set $agentflag 0;

      if ($http_user_agent ~* "(Mobile)" ){
        set $agentflag 1;
      }

      if ( $agentflag = 1 ) {
        return 301 http://gihyo.jp/;
      }
spec:
  ingressClassName: nginx
  rules:
  - host: ch05.gihyo.local
    http:
      paths:
      - pathType: Prefix
        path: /
        backend:
          service:
            name: echo
            port:
              number: 80
```

ingress.yamlの変更を反映します。

```
(~/k8s/intro) $ kubectl apply -f ingress.yaml
ingress.networking.k8s.io/echo configured
```

　Ingress コントローラー独自の制御を `metadata.annotations` に設定できます。Ingress NGINX Controller では `nginx.ingress.kubernetes.io/server-snippet` を設定すると、nginx の設定ファイルの記法でリクエストのフィルタリング処理等を挟み込むことができます。

　ここでは、User-Agent に `Mobile` が含まれているリクエストを別の URL にリダイレクトしています。User-Agent に `Mobile` をリクエストを発行すると、301 でリダイレクトされることがわかります。

5. Kubernetes 入門

リスト 5.47　User-Agentを変更したHTTPリクエスト

```
$ curl -I http://127.0.0.1 \
  -H 'Host: ch05.gihyo.local' \
  -H 'User-Agent: Mozilla/5.0 (iPhone; CPU iPhone OS 16_1_1 like Mac OS X) AppleWebK←
it/605.1.15 (KHTML, like Gecko) Version/16.100000 Mobile/15E148'

HTTP/1.1 301 Moved Permanently
Date: Sat, 22 Jul 2023 07:02:46 GMT
Content-Type: text/html
Content-Length: 162
Connection: keep-alive
Location: http://gihyo.jp/
```

IngressでこのようなHTTPリクエストの制御ができるため、リクエストを転送するバックエンドのWebサーバやアプリケーション側では、このような処理を入れる必要はなくなります。Ingress NGINX Controllerでは他にもさまざまな機能があります[54]。

IngressはパブリッククラウドにおいてはそのプラットフォームのL7ロードバランサを利用できます。Google Cloudの場合はデフォルトでCloud Load Balancingを、AWSであればApplication Load Balancer等が利用可能で、それぞれに対応したIngressコントローラーが用意されています。

ここまでローカルKubernetes環境を利用してKubernetesの基本的な概念や操作を体験してきました。しかし、ローカルKubernetes環境は制約もありますし、Kubernetesの全ての機能を備えてるわけではないためできることには限界があります。

次章ではパブリッククラウドを用いたより実践的なKubernetesでのアプリケーション構築、オンプレミスでのKubernetesクラスタの構築を紹介していきます。

> **コラム**　kubectlでのリソースタイプとリソース名の指定方法
>
> 本章ではkubectlコマンドでリソースの操作を体験してきました。kubectlコマンドでは、さまざまな記述のしかたが可能なので覚えておくと良いでしょう。以下を紹介します。
>
> - リソースタイプとリソース名の区切り
> - リソースタイプの略称
> - 一度に複数のリソースタイプを操作
>
> kubectl getコマンドであれば、次のような書式で操作しました。
>
> ```
> kubectl get [リソースタイプ] [リソース名]
> ```
>
> このようにリソースタイプとリソース名をスペースで区切る記法の他に、スラッシュで区切る記

---

[54] https://github.com/kubernetes/ingress-nginx/blob/main/docs/user-guide/nginx-configuration/annotations.md

述も可能です。たとえば、echoのService概要を取得する場合は次のようにします。

```
$ kubectl get service/echo
```

リソースタイプは略称での記述も可能です。本章で扱ったリソースの、リソースタイプの略称は次のような記述が利用できます。

正称	略称
pod	po
replicaset	rs
deployment	deploy
service	svc
ingress	ing

echoのService概要を取得する場合は、次のようにsvcという略称が利用できます。

```
$ kubectl get svc echo
```

ここまでで扱ったリソースタイプはそれほど長い名称ではありませんが、Kubernetesには長い名称のリソースも多く存在します。詳細は公式リファレンス*aに記載されているので、一度確認しておくと良いでしょう。

kubectlコマンドで一度に複数のリソースタイプの操作も可能です。次のようにリソースタイプをカンマで区切って実行します。

```
$ kubectl get service,deployment -l app=echo
NAME            TYPE        CLUSTER-IP       EXTERNAL-IP   PORT(S)   AGE
service/echo    ClusterIP   10.105.93.239    <none>        80/TCP    5h

NAME                    READY   UP-TO-DATE   AVAILABLE   AGE
deployment.apps/echo    1/1     1            1           5h
```

*a   https://kubernetes.io/docs/reference/kubectl/#resource-types

---

コラム **Tiltでマニフェストファイルの更新を検知し、リソースを自動更新する**

4.7において、Composeで管理されたマルチコンテナアプリケーションの自動更新を、Tiltで実現して開発者体験が大きく向上しました。

KubernetesにおいてもこのTiltの体験を享受できます。**リスト5.48**のようにTiltfileを作成し、k8s_yaml関数を使ってdeployment.yamlとservice.yamlを管理対象にしてみましょう。

215

5. Kubernetes入門

リスト 5.48　複数のマニフェストファイルを管理する Tiltfile

~/k8s/intro/Tiltfile

```
k8s_yaml('./deployment.yaml')
k8s_yaml('./service.yaml')
```

Tiltfile を作成したディレクトリで`tilt up`を実行し、ブラウザで Tilt の管理画面を開きます。

```
$ tilt up
```

図 5.18　Tilt での Kubernetes アプリケーションの実行

試しに`deployment.yaml`の`replicas`の数や環境変数の値等を適当に変更してみてください。Tilt が変更を検知し、すぐに変更を反映してくれます。ローカル Kubernetes 環境でも積極的に Tilt を使っていくと良いでしょう。

コラム　k9s

kubectl は Kubernetes リソースを操作するための標準 CLI ツールですが、初学者にとっては慣れるまでは大変かもしれません。ただ、Kubernetes にはたくさんのエコシステムやツールが開発されており、より直感的に Kubernetes リソースを操作できるツールが存在します。

その 1 つが k9s[a]です。k9s のインストールはさまざまな手法が用意されていますが、ここでは asdf でのインストール方法を紹介します。

```
$ asdf plugin add k9s
$ asdf install k9s latest
$ asdf global k9s latest
```

コマンドラインで k9s を実行するだけで起動します。

Ingress **5.10**

図5.19 ターミナルでのk9sの実行画面

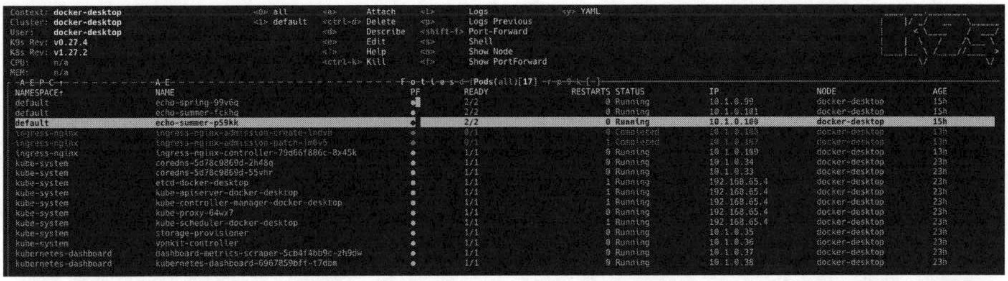

図5.19のように実行中のPod等のリソース一覧を確認できたり、Pod内のコンテナでのシェルや任意のコマンドの実行、ログの閲覧といった基本的な操作が直感的にできるようになっています。

また、k9sの類似ツールとしてRust製のKDash[*b]というツールも存在します。

kubectlでいろいろなコマンドを直接入力するよりも操作手順は減るのでぜひ利用してみてください。

---

*a https://github.com/derailed/k9s
*b https://github.com/kdash-rs/kdash

コラム **Kubernetes API**

ここまでいくつかのマニフェストファイルを扱ってきましたが、apiVersionの値がリソースの種別によって異なることに気づいた方も多いかもしれません。

Kubernetesのリソースの作成・更新・削除はKubernetesクラスタにデプロイされているAPIによって行われます。このAPIは複数のAPI群を束ねる形式で構成されており、apiVersionはリソースの操作に利用するAPIの種別を示しています。

Kubernetesクラスタで利用できるAPIは次のように確認できます。

217

5. Kubernetes入門

```
$ kubectl api-versions
admissionregistration.k8s.io/v1
apiextensions.k8s.io/v1
apiregistration.k8s.io/v1
apps/v1
authentication.k8s.io/v1
authorization.k8s.io/v1
autoscaling/v1
autoscaling/v2
batch/v1
certificates.k8s.io/v1
coordination.k8s.io/v1
discovery.k8s.io/v1
events.k8s.io/v1
flowcontrol.apiserver.k8s.io/v1beta2
flowcontrol.apiserver.k8s.io/v1beta3
networking.k8s.io/v1
node.k8s.io/v1
policy/v1
rbac.authorization.k8s.io/v1
scheduling.k8s.io/v1
storage.k8s.io/v1
v1
```

　Kubernetes の各種リソースがどの API に対応しているかは、Kubernetes API のリポジトリ[a]を見ると確認できます。Service や Pod は Kubernetes の根幹となる API である v1、Deployment は Pod の作成をコントロールする API である apps/v1 に属しています。

　Ingress は、現在は networking.k8s.io/v1 の API に属していますが、かつては networking.k8s.io/v1beta1 の API に属していました。Kubernetes では新しい機能のリソースはアルファ版やベータ版として取り込まれることも多く、安定版に到達するまでは API やマニフェストファイルのスキーマにも変更が入ります。xxx/v1beta1、xxx/v1beta2 といった形式の API が存在するのはそのためです。Kubernetes のバージョンが上がるにつれて、サポートされる API は増えていきます。

　これまでも Kubernetes のバージョンが進むにつれ API の新しいバージョンが登場したり、非推奨を経てある特定のバージョンで削除されるということが起きてきました。Kubernetes を活用した開発においては、新しい API バージョンへのマイグレーションの計画を立てて実行するといった継続的な運用の難しさがあることも事実です。

***

[a]　gRPC+Protocol Buffersベースのインターフェイスで提供されており、kubectlでのリソースの操作もこのAPIを呼び出すことで実現しています。https://github.com/kubernetes/api

6.
Kubernetesの
デプロイ・クラスタ構築

6. Kubernetesのデプロイ・クラスタ構築

前章ではDocker Desktopを利用してKubernetesをごく簡単に体験しました。本章ではタスクアプリを題材に、より実践的なKubernetesでのアプリケーション構築方法を解説します。

タスクアプリの構成と利用するリソースを確認し、実際にアプリケーションを構築してローカルKubernetes環境（前章と同じくDocker Desktop）にデプロイします。

最後に、ローカルKubernetes環境では難しいIngressのインターネット上への公開を、マネージドKubernetesサービスであるAzure Kubernetes Service(AKS)を利用して実現します。

6.1 タスクアプリの構成

第4章で構築したタスクアプリにはコンポーネント間の通信、シークレットの扱い、静的ファイルのボリュームの活用といったさまざまな要素があります。これらの要素を含めて、タスクアプリをKubernetesのどのリソースを組み合わせて構成するかを考えていきましょう。

6.1.1 タスクアプリを構成するKubernetesのリソース

図6.1 Kubernetes上で実行するタスクアプリの構成

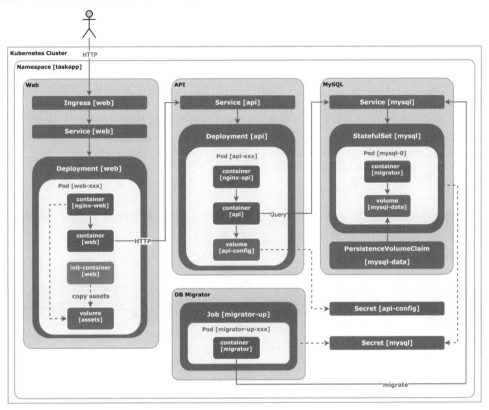

Kubernetes上で実行するタスクアプリは図6.1のような構成で構築します。

多くのリソースで構成されているため、少し身構えた読者もいるかもしれません。ここではWeb・API・データベースマイグレータ・MySQLの各コンポーネントがServiceを経由して通信をし、Webはクラスタの外からIngress経由でアクセスできるようになっている、ということを把握できれば十分です。各コンポーネントがどのように構成されているかは、後の節で一つずつ解説していきます。

6. Kubernetes のデプロイ・クラスタ構築

6.2 タスクアプリをKubernetesにデプロイする

Kubernetes のマニフェストファイルを作成し、実際にローカル Kubernetes 環境を使ってタスクアプリをデプロイしてみましょう。マニフェストファイル用の作業ディレクトリとして ~/k8s/taskapp/local/ を作成し、その中で進めていきます[*1]。

```
$ mkdir -p ~/k8s/taskapp/local/
```

それぞれのコンポーネントをデプロイする前に、まずは諸準備として Namespace と Secret の作成から行います。

6.2.1　Namespace

前章では特に Namespace を意識せずにマニフェストファイルを適用していました。この場合は default という Namespace にリソースが作成されます。

今回はタスクアプリ用に taskapp という Namespace を作成してみましょう。

```
$ kubectl create namespace taskapp
namespace/taskapp created
```

また、**リスト 6.1** のようなマニフェストファイルを kubectl apply して作成もできます。

リスト 6.1　Namespaceのマニフェストファイル

```
apiVersion: v1
kind: Namespace
metadata:
  name: taskapp
```

アプリケーション用の Namespace を用意することで、Kubernetes クラスタ内で実行中の他のリソースと分離でき、互いに影響を及ぼすことなく管理できます。

6.2.2　Secret

第4章でタスクアプリを構築した際、MySQLの接続情報のようなクレデンシャルをシークレットファイルとして扱う工夫をしました。Kubernetes においても同様の仕組みがあり、Secret リソースとして管理できます。

[*1]　完成形のマニフェストファイルは https://github.com/gihyodocker/taskapp/tree/main/k8s/plain/local においても公開しています。

222

タスクアプリをKubernetesにデプロイする **6.2**

MySQLの接続情報をSecretリソース化する前に、簡単にSecretリソースに触れてみましょう。まず、**リスト6.2**のコマンドを実行します。

リスト6.2　Secretリソースを作成するコマンド

```
$ kubectl create secret generic test-secret --from-literal=password=gihyo_password
secret/test-secret created
```

このコマンドでは test-secret という名称でSecretリソースを作成します。 generic はローカルファイルやkey-valueの値からSecretを生成するためのサブコマンドです[2]。 --from-literal=<key>=<value> というオプションを指定するとkeyとvalueのペアでクレデンシャルを対象のSecretに登録できます。ここでは password というkeyに対して、 gihyo_password という平文の値を指定しています。

作成したSecretを確認してみましょう。**リスト6.3**のように kubectl get コマンドに -o yaml オプションをつけるとYAMLファイル形式で標準出力に表示されます。

リスト6.3　作成したSecretリソースの確認

```
$ kubectl get secret/test-secret -o yaml
apiVersion: v1
data:
  password: Z2loeW9fcGFzc3dvcmQ=
kind: Secret
metadata:
  creationTimestamp: "2023-07-31T07:36:44Z"
  name: test-secret
  namespace: default
  resourceVersion: "793769"
  uid: ab336a3c-620d-496e-b10b-d9ea608a5e0e
type: Opaque
```

password の値が平文ではなくなっていることに気づくでしょう。これはBase64形式でエンコードされた文字列であり、Secretリソースに登録される値はこのようにBase64形式で管理されます。

Base64は簡単にデコードが可能です。マニフェストファイルをGitでバージョン管理する場合、安全に運用するには .gitignore にSecretのマニフェストファイルを追加すると良いでしょう。

同様に、タスクアプリでもSecretリソースを作成してみましょう。

MySQLの接続情報用Secretを作成する

図6.1の図にある mysql という名称のSecretを作成します。このSecretはMySQLとデータベースマイグレータで参照されます。

第4章でタスクアプリのMySQLのパスワードは次のファイルに出力していました。

＊2　genericの他に公開鍵/秘密鍵のペアからTLSのSecretを作成する tls と、コンテナレジストリの認証に使うSecretを作成する docker-registry があります。

223

6. Kubernetes のデプロイ・クラスタ構築

- **root 用**： `~/go/src/github.com/gihyodocker/taskapp/secrets/mysql_root_password`
- **taskapp_user 用**： `~/go/src/github.com/gihyodocker/taskapp/secrets/mysql_user_password`

これらのファイルを利用して、**リスト 6.4** の手順で Secret のマニフェストファイルを作成します。`--dry-run=client` オプションをつけると Kubernetes への適用は行わないドライランモードになります。`-o yaml` オプションをつけると YAML 形式のマニフェストファイルを標準出力できるため、これをファイルにリダイレクトできます。Secret のマニフェストをファイルとして扱いたい場合に使えるテクニックです。

リスト 6.4　値から Secret を作成する

```
$ MYSQL_ROOT_PASSWORD=$(cat ~/go/src/github.com/gihyodocker/taskapp/secrets/mysql_ro←
ot_password)
$ MYSQL_USER_PASSWORD=$(cat ~/go/src/github.com/gihyodocker/taskapp/secrets/mysql_us←
er_password)

$ kubectl create secret generic mysql --dry-run=client -o yaml \
    --from-literal=root_password=$MYSQL_ROOT_PASSWORD \
    --from-literal=user_password=$MYSQL_USER_PASSWORD > ~/k8s/taskapp/local/mysql-se←
cret.yaml
```

作成されたマニフェストファイルは**リスト 6.5** のようになっています[*3]。

リスト 6.5　MySQL 用 Secret のマニフェストファイル

`~/k8s/taskapp/local/mysql-secret.yaml`

```
apiVersion: v1
data:
  root_password: aUVRUTdEenZWQ2RMQXhNSw==
  user_password: WDllT01NQl9ZQm5iMTcxNQ==
kind: Secret
metadata:
  creationTimestamp: null
  name: mysql
```

作成したマニフェストファイルを適用します。今回はタスクアプリ用に taskapp という Namespace を準備したので、`-n` オプションに Namespace を指定して適用します。

```
(~/k8s/taskapp/local) $ kubectl -n taskapp apply -f mysql-secret.yaml
secret/mysql created
```

API サーバの設定ファイル用 Secret を作成する

第 4 章で作成した API サーバの設定ファイルである `~/go/src/github.com/gihyodocker/taskapp/api-config.yaml` を Secret 化します。**リスト 6.6** のコマンドで Secret のマニフェストファイルを作

[*3]　パスワードの内容によって Base64 化された文字列も異なります。

タスクアプリを Kubernetes にデプロイする　**6.2**

成します。`--from-file=<key>=<source>` というオプションで Secret 化したいファイルのパスを指定します[*4]。

リスト 6.6　ファイルから Secret を作成する

```
(~/go/src/github.com/gihyodocker/taskapp) $ kubectl create secret generic api-config↩
 --dry-run=client -o yaml \
        --from-file=api-config.yaml=./api-config.yaml > ~/k8s/taskapp/local/api-conf↩
ig-secret.yaml
```

ファイルを Secret 化した場合も、そのファイルの内容が Base64 形式で次のようにエンコードされています。

リスト 6.7　API サーバの設定ファイル用 Secret のマニフェストファイル

`~/k8s/taskapp/local/api-config-secret.yaml`

```
apiVersion: v1
data:
  api-config.yaml: ZGF0YWJhc2U6CiAgICBob3N0OiBt... # 長いため省略
kind: Secret
metadata:
  creationTimestamp: null
  name: api-config
```

```
(~/k8s/taskapp/local) $ kubectl -n taskapp apply -f api-config-secret.yaml
secret/api-config created
```

適用された Secret リソースは次のようにして確認できます。

```
$ kubectl -n taskapp get secret
NAME         TYPE     DATA    AGE
api-config   Opaque   1       9m13s
mysql        Opaque   2       10h
```

また、次のように Secret 名を指定して `-o yaml` オプションをつけると、実際に適用された Secret リソースの内容を確認できます。

```
$ kubectl -n taskapp get secret/api-config -o yaml
```

6.2.3　MySQL のデプロイ

まずはデータストアである MySQL を構築していきましょう。MySQL は**図 6.2** のように構成し

＊4　`--from-file` オプションの場合、key は省略可能です。省略した場合はファイル名が key として利用されます。

225

6. Kubernetesのデプロイ・クラスタ構築

ます。

図6.2　タスクアプリのMySQL部分

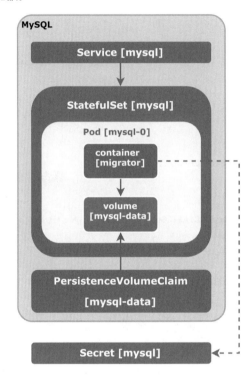

　DockerやComposeで永続化データを扱うコンテナを実行するためには、データボリュームが利用されます。しかし、コンテナとデータボリュームが存在するホストが密結合になります。Composeのように単一ホストのみでの利用であれば問題ないですが、複数ホスト構成のコンテナ環境で実現するのは難しいです。

　そこでKubernetesでは、ホストから分離可能な外部ストレージをボリュームとして利用できます。Podが別のホストに再配置された場合、外部ストレージとしてのボリュームはデプロイされたホストに自動で割り当てられます。これによってホストとデータボリュームという結び付きが外れて、外部ストレージを利用できるため永続化データを扱うアプリケーションをコンテナで運用しやすくなります。

　この仕組みを実現するのが次のKubernetesリソースです。

- PersistentVolume
- PersistentVolumeClaim
- StatefulSet

タスクアプリを Kubernetes にデプロイする **6.2**

PersistentVolume と PersistentVolumeClaim

Kubernetes ではストレージを確保するために **PersistentVolume** と **PersistentVolumeClaim**[5] というリソースが提供されています。これらはクラスタが構築されているプラットフォームに対応した永続ボリュームを作成するためのリソースです。

PV[6] は言わばストレージの実体です。対して PVC[7] ではストレージを論理的に抽象化したリソースで、Kubernetes を実行するプラットフォームに対して、必要な容量の PV を動的に要求して確保します。

実際に見てみましょう。PersistentVolumeClaim のマニフェストファイルのイメージは次のようなものです。

```
apiVersion: v1
kind: PersistentVolumeClaim
metadata:
  name: pvc-example
spec:
  accessModes:
    - ReadWriteOnce
  resources:
    requests:
      storage: 1Gi
```

`accessModes` は Pod からストレージへのマウントポリシーのことです。`ReadWriteOnce` であればどこか1つのノードからの R/W マウントのみが許可されます。`ReadOnlyMany` と `ReadWriteMany` は `ReadWriteOnce` よりも緩いマウントポリシーですが、プラットフォームによっては使用できないので注意が必要です。ボリュームが必要な容量を `.resources.requests.storage` で指定できます。Pod からは PVC で要求されたボリュームを直接マウントできますし、データをボリュームに持っておけば Pod を停止・再作成してもアプリケーションとしての状態は維持されます。

ここでは例として PVC のマニフェストファイルを提示しましたが、タスクアプリの MySQL をデプロイする際には PVC リソースのマニフェストは定義せずに実現する方法を紹介します。

StatefulSet

5.8 で解説した Deployment は定義された Pod 仕様にもとづき Pod を作成するリソースで、一意性を持つ Pod や永続化データを持つ必要のないステートレスなアプリケーションをデプロイするのに向いています。

対して、StatefulSet はデータストアのように継続的にデータを永続化するステートフルなアプリケーションの管理に向いたリソースです。

Deployment では Pod にランダムな識別子が付与されますが、StatefulSet では `pod-0`、`pod-1`、

＊5　以下、PersistentVolume を PV、PersistentVolumeClaim を PVC と略します。

＊6　https://kubernetes.io/docs/concepts/storage/persistent-volumes/#persistent-volumes

＊7　https://kubernetes.io/docs/concepts/storage/persistent-volumes/#persistentvolumeclaims

227

6. Kubernetesのデプロイ・クラスタ構築

pod-2のような連番の一意な識別子でPodを作成します。StatefulSetが作るPodの識別子は、Podが再作成されても保たれます。また、スケーリングも識別子の連番が維持されるように行われます。

Podが安定した識別子を持つことで、Podが再作成されてもストレージを継続して同じPodに紐づけることができるため、Podが持つデータを再作成前と同じ状態で復元できます。

ここではStatefulSetを利用し、MySQLのPodを作成していきます。**リスト6.8**の内容の `mysql.yaml` というファイルを作成します。MySQLのPodを作成するStatefulSetと、MySQLへトラフィックを流すためのServiceを定義しています。

リスト6.8　MySQLのマニフェストファイル

```
                                               ~/k8s/taskapp/local/mysql.yaml
apiVersion: apps/v1
kind: StatefulSet
metadata:
  name: mysql
  labels:
    app: mysql
spec:
  selector:
    matchLabels:
      app: mysql
  # ⑤ 特定のPodを名前解決するための設定。後述のコラムで解説
  serviceName: "mysql"
  replicas: 1
  template:
    metadata:
      labels:
        app: mysql
    spec:
      terminationGracePeriodSeconds: 10
      containers:
        - name: mysql
          # ① MySQLの完成イメージを利用
          image: ghcr.io/gihyodocker/taskapp-mysql:v1.0.0
          env:
            # ②-3 rootのパスワードをSecretから設定
            - name: MYSQL_ROOT_PASSWORD_FILE
              value: /var/run/secrets/mysql/root_password
            - name: MYSQL_DATABASE
              value: taskapp
            - name: MYSQL_USER
              value: taskapp_user
            # ②-4 tasapp_userのパスワードをSecretから設定
            - name: MYSQL_PASSWORD_FILE
              value: /var/run/secrets/mysql/user_password
          ports:
            - containerPort: 3306
              name: mysql
          volumeMounts:
            # ③-2 永続化ボリュームをマウント
            - name: mysql-data
```

228

```
                  mountPath: /var/lib/mysql
          # ②-2 Secretをマウント
          - name: mysql-secret
            mountPath: "/var/run/secrets/mysql"
            readOnly: true
      volumes:
        # ②-1 SecretをVolumeとして定義
        - name: mysql-secret
          secret:
            secretName: mysql
  # ③-1 Pod毎にPVCを要求しボリュームとして定義
  volumeClaimTemplates:
  - metadata:
      name: mysql-data
    spec:
      accessModes: [ "ReadWriteOnce" ]
      resources:
        requests:
          storage: 1Gi


---
# ④ MySQLのPodへトラフィックを流すService
apiVersion: v1
kind: Service
metadata:
  name: mysql
  labels:
    app: mysql
spec:
  ports:
    - protocol: TCP
      port: 3306
      targetPort: 3306
  selector:
    app: mysql
  clusterIP: None
```

　第4章のComposeでの構築ではイメージをビルドして実行していましたが、ここでは①のように ghcr.io/gihyodocker/taskapp-mysql:v1.0.0 のコンテナイメージを利用します[8]。

　②-1 と②-2では6.2.2で作成した Secret のを Volume としてマウントしています。②-3 と②-4で Secret ファイルのパスを環境変数に設定しています。Secret を経由することで、このマニフェストファイルにクレデンシャルを直接記述せずに済みます。

　StatefulSet はステートフルな ReplicaSet という位置付けです。Pod のレプリカ数コンテナや環境変数定義は ReplicaSet の定義と変わりません。

　異なるのは volumeClaimTemplates という、③-1のように PVC を Pod 毎に自動生成するためのテンプレートを定義できることです。これにより、Pod が要求するボリュームを作成するための PVC を都度作成する必要がなくなります。③-2ではそのボリュームを MySQL の永続データを格納する

───────────────────────────────

＊8　Kubernetesの学習に集中するため、筆者がGHCRに完成形のイメージを用意しました。

6. Kubernetes のデプロイ・クラスタ構築

ためにマウントしています。

StatefulSet で生成した Pod にトラフィックを流すために、④で Service も定義します。

`mysql.yaml`を次のように apply して StatefulSet と Service を作成します。StatefulSet に合わせて PVC も作成されていることがわかります。

```
(~/k8s/taskapp/local) $ kubectl -n taskapp apply -f mysql.yaml
statefulset.apps/mysql created
service/mysql created
```

```
kubectl -n taskapp get statefulset,pvc,service -l app=mysql
NAME                    READY   AGE
statefulset.apps/mysql  1/1     15m

NAME                                        STATUS  VOLUME                                    CAPACITY  ACCESS MODES  STORAGECLASS  AGE
persistentvolumeclaim/mysql-data-mysql-0    Bound   pvc-9768efe2-9f2f-4b9a-a12f-56dc4d418663  1Gi       RWO           hostpath      15m

NAME            TYPE       CLUSTER-IP   EXTERNAL-IP   PORT(S)    AGE
service/mysql   ClusterIP  None         <none>        3306/TCP   15m
```

コラム **StatefulSetのserviceName**

Web や API サーバは基本的に状態を持ちませんが、MySQL のような状態を持つものにおいては特定の Pod に対してネットワーク経由で操作をしたいというケースがあるかもしれません。

第 5 章のコラム「Pod と Pod 内コンテナのアドレス」で解説したように、Kubernetes クラスタ内で Pod には仮想 IP アドレスが割り振られます。**リスト 6.9** のコマンドで Pod の IP アドレスを確認して[a]、IP アドレスベースでの操作も可能ですが、Pod が再作成されると IP アドレスは変化してしまいます。

リスト 6.9　Pod の IP アドレスを確認

```
$ kubectl -n taskapp get pod -l app=mysql -o wide
NAME        READY   STATUS    RESTARTS   AGE     IP          NODE            N←
OMINATED NODE   READINESS GATES
mysql-0     1/1     Running   0          5m22s   10.1.3.27   docker-desktop  <←
none>           <none>
```

できれば IP アドレスではなく、不変なホストネームで特定の Pod にアクセスしたいところです。それを解決するのが StatefulSet の `.spec.serviceName` です。

リスト 6.8 の⑤のように、`.spec.serviceName` で既存の Service 名を指定すると、特定の Pod に対して `[Pod名].[Service名].[Namespace].svc.cluster.local` というホスト名で名前解決できます。

試しに**リスト 6.10** のように taskapp の Namespace でデバッグコンテナを実行し、`mysql-0.mysql`[b] に対しての名前解決を行います。

230

リスト6.10　ホスト名で特定のPodへの名前解決をする

```
$ kubectl run -n taskapp -i --rm --tty debug --image=ghcr.io/gihyodocker/debu↩
g:v0.1.0 --restart=Never -- bash
root@debug:/# nslookup mysql-0.mysql
Server:		10.96.0.10
Address:	10.96.0.10#53

Name:	mysql-0.mysql.taskapp.svc.cluster.local
Address: 10.1.3.27
```

　指定のホスト名で名前解決ができることがわかります。これにより、StatefulSetが作成するPodのIPアドレスを都度調べずに特定のPodにアクセスできます。
　.spec.serviceNameは省略可能ですが、設定しておいて損はありません。

*a　-o wideオプションを付与すると、IP列にPodのIPアドレスが表示されます。
*b　mysql-0.mysql.taskapp.svc.cluster.localと同等です。

6.2.4　データベースマイグレータのデプロイ

　Composeでデータベースマイグレータを構築したとき、マイグレーション実行後にコンテナは終了したことを覚えているでしょうか。処理の完了後に常駐せずに終了するようなコンテナを扱いたい場合、KubernetesではJobというリソースを利用します。
　データベースマイグレータは図6.3のようにJobを用いて構成します。

図6.3　タスクアプリのデータベースマイグレータ部分

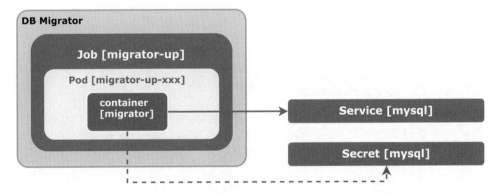

Job

　Jobは1つ以上のPodを作成し、指定された数のPodが正常に完了するまでを管理するリソースです。

6. Kubernetesのデプロイ・クラスタ構築

DeploymentやReplicaSetで作成されるPodはWebサーバなどの常駐型アプリケーションに向いているのに対し、Jobは大規模な計算やバッチ指向のアプリケーションに向いています。

Jobでは全てのPodが正常に終了しても、Podは削除されずに保持されるため、終了後にPodのログや実行結果を分析できます。JobはPodを複数並列に実行することで、容易にスケールアウトできます。また、Podとして実行されることでKubernetesのServiceと連携した処理を行いやすいという面もあります。

データベースマイグレータのJobを構築するために、**リスト6.11**の内容のmigrator.yamlというファイルを作成します。

リスト6.11　マイグレータのマニフェストファイル

```
                                                    ~/k8s/taskapp/local/migrator.yaml
apiVersion: batch/v1
kind: Job
metadata:
  name: migrator-up
  labels:
    app: migrator
spec:
  template:
    metadata:
      labels:
        app: migrator
    spec:
      containers:
        - name: migrator
          # ① データベースマイグレータの完成イメージを利用
          image: ghcr.io/gihyodocker/taskapp-migrator:v1.0.0
          env:
            - name: DB_HOST
              value: mysql
            - name: DB_NAME
              value: taskapp
            - name: DB_PORT
              value: "3306"
            - name: DB_USERNAME
              value: taskapp_user
          # ② コンテナで実行するコマンド
          command:
            - "bash"
            - "/migrator/migrate.sh"
          # ③ コマンドに与える引数
          args:
            - "$(DB_HOST)"
            - "$(DB_PORT)"
            - "$(DB_NAME)"
            - "$(DB_USERNAME)"
            - "/var/run/secrets/mysql/user_password"
            - "up"
          volumeMounts:
          # ④-2 Secretをマウント
            - name: mysql-secret
```

タスクアプリをKubernetesにデプロイする **6.2**

```
            mountPath: "/var/run/secrets/mysql"
            readOnly: true
      volumes:
        # ④-1 SecretをVolumeとして定義
        - name: mysql-secret
          secret:
            secretName: mysql
      # ⑤ Pod終了時に再実行の設定
      restartPolicy: Never
```

①にはghcr.io/gihyodocker/taskapp-migrator:v1.0.0で公開されているデータベースマイグレータのコンテナイメージを利用します。

このPodにもMySQLの接続情報が必要なので、 mysqlのSecertから taskapp_userのパスワードを環境変数に設定します。

マイグレーションの実行は②でコマンド、③で引数の配列を渡します。 envで設定した環境変数は "$(DB_HOST)"のような形式で参照できます。第5引数にはパスワードファイルのパスが必要なため、**リスト6.8**と同様に④-1と④-2でSecretをマウントしてファイルとして参照できるようにします。

JobのマニフェストはDeploymentやStatefulSetと似たような構造ですが、Job独自の設定項目があります。

⑤の restartPolicyはPod終了時における再実行の制御です。デフォルト値は Alwaysで、その他に Neverと OnFailureを設定できます。それぞれの挙動は次のとおりです。

- Always: **Pod終了時に再度実行し、Pod起動状態を常に保とうとする**
- Never: **失敗時にPodを新規に作成して実行する**
- OnFailure: **失敗したPodをそのまま再実行する**

migrator.yamlを次のように applyして Jobを作成します。

```
(~/k8s/taskapp/local) $ kubectl -n taskapp apply -f migrator.yaml
job.batch/migrator-up created
```

次のようにJobと合わせてPodも作成されていることがわかります。 STATUSが Completedになっていれば正常終了しています。

```
$ kubectl -n taskapp get job,pod -l app=migrator
NAME                  COMPLETIONS   DURATION   AGE
job.batch/migrator-up  1/1           3s         34s

NAME                  READY   STATUS      RESTARTS   AGE
pod/migrator-up-vkrsb  0/1     Completed   0          34s
```

233

6. Kubernetesのデプロイ・クラスタ構築

kubectl logsコマンドを使うと、Jobが生成したPodのログを閲覧できます。

```
$ kubectl -n taskapp logs -f pod/migrator-up-vkrsb
Waiting for MySQL to start...
MySQL is up - executing command
1001/u init (11.892041ms)
1002/u index_status (25.923292ms)
1003/u test_data (32.310417ms)
```

これでMySQLの構築とマイグレーションまでが完了しました。

6.2.5　APIサーバのデプロイ

APIサーバは図6.4のように構成します。これまでに学習したService、Deployment、Secretの組み合わせだけで構築できます。

図6.4　タスクアプリのAPIサーバ部分

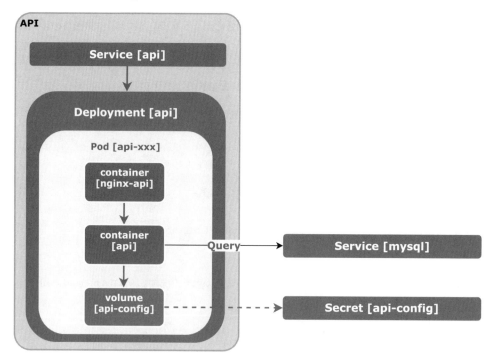

サイドカーコンテナを活用する

これまでのPodの例ではコンテナが1つのケースだけでしたが、5.6で言及したようにPodはコ

ンテナの集合体であるため、複数のコンテナを持つことができます。

APIサーバでは、リバースプロキシである nginx-api が受け取った HTTP リクエストが背後にある api へとプロキシされます。一般的にリバースプロキシはアクセスログの記録や、APIサーバ本体に手を入れずに ACL やキャッシュの制御も入れることも可能であり、背後にあるアプリケーションサーバを補助する役割を担います。タスクアプリのAPIサーバはこの2つのコンテナが密接な関係にあることから、同一の Pod に含めます。

今回のリバースプロキシのように、主たるコンテナを補助するためコンテナを**サイドカーコンテナ**と呼びます。サイドカーコンテナは主たるコンテナと同一の Pod に配置され、このようなコンテナデザインパターンは**サイドカーパターン**と呼ばれています。

実際のAPIサーバのマニフェストファイルを構築しながら見ていきましょう。

APIサーバのマニフェストファイル

APIサーバを構築するために、**リスト 6.12** の内容の api.yaml というファイルを作成します。

リスト 6.12　APIサーバのマニフェストファイル

`~/k8s/taskapp/local/api.yaml`

```yaml
apiVersion: apps/v1
kind: Deployment
metadata:
  name: api
  labels:
    app: api
spec:
  replicas: 1
  selector:
    matchLabels:
      app: api
  template:
    metadata:
      labels:
        app: api
    spec:
      containers:
        - name: nginx-api
          # ①-1 APIサーバのリバースプロキシの完成イメージを利用
          image: ghcr.io/gihyodocker/taskapp-nginx-api:v1.0.0
          env:
            - name: NGINX_PORT
              value: "80"
            - name: SERVER_NAME
              value: "nginx-api"
          # ② apiコンテナのアドレスを設定
            - name: BACKEND_HOST
              value: "localhost:8180"
            - name: BACKEND_MAX_FAILS
              value: "3"
            - name: BACKEND_FAIL_TIMEOUT
              value: "10s"
      # ①-2 APIサーバの完成イメージを利用
```

6. Kubernetesのデプロイ・クラスタ構築

```
      - name: api
        image: ghcr.io/gihyodocker/taskapp-api:v1.0.0
        ports:
          - containerPort: 8180
        args:
          - "server"
          # ③-3 マウントされた設定ファイルのパスを指定
          - "--config-file=/run/secrets/api/api-config.yaml"
        volumeMounts:
          # ③-2 APIサーバの設定ファイルを持つボリュームをマウント
          - name: api-config
            mountPath: "/var/run/secrets/api"
            readOnly: true
    volumes:
      # ③-1 SecretからAPIサーバの設定ファイルを持つボリュームを設定
      - name: api-config
        secret:
          secretName: api-config
          items:
            - key: api-config.yaml
              path: api-config.yaml

---

# ④ APIサーバのPodへトラフィックを流すService
apiVersion: v1
kind: Service
metadata:
  name: api
  labels:
    app: api
spec:
  ports:
    - protocol: TCP
      port: 80
      targetPort: 80
  selector:
    app: api
```

APIサーバは状態を持たないアプリケーションであるため、Deploymentを利用して構築します。containersの配下はnginx-apiとapiコンテナを定義し、複数のコンテナを持つPodになります。nginx-apiはapiのサイドカーコンテナの役割を担います[9]。それぞれのイメージは①-1と①-2で指定している公開イメージを利用します。

②ではnginx-apiからapiコンテナの宛先である環境変数BACKEND_HOSTを指定します。第5章のコラム「PodとPod内コンテナのアドレス」でも解説したように、同一Pod内にあるコンテナは全て同じプライベートIPアドレスが設定されます。apiコンテナは8180ポートでリクエストを待ち受けているため、nginx-apiコンテナからはapiをlocalhost:8180で参照できます。

apiコンテナには設定ファイルが必要なため、③-1で6.2.2で作成したSecretをボリュームとし

---

*9　サイドカーであることを明示するような設定はありません。

タスクアプリをKubernetesにデプロイする **6.2**

て設定します。③-2でボリュームをコンテナにマウントし、③-3で設定ファイルのパスを引数として指定します。

最後に④でPod内の`nginx-api`コンテナにトラフィックを流すためのServiceを作成します。80ポートでリクエストを待ち受ける`nginx-api`コンテナにトラフィックが流れるようにします。

`api.yaml`を次のようにapplyしてAPIサーバを作成します。

```
(~/k8s/taskapp/local) $ kubectl -n taskapp apply -f api.yaml
deployment.apps/api created
service/api created
```

次のようにDeployment、Pod、Serviceが作成されていることがわかります。

```
$ kubectl -n taskapp get deployment,pod,service -l app=api
NAME                  READY   UP-TO-DATE   AVAILABLE   AGE
deployment.apps/api   1/1     1            1           22s

NAME                        READY   STATUS    RESTARTS   AGE
pod/api-7f6cfdbb8f-cjk4z    2/2     Running   0          22s

NAME          TYPE        CLUSTER-IP     EXTERNAL-IP   PORT(S)   AGE
service/api   ClusterIP   10.98.87.119   <none>        80/TCP    22s
```

これでAPIサーバの構築が完了です。

6.2.6　Webサーバのデプロイ

Webサーバは**図6.5**のように構成します。ServiceとDeployment、そしてWebサーバを公開するためにIngressが必要です。

6. Kubernetesのデプロイ・クラスタ構築

図6.5 タスクアプリのWebサーバ部分

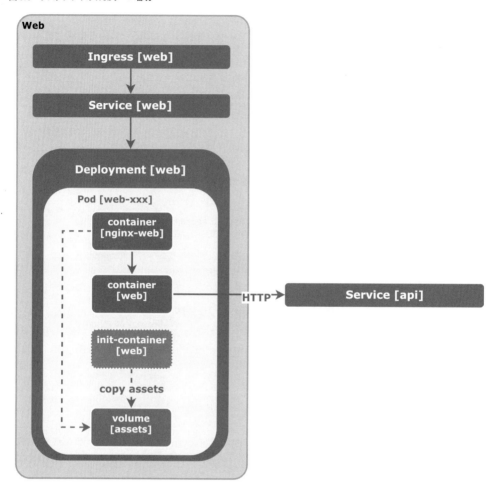

Initコンテナで主要コンテナ実行前の前処理を行う

　nginx-webコンテナにとって、静的ファイルのassetsディレクトリをファイルベースで参照できることが必要条件です。第4章でタスクアプリをComposeで構築したときは、webとnginx-webコンテナで共有するボリュームを作るだけでこれを実現していました。

　Kubernetesでも同様に共有するボリュームを用意しますが、webコンテナから共有ボリュームに対してassetsディレクトリをコピーする手順が必要です。これを実現するために、主要コンテナの必要条件を満たすための前処理をする**Initコンテナ**という仕組みを利用します。

　実際のWebサーバのマニフェストファイルを構築しながら見ていきましょう。

タスクアプリをKubernetesにデプロイする **6.2**

Webサーバのマニフェスト

Webサーバを構築するために、**リスト6.13**の内容の web.yaml というファイルを作成します。

リスト6.13　**Webサーバのマニフェストファイル**

```
                                                ~/k8s/taskapp/local/web.yaml
apiVersion: apps/v1
kind: Deployment
metadata:
  name: web
  labels:
    app: web
spec:
  replicas: 1
  selector:
    matchLabels:
      app: web
  template:
    metadata:
      labels:
        app: web
    spec:
      # ② assetsディレクトリをボリュームにコピーするためのInitコンテナ
      initContainers:
        - name: init
          # ②-1 Webサーバの完成イメージを利用
          image: ghcr.io/gihyodocker/taskapp-web:v1.0.0
          # ②-3 ボリュームマウントされたディレクトリにコピー
          command:
            - "sh"
            - "-c"
            - "cp -r /go/src/github.com/gihyodocker/taskapp/assets/* /var/www/asset↩
s"
          # ②-2 ボリュームをマウント
          volumeMounts:
            - name: assets-volume
              mountPath: "/var/www/assets"
      containers:
        # ③ サイドカーであるリバースプロキシコンテナを定義
        - name: nginx-web
          image: ghcr.io/gihyodocker/taskapp-nginx-web:v1.0.0
          env:
            - name: NGINX_PORT
              value: "80"
            - name: SERVER_NAME
              value: "localhost"
            - name: ASSETS_DIR
              value: "/var/www/assets"
            - name: BACKEND_HOST
              value: "localhost:8280"
            - name: BACKEND_MAX_FAILS
              value: "3"
            - name: BACKEND_FAIL_TIMEOUT
              value: "10s"
          # ①-2 ボリュームをマウント
```

239

6. Kubernetesのデプロイ・クラスタ構築

```yaml
          volumeMounts:
            - name: assets-volume
              mountPath: "/var/www/assets"
              readOnly: true
      # ④ Webサーバのコンテナを定義
      - name: web
        image: ghcr.io/gihyodocker/taskapp-web:v1.0.0
        ports:
          - containerPort: 8280
        args:
          - "server"
          - "--api-address=http://api:80"
      # ①-1 Pod内で共有できるボリュームを作成
      volumes:
        - name: assets-volume
          emptyDir: {}

---
# ⑤ WebサーバのPodへトラフィックを流すService
apiVersion: v1
kind: Service
metadata:
  name: web
  labels:
    app: web
spec:
  ports:
    - protocol: TCP
      port: 80
      targetPort: 80
  selector:
    app: web

---
# ⑥ Serviceを公開するためのIngress
apiVersion: networking.k8s.io/v1
kind: Ingress
metadata:
  name: web
  labels:
    app: web
spec:
  ingressClassName: nginx
  rules:
    - host: localhost
      http:
        paths:
          - pathType: Prefix
            path: /
            backend:
              service:
                name: web
                port:
                  number: 80
```

①-1でassetsディレクトリ用の共有ボリュームを作成します。emptyDir: {}を設定することで、Pod内で共有できる空のボリュームを作成できます。①-2でnginx-webコンテナがこのボリュームを参照できるようにします。

②のinitContainersでcontainersより先に実行されるInitコンテナを定義します。②-1のように、ここではassetsディレクトリが含まれるghcr.io/gihyodocker/taskapp-web:v1.0.0のイメージを利用します。②-2でボリュームをマウントし、②-3でコンテナに含まれるassetsディレクトリをボリュームの方にコピーします。これが前処理です。

③でnginx-web、④でwebを定義します。webコンテナと今回のInitコンテナのイメージは同じなので、webコンテナの起動時にボリュームにassetsディレクトリのコピーも可能です。しかし、taskapp-webコンテナイメージのENTRYPOINTを工夫したり、マニフェストファイルでのコマンドや引数定義も煩雑になってしまうため、Initコンテナを利用するほうがきれいに書けます。

⑤ではPod内のnginx-webコンテナにトラフィックを流すためのServiceを作成します。これを公開するためのIngressを⑥で定義し、ホスト名にlocalhostを設定します[10]。

web.yamlを次のようにapplyしてWebサーバを作成します。

```
(~/k8s/taskapp/local) $ kubectl -n taskapp apply -f web.yaml
deployment.apps/web created
service/web created
ingress.networking.k8s.io/web created
```

次のようにIngress、Deployment、Pod、Serviceが作成されていることがわかります。IngressのADDRESSの値がlocalhostになっていればリクエストを受けられる状態になっています。

```
$ kubectl -n taskapp get ing,service,deployment,pod -l app=web
NAME                              CLASS    HOSTS       ADDRESS     PORTS   AGE
ingress.networking.k8s.io/web     nginx    localhost   localhost   80      11h

NAME          TYPE        CLUSTER-IP      EXTERNAL-IP   PORT(S)   AGE
service/web   ClusterIP   10.105.84.78    <none>        80/TCP    34s

NAME                  READY   UP-TO-DATE   AVAILABLE   AGE
deployment.apps/web   1/1     1            1           34s

NAME                         READY   STATUS    RESTARTS   AGE
pod/web-66fd84f7c8-2jsld     2/2     Running   0          34s
```

ブラウザでhttp://localhostを閲覧すると、**図6.6**のようにタスクアプリが表示されます。

---

[10] /etc/hostsで127.0.0.1に対して別のドメインを設定してHostヘッダを書き換えても良いですが、ブラウザで閲覧するには手間がかかるためlocalhostにしています。

6. Kubernetesのデプロイ・クラスタ構築

図6.6 Kubernetes上で実行したタスクアプリの画面

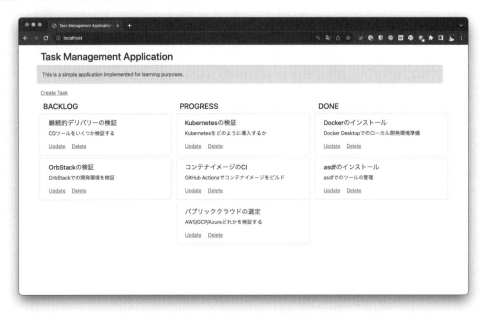

ここまでがKubernetesを活用したアプリケーションのデプロイと公開の基本的な流れです。

6.3 Kubernetesのアプリケーションをインターネットに公開する

　ここまででローカルKubernetes環境でのアプリケーション構築の一連の流れは体験しましたが、実際にはローカル環境だけではなくクラウドの開発環境や本番環境にデプロイし、アプリケーションを公開します。Ingressリソースはアプリケーションを公開するための仕組みですが、ローカル環境で構築した場合はもちろんインターネットには公開できません。

　そこで、本節ではタスクアプリをクラウドのKubernetes環境にデプロイし、実際にアプリケーションをインターネットに公開します。クラウドのKubernetes環境にはAzure Kubernetes Service(AKS)を利用します（クラウドでの実行についてはAppendix Bも参照）。

6.3.1　Azure Kubernetes Service(AKS)へのデプロイ

Azure Kubernetes Service(AKS)は、Microsoft Azureが提供するKubernetesのマネージドサービスです。

図6.7　AKSの紹介ページ

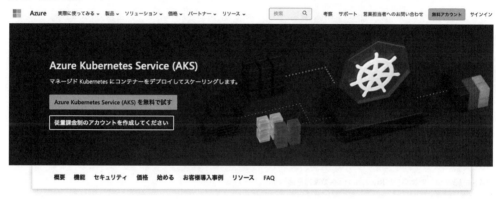

Microsoft Azureへのサインアップや、AKSクラスタの構築についてはAppendix B.3にて解説しています。Appendix B.3.1、Appendix B.3.2を参照し、AKSクラスタの構築までを済ませておいてください。

AKSのKubernetesクラスタを操作できるようにする

ここまではkubectlを用いてDocker Desktopで構築されたKubernetesクラスタを操作していました。AKSで構築したKubernetesクラスタもkubectlで操作できます。操作可能なクラスタは**コンテキスト**として管理されています。

リスト6.14のコマンドでコンテキスト一覧を確認できます。`kubectl config`はkubconfigというKubernetesの接続に関する設定を管理するファイルから情報を取得、あるいはファイルの情報を変更するためのコマンドです。

リスト6.14　kubectlで操作可能なコンテキスト一覧

```
$ kubectl config get-contexts
CURRENT   NAME             CLUSTER          AUTHINFO                          NAMESPACE
          docker-desktop   docker-desktop   docker-desktop
*         gihyo-aks        gihyo-aks        clusterUser_gihyo_gihyo-aks
```

243

CURRENTにアスタリスクが表示されているコンテキストが、現在のコンテキストです。もし、docker-desktopにコンテキストが表示されている場合は、次のコマンドで作成したgihyo-aksに設定し直してください。

```
$ az aks get-credentials --resource-group gihyo --name gihyo-aks
Merged "gihyo-aks" as current context in /Users/stormcat/.kube/config
```

kubectlのコンテキストをDocker Desktopに戻したい場合は、次のコマンドを実行すれば切り替えられます（ここでは実行しないでください）。

```
$ kubectl config use-context docker-desktop
```

kubectl cluster-infoコマンドを実行し、AKSクラスタへの疎通を確認します。**リスト6.15**のように表示されれば問題ありません。

リスト6.15　AKSで構築したKubernetesへの疎通を確認する

```
$ kubectl cluster-info
Kubernetes control plane is running at https://gihyo-aks-gihyo-352eac-ksdjl8u6.hcp.j←
apaneast.azmk8s.io:443
CoreDNS is running at https://gihyo-aks-gihyo-352eac-ksdjl8u6.hcp.japaneast.azmk8s.i←
o:443/api/v1/namespaces/kube-system/services/kube-dns:dns/proxy
Metrics-server is running at https://gihyo-aks-gihyo-352eac-ksdjl8u6.hcp.japaneast.a←
zmk8s.io:443/api/v1/namespaces/kube-system/services/https:metrics-server:/proxy

To further debug and diagnose cluster problems, use 'kubectl cluster-info dump'.
```

AKSクラスタにタスクアプリをデプロイ・公開する

それではkubectlでAKSクラスタにタスクアプリをデプロイしてみましょう。

必要なマニフェストファイルは、~/go/src/github.com/gihyodocker/taskapp/k8s/plain/aksのディレクトリ内に用意されています。

ローカル用と同様に、Secretのマニフェストファイルであるmysql-secret.yamlとapi-config-secret.yamlを生成する必要があるため、次のコマンドを実行します[11]。

```
(~/go/src/github.com/gihyodocker/taskapp/k8s/plain/aks) $ make make-k8s-mysql-secret
(~/go/src/github.com/gihyodocker/taskapp/k8s/plain/aks) $ make make-k8s-api-config
```

AKS用のマニフェストファイルはローカル用の内容とほぼ同じですが、Ingressを記述したweb.yamlだけが少し異なります。まずはapi.yamlまでのマニフェストをapplyしてしまいましょう。

＊11　筆者がSecretのマニフェスト作成用に用意したmakeのタスクです。

```
$ cd ~/go/src/github.com/gihyodocker/taskapp/k8s/plain/aks
(../k8s/plain/aks) $ kubectl apply -f mysql-secret.yaml
secret/mysql created

(../k8s/plain/aks) $ kubectl apply -f api-config-secret.yaml
secret/api-config created

(../k8s/plain/aks) $ kubectl apply -f mysql.yaml
statefulset.apps/mysql created
service/mysql created

(../k8s/plain/aks) $ kubectl apply -f migrator.yaml
job.batch/migrator-up created

(../k8s/plain/aks) $ kubectl apply -f api.yaml
deployment.apps/api created
service/api created
```

web.yamlのDeployment、Service部分はローカル用と内容は同じですが、Ingressだけ異なります。

5.10.1で、KubernetesのIngressコントローラーにはいくつかの実装が存在することを触れました。Docker DesktopではIngress NGINX Controllerを利用しましたが、AKSではApplication Gateway Ingress Controller(AGIC)[*12]が用意されています。

web.yamlのIngress部分のみ、AKSでの公開のため**リスト6.16**のように修正します。

リスト6.16　WebサーバのAKS向けマニフェストファイル

`~/go/src/github.com/gihyodocker/taskapp/k8s/plain/aks/web.yaml`

```
# Deployment, Serviceは省略

---
apiVersion: networking.k8s.io/v1
kind: Ingress
metadata:
  name: web
  labels:
    app: web
spec:
  # ① AGIC向けのIngressコントローラーを指定
  ingressClassName: azure-application-gateway
  rules:
    - http:
        paths:
          - pathType: Prefix
            path: /
            backend:
              service:
                name: web
                port:
```

＊12　https://learn.microsoft.com/ja-jp/azure/application-gateway/ingress-controller-overview

```
              number: 80
```

①の `.spec.ingressClassName` は利用する Ingress コントローラーの設定です。AGIC を利用する
には `azure-application-gateway` を指定します。

`web.yaml` を次のように apply します。

```
(../k8s/plain/aks) $ kubectl apply -f web.yaml
deployment.apps/web created
service/web created
ingress.networking.k8s.io/web created
```

作成した Ingress を次のように確認します。 `ADDRESS` にはグローバル IP アドレスが振られてい
ます。

```
$ kubectl get ingress web
NAME    CLASS                       HOSTS     ADDRESS         PORTS    AGE
web     azure-application-gateway   *         20.194.184.14   80       30s
```

割り当てられた IP アドレスを `http://` をつけてブラウザで開くと、**図 6.8** のように AKS で公開さ
れたタスクアプリが表示されます。

図6.8 AKSでインターネットに公開したタスクアプリ

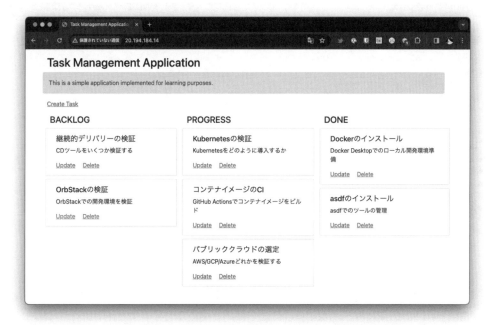

　以上がKubernetesのホスティングサービスを利用したアプリケーションのデプロイと公開のプロセスです。AKS以外にもGoogle CloudのGKE、AWSのEKSといったマネージドKubernetesサービスがあります。これらのサービスでも手順はそれほど変わりませんが、マネージドサービス固有の設定が存在します。

　また、今回はIPアドレスベースかつ非HTTPSで行いましたが、実際の運用では独自ドメインの設定やHTTPSで公開するための証明書の設定等が必要です。

マネージドKubernetesのダッシュボード

　kubectlコマンドで各リソースの状態やPodのログ確認できますが、マネージドKubernetesではよりリッチなWebベースのダッシュボードが用意されています。

　AKSの場合は、Azureの管理画面であるAzure potal[*13]で確認できます。

　たとえば、Podの一覧は図6.9のように確認できます。

---

*13 https://portal.azure.com Azureのアカウントでログインしてください。

6. Kubernetesのデプロイ・クラスタ構築

図6.9 AKSのワークロード画面

任意のPodを選択し、Podのログを図6.10のようにほぼリアルタイムで確認できます。

図6.10 webのPodのアクセスログを表示

同様に、GKEやEKSにも各リソースやPodのログを確認できるWebベースのダッシュボードが存在します。

マネージドのKubernetesサービスを利用する場合、Kubernetes以外のコンポーネントと連携してシステムを構築することがほとんどなので、全体を俯瞰できるダッシュボードはとても有益

です。

　AKSを利用した学習が終わり次第、作成したクラスタは次のコマンドで削除しておきましょう。

```
$ az group delete --name gihyo --yes --no-wait
```

コラム 独自ドメインとHTTPSでアプリケーションを公開する

　IPアドレスベースでアプリケーションをインターネットに公開する方法を紹介しましたが、実際の運用では独自ドメインを割り当てた上で、HTTPS通信できるようにします。

　そのため、独自ドメインやSSL/TLS証明書が必要です。今日のクラウドサービスでは、DNSレコードの追加や証明書のプロビジョニング機能も備わっています。

　主要クラウド事業者の対応状況は次のとおりです。

クラウド事業者	DNSサービス	SSL/TLS証明書
Google Cloud	Cloud DNS	Certificate Manager
AWS	Amazon Route 53	AWS Certificate Manager
Microsoft Azure	Azure DNS	Azure Key Vault

　Azureの場合、Ingressで独自ドメインやSSL/TLS証明書を適用するには、次のようなマニフェストを記述します。

リスト6.17　独自ドメインとHTTPS通信を可能にするマニフェストファイル

```
apiVersion: networking.k8s.io/v1
kind: Ingress
metadata:
  name: web
  labels:
    app: web
spec:
  # ① Secretに登録したSSL/TLS証明書を指定
  tls:
    - secretName: your-secret-name
  ingressClassName: azure-application-gateway
  rules:
    # ② 独自ドメインを指定
    - host: yourdomain.com
      http:
        paths:
          - pathType: Prefix
            path: /
            backend:
              service:
                name: web
                port:
                  number: 80
```

6. Kubernetes のデプロイ・クラスタ構築

また、証明書のプロビジョニングには cert-manager[a] という OSS も広く利用されています。cert-manager は Let's Encrypt[b] からも証明書を取得でき、インストールや更新作業の自動化も可能です。

---

[a]　https://github.com/cert-manager/cert-manager

[b]　Internet Security Research Group(ISRG)が提供するオープンな認証局であり、無料で証明書を提供している。

コラム ▶ **kubectx**

複数の Kubernetes クラスタを扱う場合、操作対象であるコンテキストをスイッチする操作をするのが多少面倒です。

kubectx[a] を利用すると、コンテキストのスイッチをしやすくなります。

```
$ kubectx docker-desktop
Switched to context "docker-desktop".
```

直前に操作していたコンテキストに戻す場合は、 kubectx - を実行します。

```
$ kubectx -
Switched to context "gihyo-aks".
```

コンテキストには Namespace も設定できます。kubectx と一緒にインストールされる kubens を利用すると、kubectl で操作するデフォルトの Namespace を簡単に設定できるので便利です。

kubens でコンテキストデフォルトの Namespace を設定すると、kubectl で Namespace を指定せずにリソースを操作できて便利です。たとえば、ローカル Kubernetes 環境のタスクアプリの Namespace である taskapp-[GitHubアカウント名] を次のように設定できます。

```
$ kubectx docker-desktop
Switched to context "docker-desktop".

$ kubens taskapp
Context "docker-desktop" modified.
Active namespace is "taskapp".
```

kubens で Namespace が設定されたため、 -n taksapp オプションなしで対象 Namespace のリソースを操作できます。

250

```
$ kubectl get pod
NAME                      READY   STATUS      RESTARTS   AGE
api-7f6cfdbb8f-cjk4z      2/2     Running     0          23h
migrator-up-vkrsb         0/1     Completed   0          29h
mysql-0                   1/1     Running     0          30h
web-7566654496-ft22z      2/2     Running     0          11h
```

*a   https://github.com/ahmetb/kubectx

7.
Kubernetesの発展的な利用

7. Kubernetesの発展的な利用

　ここまでKubernetesの基本概念、デプロイといった利用開始までの基本的な手法を紹介しました。本章ではKubernetesの発展的な利用方法やさまざまなテクニックについて解説します。

　ここでより実践的なアプリケーション構築のイメージを膨らませていきましょう。

7.1　Podのデプロイ戦略

　デプロイの仕組みやデプロイ戦略を整備するのは開発者の重要な仕事です。

　コンテナが登場する以前は、成果物のアーカイブや実行ファイルをサーバに転送して各サーバに対してデプロイするスクリプトを書いたり、ダウンタイムを出さないように順番にデプロイしたり[1]といったさまざまな考慮をする必要がありました。

　しかし、コンテナでアプリケーションをデプロイする時代になり、デプロイ戦略も変わってきました。コンテナでのデプロイは各Nodeがコンテナイメージを取得するプル型のデプロイであるため、デプロイやスケールアウトは容易です。デプロイの基礎的な部分がDockerやコンテナオーケストレーションに含まれているため、これまでのような手間をかける必要がなくなってきました。

　Kubernetesにおいてもコンテナのメリットを活かしたデプロイが可能です。

　しかし、運用がしやすくダウンタイムを回避して安全にPodを配置するにはいくつかの考慮が必要です。ここではいくつかのユースケースを通して、Podのデプロイ戦略を考えていきましょう。

　実際にローカルKubernetes環境でデプロイの挙動を確認してみましょう。

　マニフェストファイル用の作業ディレクトリとして~/k8s/strategy/を作成し、その中で進めていきます。

```
$ mkdir -p ~/k8s/strategy/
```

7.1.1　RollingUpdate

　Deploymentでは新しいPodに置き換えるための戦略を.spec.strategy.typeで定義できます。.spec.strategy.typeにはRollingUpdateとRecreate[2]のどちらかを指定します。デフォルト値はRollingUpdateです。

　RollingUpdate（ローリングアップデート）は古いバージョンのアプリケーションを実行した状態で新しいバージョンのアプリケーションを起動し、準備ができあがったものから順々にサービスインしていく仕組みです。

---

[1]　ローリングアップデート。

[2]　既存のPodが全て削除されてから新しいPodを作成します。

Pod のデプロイ戦略　**7.1**

RollingUpdate の挙動

　例として、HTTPでGETリクエストを送るとバージョン番号だけをレスポンスとして返すアプリケーションで挙動を確認します。

　ServiceとDeploymentが定義されたマニフェスト、`print-version.yaml`（**リスト 7.1**）を作成します。

リスト 7.1　print-versionアプリケーションのマニフェストファイル

```
                                                        ~/k8s/strategy/print-version.yaml
apiVersion: v1
kind: Service
metadata:
  name: print-version
  labels:
    app: print-version
spec:
  ports:
  - port: 80
    targetPort: 8080
  selector:
    app: print-version
---
apiVersion: apps/v1
kind: Deployment
metadata:
  name: print-version
  labels:
    app: print-version
spec:
  replicas: 1
  selector:
    matchLabels:
      app: print-version
  template:
    metadata:
      labels:
        app: print-version
    spec:
      containers:
      - name: print-version
        image: ghcr.io/gihyodocker/print-version:v0.0.1
        ports:
        - containerPort: 8080
```

applyします。

```
(~/k8s/strategy) $ kubectl apply -f print-version.yaml
service/print-version created
deployment.apps/print-version created
```

　print-versionアプリケーションのバージョンを確認するために、確認用のPodとして update-c

255

7. Kubernetesの発展的な利用

hecker を用意します。この Pod は print-version の Service に対して1秒間隔で GET リクエストを発行します。

マニフェストとして update-checker.yaml（**リスト 7.2**）を作成します。

リスト 7.2　update-checkerのマニフェストファイル

`~/k8s/strategy/update-checker.yaml`

```
apiVersion: v1
kind: Pod
metadata:
  name: update-checker
  labels:
    app: update-checker
spec:
  containers:
  - name: kubectl
    image: ghcr.io/gihyodocker/debug:v0.1.0
    command:
    - sh
    - -c
    - |
      while true
      do
        VERSION=`curl -s http://print-version/`
        echo "[`date`] $VERSION"
        sleep 1
      done
```

apply します。

```
(~/k8s/strategy) $ kubectl apply -f update-checker.yaml
pod/update-checker created
```

update-checker の出力を確認すると、現在デプロイされている print-version のバージョン番号である v0.0.1 が延々と出力されます。print-version の変化を観察するために、kubectl logs -f コマンドを実行したままにしておきます。

```
$ kubectl logs -f update-checker
...
[Sun Aug 13 08:58:34 UTC 2023] VERSION=v0.0.1
[Sun Aug 13 08:58:35 UTC 2023] VERSION=v0.0.1
...
```

●──コンテナイメージを差し替える

RollingUpdate の挙動を確認するために、別バージョンの print-version をデプロイします。

コンテナイメージを、現在の ghcr.io/gihyodocker/print-version:v0.0.1 から ghcr.io/gihyodocker/print-version:v0.0.2 へ変更します。イメージの変更によって Pod の入れ替えが行われ

ます。

　これまではマニフェストファイルを編集してそれを反映していましたが、Kubernetesのリソースの値は直接編集できます。`kubectl edit [リソースタイプ]/[リソース名]` コマンドを利用すると、現在のマニフェストファイルがエディタで開かれてそのまま編集できます。

　`print-version` のDeploymentのマニフェストをエディタ[3]で開きます。

```
$ kubectl edit deployment/print-version
```

　次に示すdiffのように、イメージのタグを `v0.0.1` から `v0.0.2` に変更します（**図7.1**）。

```
-        - image: ghcr.io/gihyodocker/print-version:v0.0.1
+        - image: ghcr.io/gihyodocker/print-version:v0.0.2
```

＊3　画像は筆者のVim環境。どのエディタが利用されるかは環境依存ですが、`EDITOR` や `KUBE_EDITOR` といった環境変数で任意のエディタを指定できます。

7. Kubernetesの発展的な利用

図7.1　kubectl editで開かれるエディタ

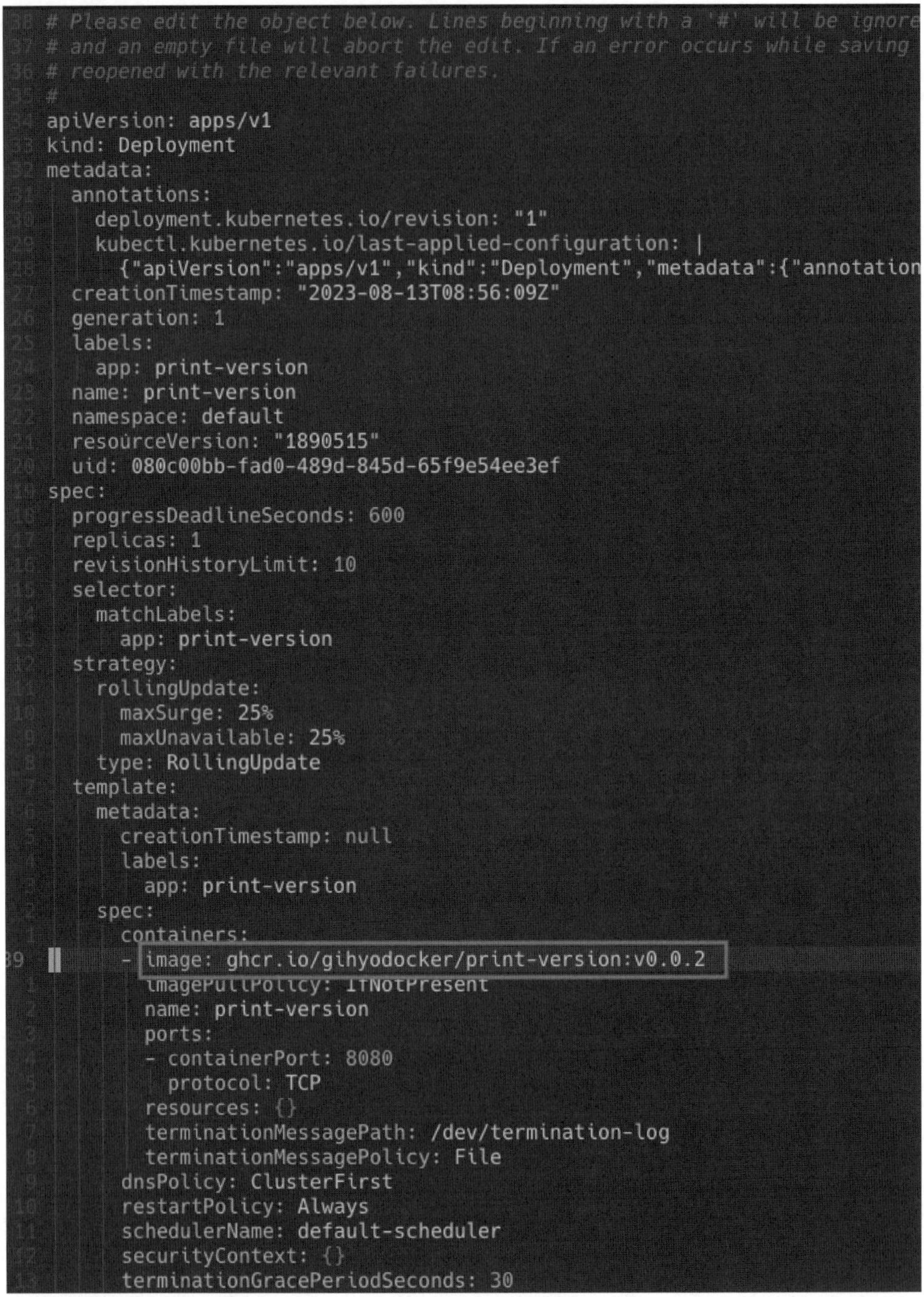

```
# Please edit the object below. Lines beginning with a '#' will be ignore
# and an empty file will abort the edit. If an error occurs while saving
# reopened with the relevant failures.
#
apiVersion: apps/v1
kind: Deployment
metadata:
  annotations:
    deployment.kubernetes.io/revision: "1"
    kubectl.kubernetes.io/last-applied-configuration: |
      {"apiVersion":"apps/v1","kind":"Deployment","metadata":{"annotation
  creationTimestamp: "2023-08-13T08:56:09Z"
  generation: 1
  labels:
    app: print-version
  name: print-version
  namespace: default
  resourceVersion: "1890515"
  uid: 080c00bb-fad0-489d-845d-65f9e54ee3ef
spec:
  progressDeadlineSeconds: 600
  replicas: 1
  revisionHistoryLimit: 10
  selector:
    matchLabels:
      app: print-version
  strategy:
    rollingUpdate:
      maxSurge: 25%
      maxUnavailable: 25%
    type: RollingUpdate
  template:
    metadata:
      creationTimestamp: null
      labels:
        app: print-version
    spec:
      containers:
      - image: ghcr.io/gihyodocker/print-version:v0.0.2
        imagePullPolicy: IfNotPresent
        name: print-version
        ports:
        - containerPort: 8080
          protocol: TCP
        resources: {}
        terminationMessagePath: /dev/termination-log
        terminationMessagePolicy: File
      dnsPolicy: ClusterFirst
      restartPolicy: Always
      schedulerName: default-scheduler
      securityContext: {}
      terminationGracePeriodSeconds: 30
```

258

マニフェストを保存しエディタを終了すると、変更したマニフェストが適用されます。程なくして、update-chekerの出力に表示されているバージョンが次のようにv0.0.2に変化します。Serviceの外から見て、デプロイされたアプリケーションに変化があったことがわかります。

```
[Sun Aug 13 14:19:50 UTC 2023] VERSION=v0.0.1
[Sun Aug 13 14:19:51 UTC 2023] VERSION=v0.0.1
[Sun Aug 13 14:19:52 UTC 2023] VERSION=v0.0.2
[Sun Aug 13 14:19:53 UTC 2023] VERSION=v0.0.2
```

このとき、実行中のPodにはどのような変化が起きているでしょうか。次のようにkubectlコマンドに -wオプションをつけて実行すると、Podの状態変化をリアルタイムで確認しやすいです。

```
$ kubectl get pod -l app=print-version -w
```

●──デプロイ前のPodの状態

```
NAME                            READY   STATUS    RESTARTS   AGE
print-version-659799fc86-z9fhq  1/1     Running   0          113s
```

●──デプロイを実施したときの状態

新しいPodが作成（ContainerCreating）されていますが、既存のPodは変わらず実行状態（Running）です。

```
NAME                            READY   STATUS             RESTARTS   AGE
print-version-55887b9bd5-nvwf7  0/1     ContainerCreating  0          0s
print-version-55887b9bd5-nvwf7  1/1     Running            0          1s
```

●──Podの入れ替え

新しいPodが実行状態（Running）になると、古いPodは停止準備状態（Terminating）に変化します。Serviceの外から見ると、 print-versionがレスポンスするバージョン番号が変化するのはこのときです。

```
NAME                            READY   STATUS       RESTARTS   AGE
print-version-659799fc86-4r7mp  1/1     Running      0          1s
print-version-55887b9bd5-nvwf7  1/1     Terminating  0          92s
```

●──デプロイの完了

古いPodが完全に破棄されてPodの入れ替えの完了です。

```
NAME                            READY   STATUS    RESTARTS   AGE
print-version-659799fc86-4r7mp  1/1     Running   0          20s
```

7. Kubernetes の発展的な利用

これが Kubernetes における RollingUpdate の基本的な挙動であり、Service 外から見てダウンタイムのないデプロイが可能になっています。

コラム ▶ **リソースの一部を更新するkubectl patchコマンド**

kubectl editでエディタ経由でマニフェストの内容を変更する方法を紹介しました。エディタ経由で更新できるのは便利ですが、このような変更の処理をスクリプトなどで行う場合、この方法は使えません。

このような処理を完全にコマンドラインで完結させるために、リソースにパッチを当てて一部を更新できるkubectl patchコマンドが用意されています。パッチは次のように文字列でもファイルでも当てられます。

- kubectl patch [リソースタイプ]/[リソース名] -p [パッチの文字列]
- kubectl patch [リソースタイプ]/[リソース名] --patch-file [パッチのマニフェストファイル]

本節でkubectl editで行ったコンテナイメージの変更をkubectl patchコマンドで行うには、**リスト 7.3**のようにします。

リスト 7.3　kubectl patchコマンドによるコンテナイメージの変更

```
$ kubectl patch deployment/print-version -p \
'{
    "spec": {
        "template": {
            "spec": {
                "containers": [{
                    "name": "print-version",
                    "image": "ghcr.io/gihyodocker/print-version:v0.0.2"
                }]
            }
        }
    }
}'
```

マニフェストファイルの更新したい場所を抜き出し、JSON 化して -pオプションに指定すると部分的な更新が可能です。

また、パッチの当て方は --typeオプションで制御できます。strategic(デフォルト)、json、mergeの3つがサポートされており、strategicはKubernetes に最適な形でパッチを当ててくれます。

kubectl patchの詳細についてはヘルプコマンド、公式リファレンス[a]を参考にしてください。

~~~~~~

＊a　https://kubernetes.io/docs/tasks/manage-kubernetes-objects/update-api-object-kubectl-patch/

Pod のデプロイ戦略　**7.1**

RollingUpdate の挙動を制御する

　replicas=1 の Deployment において新旧の Pod を入れ替える RollingUpdate を試しましたが、実際にはもっと多くの Pod を運用することがほとんどです。多くの Pod を運用する際には Pod の削除数や生成数を適切に設定することが必要になります。Kubernetes の Deployment リソースは特別な設定をしなくても RollingUpdate を実現してくれますが、strategy を設定することで RollingUpdate の挙動を制御できます。

　この戦略、**maxUnavailable** と **maxSurge** を見ていきましょう。例として、**リスト 7.4** のような Deployment マニフェストを見てみましょう。

リスト 7.4　RollingUpdate の挙動を調整したマニフェストファイル

~/k8s/strategy/print-version-strategy.yaml

```
apiVersion: apps/v1
kind: Deployment
metadata:
  name: print-version-strategy
  labels:
    app: print-version
spec:
  replicas: 4
  strategy:
    type: RollingUpdate
    rollingUpdate:
      maxUnavailable: 3
      maxSurge: 4
  selector:
    matchLabels:
      app: print-version
  template:
    metadata:
      labels:
        app: print-version
    spec:
      containers:
      - name: print-version
        image: ghcr.io/gihyodocker/print-version:v0.0.1
        ports:
        - containerPort: 8080
```

　maxUnavailable は RollingUpdate の際に同時に削除できる Pod の最大数で、replicas で指定された Pod 数に対する割合（%）でも指定できます。デフォルト値は replicas の値に対する 25% で、仮に replicas が 8 の場合はその 25% にあたる 2 つの Pod が一度に削除されます。

　このマニフェストでは replicas が 4 に対して maxUnavailable が 3 で、RollingUpdate 開始後すぐに 3 つの Pod を停止する挙動になります。このように、maxUnavailable に高い値を設定すれば一度に停止する Pod の数を増やすことができるため、RollingUpdate の完了にかかる時間を短縮できます。

　しかし、トレードオフとして一時的にサービスインしている Pod の数が減ることになり、1 つの

261

7. Kubernetes の発展的な利用

Podにかかるリクエストも増えてしまいます。適切な設定値はアプリケーションのトラフィックを見ながら決める必要があるため、最初のうちは `maxUnavailable=1` を指定し、1つずつ順番にPodを入れ替えていく方法を取ったほうが安全です。

maxSurge は RollingUpdate の実施時に新しいPodを作る個数です。デフォルト値は `replicas` の値に対する25%です。`replicas` が4に対して `maxSurge` が4の場合、RollingUpdate 開始後すぐに新しいバージョンのPodを4つ作成します。必要な数のPodをすぐ用意できて切り替えの時間を短縮できますが、瞬間的に必要なリソースは増えることになります。

7.1.2 コンテナ実行時のヘルスチェックを設定する

Kubernetesでは Pod 内のコンテナが全て起動すれば Service からリクエストを受けられる状態になります。ただし、アプリケーションによっては起動が完了していても、クライアントからリクエストを受けられる状態になるまでに多少の時間を要するものがあります。このようなケースでは、Podが Running になっている状態なのにアプリケーションとしては正しいレスポンスを返せないということが起こります。

この問題を避けるために Kubernetes には **livenessProbe** と **readinessProbe** というコンテナのヘルスチェック機能があります。マニフェストファイルとして `print-version-hc.yaml`（**リスト 7.5**）を作成し、apply します[*4]。

リスト 7.5 　ヘルスチェックの設定をしたマニフェストファイル

`~/k8s/strategy/print-version-hc.yaml`

```
apiVersion: apps/v1
kind: Deployment
metadata:
  name: print-version
  labels:
    app: print-version
spec:
  replicas: 1
  selector:
    matchLabels:
      app: print-version
  template:
    metadata:
      labels:
        app: print-version
    spec:
      containers:
      - name: print-version
        image: ghcr.io/gihyodocker/print-version:v0.0.2
        livenessProbe: # ①
          exec:
            command:
            - cat
```

───────────────────────────────

＊4　7.1.1で作成した `print-update` の Deployment の上書き更新となります。

262

```
      - /var/tmp/live.txt # ①-1
    initialDelaySeconds: 3
    periodSeconds: 5
  readinessProbe: # ②
    httpGet:
      path: /hc
      port: 8080
    timeoutSeconds: 3
    initialDelaySeconds: 15
  ports:
  - containerPort: 8080
```

```
(~/k8s/strategy) $ kubectl apply -f print-version-hc.yaml
deployment.apps/print-version configured
```

これは print-version コンテナにヘルスチェック機能を組み込んだものです。

①の livenessProbe はアプリケーションの死活チェックであり、コンテナ内でアプリケーションが依存しているファイルや実行ファイルといったものの存在をチェックする用途で設定します。たとえば、①-1 に存在しないファイルパスを指定した場合は**図7.2**のようにチェック結果が Unhealthy となり、Pod は再実行を繰り返すことになります。

図7.2　livenessProbeでのヘルスチェックの失敗

```
kubectl describe pod -l app=print-version

Events:
  Type     Reason     Age   From                Message
  ----     ------     ----  ----                -------
  Normal   Scheduled  7s    default-scheduler   Successfully assigned default/print-version-d76896465-mrlxq to docker-desktop
  Normal   Pulled     6s    kubelet             Container image "ghcr.io/gihyodocker/print-version:v0.0.2" already present on machine
  Normal   Created    6s    kubelet             Created container print-version
  Normal   Started    6s    kubelet             Started container print-version
  Warning  Unhealthy  1s    kubelet             Liveness probe failed: cat: can't open '/var/tmp/not-found.txt': No such file or directory
```

対して、②の readinessProbe はコンテナの外から HTTP リクエスト等のトラフィックを受けられる状態になっているかのチェックを設定できます。HTTP を受け付けるアプリケーションであれば httpGet で L7 レイヤーでのチェックが可能です。 timeoutSeconds はヘルスチェックリクエストのタイムアウト時間で、 initialDelaySeconds はコンテナを開始してからヘルスチェックを開始するまでの時間です。

また、L4 レイヤーの TCP レベルでのチェックに対応する tcpSocket という設定もあります[5]。アプリケーションが HTTP 以外のプロトコルを扱う場合には、 httpGet ではなく tcpSocket を利用してください。

コンテナの外からトラフィックを受けるアプリケーションであれば、 readinessProbe を設定することで不健康なアプリケーションをサービスインするのを防ぐことができるので、必ず設定することをおすすめします。

＊5　詳細は https://kubernetes.io/docs/tasks/configure-pod-container/configure-liveness-readiness-startup-probes/ を参照。

7. Kubernetesの発展的な利用

livenessProbeやreadinessProbeを設定しているコンテナを含むPodは、Running状態になっても READY[6]が0/1ですが、全てのヘルスチェックを通過後に1/1に変化してトラフィックを受けられる状態になります。次に示します。

```
$ kubectl get pod -l app=print-version
NAME                               READY     STATUS     RESTARTS     AGE
print-version-844ff7fd47-kcwvl     0/1       Running    0            5s

$ kubectl get pod -l app=print-version
NAME                               READY     STATUS     RESTARTS     AGE
print-version-844ff7fd47-kcwvl     1/1       Running    0            26s
```

> **コラム** 　安全にアプリケーションを停止してからPodを削除する
>
> 　KubernetesのRollingUpdateでは次々にPodを停止し、新しいPodに入れ替えていく挙動をします。これは強力な仕組みですが、Podの削除においてはケアすべき点がいくつか存在します。
>
> 　もしPodのコンテナが削除されるタイミングでユーザからのHTTPリクエストの処理中だった場合、ユーザは期待したレスポンスを得ることができません。
>
> 　データストアであれば、終了まである程度の時間の要するものも存在するため、終了処理の完了を待たずにPodが削除されてしまうかもしれません。
>
> 　そのため、アプリケーションを安全に停止してからPod内のコンテナが削除されるように制御することが重要です。このようにアプリケーションを正規の手続きを経て安全にシャットダウンさせることを**Graceful Shutdown**といいます。
>
> 　Podに終了命令が出ると、Podに属するコンテナのプロセスにはSIGTERMが送信されます。SIGTERMを受け取ったコンテナは、terminationGracePeriodSecondsで設定された秒数（デフォルトは30秒）以内で正常にアプリケーションを終了しないと、SIGKILLが送られてコンテナは強制終了してしまいます。
>
> 　つまり、終了処理に時間のかかるようなコンテナはterminationGracePeriodSecondsの値を次のように長めに取っておく必要があります。

---

[6] 　準備が完了しているコンテナの数。

リスト7.6　terminationGracePeriodSecondsの設定例

```
apiVersion: apps/v1
kind: Deployment
metadata:
  name: long-termination-app
  labels:
    app: long-termination-app
spec:
  # 省略...
  template:
    # 省略...
    spec:
      terminationGracePeriodSeconds: 60
      containers:
        # 省略...
```

　nginxであれば別の考慮が必要です。nginxは SIGTERM を受け取ると、Graceful Shutdownではなく、即座にシャットダウンを行います。さらに、masterプロセスだけではなくworkerプロセスも動いているため、両者を安全にシャットダウンさせなくてはなりません。

　Kubernetesでは、 lifecycle.preStop でコンテナが終了する前のフック処理を定義できます。これを利用して、nginxを安全にシャットダウンするコマンドである quit を実行してあげます。

リスト7.7　lifecycle.preStopでの Nginxの安全な停止

```
apiVersion: apps/v1
kind: Deployment
metadata:
  name: nginx-graceful
  labels:
    app: nginx-graceful
spec:
  # 省略...
  template:
    # 省略...
    spec:
      containers:
      - name: nginx
        image: nginx:1.25.1
        ports:
        - containerPort: 80
        lifecycle:
          preStop:
            exec:
              command:
                - "/bin/sh"
                - "-c"
                - "nginx -s quit"
```

　コンテナで実行するアプリケーションの特性を考慮して、コンテナを安全に停止することが重要です。

265

7.1.3 Blue-Green Deployment

RollingUpdateの仕組みは強力ですが、次のように新旧のPodが混在する時間が生じてしまいます。この性質によってアプリケーションの利用側のユーザや別のプログラムにとって意図せぬ副作用を引き起こすことも考えられるため、RollingUpdateにそぐわないアプリケーションもあるでしょう。

リスト7.8　RollingUpdate時に新旧のPodが混在する例

```
$ kubectl logs -f update-checker
[Sun Aug 13 16:43:24 UTC 2023] VERSION=v0.0.1
[Sun Aug 13 16:43:25 UTC 2023] VERSION=v0.0.2
[Sun Aug 13 16:43:30 UTC 2023] VERSION=v0.0.2
[Sun Aug 13 16:43:31 UTC 2023] VERSION=v0.0.1
[Sun Aug 13 16:43:35 UTC 2023] VERSION=v0.0.2
```

この問題を解決するデプロイ方法の1つとしてBlue-Green Deploymentがあります。新旧バージョンそれぞれ2系統のサーバ群を切り替えてデプロイする手法です。これをKubernetesで実現してみましょう。

Blue-Green Deploymentとは

Blue-Green Deploymentは、デプロイの際に既存のデプロイされているサーバ群とは別に、新しいアプリケーションがデプロイされたサーバ群を用意し、ロードバランサやサービスディスカバリレベルで参照先を切り替えることでデプロイを実現する手法です。

図7.3　Blue-Green Deploymentの概念図

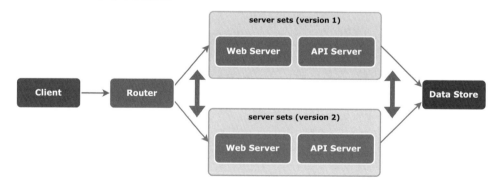

DockerやKubernetesにおいてはサーバ群ではなくコンテナ群ですが、一時的にとはいえ同時に2系統のサーバ群を抱えることになるため必要となるリソースはRollingUpdateよりも多くなります。

それを踏まえても優れた点の多い方式です。RollingUpdateのように混在時間なく瞬時に切り替

え可能ですし、片方のサーバ群をリリース前のStandbyとして利用もできるので運用上のメリットが大きいデプロイ手法です。

2系統のDeploymentを用意する

KubernetesでBlue-Green Deploymentを実現するには、Deploymentを2系統用意する方法が考えられます。つまり、デプロイの際に既存のDeploymentを更新するのではなく、新しいDeploymentリソースを用意して切り替え後に古いDeploymentを破棄することになります。

7.1.1でも利用したprint-versionを例に、新規にprint-version-blue.yaml（Blue系統）とprint-version-green.yaml（Green系統）2系統のマニフェストファイルを用意し、それぞれにDeploymentを定義します。

BlueのDeploymentのPodにはghcr.io/gihyodocker/print-version:v0.0.1、GreenのDeploymentのPodにはghcr.io/gihyodocker/print-version:v0.0.2のイメージを利用します。また、labels.colorとしてそれぞれの系統を識別する色（blue or green）を設定しています。

●───**print-version-blue.yaml(Blue系統)**
リスト7.9　Blue系統のマニフェストファイル

~/k8s/strategy/print-version-blue.yaml

```yaml
apiVersion: apps/v1
kind: Deployment
metadata:
  name: print-version-blue
  labels:
    app: print-version
    color: blue
spec:
  replicas: 1
  selector:
    matchLabels:
      app: print-version
      color: blue
  template:
    metadata:
      labels:
        app: print-version
        color: blue
    spec:
      containers:
      - name: print-version
        image: ghcr.io/gihyodocker/print-version:v0.0.1
        ports:
        - containerPort: 8080
```

7. Kubernetesの発展的な利用

● print-version-green.yaml(Green系統)

リスト 7.10 Green系統のマニフェストファイル

~/k8s/strategy/print-version-green.yaml

```yaml
apiVersion: apps/v1
kind: Deployment
metadata:
  name: print-version-green
  labels:
    app: print-version
    color: green
spec:
  replicas: 1
  selector:
    matchLabels:
      app: print-version
      color: green
  template:
    metadata:
      labels:
        app: print-version
        color: green
    spec:
      containers:
      - name: print-version
        image: ghcr.io/gihyodocker/print-version:v0.0.2
        ports:
        - containerPort: 8080
```

作成したマニフェストファイルをそれぞれkubectlで適用します。

```
(~/k8s/strategy) $ kubectl apply -f print-version-blue.yaml
deployment.apps/print-version-blue created

(~/k8s/strategy) $ kubectl apply -f print-version-green.yaml
deployment.apps/print-version-green created
```

selectorのラベル変更によりDeploymentを切り替える

Serviceでは spec.selector でラベルを指定することで、リクエストを流すDeploymentを決定できます。この仕組みを利用すれば、Serviceの spec.selector.color の値を変更することで利用するDeploymentを切り替えられます。

print-version-service-color.yaml というファイル名で**リスト 7.11**のようなマニフェストファイルを作成し、applyします。すでに作成済みの print-version のServiceが更新されます。

リスト 7.11 Blue系統にリクエストを流すためのマニフェストファイル

~/k8s/strategy/print-version-service-color.yaml

```yaml
apiVersion: v1
kind: Service
metadata:
  name: print-version
```

```
    labels:
      app: print-version
spec:
  ports:
  - port: 80
    targetPort: 8080
  selector:
    app: print-version # ①
    color: blue # ②
```

```
(~/k8s/strategy) $ kubectl apply -f print-version-service-color.yaml
service/print-version configured
```

①の `selector.app` には `print-version` を、②の `selector.color` にはバージョンの古いアプリケーションがデプロイされている `blue` を指定します。

この状態では Blue 系統である `ghcr.io/gihyodocker/print-version:v0.0.1` の Deployment が選ばれているため、レスポンスは `v0.0.1` を返します。

```
$ kubectl logs -f update-checker
[Sun Aug 13 17:21:12 UTC 2023] VERSION=v0.0.1
[Sun Aug 13 17:21:13 UTC 2023] VERSION=v0.0.1
[Sun Aug 13 17:21:14 UTC 2023] VERSION=v0.0.1
[Sun Aug 13 17:21:15 UTC 2023] VERSION=v0.0.1
...
```

ここで、 `kubectl edit` コマンドでエディタを開き、Service の `spec.selector.color` の値を変更してみましょう。

```
apiVersion: v1
kind: Service
metadata:
  name: print-version
  labels:
    app: print-version
spec:
  ports:
  - port: 80
    targetPort: 8080
  selector:
    app: print-version
    color: green # blueをgreenに変更する
```

`selector.color` の値変更後すぐに、 `v0.0.2` のレスポンスが返ってきます。

7. Kubernetesの発展的な利用

リスト7.12　Blue-Green Deploymentによる切り替え

```
[Sun Aug 13 17:23:33 UTC 2023] VERSION=v0.0.1
[Sun Aug 13 17:23:34 UTC 2023] VERSION=v0.0.1
[Sun Aug 13 17:23:35 UTC 2023] VERSION=v0.0.2
[Sun Aug 13 17:23:37 UTC 2023] VERSION=v0.0.2
```

　新しくデプロイしたアプリケーションに問題があった場合には、`selector.color`の値を元に戻せば瞬時にロールバックできます。問題がない場合には、古いアプリケーションのDeploymentリソース（この場合は`color: blue`のラベルのもの）を`kubectl`等で削除してもOKです。

　このように、Blue-Green Deploymentでは新旧アプリケーションの混在の問題もなく、切り替え時間もほとんどなく行うことができます。

　アプリケーションの特性を考慮して、RollingUpdateかBlue-Green Deploymentかのデプロイ戦略を決めると良いでしょう[7]。

　ここまでで作成したリソースは次のコマンドで削除できます。

```
$ kubectl delete service,deploy -l app=print-version
service "print-version" deleted
deployment.apps "print-version" deleted
deployment.apps "print-version-blue" deleted
deployment.apps "print-version-green" deleted

$ kubectl delete pod -l app=update-checker
pod "update-checker" deleted
```

> **コラム　サービスメッシュを実現するプロダクト**
>
> 　近年、全ての機能を一枚岩に含むモノリシックなシステムではなく、システムの機能やドメイン単位でアプリケーションを切り出し、複数のサービス群としてシステムを構成するマイクロサービスアーキテクチャが流行しています。マイクロサービスアーキテクチャではサービス間の連携にRESTful APIやgRPCのようなインターフェイスが利用されるため、次のようなメリットがあります。
>
> - **それぞれのサービスに適した言語やフレームワークを採用できる**
> - **サービス単位でのデプロイが可能**
> - **障害の局所化**
>
> 　このような利点がある一方で、サービス間のルーティング管理や、通信先のサービスがエラーを返した際の適切なハンドリング等、運用で考慮すべきことが多々あります。
> 　これらの課題を解決するのがサービスメッシュです。サービスメッシュはサービスとネットワー

---

[7] KubernetesをLinkerdやIstioと連携させることでカナリアリリースの戦略を取ることもできます。一部のユーザのアクセスを違うバージョンのアプリケーションにトラフィックを流したり、A/Bテストに活用したりできます。

ク間に注入される存在で、開発者がアプリケーションのコードに記述することなく高機能なルーティング制御を実現できます。また、一部のサービス故障時に過度なトラフィックが流れ込まないように制御するサーキットブレイカーなど、耐障害性を高める仕組みも備えています。

サービスメッシュを構築する OSS として、代表的なプロダクトは Istio*ª と Linkerd*ᵇ です。

Istio は最も利用が多いサービスメッシュシステムです。セットアップは多少複雑な側面があります。Google Cloud で GKE を選択する場合は Anthos Service Mesh*ᶜ*ᵈ という Istio ベースのマネージドなサービスメッシュの利用ができるようになり、導入も簡単になりました。

Linkerd も有名なサービスメッシュシステムです。Linkerd のバージョン 1 は JVM 系の技術スタックで開発されていましたが、バージョン 2 からは Go と Rust でリアーキテクチャされ、パフォーマンスも改善しています。Istio よりシンプルに運用しやすいという評価が多いです。

Linkerd、Istio ともに柔軟なルーティング機能を提供していて、Blue-Green Deployment やカナリアリリースが可能です。また、取得できるメトリクスも充実しています。

どちらも Cloud Native Computing Foundation(CNCF)*ᵉ のプロジェクトとして活発に開発されており、世界規模で広く利用されているサービスメッシュシステムです。

サービスメッシュはかなり強力な仕組みですが、導入においては「自分たちが開発するプロダクトにフィットするか?」という点はよく吟味しなければなりません。多くのマイクロサービスを扱うような大規模なプロダクトにおいては十分な費用対効果を見いだせるかもしれませんが、それほど大きくない規模のプロダクトにおいてはオーバーテクノロジーになってしまう可能性も考慮して検討してみてください。

*a   https://istio.io/

*b   https://linkerd.io/

*c   https://cloud.google.com/anthos/service-mesh

*d   以前は Istio on GKE という名称で提供されていました。

*e   Cloud Native Computing Foundation、略称 CNCF。クラウドネイティブコンピューティングを推進する。Linux Fondation 傘下。Kubernetes や Prometheus などをサポート。 https://www.cncf.io/

7.2 Kubernetes での定期的なバッチジョブの実行

Web や API 常駐型のアプリケーションであれば、Deployment リソースを作成すれば Kubernetes 上に構築できます。しかし、システム開発においては単発や定期的に実行するバッチジョブが必要なケースもあります。

6.2.4 で構築したデータベースマイグレータもバッチジョブの一つであり、Job というリソースを利用して単発のバッチジョブを実現しました。ここでは、Kubernetes における定期的なバッチジョブを実現するための CronJob というリソースについて解説します。

7. Kubernetes の発展的な利用

7.2.1 CronJob

Job は単発での Pod の実行ですが、CronJob リソースを利用するとスケジューリングして定期的に Pod を実行できます。名前の通り、Cron や systemd-timer などで定期実行していたジョブの実行に最適です。

独自に Cron でイベントを発行するようなアプリケーションを用意する必要がありませんし、何よりもコンテナと親和性を持ったままスケジューリングが可能なのは大きなメリットです。

通常の Cron はサーバの CronTab で管理しますが、CronJob はマニフェストファイルで定義できます。スケジューリング定義のレビューを GitHub の Pull Request で運用できるなど、構成のコード管理という点でも有利です。

実際に CronJob を作成してスケジューリングされた Job の実行をしてみましょう。マニフェストファイル用の作業ディレクトリとして ~/k8s/cronjob/ を作成し、その中で進めていきます。

cronjob.yaml というファイル名で**リスト 7.13** のようなマニフェストファイルを作成し、apply します。

リスト 7.13　CronJobのマニフェストファイル

```
                                                        ~/k8s/cronjob/cronjob.yaml
apiVersion: batch/v1
kind: CronJob
metadata:
  name: pingpong
  labels:
    app: pingpong
spec:
  schedule: "*/1 * * * *" # ① Cron記法でスケジュールを定義
  jobTemplate: # ② Jobリソースのテンプレート
    spec:
      template:
        metadata:
          labels:
            app: pingpong
        spec:
          containers:
          - name: pingpong
            image: ubuntu:23.10
            command:
              - "sh"
              - "-c"
              - |
                echo [`date`] ping!
                sleep 10
                echo [`date`] pong!
          restartPolicy: OnFailure
```

```
(~/k8s/cronjob) $ kubectl apply -f cronjob.yaml
cronjob.batch/pingpong created
```

マニフェストファイルの構造はJobとほぼ同じですが、最大の違いとして①のscheduleにCron記法でJobの起動スケジュールを定義できるようになっています。ここでは*/1 * * * *でスケジュールを設定しており、1分間隔で実行されます。

②のjobTemplate以下はJobリソースで定義しているPod定義のテンプレートと同じです。CronJobのマニフェストファイルを適用すると、次のようにジョブが作成され、指定したCronの条件にもとづいたスケジュールでPodを作成します。

スケジュールされたジョブはすぐに実行されないため、数分経ってから**リスト7.14**のコマンドを実行します。CronJobによって1分間隔で作成されたJob、そしてJobが作成したPodが表示されます。

リスト7.14　CronJobによるJobとPodの作成

```
$ kubectl get cronjob,job,pod -l app=pingpong
NAME                      SCHEDULE      SUSPEND   ACTIVE   LAST SCHEDULE   AGE
cronjob.batch/pingpong    */1 * * * *   False     0        34s             3m51s

NAME                         COMPLETIONS   DURATION   AGE
job.batch/pingpong-28195683  1/1           13s        2m34s
job.batch/pingpong-28195684  1/1           13s        94s
job.batch/pingpong-28195685  1/1           13s        34s

NAME                        READY   STATUS      RESTARTS   AGE
pod/pingpong-28195683-xjv24   0/1   Completed   0          2m34s
pod/pingpong-28195684-4mmvn   0/1   Completed   0          94s
pod/pingpong-28195685-f8xdr   0/1   Completed   0          34s
```

実行されたPodのログは次のようにラベルでフィルタリングして抽出できます[8]。

```
$ kubectl logs -l app=pingpong
[Fri Aug 10 08:05:00 UTC 2023] ping!
[Fri Aug 10 08:05:10 UTC 2023] pong!
[Fri Aug 10 08:06:00 UTC 2023] ping!
[Fri Aug 10 08:03:00 UTC 2023] ping!
[Fri Aug 10 08:03:10 UTC 2023] pong!
[Fri Aug 10 08:04:00 UTC 2023] ping!
[Fri Aug 10 08:04:10 UTC 2023] pong!
```

定期的にジョブを実行するようなユースケースにおいて、従来の非コンテナ環境においてはLinuxのcrontabにスケジュールと実行するスクリプトを定義する手法が中心でした。KubernetesのCronJobを利用すれば全てをコンテナベースで解決できます。環境管理、構築、実行の全てをコードで統一的に管理できます。

今回の例のようにUbuntuイメージのコンテナに対して実行する処理をマニフェストファイル上に記述する形式も良いですし、マニフェストには処理を記述せずに実装をコンテナイメージに閉じ

＊8　複数のPodからログを抽出するため、ログのタイムスタンプの昇順で表示されることは保証されません。

7. Kubernetes の発展的な利用

込めて実行する形式でも良いでしょう。

また、実行する Job の性質によっては CronJob の挙動を調整する必要があります。そのためのいくつかの設定を紹介します。

Concurrency Policy

Concurrency Policy は CronJob によって作成された Job の並列実行の挙動を制御する設定で、`.spec.concurrencyPolicy` フィールドで設定できます。値は次の表の3つが用意されています。

concurrencyPolicyの値	デフォルト	挙動
Allow	○	CronJobが Jobの並列実行を許可
Forbid		並列実行を禁止する。過去の Jobが未完了の場合、 CronJobは新しいJobの作成をスキップする
Replace		過去の Jobが未完了で新しい Jobの実行時間になった場合、CronJobはそれを新しい Jobで置き換える

並列で Job を実行させたくなければ、**リスト 7.15**のように Forbid を設定します。

リスト 7.15　Concurrency Policyの設定

~/k8s/cronjob/cronjob.yaml

```
apiVersion: batch/v1
kind: CronJob
metadata:
  name: pingpong
  labels:
    app: pingpong
spec:
  schedule: "*/1 * * * *"
  concurrencyPolicy: Forbid # 並列でのJobの実行を禁止
  jobTemplate:
    spec: # 省略
```

アプリケーションやツールの実装によっては、並列で処理を実行することで副作用が生じるものもあるでしょう。特性に応じて Concurrency Policy を使い分けることが重要になります。

Suspend

Suspend は後続の Job の実行を一時停止するための設定で、 `.spec.suspend` フィールドに BOOL 値で設定します。デフォルトの値は `false` です。

CronJob による Job の実行を一時停止するには、**リスト 7.16**のようにします。

リスト 7.16　Suspendの設定

~/k8s/cronjob/cronjob.yaml

```
apiVersion: batch/v1
kind: CronJob
metadata:
```

```
    name: pingpong
    labels:
      app: pingpong
spec:
  schedule: "*/1 * * * *"
  suspend: true # 一時停止で後続のJobを実行しない
  jobTemplate:
    spec: # 省略
```

Suspendを`true`にすると、それ以降のJobの作成が次のように停止します。

```
$ kubectl get cronjob,job,pod -l app=pingpong
NAME                     SCHEDULE       SUSPEND    ACTIVE    LAST SCHEDULE    AGE
cronjob.batch/pingpong   */1 * * *      True       0         5m54s            8h

NAME                          COMPLETIONS   DURATION   AGE
job.batch/pingpong-28196185   1/1           13s        7m54s
job.batch/pingpong-28196186   1/1           13s        6m54s
job.batch/pingpong-28196187   1/1           13s        5m54s

NAME                        READY    STATUS       RESTARTS    AGE
pod/pingpong-28196185-nrgdx  0/1     Completed    0           7m54s
pod/pingpong-28196186-sxptk  0/1     Completed    0           6m54s
pod/pingpong-28196187-lwqhq  0/1     Completed    0           5m54s
```

Suspendの利点はCronJobを削除せずにJobの実行を止められることです。Jobの実行を止めたいときにCronJobを削除する必要はありません。

Job History Limit

pingpongのCronJobは1分に一度実行するスケジュールですが、実行したJobとPodが直近3件しか表示されないことに気づいたのではないでしょうか？　実はCronJobには実行したJobの保持数を設定するJob History Limitという設定があります。

`.spec.successfulJobsHistoryLimit`は成功したJobの保持数の設定でデフォルト値は3。`.spec.failedJobsHistoryLimit`は失敗したJobの保持数の設定でデフォルト値は1です。

これらの設定を変更するには**リスト7.17**のようにします。

リスト7.17　Job History Limitの設定

~/k8s/cronjob/cronjob.yaml

```
apiVersion: batch/v1
kind: CronJob
metadata:
  name: pingpong
  labels:
    app: pingpong
spec:
  schedule: "*/1 * * * *"
  successfulJobsHistoryLimit: 5
```

7. Kubernetes の発展的な利用

```
failedJobsHistoryLimit: 3
jobTemplate:
  spec: # 省略
```

Job History Limit の値を変更すると、次のように Job の保持件数が変わります。場合に応じて適切な数を設定すると良いでしょう。

```
$ kubectl get cronjob,job,pod -l app=pingpong
NAME                     SCHEDULE      SUSPEND   ACTIVE   LAST SCHEDULE   AGE
cronjob.batch/pingpong   */1 * * * *   False     0        20s             8h

NAME                         COMPLETIONS   DURATION   AGE
job.batch/pingpong-28196215  1/1           13s        4m20s
job.batch/pingpong-28196216  1/1           12s        3m20s
job.batch/pingpong-28196217  1/1           13s        2m20s
job.batch/pingpong-28196218  1/1           13s        80s
job.batch/pingpong-28196219  1/1           13s        20s

NAME                          READY   STATUS      RESTARTS   AGE
pod/pingpong-28196215-s2xhm   0/1     Completed   0          4m20s
pod/pingpong-28196216-rfhg8   0/1     Completed   0          3m20s
pod/pingpong-28196217-2l58w   0/1     Completed   0          2m20s
pod/pingpong-28196218-p7zgf   0/1     Completed   0          80s
pod/pingpong-28196219-6984k   0/1     Completed   0          20s
```

7.2.2　タイムゾーンを考慮した CronJob の実行

CronJob は Cron 形式で Job をスケジューリングを設定できますが、そのタイムゾーンは Control Plane の kube-controller-manager のタイムゾーンに依存します。

以前の Kubernetes では Control Plane の Node 自身を任意のタイムゾーンに設定することで、そのタイムゾーンで CronJob を実行できました。しかし、この手法ではタイムゾーンが Control Plane に依存してしまいます。また、マネージドの Kubernetes サービスでは Control Plane の Node の設定は手出しできない領域であるため、ユーザがコントロールできないという課題もありました。

しかし、Kubernetes のバージョン 1.27 からは CronJob にタイムゾーンの設定がサポートされました。CronJob のタイムゾーンは .spec.timezone で設定でき、デフォルト値は Etc/UTC です。

タイムゾーンの設定例を**リスト 7.18** に示します。日本時間なら Asia/Tokyo を設定します[*9]。

リスト 7.18　CronJob のタイムゾーン設定

`~/k8s/cronjob/cronjob.yaml`

```
apiVersion: batch/v1
kind: CronJob
metadata:
  name: pingpong
```

＊9　タイムゾーン識別子は https://en.wikipedia.org/wiki/List_of_tz_database_time_zones を参考にしてください。

```
  labels:
    app: pingpong
spec:
  schedule: "10 12 * * *" # 日本時間の12時10分に実行されるスケジュール
  timezone: "Asia/Tokyo"
  jobTemplate:
    spec: # 省略
```

7.2.3　CronJobからJobをワンタイムで実行する

　解説に利用したCronJobのように1分間隔でJobが実行される場合、Jobから作成されたPod の挙動をすぐに確認することは簡単です。しかし、実際にはもっと長い間隔や特定の時間でスケ ジューリングすることもあり、すぐに挙動を確認できないことも多いです。

　このようなケースの場合、既存のCronJobからワンタイムなJobを実行する方法で解決できま す。CronJobのスケジュール定義を変更せずに、すぐにJobを実行できます。

　kubectl create job [Job名] --from=cronjob/[CronJob名]の形式で**リスト7.19**のようにワンタ イムなJobを作成できます。スケジュールの定義を変更せずにJobを実行できるため、トライアン ドエラーする上でも有用な仕組みです。

リスト7.19　CronJobからワンタイムなJobを作成

```
$ kubectl create job onetime-pingpong --from=cronjob/pingpong
job.batch/onetime-pingpong created
```

　ここまでで作成したCronJobのリソースは次のコマンドで削除できます。

```
(~/k8s/cronjob) $ kubectl delete -f cronjob.yaml
```

7.3　ユーザ管理とRole-Based Access Control(RBAC)

　セキュアなKubernetes運用にはいくつかの対策が必要となります。ユーザごとに権限を制限す る運用は基本的な対策の1つです。

　Kubernetesにもユーザが用意されています。Kubernetesにおけるユーザ[10]は次の2つの概念に 分けられます。

――――――――――――――――――――――――――

*10　UNIXユーザとは全く異なるものです。本節で以後ユーザと表記したときはKubernetesのユーザを指すものとします。

7. Kubernetes の発展的な利用

名称	内容
ServiceAccount	Kubernetes 内部で管理され、Pod 自身が Kubernetes API[11]を操作するためのユーザ
通常ユーザ	クラスタ外から Kubernetes を操作するためのユーザで、さまざまな方法で認証される

ServiceAccount は Kubernetes のリソースとして提供されています。Kubernetes クラスタの内側の権限を管理するためのものです。ServiceAccount と紐づけられた Pod は与えられた権限の範囲内で Kubernetes リソースの操作が可能です。

通常ユーザは開発者や運用担当者が、kubectl 等で Kubernetes を操作するために提供されます。Kubernetes クラスタの外からのアクセスを管理するためのユーザです。通常ユーザをグルーピングするための**グループ**という概念も存在し、グループ単位での権限制御も可能です。

ServiceAccount と通常ユーザが行うことのできる操作は、Role-Based Access Control[12]という仕組みで権限制御できます。RBAC は Kubernetes のリソースへのアクセスをロールによって制御するための機能・概念です。RBAC を適切に利用することで、Kubernetes リソースに対するセキュアなアクセス制御を実現できます。

ServiceAccount はアプリケーション経由で Kubernetes 操作を制御できることが強みです。クラスタ内で独自の拡張ツール[13]や運用ツールを動作させる Pod に権限を与え、別のリソースの作成や更新をしたりという活用が可能です。

通常ユーザの権限制御の例として、デプロイに関わる Service や Deployment の操作権限を一部の通常ユーザだけに制限する、Pod のログ閲覧権限は他の通常ユーザでもできるよう緩くするといった利用方法があります。

実際に RBAC 関連リソースを作成し、ServiceAccount を利用した Pod からの Kubernetes API 利用について解説します。次に、通常ユーザで認証を行った上での Kubernetes の操作を行います。

7.3.1　RBACを利用して権限制御を実現する

RBAC での権限制御は、**Kubernetes API のどの操作が可能であるかを定義したロール**と、**ロールとユーザの紐づけ**の 2 つの要素で成立します。

Kubernetes では権限制御のロールを表現する Role と ClusterRole というリソースと、紐づけを表現する RoleBinding と ClusterRoleBinding というリソースが用意されています。ServiceAccount 方式と通常ユーザ方式それぞれとは**図7.4**のように連携をし、権限制御が実現されています。

---

[11] Kubernetes の Pod や Deployment といったリソース情報の参照・作成・更新の操作を提供するため API。kubectl は Kubernetes API とやりとりをしています。

[12] 以下、RBAC。

[13] https://kubernetes.io/docs/concepts/extend-kubernetes/api-extension/custom-resources/ Kubernetes のカスタムリソースは各リソースの操作や運用をサポートするための拡張機能です。

図7.4 Kubernetesにおける権限制御

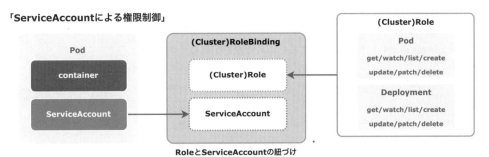

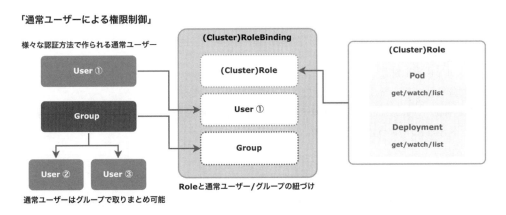

リソース名のプレフィックスにClusterがついているものはNamespaceを問わず有効であり、ついていないものは指定のNamespace内のみで有効です。

リソース名	内容
Role	Kubernetes APIへの操作許可のルールを定義し、指定のnamespace内でのみ有効
RoleBinding	通常ユーザ・グループ・ServiceAccountとRoleの紐づけを定義する
ClusterRole	Kubernetes APIへの操作許可のルールを定義し、クラスタ全体で有効
ClusterRoleBinding	通常ユーザ・グループ・ServiceAccountとClusterRoleの紐づけを定義する

これらのリソースを使用して、ローカルKubernetes環境でServiceAccountユーザを用いた権限制御をしてみましょう。マニフェストファイル用の作業ディレクトリとして~/k8s/rbac/を作成し、その中で進めていきます。

```
$ mkdir -p ~/k8s/rbac/
```

7. Kubernetes の発展的な利用

7.3.2 ClusterRole の作成

cr-reader.yaml のファイル名で**リスト 7.20** のマニフェストファイルを作成し、apply します。この ClusterRole には Pod 情報を参照するための権限を定義しています。

リスト 7.20　ClusterRole のマニフェストファイル

`~/k8s/rbac/cr-reader.yaml`

```
kind: ClusterRole
apiVersion: rbac.authorization.k8s.io/v1
metadata:
  name: pod-reader
rules:
- apiGroups: [""]
  resources: ["pods"]
  verbs: ["get", "watch", "list"]
```

.rules で権限を設定しています。 .rules.apiGroups は Kubernetes の API 種別、 .rules.resources は対象リソース、 .rules.verbs は許可する操作[14] を示しています。

apiGroups や resources に指定すべき値を調べるには、 kubectl api-resources --sort-by name コマンドを**図 7.5** のように実行します。

---

[14]　kubectl の引数に指定する get や list、 delete といった操作のこと。

図7.5　Kubernetes各リソースの一覧

```
kubectl api-resources --sort-by name
NAME                              SHORTNAMES   APIVERSION                                   NAMESPACED   KIND
apiservices                                    apiregistration.k8s.io/v1                    false        APIService
bindings                                       v1                                           true         Binding
certificatesigningrequests        csr          certificates.k8s.io/v1                       false        CertificateSigningRequest
clusterrolebindings                            rbac.authorization.k8s.io/v1                 false        ClusterRoleBinding
clusterroles                                   rbac.authorization.k8s.io/v1                 false        ClusterRole
componentstatuses                 cs           v1                                           false        ComponentStatus
configmaps                        cm           v1                                           true         ConfigMap
controllerrevisions                            apps/v1                                      true         ControllerRevision
cronjobs                          cj           batch/v1                                     true         CronJob
csidrivers                                     storage.k8s.io/v1                            false        CSIDriver
csinodes                                       storage.k8s.io/v1                            false        CSINode
csistoragecapacities                           storage.k8s.io/v1                            true         CSIStorageCapacity
customresourcedefinitions         crd,crds     apiextensions.k8s.io/v1                      false        CustomResourceDefinition
daemonsets                        ds           apps/v1                                      true         DaemonSet
deployments                       deploy       apps/v1                                      true         Deployment
endpoints                         ep           v1                                           true         Endpoints
endpointslices                                 discovery.k8s.io/v1                          true         EndpointSlice
events                            ev           v1                                           true         Event
events                            ev           events.k8s.io/v1                             true         Event
flowschemas                                    flowcontrol.apiserver.k8s.io/v1beta3         false        FlowSchema
horizontalpodautoscalers          hpa          autoscaling/v2                               true         HorizontalPodAutoscaler
ingressclasses                                 networking.k8s.io/v1                         false        IngressClass
ingresses                         ing          networking.k8s.io/v1                         true         Ingress
jobs                                           batch/v1                                     true         Job
leases                                         coordination.k8s.io/v1                       true         Lease
limitranges                       limits       v1                                           true         LimitRange
localsubjectaccessreviews                      authorization.k8s.io/v1                      true         LocalSubjectAccessReview
mutatingwebhookconfigurations                  admissionregistration.k8s.io/v1              false        MutatingWebhookConfiguration
namespaces                        ns           v1                                           false        Namespace
networkpolicies                   netpol       networking.k8s.io/v1                         true         NetworkPolicy
nodes                             no           v1                                           false        Node
persistentvolumeclaims            pvc          v1                                           true         PersistentVolumeClaim
persistentvolumes                 pv           v1                                           false        PersistentVolume
poddisruptionbudgets              pdb          policy/v1                                    true         PodDisruptionBudget
pods                              po           v1                                           true         Pod
podtemplates                                   v1                                           true         PodTemplate
priorityclasses                   pc           scheduling.k8s.io/v1                         false        PriorityClass
prioritylevelconfigurations                    flowcontrol.apiserver.k8s.io/v1beta3         false        PriorityLevelConfiguration
replicasets                       rs           apps/v1                                      true         ReplicaSet
replicationcontrollers            rc           v1                                           true         ReplicationController
resourcequotas                    quota        v1                                           true         ResourceQuota
rolebindings                                   rbac.authorization.k8s.io/v1                 true         RoleBinding
roles                                          rbac.authorization.k8s.io/v1                 true         Role
runtimeclasses                                 node.k8s.io/v1                               false        RuntimeClass
secrets                                        v1                                           true         Secret
selfsubjectaccessreviews                       authorization.k8s.io/v1                      false        SelfSubjectAccessReview
selfsubjectrulesreviews                        authorization.k8s.io/v1                      false        SelfSubjectRulesReview
serviceaccounts                   sa           v1                                           true         ServiceAccount
services                          svc          v1                                           true         Service
statefulsets                      sts          apps/v1                                      true         StatefulSet
storageclasses                    sc           storage.k8s.io/v1                            false        StorageClass
subjectaccessreviews                           authorization.k8s.io/v1                      false        SubjectAccessReview
tokenreviews                                   authentication.k8s.io/v1                     false        TokenReview
validatingwebhookconfigurations                admissionregistration.k8s.io/v1              false        ValidatingWebhookConfiguration
volumeattachments                              storage.k8s.io/v1                            false        VolumeAttachment
```

　Podは APIVERSION=v1 となっていて、バージョン番号だけの表示となっています。バージョン番号のみのリソースはKubernetesのコアAPIに属しており、コアAPIは省略して表記されます。そのため、コアAPIのリソースを定義する際はapiGroupsに空文字を指定します。

　コアAPI以外のリソースも見てみましょう。Deploymentであれば、 APIVERSION=apps/v1 になっており、スラッシュ以前の appsをapiGroupsとして扱います。

　作成したClusterRoleのマニフェストは、次のようにapplyします。

```
(~/k8s/rbac) $ kubectl apply -f cr-reader.yaml
clusterrole.rbac.authorization.k8s.io/pod-reader created
```

　次に、このClusterRoleを割り当てるためのServiceAccountが必要です。

7. Kubernetes の発展的な利用

7.3.3 ServiceAccount の作成

ServiceAccount はクラスタ内で実行する Pod に対し、Kubernetes API への認証・認可を管理するためのリソースです。

ServiceAccount はそれ自体がリソースなので、Kubernetes API を利用してリソースの制御をする拡張機能を他のリソースに対してなんらかの操作を施す Bot 入りの Pod 作成などに使えます。

kube-system の namespace では Kubernetes のリソースを制御するための Pod がいくつも実行されています。これらの Pod は ServiceAccount の働きにより、他の namespace で実行されている Pod や Service、Ingress といったリソース情報の参照や操作ができます。

権限を拡張する以外に、目的以外のリソースへのアクセスを RBAC によって制限することでフェールセーフなアプリケーション構築にも寄与します。

sa-reader.yaml のファイル名で**リスト 7.20** のマニフェストファイルを作成し、apply します。

リスト 7.21　ServiceAccount のマニフェストファイル

`~/k8s/rbac/sa-reader.yaml`

```
apiVersion: v1
kind: ServiceAccount
metadata:
  name: pod-reader
```

```
(~/k8s/k8s) $ kubectl apply -f sa-reader.yaml
serviceaccount/pod-reader created
```

ここではマニフェストファイルで ServiceAccount を作成しましたが、次のようにコマンドで作成も可能です。

```
$ kubectl create serviceaccount pod-reader
```

7.3.4 ClusterRoleBinding の作成

(Cluster)Role と ServiceAccount を紐付ける役割を担うのが (Cluster)RoleBinding リソースです。

crb-reader.yaml のファイル名で**リスト 7.22** のマニフェストファイルを作成し、apply します。

リスト 7.22　ClusterRoleBinding のマニフェストファイル

`~/k8s/rbac/crb-reader.yaml`

```
kind: ClusterRoleBinding
apiVersion: rbac.authorization.k8s.io/v1
metadata:
  name: pod-reader
subjects:
```

ユーザ管理と Role-Based Access Control(RBAC)　**7.3**

```
- kind: ServiceAccount
  name: pod-reader
  namespace: default
roleRef:
  kind: ClusterRole
  name: pod-reader
  apiGroup: rbac.authorization.k8s.io
```

　.subjectsにはロールを紐付ける通常ユーザやグループ、ServiceAccountを設定します。 .role
Refには紐付けるロールのリソースを指定します。

　作成したClusterRoleBindingのマニフェストは、次のようにapplyします。

```
(~/k8s/k8s) $ kubectl apply -f crb-reader.yaml
clusterrolebinding.rbac.authorization.k8s.io/pod-reader created
```

ServiceAccount と Pod の紐づけ

　ServiceAccountと紐づけになるClusterRoleBindingの2つのリソースを作成しました。あとは、
実際に動作するPodが必要です。kubectlを利用して[15]全てのnamespaceのPod一覧を取得する
処理を繰り返すPodを作成します。

　pod-reader.yamlのファイル名で**リスト 7.23**のマニフェストファイルを作成し、applyします。

　Pod定義にserviceAccountNameで利用するServiceAccountを指定すると、許可された
Kubernetes APIの操作をPodで行えます。

リスト 7.23　**ServiceAccountを設定したPodのマニフェストファイル**

~/k8s/rbac/pod-reader.yaml

```
apiVersion: v1
kind: Pod
metadata:
  name: pod-reader
  labels:
    app: pod-reader
spec:
  serviceAccountName: pod-reader
  containers:
  - name: kubectl
    image: bitnami/kubectl:1.27.4
    command:
    - sh
    - -c
    - |
      while true
      do
        echo "Checking pod..."
        kubectl get pod --all-namespaces
        sleep 30
```

＊15　ここではkubectlを利用できるイメージをDocker Hubから取得しています。 https://hub.docker.com/r/bitnami/kubectl

283

7. Kubernetes の発展的な利用

```
    done
```

```
(~/k8s/k8s) $ kubectl apply -f pod-reader.yaml
pod/pod-reader created
```

実行中のPodのログを見ると、Podの一覧取得が正しくされていることがわかります。

図7.6　pod-readerが出力するPod一覧

```
~/k8s/rbac
kubectl logs -f pod-reader

Checking pod...
NAMESPACE              NAME                                              READY   STATUS             RESTARTS        AGE
default                pod-reader                                        0/1     ContainerCreating  0               0s
ingress-nginx          ingress-nginx-admission-create-lndvh              0/1     Completed          0               17d
ingress-nginx          ingress-nginx-admission-patch-jm6v5               0/1     Completed          1               17d
ingress-nginx          ingress-nginx-controller-79d66f886c-8x45k         1/1     Running            3 (2d1h ago)    17d
kube-system            coredns-5d78c9869d-2h48q                          1/1     Running            3 (2d1h ago)    18d
kube-system            coredns-5d78c9869d-55vhr                          1/1     Running            3 (2d1h ago)    18d
kube-system            etcd-docker-desktop                               1/1     Running            4 (2d1h ago)    18d
kube-system            kube-apiserver-docker-desktop                     1/1     Running            4 (2d1h ago)    18d
kube-system            kube-controller-manager-docker-desktop            1/1     Running            4 (2d1h ago)    18d
kube-system            kube-proxy-64wx7                                  1/1     Running            3 (2d1h ago)    18d
kube-system            kube-scheduler-docker-desktop                     1/1     Running            4 (2d1h ago)    18d
kube-system            storage-provisioner                               1/1     Running            4 (2d1h ago)    18d
kube-system            vpnkit-controller                                 1/1     Running            3 (2d1h ago)    18d
kubernetes-dashboard   dashboard-metrics-scraper-5cb4f4bb9c-zh9dw        1/1     Running            3 (2d1h ago)    18d
kubernetes-dashboard   kubernetes-dashboard-6967859bff-t7dbm             1/1     Running            3 (2d1h ago)    18d
```

　pod-readerのServiceAccountにはPodの参照権限のみを与えてあるので、それ以外の操作ができるか確認してみましょう。

　deployment-reader.yamlのファイル名で**リスト7.23**のマニフェストファイルを作成し、applyします。利用するServiceAccountはpod-readerのままで、Deploymentの一覧を取得する kubectl get deployment コマンドを実行しています。

リスト7.24　ServiceAccountを設定したDeploymentのマニフェストファイル

```
                                                        ~/k8s/rbac/deployment-reader.yaml
apiVersion: v1
kind: Pod
metadata:
  name: deployment-reader
  labels:
    app: deployment-reader
spec:
  serviceAccountName: pod-reader
  containers:
  - name: kubectl
    image: bitnami/kubectl:1.27.4
    command:
    - sh
    - -c
    - |
      while true
      do
```

右上ヘッダー: ユーザ管理と Role-Based Access Control(RBAC) **7.3**

```
        echo "Checking pod..."
        kubectl get deployment --all-namespaces
        sleep 30
    done
```

```
(~/k8s/k8s) $ kubectl apply -f deployment-reader.yaml
pod/deployment-reader created
```

Podの出力を見ると、Deployment リソースへのアクセスが制限されていることがわかります。

```
$ kubectl logs -f deployment-reader
Checking pod...
Error from server (Forbidden): deployments.apps is forbidden: User "system:serviceac←
count:default:pod-reader" cannot list resource "deployments" in API group "apps" at ←
the cluster scope
```

このように ServiceAccount を利用すると、Pod の Kubernetes API へのアクセスをセキュアにできます。特に更新や削除といった操作を Pod 内で行うようなアプリケーションを構築するケースにおいてこの仕組みは有用です。

また、`serviceAccountName` は Pod への定義のため、ReplicaSet や Deployment、StatefulSet や Job といったリソースによって作成される Pod にも付与できます。

7.3.5 通常ユーザ

Kubernetes における通常ユーザは次の方法で作成できます。

- **ServiceAccount トークン方式**
- **静的トークンファイル方式**[16]
- **X509 クライアント証明書方式**[17]
- **ブートストラップトークン方式**[18]
- **OpenID Connect 方式**[19]

ServiceAccount トークン方式は ServiceAccount を通常ユーザのように利用して認証する方式です。ServiceAccount トークン方式で生成した通常ユーザは、ServiceAccount と同等の権限を持ちます。

今回は先程作成した `pod-reader` の ServiceAccount を通常ユーザとして考え、Kubernetes クラス

---

[16] リクエストに Bearer トークン含めて認証する方式で、静的ファイルに許可するトークンを列挙する。

[17] クライアント証明書を利用した認証方法。

[18] `kube-system` の Namespace に動的な Secret として格納されるトークンを利用する認証方法。

[19] OpentID プロバイダ（Google 等）での認証方法。

7. Kubernetes の発展的な利用

タの外からこの通常ユーザを用いた操作を実行してみましょう[20]。

ServiceAccount トークンの作成

ServiceAccount トークン方式では Kubernetes に対して時限的なトークンの発行を要求できます。**リスト 7.25** のコマンドでトークンを取得できます[21]。

リスト 7.25　ServiceAccountトークンの作成

```
$ kubectl create token pod-reader
eyJhbGciOiJSUzI1NiIsImtpZCI6......
```

このトークンは控えておいてください。

作成した通常ユーザを利用する

kubectl は Kubernetes の Control Plane の API[22] に対して、HTTP/HTTPS 経由で Kubernetes API からアクセスしています。

必要な認証情報は Control Plane ノードの ~/.kube/config という YAML ファイルに設定されています。**リスト 7.26** のコマンドを実行すると参照できます[23]。

リスト 7.26　Kubernetesへの接続情報

```
$ kubectl config view
apiVersion: v1
clusters:
- cluster:
    certificate-authority-data: DATA+OMITTED
    server: https://127.0.0.1:6443
  name: docker-desktop # ① クラスタ情報
contexts:
- context:
    cluster: docker-desktop # ③-1 操作対象のクラスタ
    user: docker-desktop # ③-2 認証する通常ユーザー
  name: docker-desktop # ③ コンテキスト
current-context: docker-desktop # ④ 現在のコンテキスト
kind: Config
preferences: {}
users:
- name: docker-desktop # ② 通常ユーザー情報
  user:
    client-certificate-data: DATA+OMITTED
    client-key-data: DATA+OMITTED
```

---

[20]　その他の認証方式について、本書では詳細を解説しません。

[21]　トークンは非常に長いため省略して記載しています。

[22]　ローカル Kubernetes 環境であれば localhost。

[23]　ローカル Kubernetes 環境での表示結果です。6.3.1でAKSの操作を行っていれば、AKSへの接続情報も表示されます。

①はKubernetesクラスタの接続先、②は通常ユーザの情報を示しており、Docker Desktopの場合はともにdocker-desktopとなります。

③は「どの通常ユーザでどのKubernetesクラスタのAPIを操作するかを決める情報」であるコンテキストを示します。③-1と③-2で操作対象のクラスタと認証する通常ユーザを設定しました。

④のcurrent-contextに現在のコンテキストであるdocker-desktopが設定されています。kubectlは現在のコンテキストをもとにKubernetesクラスタの操作を行います。

実際にローカルKubernetesクラスタに対して、ServiceAccountのpod-readerを通常ユーザとして利用して権限制御がなされているかを確認していきましょう。

リスト7.25で生成して控えておいたServiceAccountトークンを**リスト7.27**のように--tokenオプションで設定します。local-pod-readerは②の通常ユーザの名称として利用され、pod-readerのServiceAccountと同等の操作ができます。

リスト7.27　通常ユーザーの設定

```
$ kubectl config set-credentials local-pod-reader --token=eyJhbGciOiJSUzI1NiIsImtpZC↩
I6......
User "local-pod-reader" set.
```

次にコンテキストを**リスト7.28**のように--clusterオプションと--userオプションを指定して作成します。

リスト7.28　コンテキストの作成

```
$ kubectl config set-context local-pod-reader --cluster=docker-desktop --user=local-↩
pod-reader
Context "local-pod-reader" created.
```

利用できるコンテキストは次のように確認できます。この時点では現在のコンテキストを示すCURRENTにはdocker-desktopのコンテキストが選択されています。AUTHINFOは**リスト7.28**コマンドで設定した--userの値です。

```
$ kubectl config get-contexts
CURRENT   NAME                CLUSTER           AUTHINFO          NAMESPACE
*         docker-desktop      docker-desktop    docker-desktop
          local-pod-reader    docker-desktop    local-pod-reader
```

リスト7.29のコマンドを実行し、現在のコンテキストをlocal-pod-readerに変更します。

リスト7.29　コンテキストの設定

```
$ kubectl config use-context local-pod-reader
Switched to context "local-pod-reader".
```

これでコンテキストが切り替わったので、ローカルからpod-readerのServiceAccountで

7. Kubernetes の発展的な利用

Kubernetesの操作ができるか確認します。まずは、Podの一覧を次のように取得してみましょう。

図7.7　通常ユーザーでのKubernetesの操作

```
~/k8s/rbac (3.741s)
kubectl logs -f pod-reader

Checking pod...
NAMESPACE              NAME                                          READY   STATUS             RESTARTS
default               pod-reader                                    0/1     ContainerCreating   0
ingress-nginx         ingress-nginx-admission-create-lndvh          0/1     Completed           0
ingress-nginx         ingress-nginx-admission-patch-jm6v5           0/1     Completed           1
ingress-nginx         ingress-nginx-controller-79d66f886c-8x45k     1/1     Running             3 (2d1h ago)
kube-system           coredns-5d78c9869d-2h48q                      1/1     Running             3 (2d1h ago)
kube-system           coredns-5d78c9869d-55vhr                      1/1     Running             3 (2d1h ago)
kube-system           etcd-docker-desktop                           1/1     Running             4 (2d1h ago)
kube-system           kube-apiserver-docker-desktop                 1/1     Running             4 (2d1h ago)
kube-system           kube-controller-manager-docker-desktop        1/1     Running             4 (2d1h ago)
kube-system           kube-proxy-64wx7                              1/1     Running             3 (2d1h ago)
kube-system           kube-scheduler-docker-desktop                 1/1     Running             4 (2d1h ago)
kube-system           storage-provisioner                           1/1     Running             3 (2d1h ago)
kube-system           vpnkit-controller                             1/1     Running             3 (2d1h ago)
kubernetes-dashboard  dashboard-metrics-scraper-5cb4f4bb9c-zh9dw    1/1     Running             3 (2d1h ago)
kubernetes-dashboard  kubernetes-dashboard-6967859bff-t7dbm         1/1     Running             3 (2d1h ago)
^C
```

Podの一覧は取得できましたが、`pod-reader`のServiceAccountはPod閲覧以外の権限を持たないため、次のようにDeploymentといった他リソースの参照はできません。

```
$ kubectl get deployment --all-namespaces
Error from server (Forbidden): deployments.apps is forbidden: User "system:serviceac←
count:default:pod-reader" cannot list resource "deployments" in API group "apps" at ←
the cluster scope
```

これで通常ユーザでの権限制御の挙動が確認できました。

実行ユーザを元に戻すにはcontextを`docker-desktop`に戻すだけです。

```
$ kubectl config use-context docker-desktop
Switched to context "docker-desktop".
```

このようにServiceAccountや通常ユーザを作成し、Kubernetesクラスタへのアクセス制御を適切に行うことはセキュリティ面で重要です。開発者のオペレーション上においても意図しない操作からリソースを守るために重要です。

次の例は通常ユーザとRBACを用いたチーム開発の権限管理の一例です。ほかにもさまざまな権限設計がありえます。ぜひプロジェクトに適した権限設計を考えてみてください。

- admin、deployer、viewerといったアクセス権限の違いを持つグループを作成し、通常ユーザのグループを適切に設定することでデプロイ操作や、ServiceやIngressの変更を通常ユーザによって制限する
- 大きな構成変更を伴う操作は強権を持つ専用の通常ユーザに切り替えて実施し、専用の通常ユーザの認証情報はごく限られた開発者にのみ周知する

ここまでで作成したRBAC関連のリソースは次のコマンドで削除できます。

288

ユーザ管理と Role-Based Access Control(RBAC) **7.3**

```
(~/k8s/rbac) $ kubectl delete -f deployment-reader.yaml
(~/k8s/rbac) $ kubectl delete -f pod-reader.yaml
(~/k8s/rbac) $ kubectl delete -f sa-reader.yaml
(~/k8s/rbac) $ kubectl delete -f crb-reader.yaml
(~/k8s/rbac) $ kubectl delete -f cr-reader.yaml
```

8.

Kubernetesアプリケーションの
パッケージング

8. Kubernetes アプリケーションのパッケージング

Kubernetes の運用において、Kubernetes クラスタを1つだけを運用するというケースはそれほど多くありません。複数のクラスタで運用することが多いです。

開発用と本番用でクラスタを分けたり、あるいは負荷試験用のクラスタを用意したりとさまざまなケースがあります。このように複数のクラスタを扱う場合、同じアプリケーションを多くのクラスタにデプロイする場面が発生します[*1]。

Kubernetes では1つのアプリケーションやミドルウェアを、Deployment や Service といった複数種のリソースを組み合わせることによってデプロイします。

アプリケーションの規模が大きくなると、扱うマニフェストファイルの量も増えるため管理・運用が複雑になります。そのため、Kubernetes アプリケーションのマニフェストファイルを共通化し、パッケージングによって再配布しやすくする仕組みが必要不可欠です。

本章では Kubernetes リソースの構成管理やパッケージングを補助するためのツールである Kustomize と Helm について解説します。

それぞれ特徴がありますが、筆者は次のように使い分けています。

Kustomize は、開発環境や本番環境など複数の環境にデプロイする際、必要最小限のマニフェストファイルの管理をするために利用しています。

Helm は、Kustomize より細かいマニフェストファイルの制御が必要な場合に利用します。また、Kubernetes アプリケーションを他のプロジェクトで再利用したり、OSS で公開する用途でも有用です。

実際にこれらのツールを使ったデプロイまでを体験します。

8.1 Kustomize

Kustomize[*2] は Kubernetes のマニフェスト管理ツールであり、マニフェストの構成管理を実現します。Kustomize の基本であるマニフェスト構築機能は、kubectl にも組み込まれています。

Kustomize はシンプルな構成管理ツールで、基本的な概念は**図 8.1**のようになっています。base のマニフェストに対して変更したい箇所を定義したパッチのマニフェストを用意し、マージされたマニフェストを出力します[*3]。

＊1　1つのクラスタで Namespace を分ける手法もあります。

＊2　https://kustomize.io/

＊3　Kustomize のオーバーレイ機能と呼ばれています。

図8.1 Kustomizeの概念

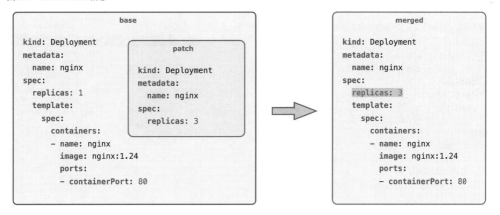

Kustomizeは他にも有用な特徴を備えています。

- 複数のマニフェストファイルを取りまとめ、1つのマニフェストファイルとしてマージできる
- ラベル等の共通部分を設定でき、マニフェストファイルの冗長性を低減する
- オーバーレイでの再利用性により、複数環境の構成管理がしやすい
- Secretの生成機能

Kustomizeはasdfを使ってリスト8.1のようにインストールできます[*4]。kubectl内にもKustomizeが組み込まれていますが、本書ではkubectlに組み込まれているKustomizeではできない機能も使うため、単独でKustomizeをインストールします。

リスト8.1　asdfでのKustomizeのインストール

```
$ asdf plugin add kustomize
$ asdf install kustomize 5.3.0
$ asdf global kustomize 5.3.0
```

8.1.1　基本的な使い方

まずは簡単なechoアプリケーションを題材に、Kustomizeの基本的な機能を体験してみましょう。次のような作業ディレクトリを作成して進めていきます。

```
$ mkdir -p ~/k8s/kustomize/echo/base/
```

素材となるDeployment・Service・Ingressのマニフェストを用意します。リスト8.2、リスト8.3、

[*4] その他のインストール方法はhttps://kubectl.docs.kubernetes.io/installation/kustomize/を参照してください。

8. Kubernetes アプリケーションのパッケージング

リスト 8.4 の3つのファイルを作成します。

リスト 8.2　echoアプリケーションの Deploymentマニフェストファイル

`~/k8s/kustomize/echo/base/deployment.yaml`

```yaml
apiVersion: apps/v1
kind: Deployment
metadata:
  name: echo
  labels:
    app.kubernetes.io/name: echo
spec:
  replicas: 1
  selector:
    matchLabels:
      app.kubernetes.io/name: echo
  template:
    metadata:
      labels:
        app.kubernetes.io/name: echo
    spec:
      containers:
      - name: nginx
        image: ghcr.io/gihyodocker/simple-nginx-proxy:v0.1.0
        env:
        - name: NGINX_PORT
          value: "80"
        - name: SERVER_NAME
          value: "localhost"
        - name: BACKEND_HOST
          value: "localhost:8080"
        - name: BACKEND_MAX_FAILS
          value: "3"
        - name: BACKEND_FAIL_TIMEOUT
          value: "10s"
        ports:
        - name: http
          containerPort: 80
      - name: echo
        image: ghcr.io/gihyodocker/echo:v0.1.0
```

リスト 8.3　echoアプリケーションの Serviceマニフェストファイル

`~/k8s/kustomize/echo/base/service.yaml`

```yaml
apiVersion: v1
kind: Service
metadata:
  name: echo
  labels:
    app.kubernetes.io/name: echo
spec:
  selector:
    app.kubernetes.io/name: echo
  ports:
    - name: echo
      port: 80
```

294

```
      targetPort: http
      protocol: TCP
```

リスト 8.4　echoアプリケーションのIngressマニフェストファイル

`~/k8s/kustomize/echo/base/ingress.yaml`

```
apiVersion: networking.k8s.io/v1
kind: Ingress
metadata:
  name: echo
  labels:
    app.kubernetes.io/name: echo
spec:
  ingressClassName: nginx
  rules:
  - host: echo.gihyo.local
    http:
      paths:
      - pathType: Prefix
        path: /
        backend:
          service:
            name: echo
            port:
              number: 80
```

　本章からはアプリケーションを特定するラベルに app.kubernetes.io/nameを使用します。この
形式についてはコラム「Kubernetes の推奨ラベル」で紹介しますが、ここでは深く考える必要は
ありません。
　Kustomize では kustomization.yamlという設定ファイルでこれらのマニフェストを構成管理し
ていきます。ここからは実際に kustomization.yamlを作成して、Kustomize の機能を体験してい
きましょう。

マニフェストをまとめる

　まずはマニフェストファイルをまとめるための kustomization.yamlを作成します。マニフェス
トファイルの結合はKustomizeの最も基本的な機能です。
　kustomization.yamlのひな型は kustomize createコマンドで作成できます。オプションをつけ
なければなんの設定もないファイルが作成されます。**リスト 8.5** のように --autodetectオプショ
ンをつけて実行すると、カレントディレクトリ内にあるマニフェストファイルをまとめるための
kustomization.yamlを作成できます。

リスト 8.5　マニフェストファイルをまとめるkustomization.yamlの作成

```
(~/k8s/kustomize/echo/base) $ kustomize create --autodetect
```

　作業ディレクトリに kustomization.yamlというファイル名で**リスト 8.6** のような設定ファイルを

8. Kubernetes アプリケーションのパッケージング

作成します。

リスト 8.6　kustomize create --autodetectで生成される kustomization.yaml

`~/k8s/kustomize/echo/base/kustomization.yaml`

```
apiVersion: kustomize.config.k8s.io/v1beta1
kind: Kustomization
resources: # カレントディレクトリからのマニフェストの相対パスを列挙
- deployment.yaml
- ingress.yaml
- service.yaml
```

　.resourcesには構成管理の対象とするマニフェストファイルがカレントディレクトリからの相対パスで列挙されます。

　Kustomizeによってまとめたマニフェストを出力するには、 `kustomize build [kustomization.yamlが存在するディレクトリ]` のコマンドを実行します。

　リスト8.7のコマンドでマニフェストを生成します[*5]。マニフェストはファイルではなく、標準出力に出されます。

リスト 8.7　Kustomizeで出力された完成形のマニフェスト

```
(~/k8s/kustomize/echo/base) $ kustomize build .
apiVersion: v1
kind: Service
metadata:
  labels:
    app.kubernetes.io/name: echo
  name: echo
spec:
  ports:
  - name: http
    port: 80
  selector:
    app.kubernetes.io/name: echo
---
apiVersion: apps/v1
kind: Deployment
metadata:
  labels:
    app.kubernetes.io/name: echo
  name: echo
spec:
  replicas: 1
  selector:
    matchLabels:
      app.kubernetes.io/name: echo
  template:
    metadata:
      labels:
```

─────────────────────

＊5　kubectl組み込みのKustomizeでは、 `kubectl kustomize build [kustomization.yamlが存在するディレクトリ]` で実行できます。

296

```
          app.kubernetes.io/name: echo
    spec:
      containers:
      - env:
        - name: NGINX_PORT
          value: "80"
        - name: SERVER_NAME
          value: localhost
        - name: BACKEND_HOST
          value: localhost:8080
        - name: BACKEND_MAX_FAILS
          value: "3"
        - name: BACKEND_FAIL_TIMEOUT
          value: 10s
        image: ghcr.io/gihyodocker/simple-nginx-proxy:v0.1.0
        name: nginx
        ports:
        - name: http
          containerPort: 80
      - image: ghcr.io/gihyodocker/echo:v0.1.0
        name: echo
---
apiVersion: networking.k8s.io/v1
kind: Ingress
metadata:
  labels:
    app.kubernetes.io/name: echo
  name: echo
spec:
  ingressClassName: nginx
  rules:
  - host: echo.gihyo.local
    http:
      paths:
      - backend:
          service:
            name: echo
            port:
              number: 80
        path: /
        pathType: Prefix
```

　これにより、複数のマニフェストを1つの手順でまとめることができます。実際にこのマニフェストを使ってデプロイしてみましょう。kustomize build コマンドはマニフェストを標準出力するので、**リスト8.8**のようにこれをパイプして kubectl apply します。

リスト8.8　Kustomizeでまとめたマニフェストを apply

```
(~/k8s/kustomize/echo/base) $ kustomize build . | kubectl apply -f -
service/echo created
deployment.apps/echo created
ingress.networking.k8s.io/echo created
```

8. Kubernetes アプリケーションのパッケージング

削除する場合は、**リスト8.9**のように`kubectl delete`にパイプするだけです。

リスト8.9　Kustomizeでまとめたマニフェストをapply

```
(~/k8s/kustomize/echo/base) $ kustomize build . | kubectl delete -f -
service "echo" deleted
deployment.apps "echo" deleted
ingress.networking.k8s.io/echo deleted
```

共通部分の設定

Kubernetesでさまざまなマニフェストを作成していると、ラベル（`.metadata.labels`）のようにどのマニフェストにも出現するメタデータがいくつかあることに気づきます。Kustomizeではこのような共通部分の管理も簡単に行うことができます。

echoアプリケーションのマニフェストでは、`app.kubernetes.io/name: echo`というラベルをマニフェストの各所に付与していました。これをそれぞれコメントアウトします。

リスト8.10　ラベルをコメントアウトしたDeploymentのマニフェストファイル

`~/k8s/kustomize/echo/base/deployment.yaml`

```yaml
apiVersion: apps/v1
kind: Deployment
metadata:
  name: echo
  # labels:
    # app.kubernetes.io/name: echo
spec:
  replicas: 1
  # selector:
    # matchLabels:
      # app.kubernetes.io/name: echo
  template:
    metadata:
      # labels:
        # app.kubernetes.io/name: echo
    spec:
      containers:
      - name: nginx
        image: ghcr.io/gihyodocker/simple-nginx-proxy:v0.1.0
        env:
        - name: NGINX_PORT
          value: "80"
        - name: SERVER_NAME
          value: "localhost"
        - name: BACKEND_HOST
          value: "localhost:8080"
        - name: BACKEND_MAX_FAILS
          value: "3"
        - name: BACKEND_FAIL_TIMEOUT
          value: "10s"
        ports:
        - name: http
          containerPort: 80
      - name: echo
```

```
            image: ghcr.io/gihyodocker/echo:v0.1.0
```

リスト 8.11　ラベルをコメントアウトした Service のマニフェストファイル

`~/k8s/kustomize/echo/base/service.yaml`

```
apiVersion: v1
kind: Service
metadata:
  name: echo
  #labels:
    #app.kubernetes.io/name: echo
spec:
  #selector:
    #app.kubernetes.io/name: echo
  ports:
    - name: echo
      port: 80
      targetPort: http
      protocol: TCP
```

リスト 8.12　ラベルをコメントアウトした Ingress のマニフェストファイル

`~/k8s/kustomize/echo/base/ingress.yaml`

```
apiVersion: networking.k8s.io/v1
kind: Ingress
metadata:
  name: echo
  #labels:
    #app.kubernetes.io/name: echo
spec:
  ingressClassName: nginx
  rules:
  - host: echo.gihyo.local
    http:
      paths:
      - pathType: Prefix
        path: /
        backend:
          service:
            name: echo
            port:
              number: 80
```

　次に、kustomization.yaml で各マニフェストに横断で付与するラベルを設定します。**リスト 8.13**
のコマンドで設定できます。kustomize edit コマンドを実行すると、対象の kustomization.yaml
が編集されます。

リスト 8.13　kustomize edit コマンドでラベルを設定する

```
(~/k8s/kustomize/echo/base) $ kustomize edit set label "app.kubernetes.io/name:echo"
```

8. Kubernetes アプリケーションのパッケージング

更新された kustomization.yaml には commonLabels が設定されています（**リスト 8.14**）[*6]。

リスト 8.14 commonLabels を設定した kustomization.yaml

`~/k8s/kustomize/echo/base/kustomization.yaml`

```
apiVersion: kustomize.config.k8s.io/v1beta1
kind: Kustomization
resources:
- deployment.yaml
- ingress.yaml
- service.yaml
commonLabels: # マニフェスト横断で付与するラベル
  app.kubernetes.io/name: echo
```

この状態で kustomize build . を実行すると先程と同様の結果が得られ、 commonLabels の内容が反映されていることがわかります。 commonLabels は .metadata.labels だけではなく、Deployment の .spec.selector.matchLabels や、Service の .spec.selector といったラベルを利用する項目にも適用されます。

Kubernetes ではラベルの他にアノテーション（.metadata.annotation）を横断で付与するケースもあります。アノテーションの場合は commonAnnotations というキーを利用すると、 commonLabels と同様に横断的に付与できます[*7]。

> **コラム** 非推奨になった commonLabels
>
> Kustomize の 5.3.0 系で commonLabels を用いてマニフェストを出力すると、次のような警告が表示されます。
>
> ```
> (~/k8s/kustomize/echo/base) $ kustomize build .
> # Warning: 'commonLabels' is deprecated. Please use 'labels' instead. Run 'ku←
> stomize edit fix' to update your Kustomization automatically.
> ```
>
> commonLabels は非推奨であり、代わりに labels という属性で設定できます。
>
> ただ、 kustomize edit set label コマンドでは commonLabels が設定されます。これを新しい labels の仕様に変換するには、次のコマンドを実行します。
>
> ```
> (~/k8s/kustomize/echo/base) $ kustomize edit fix
> ```
>
> kustomization.yaml（**リスト 8.15**）は labels を使った新しい仕様に変換されています。

[*6]　apiVersion と kind は省略しても動作します。

[*7]　kustomize edit set annotation コマンドで設定できます。

300

リスト 8.15　**labels**を使った設定

```
apiVersion: kustomize.config.k8s.io/v1beta1
kind: Kustomization
resources:
- deployment.yaml
- ingress.yaml
- service.yaml
labels:
- includeSelectors: true
  pairs:
    app.kubernetes.io/name: echo
```

　本書では以後も commonLabels を利用していますが、将来的に削除される可能性があることを注意しておいてください。

8.1.2　再利用と部分的なオーバーレイ

　ここでは Kustomize を使ったマニフェストを再利用し、複数環境にデプロイできるようなマニフェストを作成するにはどうするかを見ていきましょう。

　今回は dev という環境があると想定して、この環境に適したマニフェストの構成管理をしていきます。まず、kustomization.yaml を配置するために次のディレクトリを作成します。Kustomize では、設定ファイルの配置に overlays/[環境] というパスでディレクトリを作る運用が一般的です。ここではデプロイするアプリケーション名の echo 以下に作成しました。

```
$ mkdir -p ~/k8s/kustomize/echo/overlays/dev
```

　このとき、ディレクトリ構造は**リスト 8.16**のようになります。

リスト 8.16　**~/k8s/kustomize/echo**のディレクトリ構造

```
.
├── overlays
│   └── dev
└── base
    ├── deployment.yaml
    ├── ingress.yaml
    ├── kustomization.yaml
    └── service.yaml
```

　複数環境にデプロイするということは、それぞれの環境で異なる設定が生じます。異なる設定の例として、データベースや API の接続先、Pod の数、ドメインといったものがあります。

　ここでは例として Deployment の Pod 数や環境変数を変更します。また、Ingress で設定しているドメインは dev-echo.gihyo.local に変えることとします。

8. Kubernetesアプリケーションのパッケージング

これまでKustomizeの基本機能の体験で作成したファイルはbaseディレクトリに配置していました。勘の鋭い読者は気づいたかもしれませんが、baseディレクトリに配置していたマニフェストを再利用し、それぞれの環境で必要に応じて設定をオーバーレイします。

devのディレクトリで**リスト8.17**のように kustomization.yaml を作成します。--resources オプションで base ディレクトリのマニフェストを使える設定をしています。

リスト8.17　devのkustomization.yamlを作成

```
$ cd ~/k8s/kustomize/echo/overlays/dev/
(~/k8s/kustomize/echo/overlays/dev) $ kustomize create --resources ../../base
```

Deploymentへのパッチファイルの作成

base ディレクトリのマニフェストをオーバーレイするためのパッチファイルを用意します。最初に Deployment のパッチファイルを作成してみましょう。

Kustomize には、マニフェストファイルをそのままパッチファイルとして扱い、Kubernetes に最適な形でマージしてくれる Strategic Merge Patch という仕組みがあります。

Strategic Merge Patch はマッチする属性（キー）をもとに、パッチを当てる機能です。

Strategic Merge Patch の具体例を見てみましょう。overlays/dev のディレクトリに patch-deployment.yaml という**リスト8.18**のようなパッチファイルを作成します。

リスト8.18　Deploymentの一部を変更するパッチファイル

`~/k8s/kustomize/echo/overlays/dev/patch-deployment.yaml`

```
apiVersion: apps/v1
kind: Deployment
metadata:
  name: echo
spec:
  replicas: 2 # オーバーレイしたい値
  template:
    spec:
      containers:
      - name: nginx
        env:
        - name: BACKEND_MAX_FAILS
          value: "5" # オーバーレイしたい値
```

この方式だと、オーバーレイしたい部分だけの記述だけで済みます。この例では .spec.replicas と環境変数 BACKEND_MAX_FAILS の値を違う値に変更しています。

Ingressへのパッチファイルの作成

続いて Ingress 用のパッチファイルを作成します。Deployment 同様 Strategic Merge Patch を使いたいところですが、今回のケースではそれが難しいです。

Kustomize で Ingress を変更するときは、主にホスト（.spec.rules[0].host）を更新したくな

るはずですが、Strategic Merge Patch方式では実現が難しいです。Strategic Merge Patch方式では、この部分を更新箇所を特定するキーとして扱うため、パッチファイルでこの値を変えてしまうとオーバーレイできません。

リスト8.19　Strategic Merge Patch方式がそぐわないマニフェストの例

```
# ...
spec:
  ingressClassName: nginx
  rules:
  - host: echo.gihyo.local # ←
ここをオーバーレイしたいが、更新箇所を特定する値として使われる
    http:
# ...
```

Deploymentの例においては`.spec.replicas`や`.spec.template.spec.containers[0].name`の値は特定できるためStrategic Merge Patchが有効でした。

このようなケースを解決するために、KustomizeではJSON Patch方式でのパッチにも対応しています。

JSON Patch方式はJSONに変換可能なYAMLファイルでパッチを書くことができます。Strategic Merge Patchと比べると記述量は増える傾向がありますが、Strategic Merge Patchではできないパッチの当て方も可能です。

JSON Patch方式の詳細な仕様[8]は解説しませんが、実際に例を見てもらえばすぐに勘所は理解できます。`~/k8s/kustomize/echo/overlays/dev/patch-ingress.yaml`というファイル名を**リスト8.20**のように作成します。

リスト8.20　Ingressの一部を変更するパッチファイル

`~/k8s/kustomize/echo/overlays/dev/patch-ingress.yaml`

```
- op: replace # ① 挙動
  path: "/spec/rules/0/host" # ② 対象の箇所
  value: "dev-echo.gihyo.local" # ③ 置き換える値
```

①の`op`には`replace`で値をオーバーレイする指示を与えています。Kustomizeの運用では他に`add`（追加）や`remove`（削除）を使用することが多いです。

②はオーバーレイ対象の項目のパスを指定しています。これにより`base`の`echo.gihyo.local`の値をオーバーレイ対象にできます。③は置き換える値です。

リスト8.21のコマンドで`kustomization.yaml`にパッチファイルを追加します。Strategic Merge Patch方式であるDeploymentは`--path`オプションでパッチファイルを指定するだけで十分です。JSON Patch方式であるIngressはパッチファイルだけで与えられる情報が少ないため、`--kind`と`--name`オプションで対象のリソースを特定できるようにしています。

＊8　詳細な仕様はhttps://datatracker.ietf.org/doc/html/rfc6902を参照してください。

8. Kubernetes アプリケーションのパッケージング

リスト 8.21　パッチファイルを kustomization.yaml に追加

```
(~/k8s/kustomize/echo/overlays/dev) $ kustomize edit add patch --path patch-deployme←
nt.yaml
(~/k8s/kustomize/echo/overlays/dev) $ kustomize edit add patch --kind Ingress --path←
 patch-ingress.yaml --name echo
```

dev の kustomization.yaml は**リスト 8.22** のようになっています。

リスト 8.22　パッチファイルが追加された kustomization.yaml

~/k8s/kustomize/echo/overlays/dev/kustomization.yaml

```
apiVersion: kustomize.config.k8s.io/v1beta1
kind: Kustomization
resources:
- ../base
patches:
- path: patch-deployment.yaml
- path: patch-ingress.yaml
  target:
    kind: Ingress
    name: echo
```

　これで dev 用マニフェストの準備が完了したので、**リスト 8.23** のコマンドでマニフェストを出力します。パッチファイルで意図した箇所がオーバーレイされていることがわかります。

リスト 8.23　dev の完成形マニフェスト

```
(~/k8s/kustomize/echo/overlays/dev) $ kustomize build .
# Serviceは省略...
---
apiVersion: apps/v1
kind: Deployment
metadata:
  labels:
    app.kubernetes.io/name: echo
  name: echo
spec:
  replicas: 2 # dev用の値でオーバーレイされた
  selector:
    matchLabels:
      app.kubernetes.io/name: echo
  template:
    metadata:
      labels:
        app.kubernetes.io/name: echo
    spec:
      containers:
      - env:
        - name: BACKEND_MAX_FAILS
          value: "5" # dev用の値でオーバーレイされた
        - name: NGINX_PORT
          value: "80"
        - name: SERVER_NAME
```

```
              value: "localhost"
          - name: BACKEND_HOST
            value: "localhost:8080"
          - name: BACKEND_FAIL_TIMEOUT
            value: "10s"
        image: ghcr.io/gihyodocker/simple-nginx-proxy:v0.1.0
        name: nginx
        ports:
        - name: http
          containerPort: 80
      - image: ghcr.io/gihyodocker/echo:v0.1.0
        name: echo

---
apiVersion: networking.k8s.io/v1
kind: Ingress
metadata:
  labels:
    app.kubernetes.io/name: echo
  name: echo
spec:
  ingressClassName: nginx
  rules:
  - host: dev-echo.gihyo.local # dev用の値でされた
    http:
      paths:
      - backend:
          service:
            name: echo
            port:
              number: 80
        path: /
        pathType: Prefix
```

　このようにKustomizeはベースとなるマニフェストを再利用して、それぞれの環境に適応させることができます。この仕組みによってマニフェストの冗長性も軽減され、効率的な構成管理が可能です。

　マニフェストのVCSでのバージョン管理という観点では`kustomize build`コマンドで出力した完成形のマニフェストを管理するのではなく、`base`や`overlays/dev`といったディレクトリをそのままリポジトリで管理します[9]。

8.1.3　KustomizeにおけるSecretの扱い

　6.2.2において、`kubectl create secret`コマンドを使ったSecretの扱い方を解説しました。ここではKustomizeでSecretを扱ってみましょう。

　作業ディレクトリとして`~/k8s/kustomize/mysql`を作成し、その中で進めていきます。

＊9　これはGitOpsという手法です。11.1.3で詳しく解説します。

8. Kubernetesアプリケーションのパッケージング

```
$ mkdir -p ~/k8s/kustomize/mysql
```

タスクアプリのMySQL（StatefulSet）を題材にパスワードをSecretで管理し、動作するまでを解説します。Kustomizeでは、あらかじめ作成したSecretのマニフェストを管理対象にするのではなく、マニフェストの完成形を出力するタイミングでSecretのマニフェストを生成します。Secretのマニフェストをバージョン管理の対象外にできます。

statefulset.yamlというファイル名で**リスト 8.24**のマニフェストファイルを作成します。ラベルはkustomization.yamlで付与するため、このファイルでは設定しません。

リスト 8.24　MySQLのStatefulSetマニフェストファイル

~/k8s/kustomize/mysql/statefulset.yaml

```yaml
apiVersion: apps/v1
kind: StatefulSet
metadata:
  name: mysql
spec:
  serviceName: "mysql"
  replicas: 1
  template:
    spec:
      terminationGracePeriodSeconds: 10
      containers:
        - name: mysql
          image: ghcr.io/gihyodocker/taskapp-mysql:v1.0.0
          env:
            - name: MYSQL_ROOT_PASSWORD_FILE
              value: /var/run/secrets/mysql/root_password
            - name: MYSQL_DATABASE
              value: taskapp
            - name: MYSQL_USER
              value: taskapp_user
            - name: MYSQL_PASSWORD_FILE
              value: /var/run/secrets/mysql/user_password
          ports:
            - containerPort: 3306
              name: mysql
          volumeMounts:
            - name: mysql-persistent-storage
              mountPath: /var/lib/mysql
            - name: mysql-secret
              mountPath: "/var/run/secrets/mysql"
              readOnly: true
      volumes:
        - name: mysql-secret
          secret:
            secretName: mysql
  volumeClaimTemplates:
    - metadata:
        name: mysql-persistent-storage
      spec:
        accessModes: [ "ReadWriteOnce" ]
```

306

```
      resources:
        requests:
          storage: 1Gi
```

ここで、`kustomization.yaml`を次のコマンドで作成しておきます。

リスト 8.25　マニフェストファイルをまとめる kustomization.yaml の作成

```
(~/k8s/kustomize/mysql) $ kustomize create --autodetect
```

作成された `kustomization.yaml` は**リスト 8.26** のようになります。

リスト 8.26　kustomize create --autodetect で生成される kustomization.yaml

`~/k8s/kustomize/mysql/kustomization.yaml`
```
apiVersion: kustomize.config.k8s.io/v1beta1
kind: Kustomization
resources:
- statefulset.yaml
```

secretGenerator

6.2.2 でも解説した通り、Kubernetes の Secret に登録されている値は Base64 でエンコードした値に過ぎません。手動で Secret のマニフェストファイルを作成すると、そのファイルをバージョン管理の対象外にする手間も発生します。

そこで Kustomize には Secret を生成する secretGenerator という仕組みが用意されています。MySQL のパスワードを題材に、実際に行っていきましょう。

まず、`MYSQL_ROOT_PASSWORD` と `MYSQL_PASSWORD` に設定したいパスワードファイルを次のように作成します[*10]。

```
(~/k8s/kustomize/mysql) $ echo -n "your-root-passsword" > mysql_root_password
(~/k8s/kustomize/mysql) $ echo -n "your-user-passsword" > mysql_user_password
```

`kustomize edit add secret [Secret名]` コマンドで secretGenerator を設定します。作成したパスワードファイルを使い、root とユーザのパスワードを追加します（**リスト 8.27**）。

リスト 8.27　secretGenerator の設定を追加するコマンド

```
(~/k8s/kustomize/mysql) $ kustomize edit add secret mysql --from-file=root_passwor↩
d=./mysql_root_password
(~/k8s/kustomize/mysql) $ kustomize edit add secret mysql --from-file=user_passwor↩
d=./mysql_user_password
```

次にラベルを設定します。

＊10　Secret の確認用のため、強度のないパスワードを記述しています。

8. Kubernetes アプリケーションのパッケージング

```
(~/k8s/kustomize/mysql) $ kustomize edit set label "app.kubernetes.io/component:mysq←
l"
```

完成形のマニフェストを出力する

MySQL には Service も必要なため、マニフェストファイルとして service.yaml（**リスト 8.28**）を
作成します。

リスト 8.28　MySQLの Serviceマニフェストファイル

`~/k8s/kustomize/mysql/service.yaml`
```
apiVersion: v1
kind: Service
metadata:
  name: mysql
spec:
  ports:
    - protocol: TCP
      port: 3306
      targetPort: 3306
  clusterIP: None
```

service.yaml を Kustomize の管理対象にします。

```
(~/k8s/kustomize/mysql) $ kustomize edit add resource service.yaml
```

kustomization.yaml は**リスト 8.29**のようになっています。

リスト 8.29　完成形の kustomization.yaml

`~/k8s/kustomize/mysql/kustomization.yaml`
```
apiVersion: kustomize.config.k8s.io/v1beta1
kind: Kustomization
resources:
- statefulset.yaml
- service.yaml
secretGenerator:
- files:
  - root_password=./mysql_root_password
  - user_password=./mysql_user_password
  name: mysql
  type: Opaque
commonLabels:
  app.kubernetes.io/component: mysql
```

リスト 8.30 のコマンドでマニフェストを出力します。Secret のマニフェストが生成されている
ことがわかります。

リスト 8.30　Secretを含む完成形マニフェスト

```
(~/k8s/kustomize/mysql) kustomize build .
apiVersion: v1
data:
  root_password: cm9vdF9wYXNzd29yZAo=
  user_password: aG9nZWhvZ2U3U3Cg==
kind: Secret
metadata:
  labels:
    app.kubernetes.io/component: mysql
  name: mysql-2dmc629c5m   # ① secretGeneratorによって作成されたSecret名
type: Opaque
---
apiVersion: v1
kind: Service
metadata:
  labels:
    app.kubernetes.io/component: mysql
  name: mysql
spec:
  clusterIP: None
  ports:
  - port: 3306
    protocol: TCP
    targetPort: 3306
  selector:
    app.kubernetes.io/component: mysql
---
apiVersion: apps/v1
kind: StatefulSet
metadata:
  labels:
    app.kubernetes.io/component: mysql
  name: mysql
spec:
  replicas: 1
  selector:
    matchLabels:
      app.kubernetes.io/component: mysql
  serviceName: mysql
  template:
    metadata:
      labels:
        app.kubernetes.io/component: mysql
    spec:
      containers:
      - env:
        - name: MYSQL_ROOT_PASSWORD_FILE
          value: /var/run/secrets/mysql/root_password
        - name: MYSQL_DATABASE
          value: taskapp
        - name: MYSQL_USER
          value: taskapp_user
        - name: MYSQL_PASSWORD_FILE
          value: /var/run/secrets/mysql/user_password
        image: ghcr.io/gihyodocker/taskapp-mysql:v1.0.0
```

8. Kubernetes アプリケーションのパッケージング

```
      name: mysql
      ports:
      - containerPort: 3306
        name: mysql
      volumeMounts:
      - mountPath: /var/lib/mysql
        name: mysql-persistent-storage
      - mountPath: /var/run/secrets/mysql
        name: mysql-secret
        readOnly: true
    terminationGracePeriodSeconds: 10
    volumes:
    - name: mysql-secret
      secret:
        secretName: mysql-2dmc629c5m # ② ①のSecretを参照
  volumeClaimTemplates:
  - metadata:
      labels:
        app.kubernetes.io/component: mysql
      name: mysql-persistent-storage
    spec:
      accessModes:
      - ReadWriteOnce
      resources:
        requests:
          storage: 1Gi
```

①の `.metadata.name` はサフィックスに英数字が付与されていますが、これは secretGenerator によるものです。Secret の内容によって変化します。②は①の Secret 名を参照します。

Kustomize の secretGenerator を使うと、Secret のマニフェストファイルを直接扱うことを回避できるので、比較的安全にクレデンシャルを運用できます。

これで MySQL を Kustomize で構築できますが、他のコンポーネントも同じ要領でマニフェストを構成していけば構築できます。タスクアプリのリポジトリには Kustomize のマニフェストを用意してあるので、どのように構成されているか確認してみてください。完成形のマニフェストは次のコマンドで出力できます。

```
(~/go/src/github.com/gihyodocker/taskapp/k8s/kustomize/base) $ kustomize build .
```

8.1.4　ネットワーク経由でマニフェストを生成する

5.10.1 において、GitHub 上に公開されている Ingress NGINX Controller のマニフェストを kubectl apply -f コマンドでデプロイしました。マニフェストファイルのように、特定のリソースのための kustomization.yaml が公開されていることがあります。これを取得すれば、すぐにデプロイができます。

Ingress NGINX Controller の kustomization.yaml は**リスト 8.3l** のように deploy.yaml だけで管理

するシンプルな内容になっています。

リスト 8.31　Ingress NGINX Controllerの kustomization.yaml

```
$ curl https://raw.githubusercontent.com/kubernetes/ingress-nginx/controller-v1.8.1/↩
deploy/static/provider/cloud/kustomization.yaml
resources:
  - deploy.yaml
```

　kustomization.yaml では GitHub 上のファイルは git@github.com:[ユーザー]/[リポジトリ名].
git/[kustomization.yaml が存在するディレクトリ]/?ref=[タグ名] という形式で参照できます。
Ingress NGINX Controller であれば、 git@github.com:kubernetes/ingress-nginx.git/deploy/st
atic/provider/cloud/?ref=controller-v1.8.1で参照できます。

リスト 8.32　ingress-nginxを管理対象として追加した kustomization.yamlを作成

```
$ mkdir -p ~/k8s/kustomize/ingress-nginx

(~/k8s/kustomize/ingress-nginx) $ kustomize create --resources git@github.com:kubern↩
etes/ingress-nginx.git/deploy/static/provider/cloud/?ref=controller-v1.8.1
```

　生成された kustomization.yaml は**リスト 8.33** のようになります。

リスト 8.33　ingress-nginxを利用する kustomization.yaml

`~/k8s/kustomize/ingress-nginx/kustomization.yaml`

```
apiVersion: kustomize.config.k8s.io/v1beta1
kind: Kustomization
resources:
- git@github.com:kubernetes/ingress-nginx.git/deploy/static/provider/cloud/?ref=cont↩
roller-v1.8.1
```

　リスト 8.34 のコマンドでマニフェストを出力します[11]。

リスト 8.34　ingress-nginxの完成形のマニフェスト

```
(~/k8s/kustomize/ingress-nginx) $ kustomize build .
apiVersion: v1
kind: Namespace
metadata:
  labels:
    app.kubernetes.io/instance: ingress-nginx
    app.kubernetes.io/name: ingress-nginx
  name: ingress-nginx
---
apiVersion: v1
automountServiceAccountToken: true
kind: ServiceAccount
```

＊11　ネットワーク経由のため、マニフェストの出力まで数秒を要します。

8. Kubernetes アプリケーションのパッケージング

```
metadata:
  labels:
    app.kubernetes.io/component: controller
    app.kubernetes.io/instance: ingress-nginx
    app.kubernetes.io/name: ingress-nginx
## 以下省略...
```

このようにネットワーク経由でKustomizeを使ったマニフェストの生成ができます。自らが作成したKubernetesのアプリケーションを、Kustomizeを使って配布し、ユーザが独自にカスタマイズできるため、再利用性にも富んでいます。

Kustomizeは非常にシンプルな構成管理ツールであるため、すぐに手に馴染むはずです。本節では基本の解説にとどまりましたが、その他の機能の詳細を確認したい場合は公式ドキュメント[*12]をご覧ください。

8.2 Helm

Helm[*13]はCNCFの管理下で管理されるKubernetes向けのパッケージングツールです。Helmの公式サイトでは次のように述べられています[*14]。

Helm is a tool for managing Charts. Charts are packages of pre-configured Kubernetes resources.

HelmはChartsを管理するためのツールです。Chartsは設定済みのKubernetesリソースのパッケージです。

Helmがパッケージ管理ツール、ChartがKubernetesリソースや設定をまとめたパッケージです。Helm、Chart、マニフェストファイルの関係を見てみましょう。

[*12] https://kubectl.docs.kubernetes.io/references/kustomize/

[*13] https://helm.sh/

[*14] https://github.com/helm/helm より引用。日本語訳は筆者による。

図 8.2　Helm や Chart の関係図

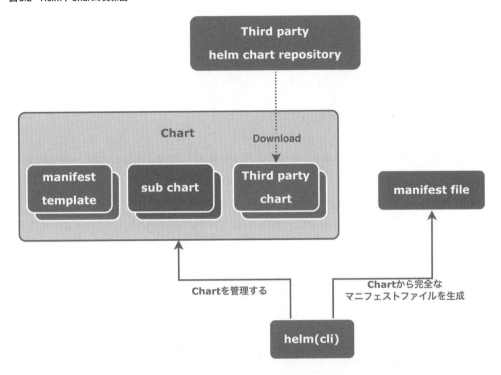

　Chart は複数のマニフェストファイルのテンプレートをまとめることができます。規模の大きいアプリケーションであれば、マニフェストのテンプレートも増えて管理も煩雑になるため、これをサブ Chart に分割して管理できます。

　また、Chart は別の Chart への依存を持たせることができます。サードパーティの Helm チャートリポジトリ[*15]から Chart をダウンロードして含めることができます。

　Helm で Chart を管理することで、煩雑になりがちなマニフェストファイルの管理をしやすくすることが大きな目的です。Helm があれば、上述の複数クラスタへのデプロイを簡潔に管理できます。このように Helm は強力なパッケージマネージャであり、Kubernetes アプリケーションの総合的な管理ツールとして使えます。

　実際の開発ではローカルや開発・本番環境のクラスタを問わず、複数環境にデプロイする用途のアプリケーションであれば Chart でパッケージングを行い、kubectl ではなく **Helm でデプロイやアップデートを完結できます**。kubectl はデプロイされたリソースの運用上の修正[*16]で引き続き利用します。

[*15]　Chart はリポジトリにバージョンをつけて管理でき、パッケージとして公開できます。
[*16]　一時的な labels の変更や追加等。

8. Kubernetes アプリケーションのパッケージング

実際にHelmを触りながら体験していきましょう。以後Helmのセットアップから、概念、実例を解説します。

作業ディレクトリとして ~/k8s/helm/ を作成し、その中で進めていきます。

```
$ mkdir -p ~/k8s/helm/
```

8.2.1　Helmのセットアップ

まずはHelmをインストールします。ここではasdfを用いて、**リスト 8.35**のようにHelm v3系[17]の最新をインストールします[18]。

リスト 8.35　asdfでのHelmのインストール

```
$ asdf plugin add helm
$ asdf install helm 3.13.3
$ asdf global helm 3.13.3
```

次のようにhelmコマンドを実行できれば利用準備は完了です。

```
$ helm version
version.BuildInfo{Version:"v3.13.3", GitCommit:"c8b948945e52abba22ff885446a1486cb5f↩
d3474", GitTreeState:"clean", GoVersion:"go1.20.11"}
```

8.2.2　Helm Chart とリポジトリ

まずはKubernetesアプリケーションのパッケージであるHelm Chartとそのリポジトリについて見ていきます。サードパーティのリポジトリに配置されているChartを利用可能にします。

Chart リポジトリ

HelmのChartリポジトリはHelm自身が公式で提供するリポジトリと、サードパーティのChartリポジトリが存在します。主な著名なリポジトリは次の通りです。

---

[17] Helm v2系まではコマンドラインツールとTillerというサーバアプリケーションのセットでHelmが構成されていましたが、Helm v3系からはコマンドラインツールだけで完結できるようになりました。

[18] https://github.com/helm/helm/releases からダウンロードしてインストールも可能です。

種類	内容
stable	Helm公式の安定版Chartを配置するリポジトリ。現在は開発が停止している。
incubator	Helm公式のstable以前のChartを配置するリポジトリ。現在は開発が停止している。
bitnami	Bitnami[19]が運用するサードパーティリポジトリ。stableよりも開発・メンテナンスが活発であり、公式を差し置いて代表的な地位にある。

　もともとHelmの公式リポジトリであるstableとincubatorが広く利用されていましたが、現在はBitnamiのリポジトリ[20]の方が活発かつ、品質の高いChartがそろっています。現状、Helmの公式ドキュメントのクイックスタートガイド[21]でstableのリポジトリを利用する例が記載されていますが、多くのChartがDEPRECATEDになっているため利用を避けた方が良いでしょう。

　本書ではBitnamiのリポジトリを利用し、サードパーティのChartからアプリケーションをデプロイしていきます。Helmのインストール直後はどのChartリポジトリも参照できないため、bitnamiのリポジトリを**リスト8.36**のコマンドで追加します。

リスト8.36　bitnamiのリポジトリを追加

```
$ helm repo add bitnami https://charts.bitnami.com/bitnami
"bitnami" has been added to your repositories
```

　参照できるChartリポジトリは**リスト8.37**のコマンドで確認できます。

リスト8.37　参照可能なChartリポジトリの一覧を表示

```
$ helm repo list
NAME    URL
bitnami https://charts.bitnami.com/bitnami
```

　参照可能なChartは`helm search repo [キーワード]`コマンドで検索できます。たとえば、Redis関連のChartを検索するには**リスト8.38**のようにキーワード検索をします。

リスト8.38　利用可能なChartを検索

```
$ helm search repo redis
helm search repo redis
NAME                  CHART VERSION  APP VERSION DESCRIPTION
bitnami/redis         17.15.2        7.0.12      Redis(R) is an open source, adva←
nced key-value ...
bitnami/redis-cluster 8.6.12         7.0.12      Redis(R) is an open source, scal←
able, distribut...
```

　また、ブラウザからもChartを検索できます。Artifact Hub[22]はCNCF配下で運営されているプ

＊19　BitnamiはVMware社が買収して運営されています。
＊20　https://github.com/bitnami/charts
＊21　https://helm.sh/ja/docs/intro/quickstart/
＊22　https://artifacthub.io/

ロジェクトで、Bitnami以外のリポジトリのChartも検索できます。活用できるChartがあるかを探してみると良いでしょう。

図 8.3 Artifact Hubのトップ画面

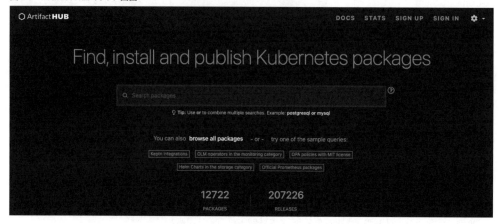

Chartの構成

次に、Chartがどのような構成で作られているかを見ていきましょう。**リスト8.39**のような構成になっています。

リスト 8.39 Chartの構成

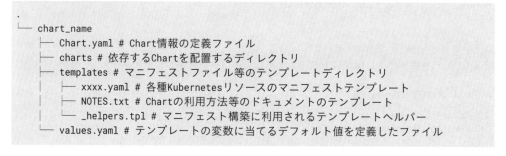

```
.
└── chart_name
    ├── Chart.yaml # Chart情報の定義ファイル
    ├── charts # 依存するChartを配置するディレクトリ
    ├── templates # マニフェストファイル等のテンプレートディレクトリ
    │   ├── xxxx.yaml # 各種Kubernetesリソースのマニフェストテンプレート
    │   ├── NOTES.txt # Chartの利用方法等のドキュメントのテンプレート
    │   └── _helpers.tpl # マニフェスト構築に利用されるテンプレートヘルパー
    └── values.yaml # テンプレートの変数に当てるデフォルト値を定義したファイル
```

Chartはアプリケーションの挙動を制御するためのデフォルトの設定を「デフォルトvaluesファイル」と言われる`values.yaml`で定義しています。インストールの際にこのデフォルトvaluesファイルの値を変更したい場合は、「カスタムvaluesファイル」を作成します。

8.2.3　Chartをインストールする

Helmを利用してローカルKubernetes環境へアプリケーションをインストールしてみましょう。例として、MySQLのChartである`bitnami/mysql`をインストールします。

Chartのインストールには`helm install`コマンドを利用します。このコマンドにはいくつかのオプションが必要となるので、オプションに設定する値の準備から始めます。

インストールするChartのバージョンを決める

まずは、インストールするMySQLのChartのバージョンを決めます。`helm search repo [Chartリポジトリ名]/[Chart名] -l`コマンドでChartのバージョン一覧を確認できます（**リスト8.40**）。この時点の最新バージョンである、9.12.5を利用することにしましょう。

リスト8.40　Chartのバージョン一覧を表示

```
$ helm search repo bitnami/mysql -l
NAME            CHART VERSION    APP VERSION DESCRIPTION
bitnami/mysql   9.12.5           8.0.34      MySQL is a fast, reliable, scalable, and←
 easy t...
bitnami/mysql   9.12.4           8.0.34      MySQL is a fast, reliable, scalable, and←
 easy t...
bitnami/mysql   9.12.3           8.0.34      MySQL is a fast, reliable, scalable, and←
 easy t...
```

カスタムvaluesファイルを作成する

Chartをインストールするとき、Chartに含まれるデフォルトvaluesファイルに定義された設定値にもとづいてインストールされます。しかし、デフォルトの設定値をそのまま利用することはあまりなく、カスタムvaluesファイルで上書きして利用することがほとんどです。

試しに、MySQLを利用するための認証情報に独自の値を設定してみましょう。Artifact Hubのbitnami/mysqlページにあるvaluesファイルのパラメータ仕様を見ながら進めます。

設定値の仕様に沿うようにカスタムvaluesファイルを作成します。作業ディレクトリに**リスト8.41**のように認証情報の設定を記述した`mysql.yaml`というファイルを作成します。カスタムvaluesファイルに定義するのはデフォルトを上書きしたい設定項目だけで十分です。

リスト8.41　MySQL構築用のカスタムvaluesファイル

```
                                                        ~/k8s/helm/mysql.yaml
auth:
  rootPassword: root_password
  database: ch08
  username: gihyo
  password: gihyo_password
```

helm installでChartをインストールする

Chartのインストールは**リスト8.42**のように`helm install`コマンドで行います。引数とオプションについて解説します。

8. Kubernetes アプリケーションのパッケージング

リスト 8.42　helm installコマンド

```
helm install [リリース名] [Chartリポジトリ名]/[Chart名] \
  --namespace [インストール先のNamespace] \
  --create-namespace \
  --version [Chartのバージョン] \
  --values [カスタムvaluesファイル]
```

　リリース名はHelmの概念であり、任意の名称をつけることができます。これはKubernetesの
Namespace内で一意です。リリース名はChartの更新や削除の際に必要です。

　--namespaceオプションはChartをインストールするKubernetesのNamespaceを指定します。
未指定の場合はdefaultのNamespaceが使われます。既存のNamespaceを汚さないために、専
用のNamespaceにインストールすることも多いです。対象のNamespaceが存在しない場合、
--create-namespaceオプションを付与すると、--namespaceで指定したNamespaceが作成され
ます。

　--versionオプションは任意ですが、明示的に特定のバージョンを指定することをおすすめしま
す。--valuesオプションにはカスタムvaluesファイルのパスを指定します。

　実際にbitnami/mysqlのChartを使ってMySQLをインストールします。**リスト8.43**のコマンド
を実行します。

リスト 8.43　MySQLのインストール

```
(~/k8s/helm) $ helm install mysql bitnami/mysql \
  --namespace helm-mysql \
  --create-namespace \
  --version 9.12.5 \
  --values mysql.yaml
```

　すると、**図8.4**のようにインストールされたChartの情報と、デプロイされているMySQLの利用
方法が表示されます。

Helm **8.2**

図8.4　helm installの結果

```
helm install mysql bitnami/mysql \
  --namespace helm-mysql \
  --create-namespace \
  --version 9.12.5 \
  --values mysql.yaml
NAME: mysql
LAST DEPLOYED: Thu Oct 19 22:47:43 2023
NAMESPACE: helm-mysql
STATUS: deployed
REVISION: 1
TEST SUITE: None
NOTES:
CHART NAME: mysql
CHART VERSION: 9.12.5
APP VERSION: 8.0.34

** Please be patient while the chart is being deployed **

Tip:

  Watch the deployment status using the command: kubectl get pods -w --namespace helm-mysql

Services:

  echo Primary: mysql.helm-mysql.svc.cluster.local:3306

Execute the following to get the administrator credentials:

  echo Username: root
  MYSQL_ROOT_PASSWORD=$(kubectl get secret --namespace helm-mysql mysql -o jsonpath="{.data.mysql-root-password}" | base64 -d)

To connect to your database:

  1. Run a pod that you can use as a client:

      kubectl run mysql-client --rm --tty -i --restart='Never' --image  docker.io/bitnami/mysql:8.0.34-debian-11-r75 --namespace helm-mysql --env MYSQL_ROOT_PASSWORD=$MYSQL_ROOT_PASSWORD --command -- bash

  2. To connect to primary service (read/write):

      mysql -h mysql.helm-mysql.svc.cluster.local -uroot -p"$MYSQL_ROOT_PASSWORD"
```

インストールされた Chart は**リスト 8.44** のように確認できます。

リスト 8.44　インストールされたリリースの一覧

```
$ helm ls --namespace helm-mysql
NAME       NAMESPACE     REVISION     UPDATED                            STATUS       ←
CHART               APP VERSION
mysql      helm-mysql    1            2023-10-19 22:47:43.466995 +0900 JST  deployed    ←
mysql-9.12.5        8.0.34
```

Helm でデプロイされた Kubernetes のリソースは、kubectl で**図 8.5** のように確認できます。helm install コマンドだけで、一括で MySQL の実行に必要な Kubernetes のリソースをデプロイできることを体験しました。

図8.5　bitnami/mysqlの Chartで作成された Kubernetesのリソース

```
kubectl -n helm-mysql get service,statefulset,pod,secret
NAME                      TYPE           CLUSTER-IP        EXTERNAL-IP     PORT(S)      AGE
service/mysql             ClusterIP      10.102.71.133     <none>          3306/TCP     22m
service/mysql-headless    ClusterIP      None              <none>          3306/TCP     22m

NAME                      READY      AGE
statefulset.apps/mysql    1/1        22m

NAME                READY     STATUS     RESTARTS     AGE
pod/mysql-0         1/1       Running    0            22m

NAME                                  TYPE                  DATA     AGE
secret/mysql                          Opaque                2        22m
secret/sh.helm.release.v1.mysql.v1    helm.sh/release.v1    1        22m
```

設定した認証情報で MySQL を利用できるかを確認します。**リスト 8.45** のようにデバッグ Pod を実行し、root ユーザのパスワードを入力します。MySQL の Service は helm-mysql の Namespace に

319

8. Kubernetes アプリケーションのパッケージング

あるので、 `mysql.helm-mysql.svc.cluster.local`[23]で名前解決して接続できます。

リスト 8.45　デバッグPodでMySQLに接続

```
$ kubectl run -i --rm --tty debug --image=ghcr.io/gihyodocker/debug:v0.1.0 --restar↩
t=Never -- bash
If you don't see a command prompt, try pressing enter.
root@debug:/#
root@debug:/# mysql -h mysql.helm-mysql.svc.cluster.local -uroot -p
Enter password:
Welcome to the MySQL monitor.  Commands end with ; or \g.
Your MySQL connection id is 429
Server version: 8.0.34 Source distribution

Copyright (c) 2000, 2023, Oracle and/or its affiliates.

Oracle is a registered trademark of Oracle Corporation and/or its
affiliates. Other names may be trademarks of their respective
owners.

Type 'help;' or '\h' for help. Type '\c' to clear the current input statement.

mysql> show databases;
+--------------------+
| Database           |
+--------------------+
| ch08               |
| information_schema |
| mysql              |
| performance_schema |
| sys                |
+--------------------+
5 rows in set (0.02 sec)

mysql>
```

　このように、カスタムvaluesファイルで上書きした設定情報が反映されていることがわかります。

　また、Helmでインストールされたリリースを更新するには`helm upgrade`を次のように実行します。Chartやカスタムvaluesファイルに変更があった場合に使用します。

```
(~/k8s/helm) $ helm upgrade mysql bitnami/mysql --version 9.12.5 -f mysql.yaml --nam↩
espace helm-mysql
```

　Chartをアンインストールするには次のようにリリース名を指定して削除します。

＊23　`.svc.cluster.local`は省略可能なため、`mysql.helm-mysql`でも名前解決できます。

```
$ helm delete mysql --namespace helm-mysql
release "mysql" uninstalled
```

8.2.4 独自のChartを作成する

　独自のChartを作成し、そのChartを使ってアプリケーションをインストールして利用できるようにします。Kubernetesで動作するアプリケーションのほとんどは、ServiceやIngress、Deploymentの複数のKubernetesリソースによって構成されます。Chartはその構成を抽象化してパッケージングして配布できるため、マニフェストファイルをコピーして複数の環境にデプロイするような運用と比べてメンテナンス性の向上も期待できます。
　まずは簡単なechoアプリケーションを題材に、Helm Chartを作成していきましょう。

Chartのひな型を作成する

　Chartを作成するにはまずChartのディレクトリ構成を構築する必要がありますが、Helmにはそのひな型を作る機能があります。
　`helm create [Chart名]`でChartのひな型ディレクトリを作成できます。**リスト8.46**のコマンドを実行します。

リスト8.46　echoというChart名のひな型を作成

```
(~/k8s/helm) $ helm create echo
Creating echo
```

　Chartのひな型は次のようなディレクトリ構成で作成されます。

リスト8.47　Chartのひな型のディレクトリ構成

```
.
└── echo
    ├── Chart.yaml
    ├── charts
    ├── templates
    │   ├── deployment.yaml
    │   ├── NOTES.txt
    │   ├── ingress.yaml
    │   ├── tests
    │   │   └── test-connection.yaml
    │   ├── service.yaml
    │   ├── hpa.yaml
    │   ├── serviceaccount.yaml
    │   └── _helpers.tpl
    └── values.yaml
```

　今回のechoアプリケーションではいくつか不要なテンプレートがあるので、まずこれを削除し

8. Kubernetes アプリケーションのパッケージング

ておいてください[24]。

```
(~/k8s/helm/echo/templates) $ rm -rf hpa.yaml serviceaccount.yaml tests
```

Deployment

ひな型として deployment.yaml が自動生成されていますが、初見でこれをどのように修正すべき
かスムーズにイメージできる人は少ないでしょう。まずはテンプレートファイルを意識せずに、作
るべき Deployment のマニフェストファイル**リスト 8.48** を考えてみましょう。8.1.1 で利用したマ
ニフェストと同等なため、マニフェスト自体の解説は割愛します。

リスト 8.48　echoの Deployment マニフェスト

```
apiVersion: apps/v1
kind: Deployment
metadata:
  name: echo
  labels:
    app.kubernetes.io/name: echo
spec:
  replicas: 1
  selector:
    matchLabels:
      app.kubernetes.io/name: echo
  template:
    metadata:
      labels:
        app.kubernetes.io/name: echo
    spec:
      containers:
      - name: nginx
        image: ghcr.io/gihyodocker/simple-nginx-proxy:v0.1.0
        env:
        - name: NGINX_PORT
          value: "80"
        - name: SERVER_NAME
          value: "localhost"
        - name: BACKEND_HOST
          value: "localhost:8080"
        - name: BACKEND_MAX_FAILS
          value: "3"
        - name: BACKEND_FAIL_TIMEOUT
          value: "10s"
        ports:
        - name: http
          containerPort: 80
      - name: echo
        image: ghcr.io/gihyodocker/echo:v0.1.0
```

---

[24]　hpa.yaml は HorizonalPodAutoscaler リソース（9.2.4で解説）、serviceaccount.yaml は ServiceAccount リソース、tests
ディレクトリは Chart の品質を確認するためのテストを格納しています。

Helm **8.2**

ひな型である`deployment.yaml`を echo アプリケーション向けに**リスト 8.49** のように修正します。多くの変数が埋め込まれて難しく感じるかもしれませんが、ひな型と構造が変わったのは`containers`配下だけです。

リスト 8.49　修正した Deploymentのテンプレートファイル

`~/k8s/helm/echo/templates/deployment.yaml`

```
apiVersion: apps/v1
kind: Deployment
metadata:
  name: {{ include "echo.fullname" . }}
  labels:
    {{- include "echo.labels" . | nindent 4 }}
spec:
  {{- if not .Values.autoscaling.enabled }}
  replicas: {{ .Values.replicaCount }}
  {{- end }}
  selector:
    matchLabels:
      {{- include "echo.selectorLabels" . | nindent 6 }}
  template:
    metadata:
      {{- with .Values.podAnnotations }}
      annotations:
        {{- toYaml . | nindent 8 }}
      {{- end }}
      labels:
        {{- include "echo.selectorLabels" . | nindent 8 }}
    spec:
      {{- with .Values.imagePullSecrets }}
      imagePullSecrets:
        {{- toYaml . | nindent 8 }}
      {{- end }}
      serviceAccountName: {{ include "echo.serviceAccountName" . }}
      securityContext:
        {{- toYaml .Values.podSecurityContext | nindent 8 }}
      containers:
        # ① nginxコンテナの設定
        - name: nginx
          # ①-1 コンテナイメージ
          image: "{{ .Values.nginx.image.repository }}:{{ .Values.nginx.image.tag ←
}}"
          # ①-2 環境変数
          env:
          - name: NGINX_PORT
            value: "{{ .Values.nginx.port }}"
          - name: SERVER_NAME
            value: "{{ .Values.nginx.serverName }}"
          - name: BACKEND_HOST
            value: "{{ .Values.nginx.backendHost }}"
          - name: BACKEND_MAX_FAILS
            value: "{{ .Values.nginx.maxFails }}"
          - name: BACKEND_FAIL_TIMEOUT
            value: "{{ .Values.nginx.failTimeout }}"
          ports:
```

323

8. Kubernetes アプリケーションのパッケージング

```
      # ①-3 コンテナポート
      - name: http
        containerPort: {{ .Values.nginx.port }}
    # ② echoコンテナの設定
    - name: echo
      # ②-1 echoコンテナイメージ
      image: "{{ .Values.echo.image.repository }}:{{ .Values.echo.image.tag }}"

  {{- with .Values.nodeSelector }}
  nodeSelector:
    {{- toYaml . | nindent 8 }}
  {{- end }}
  {{- with .Values.affinity }}
  affinity:
    {{- toYaml . | nindent 8 }}
  {{- end }}
  {{- with .Values.tolerations }}
  tolerations:
    {{- toYaml . | nindent 8 }}
  {{- end }}
```

①で nginx コンテナ、②で echo コンテナの設定をしており、それぞれコンテナイメージや環境変数に設定する値を変数化しています。

.Values で始まるこれらの変数に対応するデフォルト値として、 values.yaml を**リスト 8.50** のように編集します。 nginx と echo をそれぞれトップレベルに配置し、それぞれの設定をその配下にしています。

リスト 8.50　values.yamlの Deploymentに対応する部分

```                                              ~/k8s/helm/echo/values.yaml
nginx:
  image:
    repository: ghcr.io/gihyodocker/simple-nginx-proxy
    tag: v0.1.0
    pullPolicy: IfNotPresent

  port: 80
  serverName: localhost
  backendHost: localhost:8080
  maxFails: 3
  failTimeout: 10s

echo:
  image:
    repository: ghcr.io/gihyodocker/echo
    tag: v0.1.0
    pullPolicy: IfNotPresent
  port: 8080

# ...
```

ひな型は極力全ての項目を変数化していますが、このように過度に抽象化するとアプリケーショ

324

Helm **8.2**

ン側の調整にも労力がかかります。今回の nginx コンテナのように決まって 80 番ポートを EXPOSE
しているコンテナもあるので、外部に公開するような Chart でなければテンプレートに 80 を直接記
述してある程度妥協を図っていくと良いでしょう。また、次のようにテンプレートにデフォルト値
として設定しておくのも選択肢の一つです。

リスト 8.51　デフォルト値を設定したテンプレートファイル例

```
# ...
env:
- name: NGINX_PORT
  value: {{ .Values.nginx.port  | default "80" }}
# ...
ports:
  - name: http
    containerPort: {{ .Values.nginx.port | default "80" }}
```

Service

Service の完成形のマニフェストは**リスト 8.52**のようになります。

リスト 8.52　echo の Service マニフェスト

```
apiVersion: v1
kind: Service
metadata:
  name: echo
  labels:
    app.kubernetes.io/name: echo
spec:
  selector:
    app.kubernetes.io/name: echo
  ports:
    - name: echo
      port: 80
      targetPort: http
      protocol: TCP
```

Service のテンプレートは**リスト 8.53**のようになっています。**リスト 8.52**を実現するために必要
な修正はありません。

リスト 8.53　Service のテンプレートファイル

`~/k8s/helm/echo/templates/service.yaml`

```
apiVersion: v1
kind: Service
metadata:
  name: {{ include "echo.fullname" . }}
  labels:
    {{- include "echo.labels" . | nindent 4 }}
spec:
  type: {{ .Values.service.type }}
  ports:
    - port: {{ .Values.service.port }}
```

325

8. Kubernetes アプリケーションのパッケージング

```
      targetPort: http
      protocol: TCP
      name: http
  selector:
    {{- include "echo.selectorLabels" . | nindent 4 }}
```

リスト 8.54 のように、 `values.yaml` の Service 部分も修正は不要です。

リスト 8.54 values.yamlの Serviceに対応する部分

`~/k8s/helm/echo/values.yaml`

```
# ...
service:
  type: ClusterIP
  port: 80
# ...
```

Ingress

Ingress の完成形のマニフェストは**リスト 8.55** のようになります。

リスト 8.55 echoの Ingressマニフェスト

```
apiVersion: networking.k8s.io/v1
kind: Ingress
metadata:
  name: echo
  labels:
    app.kubernetes.io/name: echo
spec:
  ingressClassName: nginx
  rules:
  - host: echo-example.gihyo.local
    http:
      paths:
      - pathType: Prefix
        path: /
        backend:
          service:
            name: echo
            port:
              number: 80
```

Ingress のテンプレートファイルは**リスト 8.56** のようになっており、今回の用途では修正は不要です。かなり複雑性を感じるテンプレートですが、Ingress は Kubernetes のバージョン違いによる後方互換性を保つためにテンプレートの中で条件分岐が多数行われていることもその要因です。

リスト 8.56　Ingressのテンプレートファイル

`~/k8s/helm/echo/templates/ingress.yaml`

```yaml
{{- if .Values.ingress.enabled -}}
{{- $fullName := include "echo.fullname" . -}}
{{- $svcPort := .Values.service.port -}}
{{- if and .Values.ingress.className (not (semverCompare ">=1.18-0" .Capabilities.Ku←
beVersion.GitVersion)) }}
  {{- if not (hasKey .Values.ingress.annotations "kubernetes.io/ingress.class") }}
  {{- $_ := set .Values.ingress.annotations "kubernetes.io/ingress.class" .Values.in←
gress.className}}
  {{- end }}
{{- end }}
{{- if semverCompare ">=1.19-0" .Capabilities.KubeVersion.GitVersion -}}
apiVersion: networking.k8s.io/v1
{{- else if semverCompare ">=1.14-0" .Capabilities.KubeVersion.GitVersion -}}
apiVersion: networking.k8s.io/v1beta1
{{- else -}}
apiVersion: extensions/v1beta1
{{- end }}
kind: Ingress
metadata:
  name: {{ $fullName }}
  labels:
    {{- include "echo.labels" . | nindent 4 }}
  {{- with .Values.ingress.annotations }}
  annotations:
    {{- toYaml . | nindent 4 }}
  {{- end }}
spec:
  {{- if and .Values.ingress.className (semverCompare ">=1.18-0" .Capabilities.KubeV←
ersion.GitVersion) }}
  ingressClassName: {{ .Values.ingress.className }}
  {{- end }}
  {{- if .Values.ingress.tls }}
  tls:
    {{- range .Values.ingress.tls }}
    - hosts:
        {{- range .hosts }}
        - {{ . | quote }}
        {{- end }}
      secretName: {{ .secretName }}
    {{- end }}
  {{- end }}
  rules:
    {{- range .Values.ingress.hosts }}
    - host: {{ .host | quote }}
      http:
        paths:
          {{- range .paths }}
          - path: {{ .path }}
            {{- if and .pathType (semverCompare ">=1.18-0" $.Capabilities.KubeVersio←
n.GitVersion) }}
            pathType: {{ .pathType }}
            {{- end }}
            backend:
              {{- if semverCompare ">=1.19-0" $.Capabilities.KubeVersion.GitVersion ←
```

8. Kubernetes アプリケーションのパッケージング

```
              }}
              service:
                name: {{ $fullName }}
                port:
                  number: {{ $svcPort }}
              {{- else }}
              serviceName: {{ $fullName }}
              servicePort: {{ $svcPort }}
              {{- end }}
          {{- end }}
      {{- end }}
{{- end }}
```

values.yaml の Ingress 部分は**リスト 8.57** のようになります。echo アプリケーション用にいくつか修正します。

リスト 8.57　values.yamlの Ingressに対応する部分

```
                                               ~/k8s/helm/echo/values.yaml
# ...
ingress:
  enabled: true # ① ひな型ではfalse
  className: "nginx" # ② Ingress NGINX Controllerを想定
  annotations: {}
    # kubernetes.io/ingress.class: nginx
    # kubernetes.io/tls-acme: "true"
  hosts:
    - host: chart-example.local
      paths:
        - path: /
          pathType: Prefix # ③ ImplementationSpecificから変更
  tls: []
  # - secretName: chart-example-tls
  #   hosts:
  #     - chart-example.local
# ...
```

ひな型の `.ingress.enabled` は false[*25] になっています。Ingress の挙動は Kubernetes のプラットフォームに依存する面が多いので、デフォルト値を false にしている Chart がほとんどですが、公開するものでもなく環境固定なので今回は①のように true にします。

②の `.ingress.className` はひな型では空文字ですが、Ingress NGINX Controller を想定するのであれば②のようにデフォルト値を設定しても良いでしょう。③の `pathType` も `ImplementationSpecific` から `Prefix` に変更します。

ServiceAccount

Chart のひな型には ServiceAccount を作成する機能があり、 `values.yaml` の `.serviceAccount.`

＊25　`false`だと Ingressのマニフェスト部分が出力されません。

328

createがデフォルトでtrueになっています。今回はServiceAccountを必要としないため、**リスト8.58**のように設定します。

リスト8.58　values.yamlのServiceAccountに対応する部分

~/k8s/helm/echo/values.yaml

```
# ...
serviceAccount:
  create: false
# ...
```

values.yaml の完成形

　values.yamlの完成形は**リスト8.59**のようになります。いくつか初見となる項目がありますが、ここでは意識しなくても大丈夫です。

リスト8.59　完成形の values.yaml

~/k8s/helm/echo/values.yaml

```
replicaCount: 1

imagePullSecrets: []
nameOverride: ""
fullnameOverride: ""

serviceAccount:
  create: false

nginx:
  image:
    repository: ghcr.io/gihyodocker/simple-nginx-proxy
    tag: v0.1.0
    pullPolicy: IfNotPresent

  port: 80
  serverName: localhost
  backendHost: localhost:8080
  maxFails: 3
  failTimeout: 10s

echo:
  image:
    repository: ghcr.io/gihyodocker/echo
    tag: v0.1.0
    pullPolicy: IfNotPresent
  port: 8080

podAnnotations: {}

podSecurityContext: {}
  # fsGroup: 2000

securityContext: {}
  # capabilities:
  #   drop:
```

8. Kubernetes アプリケーションのパッケージング

```
#    - ALL
# readOnlyRootFilesystem: true
# runAsNonRoot: true
# runAsUser: 1000

service:
  type: ClusterIP
  port: 80

ingress:
  enabled: true
  className: "nginx"
  annotations: {}
    # kubernetes.io/ingress.class: nginx
    # kubernetes.io/tls-acme: "true"
  hosts:
    - host: chart-example.local
      paths:
        - path: /
          pathType: Prefix
  tls: []
  #  - secretName: chart-example-tls
  #    hosts:
  #      - chart-example.local

resources: {}
  # limits:
  #   cpu: 100m
  #   memory: 128Mi
  # requests:
  #   cpu: 100m
  #   memory: 128Mi

autoscaling:
  enabled: false

nodeSelector: {}

tolerations: []

affinity: {}
```

マニフェストの出力をテストする

テンプレートと values.yaml ファイルができたので、実際にどのようなマニフェストが出力されるかを確認します。helm template [Chartのディレクトリ] コマンドで、デフォルト values ファイルを使ったマニフェストの出力ができます。

リスト 8.60 を実行すると、Service、Deployment、Ingress のマニフェストが標準出力されます。

330

Helm **8.2**

リスト 8.60　helm templateコマンドで出力したマニフェスト

```
(~/k8s/helm) $ helm template echo
---
# Source: echo/templates/service.yaml
apiVersion: v1
kind: Service
metadata:
  name: release-name-echo
  labels:
    helm.sh/chart: echo-0.1.0
    app.kubernetes.io/name: echo
    app.kubernetes.io/instance: release-name
    app.kubernetes.io/version: "1.16.0"
    app.kubernetes.io/managed-by: Helm
spec:
  type: ClusterIP
  ports:
    - port: 80
      targetPort: http
      protocol: TCP
      name: http
  selector:
    app.kubernetes.io/name: echo
    app.kubernetes.io/instance: release-name
---
# Source: echo/templates/deployment.yaml
# 長いため省略...

# Source: echo/templates/ingress.yaml
# 長いため省略...
```

　.metadata.name に release-name- というプレフィックスが付与されていますが、ここは実際に
Chartをインストールする際に指定するリリース名で置き換えられます。 .metadata.labelsにも
見慣れないラベルがついていますが、これはChartのヘルパー[*26]がデフォルトで付与するラベル
です。

　テンプレートファイルと values.yaml に異常がある場合は、マニフェストは正しく出力されませ
ん。Chartをパッケージングする前に、 helm template コマンドで動作を確認しておきましょう。

Chartをパッケージングする

　できあがった echo の Chart をパッケージングします。Chart.yaml には Chart の情報を定義でき、
パッケージングの際にこの情報が使用されます。

　Chart.yamlを**リスト 8.61** のように変更します。

＊26　変数や関数を定義してテンプレートのロジックを共通化したり、可読性を上げるための仕組み。 templates/_helpers.tplで定義
　　　されている。

8. Kubernetes アプリケーションのパッケージング

リスト 8.61　Chartの設定ファイル

~/k8s/helm/echo/Chart.yaml

```
apiVersion: v2
name: echo
description: Gihyo echo application chart for Kubernetes
type: application
version: 0.0.0
appVersion: "0.0.0"
```

　versionにはChartそのもののバージョンをappVersionはアプリケーション固有のバージョンを
指定しますが、ここではそのまま0.0.0で問題ありません[27]。

　versionには0.0.1のようなセマンティックバージョン形式や、2といった自然数を指定できま
す。最新のChartをパッケージングしていく度にこの値をインクリメントするようにします。

　パッケージングはhelm package [Chartディレクトリ]コマンドで行います。**リスト 8.62**を実行
すると、echo-0.0.0.tgzというtgzファイルができあがります。パッケージの実体はただのtgz
ファイルです。

リスト 8.62　Chartのパッケージを作成

```
(~/k8s/helm) $ helm package echo
Successfully packaged chart and saved it to: /path-to-path/k8s/helm/echo-0.0.0.tgz
```

作成したChartをインストールする

　作成したChartのパッケージを利用し、echoアプリケーションをローカルKubernetes環境にイ
ンストールしてみましょう。作成したチャートはデフォルトvaluesファイルの設定だけでも動作
しますが、ここではカスタムvaluesファイルを用意し、少し設定を変えてインストールします。
local-echo.yamlというファイルを**リスト 8.63**のように作成します。

リスト 8.63　カスタムvaluesファイル

~/k8s/helm/local-echo.yaml

```
ingress:
  hosts:
    - host: ch08-echo.gihyo.local
      paths:
        - path: /
          pathType: Prefix
```

　ローカルのChartのパッケージはhelm install [リリース名] [Chartパッケージのパス] -f [
カスタムvaluesファイル]コマンドでインストールします。**リスト 8.64**を実行します。

---

[27]　この例では同じ値を設定していますが、公開されているChartの多くはversionとappVersionは不一致なことが多いです。

332

Helm **8.2**

リスト 8.64　Chartパッケージからインストール

```
(~/k8s/helm) $ helm install echo ./echo-0.0.0.tgz -f local-echo.yaml
NAME: echo
LAST DEPLOYED: Sat Aug 19 02:53:46 2023
NAMESPACE: default
STATUS: deployed
REVISION: 1
TEST SUITE: None
NOTES:
1. Get the application URL by running these commands:
  http://ch08-echo.gihyo.local/
```

　Chartのインストールにより、echoアプリケーションのDeployment/Service/Ingressがそれぞれ構築されています。

```
$ kubectl get deployment,service,ingress -l app.kubernetes.io/name=echo
NAME                 READY    UP-TO-DATE    AVAILABLE    AGE
deployment.apps/echo 1/1      1             1            61s

NAME            TYPE        CLUSTER-IP       EXTERNAL-IP    PORT(S)    AGE
service/echo    ClusterIP   10.110.139.237   <none>         80/TCP     61s

NAME                             CLASS    HOSTS                  ADDRESS     PORTS  ←
 AGE
ingress.networking.k8s.io/echo   nginx    ch08-echo.gihyo.local  localhost   80     ←
 61s
```

　Hostヘッダにch08-echo.gihyo.localを指定してHTTPリクエストを投げると、echoアプリケーションのレスポンスが返ってきます。

```
$ curl http://localhost -H 'Host: ch08-echo.gihyo.local'
Hello Container!!
```

　このようにKubernetesのさまざまなリソースを組み合わせてChartでパッケージングすることで、多くのKubernetesクラスタへのデプロイをシンプルに少ない手順で行うことができます。

　テンプレートの構築にはそれなりの慣れが必要であるため、初期の学習コストはKustomizeより高いです。しかし、シンプルなKustomizeと比べてHelmのテンプレーティング機能は強力なため、かなり細かい制御が可能です。Chartを上手に抽象化した形で作れれば、1つのChartでさまざまなKubernetesプラットフォームに対応することもできます。

コラム　Kubernetesの推奨ラベル

　前章まではKubernetesのリソースにapp: echoといったシンプルなラベルを用いていました。本章からはapp.kubernetes.io/name: echoというKubernetesのドメインがついた形式のラベル

333

8. Kubernetes アプリケーションのパッケージング

を使用しています。

　この形式のラベルは**推奨ラベル**と言われるものです。appのようなシンプルなラベルを使うと、他のアプリケーションについているラベルと衝突してしまったり、運用上副作用を及ぼす可能性もあります。ラベルのプレフィックスにドメイン名をつけることで、このような可能性を回避しています。

　たとえば、推奨ラベルは次のように付与します。

```
apiVersion: v1
kind: Service
metadata:
  labels:
    app.kubernetes.io/name: mysql
    app.kubernetes.io/instance: mysql-abcxzy
```

　app.kubernetes.io/nameはアプリケーション名を示します。アプリケーションの一般名やGitHubのリポジトリ等が採用されることが多いです。

　app.kubernetes.io/instanceはアプリケーションのインスタンスを示す識別子です。Kubernetes クラスタには同一のアプリケーションが複数デプロイされることもあります。このケースを想定してnameはアプリケーションの一般名を、instanceにはそのアプリケーションのデプロイ単位である識別子を指定します。

　他にもいくつかの推奨ラベルがありますので、公式ドキュメントを確認しておくと良いでしょう[*a]。Helm Chartのひな型はこれらの推奨ラベルが設定されるよう構築されています。

　アプリケーション名以外に独自のラベルを付与したいケースがある場合は、次のように独自のドメインをラベルのプレフィックスに使うと良いでしょう。

```
apiVersion: v1
kind: Service
metadata:
  labels:
    app.kubernetes.io/name: mysql
    app.kubernetes.io/instance: mysql-abcxzy
    gihyodocker.gihyo.jp/version: 2nd-print
```

[*a]　https://kubernetes.io/docs/concepts/overview/working-with-objects/common-labels/

8.2.5　Chartをレジストリに登録する

　echoアプリケーションをChartで構築できるようになったので、このChartをパッケージングして公開してみましょう。

Chartの格納・公開に対応したGHCR

　作成したChartを公開するにはどうすれば良いでしょうか。8.2.3でMySQLをインストールしましたが、これはMySQLのChartがBitnamiのChartリポジトリで公開されていたから可能でした。

独自のChartを公開するにはBitnamiのような公開リポジトリを構築してChartを格納する必要
があります。Google CloudではArtifact Registry*²⁸、AWSではAmazon ECR*²⁹、Microsoft Azure
ではAzure Container Registry*³⁰というホスティングサービスで構築できます。

しかし、多くの開発者にとって最も簡単な方法はGHCR(GitHub Container Registry)を利用する
ことです。本書ではGHCRを、コンテナイメージの格納・公開のために利用してきましたが、実は
Helm Chartもサポートしています。GitHubを利用していればすぐにGHCRは使えますし、GitHub
のリポジトリにコンテナイメージとHelm Chartをリンクさせられるので利用者にとってもわかり
やすいでしょう。

実際にGHCRへHelm Chartを公開しましょう。Chartの格納にはPersonal access tokensが必
要ですが、コンテナイメージの格納時と同じトークンが使えます*³¹。

バージョンを引数で渡してパッケージング

8.2.4では`Chart.yaml`に`version`が記述されており、この値に従ってChartのパッケージングがさ
れました。ただ、パッケージングの度に都度`version`を変更するのは少し手間です。

`helm pacakge`コマンドには`--version`と`--app-version`をそれぞれ指定できるオプションがあり
ます。これを使って、それぞれv0.0.1というバージョンでパッケージングしてみましょう。

```
(~/k8s/helm) $ helm package echo --version v0.0.1 --app-version v0.0.1
Successfully packaged chart and saved it to: /path-to-path/k8s/helm/echo-v0.0.1.tgz
```

tgzファイル内の`Chart.yaml`は指定のバージョンで上書きされています。Chartのパッケージン
グはGitHub ActionsのようなCI環境で行うケースも多いため、このようにオプションでバージョ
ンを指定する方がシンプルに記述できます。

リポジトリへChartを格納する

Chartの格納先は`oci://ghcr.io/[GitHubのユーザー名|organization名]/`というパスの配下にな
ります。`oci`というのはOpen Container Initiative(OCI)という標準仕様に対応したリポジトリであ
ることを示しており、GCHRはOCIに対応しています*³²。本書用のorganizationである`gihyodocker`
であれば、次のようなパスで格納できます。自身のGitHubユーザ名やorganization名に書き換え
て行ってください。

```
oci://ghcr.io/gihyodocker/echo
```

---

*28　https://cloud.google.com/artifact-registry

*29　https://aws.amazon.com/jp/ecr/

*30　https://azure.microsoft.com/products/container-registry/

*31　トークンを取得していない場合は、2.3.6を参照して行ってください。

*32　OCIについては、コラム「Open Container Initiative(OCI)」で解説しています。

8. Kubernetesアプリケーションのパッケージング

しかし、GHCRにはコンテナイメージもChartも格納できるため、コンテナイメージとChartが同名の場合はこのパスでは被ってしまいます。コンテナイメージと明確に区別するために、次のようにプレフィックスに `chart/` をつけて格納すると良いでしょう。

```
oci://ghcr.io/gihyodocker/chart/echo
```

Chartリポジトリへの格納は `helm push [Chartのtgzファイル] [格納先のパス]` コマンドで行います。

リスト8.65　GHCRへのChartの格納

```
(~/k8s/helm) $ helm push echo-v0.0.1.tgz oci://ghcr.io/gihyodocker/chart/
Pushed: ghcr.io/gihyodocker/chart/echo:v0.0.1
Digest: sha256:93b10429eebccf949060d4ef76975c4b74364ef02398ea005d6b93a2dc5b6178
```

実際に格納されたChartは「Packages」の画面から**図8.6**のように確認できます。

図8.6　GitHubのPackages画面

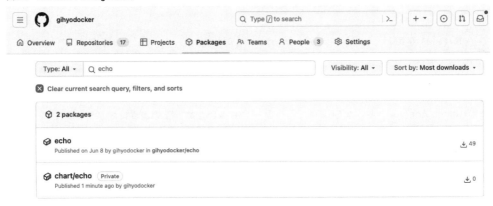

デフォルトでは格納されたChartは非公開状態（private）になっているので、公開状態にします。`chart/echo` の詳細ページを開き、「Package settings」の「Change package visibility」で**図8.7**のように公開状態にすると、Chartが公開されます。

図8.7 Chartを公開する

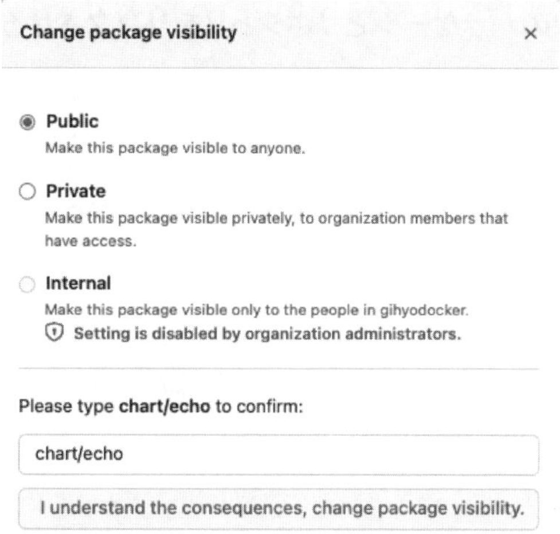

公開したChartをインストールする

公開したChartは**リスト8.66**のように、公開したChartのパスとバージョンを指定するとインストールできます[33]。

リスト8.66 公開したChartのインストール

```
(~/k8s/helm) $ helm install echo oci://ghcr.io/gihyodocker/chart/echo --version ←
v0.0.1 -f local-echo.yaml
Pulled: ghcr.io/gihyodocker/chart/echo:v0.0.1
Digest: sha256:741ac6ded8830cba683349b99ea8e6573024136610fb2e5afe65fddeefb2dcae
NAME: echo
LAST DEPLOYED: Sun Aug 20 18:17:23 2023
NAMESPACE: default
STATUS: deployed
REVISION: 1
TEST SUITE: None
NOTES:
1. Get the application URL by running these commands:
  http://ch08-echo.gihyo.local/
```

ここまでがChartの作成から公開までの一連のプロセスです。

Chartでインストールしたechoは次のように削除できます。

```
$ helm delete echo
```

---

[33] すでにechoがインストールされている場合は`helm upgrade`コマンドに置き換えます。

337

8. Kubernetesアプリケーションのパッケージング

> **コラム** **GHCRのパッケージとリポジトリをリンクさせる**
>
> 本章の題材でもあるechoアプリケーションはGitHubに https://github.com/gihyodocker/echo として公開しており、コンテナイメージとHelm Chartも公開しています。
>
> gihyodocker/echoのページでは図8.8のように右下の「Packages」部分にパッケージが表示されていますが、実はただパッケージをGHCRにpushするだけでは実現できません。
>
> 図8.8 リポジトリページへのパッケージの表示

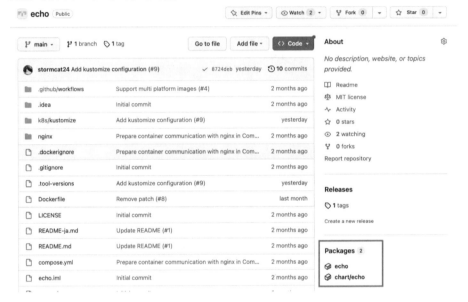

> しかし、一工夫加えると自動でリポジトリとパッケージをリンクしてくれます。
>
> Helm Chartの場合は、`Chart.yaml`の`.sources[]`にGitHubのリポジトリURLを定義するだけです。
>
> ```
> apiVersion: v2
> name: echo
> description: Gihyo echo application chart for Kubernetes
> type: application
> version: 0.0.0
> appVersion: "0.0.0"
> sources:
>   - https://github.com/gihyodocker/echo
> ```
>
> gihyodocker/echoではコンテナイメージもパッケージとしてリンクしています。これはDockerfileの`LABEL`に`org.opencontainers.image.source=[GitHubのリポジトリURL]`形式でラベルを設定することで実現できます。

Helm **8.2**

```
FROM golang:1.21.6

LABEL org.opencontainers.image.source=https://github.com/gihyodocker/echo

WORKDIR /go/src/github.com/gihyodocker/echo
COPY main.go .
RUN go mod init

CMD ["go", "run", "main.go"]
```

　GitHub リポジトリとパッケージをリンクさせておいた方が利便性も高まるので、対応しておくと良いでしょう。

コラム **Open Container Initiative(OCI)**

　本章では Helm Chart の格納先に GHCR を利用しましたが、その名の通り「コンテナレジストリ」である GHCR が Chart をサポートしていることに違和感を感じた読者も多いのではないでしょうか?

　GHCR がコンテナイメージだけではなく Helm Chart もサポートできる理由は、OCI アーティファクトという仕組みによるものです。OCI は Open Container Initiative[*a] の略であり、コンテナの標準化促進のためのプロジェクトです。OCI ではコンテナ形式の業界標準を確立するための活動が行われています。

　コンテナイメージにはバージョン管理や署名といったアーティファクトとしての必要不可欠な技術が含まれています。OCI アーティファクトはこの一連のプロセスをコンテナイメージだけではなく、他のコンテナ関連オブジェクトでも享受できるようにしました。Helm Chart もその一つです。

　GHCR はコンテナレジストリですが、OCI アーティファクトを管理できるレジストリでもあります。そのため、Helm Chart もコンテナイメージと同様に格納できます。Google Cloud の Artifact Registry、Amazon ECR、Azure Container Registry も GHCR 同様に OCI アーティファクトに対応しているため、Helm Chart を格納できます。

　コラム「GHCR のパッケージとリポジトリをリンクさせる」において、Dockerfile で `org.opencontainers.image.source` のラベルを使ってリポジトリへのリンクを実現しました。これも OCI で定められた標準仕様です。そして、Helm の `Chart.yaml` の `.sources[]` はこれのエイリアスとして動作しています。

---

*a　https://opencontainers.org/

339

9.
コンテナの運用

9. コンテナの運用

前章までは、どちらかと言えばコンテナでシステムを作る方の側面について解説してきました。コンテナに親和性のあるアプリケーションやミドルウェアの構築のしかたやKubernetesでのオーケストレーションなどです。

実際に本番環境において多くのコンテナを利用してアプリケーションを継続的に稼働させていくためには、開発の知識だけでは足りないさまざまな運用上の考慮が必要です。

本章では、コンテナ環境におけるログの効率的な管理手法を解説します。次に、Kubernetesでアプリケーションの可用性を高く保つための手法について解説します。これらはコンテナを本番環境で運用するために欠かせない**守り**の部分です。

9.1 ロギングの運用

これまでComposeやKubernetesを利用し、複数コンテナから成るアプリケーションを構築してきましたが、アプリケーションのログの扱いについては触れてきませんでした。

具体的なロギング手法を解説する前に、コンテナ環境においてログがどのように扱われているか見ていきます。Kubernetesではない通常のローカル環境で試します。

9.1.1 コンテナにおけるロギング

従来の非コンテナ型サーバアプリケーションにおいて、どのようなロギングの手法が取られていたか立ち返ってみましょう。

たとえばWebサーバであれば、フレームワークにロギングライブラリが同梱されていたり、オプションでロギングの実装を切り替えられたりという仕組みが備わっていました。

これらのライブラリのほとんどには、ログローテートやフォーマッターの機能等が備えられています。特に非コンテナ環境において、生存期間がそれなりに長いサーバにおいてはログはどんどん蓄積されていくためサーバのディスクを専有してしまいがちです。そのためログローテートの機能が重要でした。

対してコンテナにおいては、ログライブラリを使ってもファイルではなく標準ストリーム出力に出し、それをFluentdやFluent Bit、Elastic Beatsといったデータシッパー[*1]で収集することが多いです。この手法ならアプリケーション側でログローテートをする必要もないですし、ログの転送を補助するlogging driverの仕組みも整っているため容易にログを収集できます。ここではコンテナのログ手法について解説していきます。

[*1] ログコレクタとも呼ばれますが、本書ではデータシッパーと表記します。

342

ロギングの運用　**9.1**

コンテナアプリケーションにおけるログ出力

　コンテナで実行するアプリケーションでは、ログをどう実装していけば良いのでしょうか。

　例として、GETのHTTPリクエストを送ると簡単な文字列をレスポンスするコンテナである
ghcr.io/gihyodocker/echo:v0.0.1-2-g4ac630eの実装を見ていきましょう[*2]。

リスト9.1　echoアプリケーションのmain.go

```go
package main

import (
    "context"
    "fmt"
    "log"
    "net/http"
    "os"
    "os/signal"
    "syscall"
    "time"
)

func main() {
    http.HandleFunc("/", func(w http.ResponseWriter, r *http.Request) {
        log.Println("Received request") // 標準エラー出力
        fmt.Fprintf(w, "Hello Container!!")
    })

    log.Println("Start server") // 標準エラー出力
    server := &http.Server{Addr: ":8080"}

    go func() {
        if err := server.ListenAndServe(); err != http.ErrServerClosed {
            log.Fatalf("ListenAndServe(): %s", err)
        }
    }()

    quit := make(chan os.Signal, 1)
    signal.Notify(quit, syscall.SIGINT, syscall.SIGTERM)
    <-quit
    log.Println("Shutting down server...") // 標準エラー出力

    ctx, cancel := context.WithTimeout(context.Background(), 5*time.Second)
    defer cancel()
    if err := server.Shutdown(ctx); err != nil {
        log.Fatalf("Shutdown(): %s", err)
    }

    log.Println("Server terminated") // 標準エラー出力
}
```

　log.Printlnを利用して、アプリケーション実行時と終了時、HTTPリクエストを受けたときに

[*2]　2.2のmain.goで登場したアプリケーションです。

343

メッセージをログ出力しています。ここで言う**ログ出力**とは**標準ストリーム出力（標準出力・標準エラー出力）**のことで、アプリケーションがログをファイルに書き出すことはありません。

リスト9.2のようにechoコンテナをフォアグラウンドで実行し、`http://localhost:8080`にGETリクエストを送ってみましょう。アプリケーションのログ出力はコンテナで実行しても標準ストリームへの出力で表示されます。

リスト9.2　echoコンテナを実行

```
$ docker container run -it --rm -p 8080:8080 ghcr.io/gihyodocker/echo:v0.1.0
2023/08/22 08:15:01 Start server
2023/08/22 08:15:26 Received request
```

また、`docker logs`や`kubectl logs`といったコマンドで、バックグラウンドで実行されているコンテナのログの閲覧も可能です。このような手法が存在するということは、標準ストリーム出力のログがコンテナホストに保持されているということを意味します。実際にログはどのように保持されているのでしょうか。

コンテナホストに保持されるログ

コンテナホストに保持されているログの場所は、Dockerの場合**リスト9.3**のように`docker inspect [コンテナID]`コマンドの結果から得られます[3]。

リスト9.3　コンテナログのファイルパスを取得

```
$ docker container ls --filter "ancestor=ghcr.io/gihyodocker/echo:v0.1.0" -q
9fab2e77801f

$ docker inspect 9fab2e77801f | grep LogPath
        "LogPath": "/var/lib/docker/containers/9fab2e77801f.../9fab2e77801f...-json.↵
log",
```

コンテナログがホストのファイル、`/var/lib/docker/containers/[コンテナID]/[コンテナID]-json.log`に出力されることがわかりました。実際に出力を見てみましょう。

本書のローカルコンテナ環境であるDocker Desktopの場合、Docker Desktopが構築した仮想マシンに出力されています。この仮想マシンにSSHログインして確認するのは少し手間がかかるので、**リスト9.4**のように特殊な権限（特権モード）[4]を与えたコンテナからnsenterコマンド[5]経由で確認します。

＊3　コンテナIDが長い形式のため省略しています。

＊4　特権モードでコンテナを実行するための`--privileged`オプション。特権モードではコンテナからホスト環境のリソースへアクセスできます。

＊5　LinuxのNamespaceに入るためのCLI。DockerのNamespaceに入ることで、コンテナホストにログインしているかのような操作が可能です。

344

ロギングの運用　**9.1**

リスト9.4　仮想マシン上のコンテナログファイルを表示

```
$ docker run -it --rm --privileged --pid=host ubuntu:23.10 nsenter -t 1 -m -u -n -i ←
sh
/ # uname -a
Linux docker-desktop 5.15.49-linuxkit-pr #1 SMP PREEMPT Thu May 25 07:27:39 UTC 2023←
 aarch64 Linux

/ # cat /var/lib/docker/containers/9fab2e77801f.../9fab2e77801f...-json.log
2-json.log
{"log":"2023/08/22 08:15:01 Start server\r\n","stream":"stdout","time":"2023-08-22←
T08:15:01.98883638Z"}
{"log":"2023/08/22 08:15:26 Received request\r\n","stream":"stdout","tim←
e":"2023-08-22T08:15:26.546685877Z"}
```

このようにコンテナの標準ストリーム出力で表示されていた内容のログがJSON形式で出力されていることがわかります。

つまり、アプリケーション側でログをファイル出力する実装をしなくても、コンテナには標準ストリーム出力をログとして出力される機能が備えられているということです。完全にログ出力をコンテナに任せることもできるわけです。

実際に、どのようにコンテナでロギングをしていくのがベストなのかは9.1.2で解説します。

logging driver

コンテナのログがjson形式で出力されているのは、 `json-file`という dockerd デフォルトの **logging driver**によるものです。logging driver はコンテナが出力するログの扱いの挙動を制御する役割を担っています[*6]。 `json-file`の他にも次のような logging driver が用意されています。

logging driver	用途
`local`	カスタム形式で設計したログを保存する
`syslog`	syslogで管理する
`journald`	systemdのjournaldで管理する
`awslogs`	AWS CloudWatch Logsにログを送信する
`gcplogs`	Google Cloud Loggingにログを送信する
`fluentd`	Fluentdでログを管理する

コンテナのログを `fluentd` で収集することは定番の手法です。また、パブリッククラウドでコンテナを利用する場合は `awslogs` や `gcplogs` が選択されることが多いです。

9.1.2　コンテナログの運用

非コンテナで実行するアプリケーションはログをファイルに書き出すことが当たり前でした。こ

---

*6　logging driverは Dockerだけではなく、Kubernetesや Amazon ECSといったコンテナ実行環境でも利用できます。

9. コンテナの運用

の手法はコンテナではいくつかの弊害があります。

障害で予期せずコンテナが停止し、ディスクから完全に削除されるようなことが起きたとしましょう。コンテナの中でログをファイル出力する手法では、コンテナの削除はログの消失を意味するため非常に問題です。

コンテナではログを標準ストリームへ出力すればホスト側にファイル出力されます。コンテナ内ログをホストにボリュームマウントして渡すことも可能ですが、標準ストリームへ出力したログがホストにファイル出力される仕組みを活用するほうがシンプルです。コンテナではこのログの標準ストリームへの出力が定石として使われています。

具体的にコンテナで出力するログをどのように運用していくべきかを見ていきましょう。

コンテナログのローテート

アプリケーション側で標準ストリームへ出力するだけでログをファイルに出力できますが、Webサーバのようなコンテナは長時間実行されますし、アクセス量が増えれば増えるほどログ出力もされます。コンテナのJSONログファイルのサイズはどんどん膨れ上がっていきます。長時間のコンテナ運用をするためには、このコンテナログを適切にローテートする必要があります。

Dockerにはロギングの挙動を制御するためのオプション --log-opt が用意されており、その中にコンテナがログローテートするためのパラメータを設定できます。max-size はローテートが発動するログファイルのサイズであり、k（キロバイト）/ m（メガバイト）/ g（ギガバイト）の単位で指定できます。max-file は残すログファイルの数を指定し、max-fileの値を越えた場合は古いログファイルから削除します。

リスト 9.5　ローテートの設定をしたコンテナ実行

```
$ docker container run -it --rm -p 8080:8080 \
  --log-opt max-size=50k \
  --log-opt max-file=5 \
  ghcr.io/gihyodocker/echo:v0.1.0
```

max-size で指定した容量に達するとコンテナログがローテートされます（**リスト 9.6**）。

リスト 9.6　コンテナログのローテーション

```
/# ls -lh *log*
-rw-r-----    1 root   root    870 Aug 22 17:22 1cad5294515f...-json.log
-rw-r-----    1 root   root   48.9K Aug 22 17:21 1cad5294515f...-json.log.1
```

コンテナごとではなく、dockerdのデフォルトとしてもlog-optを設定できます。Docker Desktopなら「Settings」→「Docker Engine」から、JSONを設定します[7]。

＊7　Linux系OSの場合は、/etc/docker/daemon.jsonにからら。

346

リスト 9.7　dockerdの設定ファイルに log-optsを設定

```
{
  "builder": {
    "features": {
      "buildkit": true
    },
    "gc": {
      "defaultKeepStorage": "20GB",
      "enabled": true
    }
  },
  "experimental": false,
  "log-opts":{
    "max-size" : "50k",
    "max-file" : "5"
  }
}
```

Kubernetesにおいては、コンテナホストの /var/log/pods 配下に各 Pod毎のディレクトリが作られ、その下に Podの各コンテナログが出力されます[8]。

/var/log/pods ディレクトリのローテーション設定は、Nodeにデプロイされている Kubernetesのコンポーネントである kubeletに対して、次のオプションで設定できます。

- --container-log-max-size **（ローテートが発動するログファイルのサイズ）**
- --container-log-max-files **（残すログファイルの数）**

Docker Desktopの Kubernetes環境では、kubeletはバックグラウンドで実行されており、その設定を制御することはできません。開発・本番環境で独自に Kubernetesの Nodeを運用する場合、このような設定があることを覚えておくと良いでしょう。

9.1.3　Elastic Stackによるログ収集・管理機構の構築

ファイルベースでログを管理するのはコンテナホストを複数運用するようになると面倒になってきます。そこで、コンテナが出力する JSONログファイルを別の場所に転送し、集約して管理・閲覧する仕組みが必要となります。

ログ収集・管理機構は複数の選択肢がありますが、抽象化すると**図 9.1**のような構成になります。アプリケーションの標準ストリーム出力のログはコンテナホストにファイルとしても出力されます。データシッパーはこれらのログを収集し、データストアに送信します。開発者はデータビューアを通じ、データストアに蓄積されたログデータを閲覧・検索できます。

---

[8]　Podを構成するコンテナのログは /var/log/containers ディレクトリにも出力されます。

9. コンテナの運用

図9.1 一般的なコンテナログの収集・管理機構

Elastic Stack

本章では Elastic Stack でこの仕組みを構築します。Elastic Stack は Elasticsearch、Kibana、Beats、LogStash 等で構成されるプロダクト群です。

Elasticsearch[9]は全文検索エンジンとして広く利用されています。ここではログを格納するためのデータストア、データシッパーから収集したログを検索する用途で利用します。

Kibana[10]はさまざまなデータストアと接続し、データを可視化・分析するための Web アプリケーションです。ここではElasticsearch と接続し、ログを検索する用途で利用します。

Beats[11]はさまざまなデータをデータストアに送信するためのデータシッパーです。ここではログファイルの送信のために利用しますが、システムやアプリケーション独自のメトリックなど、さまざまなデータフォーマットに対応しています。

Logstash[12]はデータの加工や出力といった一連の役割を担うパイプラインのようなものです。Elastic Stack では Beats からログデータを受け取り、Elasticsearch 向けに加工します。

ログの収集・管理機構という用途では他にもさまざまなソリューションや組み合わせが存在します。データストアとデータシッパーを一貫で構築する場合は Fluentd[13]や Fluent Bit[14]のようなデータシッパーから Elasticsearch にログを送信する手法が定番です。パブリッククラウドを利用する場合、マネージドのログ用データストア・検索機構が備えられていることも多いので、開発者はデータシッパーだけ構築するというケースもあります。

今回はログ収集機構のイメージを早くつかむために Elastic Stack をローカル Kubernetes 環境に構築し、ログ収集・検索機構の仕組みを構築します。

---

[9] https://www.elastic.co/elasticsearch
[10] https://www.elastic.co/kibana
[11] https://www.elastic.co/beats/
[12] https://www.elastic.co/logstash
[13] オープンソースのデータシッパーであり、Ruby で書かれている。コンテナが隆盛になる以前から広く利用されている。
[14] C 言語で書かれた Fluentd の軽量版。GKE では Fluent Bit ベースのエージェントでノードからコンテナログが収集される。

ロギングの運用 **9.1**

Elastic Stackを構築する

ローカル Kubernetes 環境に Elastic Stack を構築します。前章で Helm を使ったアプリケーションのデプロイ方法を解説したため、Elastic Stack も Helm で構築していきます。

作業ディレクトリとして ~/k8s/logging/ を作成し、その中で進めていきます。

```
$ mkdir -p ~/k8s/logging/
```

Elastic Stack の Helm Chart は Elastic が公開している Helm リポジトリで公開されています。**リスト 9.8**のコマンドで、このリポジトリを利用可能にします。

リスト 9.8　Elasticの Helmリポジトリを追加

```
$ helm repo add elastic https://helm.elastic.co
$ helm repo update
```

Elastic 関連の Chart とバージョンは**リスト 9.9**のコマンドで確認できます。また、Artifact Hub[15]からも確認できます。

リスト 9.9　Elastic 関連の Chart 一覧

```
$ helm search repo elastic/
NAME                          CHART VERSION    APP VERSION DESCRIPTION
elastic/apm-attacher          0.1.0                        A Helm chart installing the ←
Elastic APM mutatin...
elastic/apm-server            8.5.1            8.5.1       Official Elastic helm chart ←
for Elastic APM Server
elastic/eck-agent             0.7.0                        Elastic Agent managed by the←
 ECK operator
elastic/eck-beats             0.7.0                        Elastic Beats managed by the←
 ECK operator
elastic/eck-elasticsearch     0.7.0                        Elasticsearch managed by the←
 ECK operator
elastic/eck-fleet-server      0.7.0                        Elastic Fleet Server as an A←
gent managed by the...
elastic/eck-kibana            0.7.0                        Kibana managed by the ECK op←
erator
elastic/eck-operator          2.9.0            2.9.0       Elastic Cloud on Kubernetes ←
(ECK) operator
elastic/eck-operator-crds     2.9.0            2.9.0       ECK operator Custom Resource←
 Definitions
elastic/eck-stack             0.7.0                        Elastic Stack managed by the←
 ECK Operator
elastic/elasticsearch         8.5.1            8.5.1       Official Elastic helm chart ←
for Elasticsearch
elastic/filebeat              8.5.1            8.5.1       Official Elastic helm chart ←
for Filebeat
elastic/kibana                8.5.1            8.5.1       Official Elastic helm chart ←
for Kibana
```

---

[15]　https://artifacthub.io/packages/search?repo=elastic&sort=relevance&page=1

9. コンテナの運用

```
elastic/logstash          8.5.1       8.5.1       Official Elastic helm chart ←
for Logstash
elastic/metricbeat        8.5.1       8.5.1       Official Elastic helm chart ←
for Metricbeat
elastic/pf-host-agent     8.9.1       8.9.1       Hyperscaler software efficie←
ncy. For everybody.
```

● ── ECK Operatorのデプロイ

Elastic Stackデプロイの前提条件として、ECK Operatorのデプロイが必要です。ECK Operator はKubernetesのカスタムオペレーターとして実装されており、Elastic Stackの構築や運用を効率 化するための拡張機能[16]を提供します。ここでは必要なコンポーネントであるとだけ認識して読 み進めてください。

ECK OperatorのChartは elastic/eck-operator で公開されています[17]。**リスト9.10**のコマンド でECK Operatorをデプロイします。

リスト9.10　ECK Operatorをデプロイ

```
$ helm install elastic-operator elastic/eck-operator \
  --version 2.9.0 -n elastic-system --create-namespace
NAME: elastic-operator
LAST DEPLOYED: Wed Aug 23 14:10:02 2023
NAMESPACE: elastic-system
STATUS: deployed
REVISION: 1
TEST SUITE: None
NOTES:
1. Inspect the operator logs by running the following command:
   kubectl logs -n elastic-system sts/elastic-operator
```

● ── Elastic Stackのデプロイ

続いてElastic Stackをデプロイします。Elastic StackのChartは elastic/eck-stack で公開され ています[18]。

デプロイ後に実際に適用されているマニフェストを参照しながら、どのように構成されているか を見ていきましょう。まずは eck.yaml というファイル名で**リスト9.11**のカスタムvaluesファイル を作ります。Elasticsearch、Kibana、Beatsをそれぞれ有効にしていますが、現時点では内容を細 かく理解する必要はありません。

＊16　拡張機能により、独自のKubernetesリソースが利用可能になります。
＊17　https://artifacthub.io/packages/helm/elastic/eck-operator
＊18　https://artifacthub.io/packages/helm/elastic/eck-stack

リスト 9.11　ECK用のカスタムvaluesファイル

`~/k8s/logging/eck.yaml`

```yaml
# ① Elasticsearchの設定
eck-elasticsearch:
  enabled: true
  annotations:
    # 無料プランの設定
    eck.k8s.elastic.co/license: basic

# ② Kibanaの設定
eck-kibana:
  enabled: true
  annotations:
    # 無料プランの設定
    eck.k8s.elastic.co/license: basic

  spec:
    http:
      tls:
        selfSignedCertificate: # HTTPSを無効に
          disabled: true

# ③ Beatsの設定
eck-beats:
  enabled: true
  annotations:
    # 無料プランの設定
    eck.k8s.elastic.co/license: basic

  serviceAccount:
    name: filebeat

  clusterRole:
    name: filebeat
    rules:
    - apiGroups: [""] # "" indicates the core API group
      resources:
      - namespaces
      - pods
      - nodes
      verbs:
      - get
      - watch
      - list
    - apiGroups: ["apps"]
      resources:
      - replicasets
      verbs:
      - get
      - list
      - watch
    - apiGroups: ["batch"]
      resources:
      - jobs
      verbs:
```

```
      - get
      - list
      - watch

clusterRoleBinding:
  name: filebeat
  subjects:
  - kind: ServiceAccount
    name: filebeat
  roleRef:
    kind: ClusterRole
    name: filebeat
    apiGroup: rbac.authorization.k8s.io

spec:
  # ① Filebeatを使う
  type: filebeat
  elasticsearchRef:
    name: elasticsearch

  daemonSet:
    podTemplate:
      spec:
        serviceAccountName: filebeat
        automountServiceAccountToken: true
        terminationGracePeriodSeconds: 30
        dnsPolicy: ClusterFirstWithHostNet
        hostNetwork: true # Allows to provide richer host metadata
        containers:
        - name: filebeat
          securityContext:
            runAsUser: 0
          volumeMounts:
          - name: varlogcontainers
            mountPath: /var/log/containers
          - name: varlogpods
            mountPath: /var/log/pods
          - name: varlibdockercontainers
            mountPath: /var/lib/docker/containers
          env:
            - name: NODE_NAME
              valueFrom:
                fieldRef:
                  fieldPath: spec.nodeName
        volumes:
        - name: varlogcontainers
          hostPath:
            path: /var/log/containers
        - name: varlogpods
          hostPath:
            path: /var/log/pods
        - name: varlibdockercontainers
          hostPath:
            path: /var/lib/docker/containers

  config:
```

```
      filebeat:
        autodiscover:
          providers:
          - type: kubernetes
            node: ${NODE_NAME}
            hints:
              enabled: true
              default_config:
                type: container
                paths:
                - /var/log/containers/*${data.kubernetes.container.id}.log
```

①の .eck-beats.spec.type は Beats の種別[*19]です。ログの転送はファイルを扱う Filebeat で行うため、filebeat を設定しています。

マニフェストファイルを確認したら実際に、**リスト 9.12** のように eck というリリース名で Elastic Stack をデプロイします。

リスト 9.12　Elastic Stackをデプロイ

```
(~/k8s/logging) $ helm install eck elastic/eck-stack -n elastic-stack -f eck.yaml --↩
create-namespace
NAME: eck
LAST DEPLOYED: Thu Aug 24 23:58:03 2023
NAMESPACE: elastic-stack
STATUS: deployed
REVISION: 1
TEST SUITE: None
NOTES:
Elasticsearch ECK-Stack 0.7.0 has been deployed successfully!

To see status of all resources, run

kubectl get elastic -n elastic-stack -l "app.kubernetes.io/instance"=eck

More information on the Elastic ECK Operator, and its Helm chart can be found
within our documentation.

https://www.elastic.co/guide/en/cloud-on-k8s/current/index.html
```

これで Elasticsearch、Kibana、Beats がデプロイされました。ここからはこれらのコンポーネントがどのように構成されているかを解説します。

Elasticsearch の構成

elastic/eck-stack の Chart をデプロイすると、ECK Operator の拡張機能である Elasticsearch リソースが作られます。**リスト 9.13** で Elasticsearch リソースの概要が表示されます。

＊19　システムメトリクスを収集する metricbeat、サービスの稼働時間を監視するための heartbeat などがあります。

9. コンテナの運用

リスト 9.13　Elasticsearchリソースを取得

```
$ kubectl -n elastic-stack get elasticsearch/elasticsearch
NAME            HEALTH   NODES   VERSION   PHASE   AGE
elasticsearch   yellow   1       8.9.0     Ready   7m51s
```

　リスト 9.14コマンドで適用されている Elasticsearch リソースを確認できます。主に .spec 配下
で Elasticsearch の構成の定義[20]がされています。

リスト 9.14　Elasticsearchリソースのマニフェストを表示

```
$ kubectl -n elastic-stack get elasticsearch/elasticsearch -o yaml
apiVersion: elasticsearch.k8s.elastic.co/v1
kind: Elasticsearch
metadata:
  # 省略...
  name: elasticsearch
  namespace: elastic-stack
  # 省略...
spec:
  auth: {}
  http:
    service:
      metadata: {}
      spec: {}
    tls:
      certificate: {}
  monitoring:
    logs: {}
    metrics: {}
  nodeSets:
  - config:
      node.store.allow_mmap: false
    count: 1
    name: default
    podTemplate:
      metadata:
        creationTimestamp: null
      spec:
        containers:
        - name: elasticsearch
          resources:
            limits:
              memory: 2Gi
            requests:
              memory: 2Gi
  transport:
    service:
      metadata: {}
      spec: {}
    tls:
      certificate: {}
```

＊20　https://www.elastic.co/guide/en/cloud-on-k8s/current/k8s-api-elasticsearch-k8s-elastic-co-v1.html

354

```
      certificateAuthorities: {}
  updateStrategy:
    changeBudget: {}
  version: 8.9.0
status:
# 省略...
```

リスト9.15のコマンドを実行すると、ECK Operator が作成した Service・StatefulSet・Pod と
いったリソースを確認できます。Elasticsearch はデータストアであるため、StatefulSet で構築さ
れています。

リスト9.15　ECK Operatorが作成したElasticsearch 関連のリソース

```
$ kubectl -n elastic-stack get service,statefulset,pod -l "common.k8s.elastic.co/typ↩
e=elasticsearch"
NAME                                   TYPE        CLUSTER-IP       EXTERNAL-IP    P↩
ORT(S)      AGE
service/elasticsearch-es-default       ClusterIP   None             <none>         ↩
9200/TCP     36m
service/elasticsearch-es-http          ClusterIP   10.103.156.21    <none>         ↩
9200/TCP     36m
service/elasticsearch-es-internal-http ClusterIP   10.98.72.189     <none>         ↩
9200/TCP     36m
service/elasticsearch-es-transport     ClusterIP   None             <none>         ↩
9300/TCP     36m

NAME                                     READY    AGE
statefulset.apps/elasticsearch-es-default   1/1      36m

NAME                               READY    STATUS     RESTARTS    AGE
pod/elasticsearch-es-default-0     1/1      Running    0           36m
```

Kibana の構成

リスト9.16コマンドでKibana リソースの概要が表示されます。

リスト9.16　Kibanaリソースを取得

```
$ kubectl -n elastic-stack get kibana
NAME             HEALTH    NODES    VERSION    AGE
eck-eck-kibana   green     1        8.9.0      39m
```

リスト9.17コマンドで適用されている Kibana リソースを確認できます。主に .spec 配下で
Kibanaの構成の定義[21]がされています。

＊21　https://www.elastic.co/guide/en/cloud-on-k8s/current/k8s-api-kibana-k8s-elastic-co-v1.html

9. コンテナの運用

リスト 9.17　Kibanaリソースのマニフェストを表示

```
$ kubectl -n elastic-stack get kibana/eck-eck-kibana -o yaml
apiVersion: kibana.k8s.elastic.co/v1
kind: Kibana
metadata:
  # 省略...
  name: eck-eck-kibana
  namespace: elastic-stack
  # 省略...
spec:
  count: 1
  elasticsearchRef:
    name: elasticsearch
  enterpriseSearchRef: {}
  http:
    service:
      metadata: {}
      spec: {}
    tls:
      certificate: {}
      selfSignedCertificate:
        disabled: true
  monitoring:
    logs: {}
    metrics: {}
  podTemplate:
    metadata:
      creationTimestamp: null
    spec:
      containers: null
  version: 8.9.0
status:
# 省略...
```

リスト 9.18 のコマンドを実行すると、ECK Operator が作成した Service・Deployment・Pod と
いったリソースを確認できます。Kibana はデータを可視化するため、一般的な Web アプリケー
ションと同様の構成になっています。

リスト 9.18　ECK Operatorが作成したKibana 関連のリソース

```
$ kubectl -n elastic-stack get service,deployment,pod -l "common.k8s.elastic.co/typ←
e=kibana"
NAME                             TYPE        CLUSTER-IP       EXTERNAL-IP   PORT(S)   ←
  AGE
service/eck-eck-kibana-kb-http   ClusterIP   10.97.133.128    <none>        5601/TCP  ←
  48m

NAME                                READY   UP-TO-DATE   AVAILABLE   AGE
deployment.apps/eck-eck-kibana-kb   1/1     1            1           48m

NAME                                   READY   STATUS    RESTARTS   AGE
pod/eck-eck-kibana-kb-5f7d5bcb8-nsd5l  1/1     Running   0          48m
```

ロギングの運用 **9.1**

Beatsの構成

リスト9.19コマンドでBeatsリソースの概要が表示されます。

リスト9.19　Beatsリソースを取得

```
$ kubectl -n elastic-stack get beats
NAME            HEALTH      AVAILABLE     EXPECTED      TYPE        VERSION     AGE
eck-eck-beats   green       1             1             filebeat    8.9.0       39m
```

リスト9.20コマンドで適用されているBeatsリソースを確認できます。主に .spec 配下でBeats
の構成の定義[22]がされています。

リスト9.20　Kibanaリソースのマニフェストを表示

```
$ kubectl -n elastic-stack get beats/eck-eck-beats -o yaml
apiVersion: beat.k8s.elastic.co/v1beta1
kind: Beat
metadata:
  annotations:
    association.k8s.elastic.co/es-conf: '{"authSecretName":"eck-eck-beats-beat-use←
r","authSecretKey":"elastic-stack-eck-eck-beats-beat-user","isServiceAccount":fals←
e,"caCertProvided":true,"caSecretName":"eck-eck-beats-beat-es-ca","url":"https://ela←
sticsearch-es-http.elastic-stack.svc:9200","version":"8.9.0"}'
    eck.k8s.elastic.co/license: basic
    meta.helm.sh/release-name: eck
    meta.helm.sh/release-namespace: elastic-stack
  creationTimestamp: "2023-08-24T14:58:03Z"
  generation: 2
  labels:
    app.kubernetes.io/instance: eck
    app.kubernetes.io/managed-by: Helm
    app.kubernetes.io/name: eck-beats
    helm.sh/chart: eck-beats-0.7.0
  name: eck-eck-beats
  namespace: elastic-stack
  resourceVersion: "3071122"
  uid: f86bacc0-fd7c-497a-9c66-6337965eab0d
spec:
  config:
    filebeat:
      autodiscover:
        providers:
        - hints:
            default_config:
              paths:
              - /var/log/containers/*${data.kubernetes.container.id}.log
              type: container
            enabled: true
          node: ${NODE_NAME}
          type: kubernetes
  daemonSet:
```

＊22　https://www.elastic.co/guide/en/cloud-on-k8s/current/k8s-api-beat-k8s-elastic-co-v1beta1.html

9. コンテナの運用

```
      podTemplate:
        metadata:
          creationTimestamp: null
        spec:
          automountServiceAccountToken: true
          containers:
          - env:
            - name: NODE_NAME
              valueFrom:
                fieldRef:
                  fieldPath: spec.nodeName
            name: filebeat
            resources: {}
            securityContext:
              runAsUser: 0
            volumeMounts:
            - mountPath: /var/log/containers
              name: varlogcontainers
            - mountPath: /var/log/pods
              name: varlogpods
            - mountPath: /var/lib/docker/containers
              name: varlibdockercontainers
          dnsPolicy: ClusterFirstWithHostNet
          hostNetwork: true
          serviceAccountName: filebeat
          terminationGracePeriodSeconds: 30
          volumes:
          - hostPath:
              path: /var/log/containers
            name: varlogcontainers
          - hostPath:
              path: /var/log/pods
            name: varlogpods
          - hostPath:
              path: /var/lib/docker/containers
            name: varlibdockercontainers
    updateStrategy: {}
  elasticsearchRef:
    name: elasticsearch
  kibanaRef: {}
  monitoring:
    logs: {}
    metrics: {}
  type: filebeat
  version: 8.9.0
status:
# 省略...
```

　Beatsはデータシッパーであり、コンテナやPodのログをリアルタイムにElasticsearchへ送信します。Kubernetesにはどのような権限、構成でデプロイされているか見ていきましょう。

● ─── コンテナホストのログ取得のためのRBAC

　Elastic Stackでのログ収集・検索機構はただログを検索できるだけではありません。ログがどの

358

Node・コンテナ・Podで出力されたのかを識別できますし、そのようなメタデータでフィルタリングして検索できます。コンテナやPodはデプロイによって頻繁に入れ替わるため、このような機構は必要不可欠です。

　ログにメタデータを付与して送信するためにも、データシッパーにはKubernetesのリソースを閲覧できる権限が必要です。7.3でRBACについて解説しましたが、BeatsでもRBACで適切な権限制御を行います。**リスト9.21**コマンドで関連リソースが確認できます。

リスト9.21　Beatsの権限制御に関連するリソース

```
$ kubectl -n elastic-stack get clusterrole,clusterrolebinding,serviceaccount -l "ap↩
p.kubernetes.io/name=eck-beats"
NAME                                              CREATED AT
clusterrole.rbac.authorization.k8s.io/filebeat    2023-08-24T14:58:03Z

NAME                                                     ROLE                   AGE
clusterrolebinding.rbac.authorization.k8s.io/filebeat    ClusterRole/filebeat   121m

NAME                    SECRETS    AGE
serviceaccount/filebeat 0          121m
```

　リスト9.22コマンドでClusterRoleを確認できます。PodやNode等、ログに付与するラベル等のメタデータを取得するための権限を定義してます。

リスト9.22　BeatsのCustomRoleマニフェスト

```
$ kubectl get clusterrole/filebeat -o yaml
apiVersion: rbac.authorization.k8s.io/v1
kind: ClusterRole
metadata:
  # 省略...
  name: filebeat
  # 省略...
rules:
- apiGroups: # apiVersion=v1 Namespace/Pod/Nodeに関する権限
  - ""
  resources:
  - namespaces
  - pods
  - nodes
  verbs:
  - get
  - watch
  - list
- apiGroups: # apiVersion=apps/v1 ReplicaSetに関する権限
  - apps
  resources:
  - replicasets
  verbs:
  - get
  - list
  - watch
```

```
  - apiGroups: # apiVersion=batch/v1 Jobに関する権限
    - batch
    resources:
    - jobs
    verbs:
    - get
    - list
    - watch
```

この ClusterRole と ServiceAccount の `filebeat` を**リスト 9.23** のように ClusterRoleBinding で紐づけています。

リスト 9.23　Beatsの CustomRoleBinding マニフェスト

```
$ kubectl get clusterrolebinding/filebeat -o yaml
apiVersion: rbac.authorization.k8s.io/v1
kind: ClusterRoleBinding
metadata:
  annotations:
    eck.k8s.elastic.co/license: basic
    meta.helm.sh/release-name: eck
    meta.helm.sh/release-namespace: elastic-stack
  creationTimestamp: "2023-08-24T14:58:03Z"
  labels:
    app.kubernetes.io/instance: eck
    app.kubernetes.io/managed-by: Helm
    app.kubernetes.io/name: eck-beats
    helm.sh/chart: eck-beats-0.7.0
  name: filebeat
  resourceVersion: "3070988"
  uid: 83d3ce5c-a175-4a22-9cbb-80d9b0ab0f70
roleRef:
  apiGroup: rbac.authorization.k8s.io
  kind: ClusterRole
  name: filebeat
subjects:
- kind: ServiceAccount
  name: filebeat
  namespace: elastic-stack
```

Beats を実行する Pod には `filebeat` の ServiceAccount を設定することになります。

●───DaemonSet で全ての Node の Pod を配置する

残りは Beats の Pod の配置です。Beats はデータシッパーとして全てのコンテナのログを Elasticsearch に送信する役割を担うため、全ての Node に対して確実に Pod を配置したいところです。

このケースに対応するには**DaemonSet** というリソースを利用します。DaemonSet は Kubernetes クラスタで管理されている全ての Node に対して、必ず 1 つ配置される Pod を管理するためのリソースです。データシッパーのような各ホストでエージェントとして配置したい用途

に適しています。ローカルKubernetes環境ではNodeは1つしかありませんが、複数Node環境で
あれば自動でPodが配置されます。

リスト9.24がDaemonSetのマニフェストです。

リスト9.24　BeatsのDaemonSetマニフェスト

```
$ kubectl -n elastic-stack get daemonset/eck-eck-beats-beat-filebeat -o yaml
apiVersion: apps/v1
kind: DaemonSet
metadata:
  # 省略...
  labels:
    beat.k8s.elastic.co/name: eck-eck-beats
    # 省略...
  name: eck-eck-beats-beat-filebeat
  namespace: elastic-stack
  # 省略...
spec:
  revisionHistoryLimit: 10
  selector:
    # 省略...
  template:
    metadata:
      # 省略...
    spec:
      automountServiceAccountToken: true
      containers:
      - args:
        - -e
        - -c
        - /etc/beat.yml
        env:
        - name: NODE_NAME
          valueFrom:
            fieldRef:
              apiVersion: v1
              fieldPath: spec.nodeName
        image: docker.elastic.co/beats/filebeat:8.9.0
        imagePullPolicy: IfNotPresent
        name: filebeat
        resources:
          limits:
            cpu: 100m
            memory: 300Mi
          requests:
            cpu: 100m
            memory: 300Mi
        securityContext:
          runAsUser: 0
        terminationMessagePath: /dev/termination-log
        terminationMessagePolicy: File
        volumeMounts:
        - mountPath: /usr/share/filebeat/data
          name: beat-data
```

9. コンテナの運用

```
        - mountPath: /etc/beat.yml
          name: config
          readOnly: true
          subPath: beat.yml
        - mountPath: /mnt/elastic-internal/elasticsearch-certs
          name: elasticsearch-certs
          readOnly: true
        # ②-1 Volumeをマウント
        - mountPath: /var/lib/docker/containers
          name: varlibdockercontainers
        # ②-2 Volumeをマウント
        - mountPath: /var/log/containers
          name: varlogcontainers
        # ②-3 Volumeをマウント
        - mountPath: /var/log/pods
          name: varlogpods
    # 省略...
    serviceAccount: filebeat
    serviceAccountName: filebeat
    terminationGracePeriodSeconds: 30
    volumes:
    - hostPath:
        path: /var/lib/elastic-stack/eck-eck-beats/filebeat-data
        type: DirectoryOrCreate
      name: beat-data
    - name: config
      secret:
        defaultMode: 292
        optional: false
        secretName: eck-eck-beats-beat-filebeat-config
    - name: elasticsearch-certs
      secret:
        defaultMode: 420
        optional: false
        secretName: eck-eck-beats-beat-es-ca
    # ①-1 ホストの/var/lib/docker/containersをVolumeとして扱う
    - hostPath:
        path: /var/lib/docker/containers
        type: ""
      name: varlibdockercontainers
    # ①-2 ホストの/var/log/containersをVolumeとして扱う
    - hostPath:
        path: /var/log/containers
        type: ""
      name: varlogcontainers
    # ①-3 ホストの/var/log/podsをVolumeとして扱う
    - hostPath:
        path: /var/log/pods
        type: ""
      name: varlogpods
# 省略...
```

　　DaemonSet は Pod を管理するリソースのため、 `.spec.template.spec` 以下は Deployment や
StatefulSet と基本的に変わりません。

362

①-1 から①-3ではNodeに格納されているコンテナ関連ログのディレクトリをVolumeとして設定しています。ディレクトリのパスはhostPathで指定しています。

②-1 から②-3ではVolumeとして設定したログのディレクトリをPodにマウントしています。

アプリケーションのPodを実行し、Kibanaでログを確認する

ここからは構築したログ収集・検索機構を使い、実際にKibanaでアプリケーションのログを確認していきましょう。

●──Kibanaの認証情報を取得する

Kibanaには認証が施されています。今回はデフォルトの設定によって作成されているelasticユーザの認証情報を利用します。

認証情報はelasticsearch-es-elastic-userというSecretで作成されています。**リスト 9.25**で内容を確認できます。

リスト 9.25　elasticユーザーの認証情報 Secret

```
$ kubectl -n elastic-stack get secret/elasticsearch-es-elastic-user -o yaml
apiVersion: v1
data:
  elastic: Wjd3eTE1MTNPWnZONHg0bzU1VEI2SXZZ
kind: Secret
metadata:
  creationTimestamp: "2023-08-24T14:58:03Z"
  labels:
    common.k8s.elastic.co/type: elasticsearch
    eck.k8s.elastic.co/credentials: "true"
    eck.k8s.elastic.co/owner-kind: Elasticsearch
    eck.k8s.elastic.co/owner-name: elasticsearch
    eck.k8s.elastic.co/owner-namespace: elastic-stack
    elasticsearch.k8s.elastic.co/cluster-name: elasticsearch
  name: elasticsearch-es-elastic-user
  namespace: elastic-stack
  resourceVersion: "3071017"
  uid: d9407094-c90e-4663-a58f-a2d372127cf5
type: Opaque
```

.data.elasticはパスワードがBase64でエンコードされた値です。これをデコードすればパスワードを得られます。エンコードされた値を直接base64 -dコマンドでデコードしてもよいですが、次のようにワンライナーコマンドで取得も可能です。デコードされたパスワードは控えておいてください。

```
$ kubectl -n elastic-stack get secret/elasticsearch-es-elastic-user -o=jsonpath='{.d↩
ata.elastic}' | base64 -d
```

今回デプロイしたKibanaにはIngressが作成されていません。クラスタの外からこれらにアクセ

9. コンテナの運用

スするために、ローカルのポートをServiceにポートフォワーディングします[*23]。Service一覧は**リスト9.26**のように確認できます。

リスト9.26　Elastic Stack 関連の Service 一覧

```
$ kubectl -n elastic-stack get service
NAME                              TYPE        CLUSTER-IP      EXTERNAL-IP   PORT(S)    ←
  AGE
eck-eck-kibana-kb-http            ClusterIP   10.97.133.128   <none>        5601/TCP   ←
  34h
elasticsearch-es-default          ClusterIP   None            <none>        9200/TCP   ←
  34h
elasticsearch-es-http             ClusterIP   10.103.156.21   <none>        9200/TCP   ←
  34h
elasticsearch-es-internal-http    ClusterIP   10.98.72.189    <none>        9200/TCP   ←
  34h
elasticsearch-es-transport        ClusterIP   None            <none>        9300/TCP   ←
  34h
```

ローカルからKibanaにアクセスするために、`eck-eck-kibana-kb-http`のServiceを5601番でポートフォワーディングします。

```
$ kubectl -n elastic-stack port-forward svc/eck-eck-kibana-kb-http 5601:5601
Forwarding from 127.0.0.1:5601 -> 5601
Forwarding from [::1]:5601 -> 5601
```

任意のブラウザで`http://localhost:5601`を開きます。取得した認証情報を使ってログインします。ログインに成功すると、ホーム画面（**図9.3**）が表示されます。

図9.2　Kibanaのログイン画面

[*23]　実際に開発・本番環境にデプロイする場合は適宜Ingressを作成して公開します。

図9.3　Kibanaのホーム画面

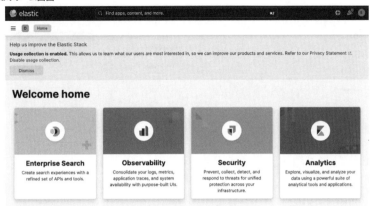

これでKibanaの準備は完了です。

●───アプリケーションのPodを実行し、ログを出力する

適当にアプリケーションのログを出力してみましょう。echoアプリケーションをHelmでデプロイし、HTTPリクエストを送ります。何度か繰り返します。

```
$ helm install echo oci://ghcr.io/gihyodocker/chart/echo --version v0.0.1
Pulled: ghcr.io/gihyodocker/chart/echo:v0.0.1
Digest: sha256:741ac6ded8830cba683349b99ea8e6573024136610fb2e5afe65fddeefb2dcae
NAME: echo
LAST DEPLOYED: Sat Aug 26 10:15:27 2023
NAMESPACE: default
STATUS: deployed
REVISION: 1
TEST SUITE: None
NOTES:
1. Get the application URL by running these commands:
  http://chart-example.local/
```

```
$ curl http://localhost/ -H 'Host: chart-example.local'
Hello Container!!
```

●───Kibanaでコンテナのログを確認する

Kibanaの左側のメニューから「Analytics」→「Discover」の画面に遷移します[*24]。「Create data view」ボタンをクリックすると、図9.4のようなダイアログが開きます。BeatsによってElasticsearchに送信されたデータから作られたインデックス一覧が表示されます。

[*24] http://localhost:5601/app/discover

9. コンテナの運用

図9.4 KibanaのCreate data viewの登録

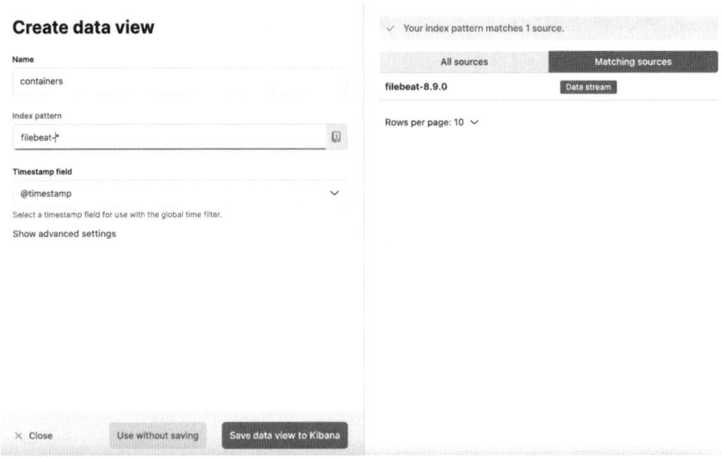

ここでは Name に `containers`、Index pattern に `filebeat-*`、Timestamp field に `@timestamp` を選択して「Save data view to Kibana」をクリックします。

図 9.5 の画面に遷移します。コンテナやKubernetes関連のログが時系列で表示されます。

図9.5 KibanaのDiscover画面

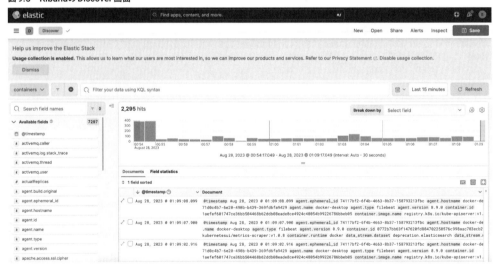

検索のテキストフィールドにログのメタデータとなっているキーと、フィルタリングする値を入力して検索できます。

たとえば `app.kubernetes.io/name` という推奨ラベルは、`kubernetes.labels.app_kubernetes_io/name` というキーに対応しています。Kubernetesのラベルに `kubernetes.labels.` というプレフィッ

ロギングの運用　**9.1**

クスがつけられ、．は＿で置換された形式になっています。

図9.6　検索キーのサジェスト

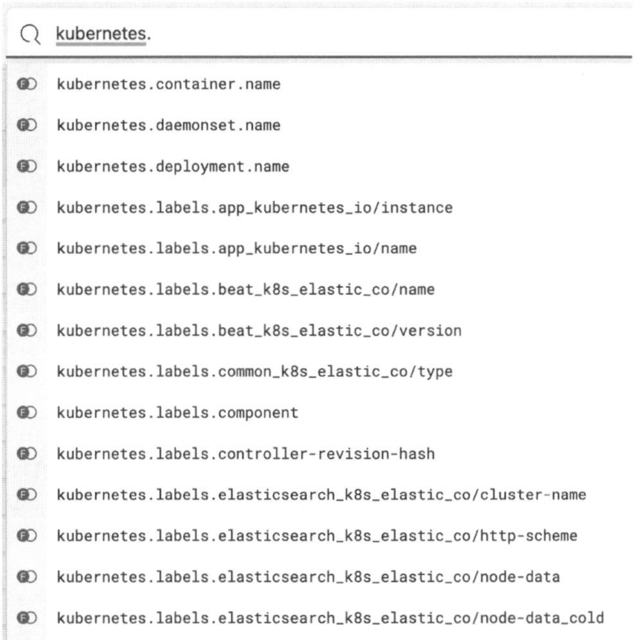

```
🔍  kubernetes.

🆔  kubernetes.container.name

🆔  kubernetes.daemonset.name

🆔  kubernetes.deployment.name

🆔  kubernetes.labels.app_kubernetes_io/instance

🆔  kubernetes.labels.app_kubernetes_io/name

🆔  kubernetes.labels.beat_k8s_elastic_co/name

🆔  kubernetes.labels.beat_k8s_elastic_co/version

🆔  kubernetes.labels.common_k8s_elastic_co/type

🆔  kubernetes.labels.component

🆔  kubernetes.labels.controller-revision-hash

🆔  kubernetes.labels.elasticsearch_k8s_elastic_co/cluster-name

🆔  kubernetes.labels.elasticsearch_k8s_elastic_co/http-scheme

🆔  kubernetes.labels.elasticsearch_k8s_elastic_co/node-data

🆔  kubernetes.labels.elasticsearch_k8s_elastic_co/node-data_cold
```

kubernetes.labels.app_kubernetes_io/nameを選択すると、**図9.7**のようにラベルの値の候補を出してくれます。

図9.7　ラベルの値の候補

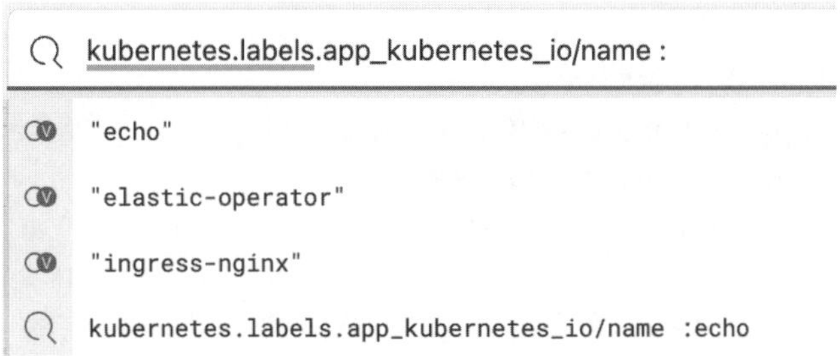

```
🔍  kubernetes.labels.app_kubernetes_io/name :

Ⓥ  "echo"

Ⓥ  "elastic-operator"

Ⓥ  "ingress-nginx"

🔍  kubernetes.labels.app_kubernetes_io/name :echo
```

echoを選択し、 kubernetes.labels.app_kubernetes_io/name :"echo"[25]が入力された状態で「Refresh」をクリックします。

図9.8のようにログの検索結果が表示されます。ここではapp.kubernetes.io/name: echoに対応

---

[25]　これはKQL(Kibana Query Language)というクエリです。SQLのようにANDやORといった条件での検索にも対応しています。
https://www.elastic.co/guide/en/kibana/current/kuery-query.html

367

9. コンテナの運用

したPodである nginx と echo の2つのコンテナログが表示されます。

図9.8　ログの検索結果

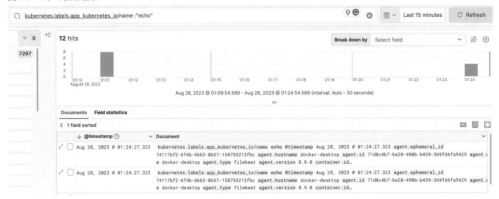

このようにログの収集・管理機構を構築すると、簡単にコンテナのログを検索できます。コンテナ技術ではデプロイやスケールアウトによってコンテナの入れ替わりや増減が多いため、運用上は必要不可欠な機構です。

> **コラム　安定したElasticsearchを選択する**
>
> アプリケーションのログやアクセスログは非常に重要なものです。極力ロスなく確実にログストレージに転送したいはずです。
>
> 高トラフィックでログが多く出力されるような環境では、Elasticsearchが持つディスクもノード数もそれなりの規模が必要ですし、かつ高い可用性が求められます。とはいえ、Elasticsearchのようなデータストアを安定して運用していくことはそれなりの難しさもあります。Elastic社が提供しているElastic Cloudは有力な選択肢でしょう。
>
> また、Google Cloud MarketplaceやAWS MarketplaceにはElastic Cloudが提供されているため、自身のクラウド領域にElasticsearchを簡単に構築できます。
>
> AWSはAmazon OpenSearch Service（旧称：Amazon Elasticsearch Service）というマネージドサービスを提供していますが、これはElasticsearchではありません。Amazon OpenSearch ServiceはElasticsearchの古いバージョンをフォークして作られています。旧Elasticsearch Service時代はElastic社と商用パートナーシップが結ばれていなかったため、商標権訴訟にまで発展しました。現在は和解しており、AWSはElasticsearchの名を外してOpenSearch Serviceとして提供しています。

> **コラム　パブリッククラウド独自のログ管理プロダクト**
>
> Elastic Stackを構築するのも良いですが、代表的なパブリッククラウドには独自のフルマネージ

ドなログ管理プロダクトが用意されています。コンテナはパブリッククラウドで運用するケースが多いので、ログの管理はクラウド独自で備えられている機構に任せる方が簡単です。

Google Cloud、AWS、Azureにはそれぞれ次のログ管理プロダクトが提供されています。

- **Google Cloud Logging**[a][b]
- **Amazon CloudWatch Logs**[c]
- **Azure LogAnalytics**[d]

それぞれ使い方に差異はありますが、Nodeからデータシッパーで収集されたログをラベルで検索できるという点ではElastic Stackとさほど変わりません。

---

[a]　https://cloud.google.com/logging?hl=ja
[b]　旧称はStackdriver Logging。
[c]　https://docs.aws.amazon.com/ja_jp/AmazonCloudWatch/latest/logs/WhatIsCloudWatchLogs.html
[d]　https://learn.microsoft.com/azure/azure-monitor/logs/log-analytics-overview

9.1.4　stern

Kibanaや各種クラウドプラットフォームでのログの閲覧も便利ですが、やや大仰な感もあります。開発者としてはコマンドラインでもっと気軽にログを閲覧できるとうれしいものです。

`kubectl logs -f {PodのID}`コマンドで実行中のPodのログを閲覧できますが、PodのIDを都度調べるのは面倒です。

Kubernetesのログ閲覧を助けるツールにstern[26]があります。

```
$ asdf plugin add stern
$ asdf install stern 1.26.0
$ asdf global stern 1.26.0
```

sternではラベル指定だけで簡単にログが確認できます。例としてローカルKubernetes環境で実行しているecho Podに対してのログの閲覧を試してみます。echo Podはラベルとして`app.kubernetes.io/name: echo`が設定されています。次のようにラベルを指定するだけで実行しているPodに所属するコンテナのログを取得できます。

```
$ stern -l app.kubernetes.io/name=echo
+ echo-54858bd9fd-smm8d ›  nginx
+ echo-54858bd9fd-smm8d ›  echo
echo-54858bd9fd-smm8d echo 2023/08/27 16:11:00 Received request
echo-54858bd9fd-smm8d nginx 10.1.3.39 - - [27/Aug/2023:16:11:00 +0000] "GET / HTT←
P/1.1" 200 17 "-" "curl/7.87.0" "192.168.65.4"
```

---

[26]　https://github.com/stern/stern

9. コンテナの運用

```
echo-54858bd9fd-smm8d echo 2023/08/27 16:11:01 Received request
echo-54858bd9fd-smm8d echo 2023/08/27 16:11:02 Received request
echo-54858bd9fd-smm8d echo 2023/08/27 16:11:03 Received request
echo-54858bd9fd-smm8d echo 2023/08/27 16:24:24 Received request
echo-54858bd9fd-smm8d echo 2023/08/27 16:24:27 Received request
echo-54858bd9fd-smm8d echo 2023/08/27 16:40:40 Received request
echo-54858bd9fd-smm8d nginx 10.1.3.39 - - [27/Aug/2023:16:11:01 +0000] "GET / HTT↩
P/1.1" 200 17 "-" "curl/7.87.0" "192.168.65.4"
echo-54858bd9fd-smm8d nginx 10.1.3.39 - - [27/Aug/2023:16:11:02 +0000] "GET / HTT↩
P/1.1" 200 17 "-" "curl/7.87.0" "192.168.65.4"
echo-54858bd9fd-smm8d nginx 10.1.3.39 - - [27/Aug/2023:16:11:03 +0000] "GET / HTT↩
P/1.1" 200 17 "-" "curl/7.87.0" "192.168.65.4"
echo-54858bd9fd-smm8d nginx 10.1.3.39 - - [27/Aug/2023:16:24:24 +0000] "GET / HTT↩
P/1.1" 200 17 "-" "curl/7.87.0" "192.168.65.4"
echo-54858bd9fd-smm8d nginx 10.1.3.39 - - [27/Aug/2023:16:24:27 +0000] "GET / HTT↩
P/1.1" 200 17 "-" "curl/7.87.0" "192.168.65.4"
echo-54858bd9fd-smm8d nginx 10.1.3.39 - - [27/Aug/2023:16:40:40 +0000] "GET / HTT↩
P/1.1" 200 17 "-" "curl/7.87.0" "192.168.65.4"
```

　このようにラベルベースでログをtailできるため、Podが削除されて再度同じラベルを持つPod
が実行された場合もsternの実行プロセスはそのままの状態でログを閲覧できます。

　もちろんこれはローカルKubernetes環境だけではなく、マネージドサービスを含むどのよう
なKubernetesクラスタでも利用できます。6.1で構築したタスクアプリケーションも次のように
--contextを併せて指定することで閲覧できます[27]。

```
$ stern -n taskapp-stormcat24 -l app=api --context gihyo-aks
+ api-7d68b7d8fc-4r79m › nginx-api
+ api-7d68b7d8fc-4r79m › api
...
```

　sternのbashとzsh向けCompletion（補完関数）も併用するとログの閲覧が捗ります。

9.2 可用性の高いKubernetesの運用

　Kubernetesはアプリケーションの開発・運用の効率性と耐障害性に優れたコンテナオーケスト
レーションシステムです。しかし、決して銀の弾丸ではないため運用によっては障害を引き起こし
てしまいます。

　ここではコンテナ技術の利用において耐障害性の強いアプリケーションを構築するために、障害
起因になりやすい箇所と対処法について解説します。

　なお、Docker Desktopのローカル Kubernetes 環境はシングル Node 構成のため、可用性を意識

＊27　-nオプションで指定するNamespaceは読者が作成したものに置き換えてください。

370

した構成を作ることが難しいです。そのため、本書ではkindというマルチNodeクラスタを構築するためのツールを使用します。kindのインストールとクラスタの構築については、Appendix A.3を参照して行ってください。

作業ディレクトリとして ~/k8s/availabilityを作成し、その中で進めていきます。

```
$ mkdir -p ~/k8s/availability
```

9.2.1　Node障害時のKubernetesの挙動

KubernetesでアプリケーションのPodをデプロイする際、ReplicaSetが自動でPodを配置するため開発者はNodeを意識しなくても良いと考えてしまうかもしれません。しかし、実際はそうではありません。

Kubernetesでも従来と同じくサーバを運用していくことに変わりありません。そのため、サーバの障害によるNodeが停止する可能性を念頭に置いてPodをデプロイする必要があります。

まずはNodeが障害を起こしダウンをした場合、ダウンしたNodeにデプロイされているPodはどうなるのかを把握しておきましょう。

図9.9　Nodeダウン時のPodの再配置

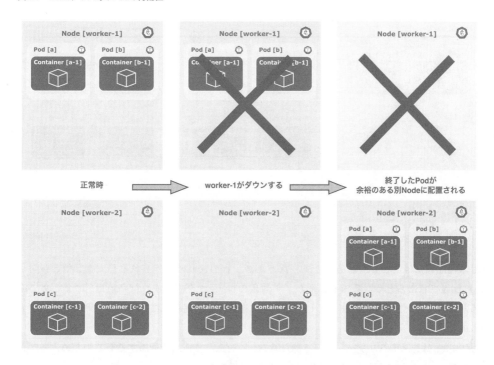

図9.9は2つのNodeのうち片方がダウンした際のPodの配置状況について表しています。

ダウンしたNodeにデプロイされていた全てのPodは即時停止し、正常に稼働している別のNodeに再配置されます。Podを作成しているReplicaSetが指定した数のPod数を維持しようとするために、再配置が行われます。

この動きはAuto Healing（オートヒーリング）機能と呼ばれています。意図的にNodeからReplicaSetで管理されているPodを削除したときも同じ挙動をします。

つまりKubernetesでのアプリケーションのデプロイは、ReplicaSetを管理するDeploymentやStatefulSet、DaemonSetを利用してPodを作成することが最初の障害対策ということになります。

9.2.2　Pod AntiAffinityによる耐障害性の強いPodの配置戦略

ReplicaSetによるAuto Healingは便利ですが、完璧ではありません。`replicas=1`の場合など「NodeダウンによるPodの停止」から「別のNodeにPodが再配置される」までの時間は、ダウンタイムが発生してしまいます。

そのため、`replicas`の数を増やしてみます。Podが複数Nodeに渡ってデプロイされていれば、サービスダウンせずにPodの再配置が可能です。

図9.10　同じ種類のPodをマルチNodeに配置する

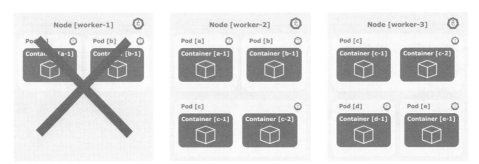

Nodeダウンによってサービスダウンしないように
十分なNodeの準備と、同じ種類のPodをマルチNodeに配置する

Podの再配置には落とし穴があります。たとえば、`replicas=2`で作られるPodが2つとも同じNodeに配置されたらどうなるでしょうか？　対象のNodeがダウンすればPodは2つまとめて停止するため、ダウンタイムが発生してしまいます。複数Podを用意したのに、単一障害点になってしまうのです。

Kubernetesはシステムリソースが空き気味なNodeを選んでPodを配置する戦略のため、残念ながら同じNodeに複数の同じPodを配置する可能性がゼロではありません。

可用性の高い Kubernetes の運用　**9.2**

これを解決するための仕組みが **Pod AntiAffinity** です。Pod 間の親和性を考慮した Pod の配置ルールを定義します[*28]。Pod AntiAffinity は「C の Pod がある Node に D の Pod を配置したくない」といったケースで活用できます。耐障害性を保つため、同じ種類の Pod を同じ Node に配置させないようにこれを活用しましょう。

実際に挙動を見るために kind でマルチ Node のクラスタを作成します。`kind-config-gihyo-multi-workers.yaml` というファイル名で**リスト 9.27** のような設定ファイルを作成します。

リスト 9.27　マルチ Node クラスタの設定ファイル

`~/k8s/availability/kind-config-gihyo-multi-workers.yaml`

```
kind: Cluster
apiVersion: kind.x-k8s.io/v1alpha4
name: gihyo-multi-workers
nodes:
  - role: control-plane
  - role: worker
  - role: worker
  - role: worker
```

`gihyo-multi-workers` という kind のクラスタ名で、3 つの Worker Node を持つクラスタを用意します。**リスト 9.28** のコマンドでクラスタを作成します。Kubernetes のクラスタ名としては `kind-gihyo-multi-workers` になります。

リスト 9.28　複数 Worker のクラスタを作成

```
(~/k8s/availability) $ kind create cluster --config kind-config-gihyo-multi-workers.↩
yaml
Creating cluster "gihyo-multi-workers" ...
 ✓ Ensuring node image (kindest/node:v1.27.3) 📦
 ✓ Preparing nodes 📦 📦 📦 📦
 ✓ Writing configuration 📜
 ✓ Starting control-plane 🕹️
 ✓ Installing CNI 🔌
 ✓ Installing StorageClass 💾
 ✓ Joining worker nodes 🚜
Set kubectl context to "kind-gihyo-multi-workers"
You can now use your cluster with:

kubectl cluster-info --context kind-gihyo-multi-workers

Have a question, bug, or feature request? Let us know! https://kind.sigs.k8s.io/#com↩
munity 😊
```

このクラスタで echo アプリケーションの Deployment を題材にします。`anti-affinity-deployment.yaml` というファイル名で**リスト 9.29** のマニフェストファイルを作成します。

＊28　Pod Affinity という仕組みも存在します。Pod Affinity は「A の Pod は B の Pod と頻繁に通信するため同じ Node に配置したい」といったケースで活用できます。名前の通り、Pod AntiAffinity と対になる機能です。Affinity は親和性を意味します。

373

9. コンテナの運用

リスト9.29　Pod AntiAffinityを設定したマニフェストファイル

`~/k8s/availability/anti-affinity-deployment.yaml`

```yaml
apiVersion: apps/v1
kind: Deployment
metadata:
  name: echo
  labels:
    app.kubernetes.io/name: echo
spec:
# ① Podを3つデプロイ
  replicas: 3
  selector:
    matchLabels:
      app.kubernetes.io/name: echo
  template:
    metadata:
      labels:
        app.kubernetes.io/name: echo
    spec:
      affinity:
        # ② Pod AntiAffinityの設定
        podAntiAffinity:
          requiredDuringSchedulingIgnoredDuringExecution:
          - labelSelector: # ②-1 ラベルによる条件設定
              matchExpressions:
              - key: "app.kubernetes.io/name"
                operator: In
                values:
                - echo
            topologyKey: "kubernetes.io/hostname" # ②-2 条件を適用する対象
      containers:
      - name: nginx
        image: ghcr.io/gihyodocker/simple-nginx-proxy:v0.1.0
        env:
        - name: NGINX_PORT
          value: "80"
        - name: SERVER_NAME
          value: "localhost"
        - name: BACKEND_HOST
          value: "localhost:8080"
        - name: BACKEND_MAX_FAILS
          value: "3"
        - name: BACKEND_FAIL_TIMEOUT
          value: "10s"
        ports:
        - name: http
          containerPort: 80
      - name: echo
        image: ghcr.io/gihyodocker/echo:v0.1.0
```

①ではデプロイするPodの数を3に設定します。kindで構築したkind-gihyoのクラスタは3つの
Worker Nodeを持っているので、この3つのNode全てに1つずつPodを配置したいところです。

②でPod AntiAffinityの設定をしています。`requiredDuringSchedulingIgnoredDuringExecution`

374

によりルールを満たさない限りその Node に Pod をデプロイしない挙動になります。
　②-1 の labelSelector は「app.kubernetes.io/name=echo である Pod」という条件を表し、②-2 の topologyKey はこの条件を適用する対象であり、kubernetes.io/hostname は Node に必ず付けられるラベルのことです。つまり、条件は「ラベル app.kubernetes.io/name=echo である Pod がデプロイされている Node」となり、これが podAntiAffinity によって否定されます。したがって、次のルールで Pod はデプロイされます。

- app.kubernetes.io/name=echo である Pod がデプロイされている Node には、app.kubernetes.io/name=echo である Pod をデプロイしない

　このルールによる Pod の配置方法は図 9.11 のようになります。同じ種類の複数の Pod が 1 つの Node にだけしか配置されないという問題を解決できます。また、replicas の数が配置できる Node の数より大きい場合は、Pending となってその Pod は配置されません。

図9.11　Pod AntiAffinityの挙動

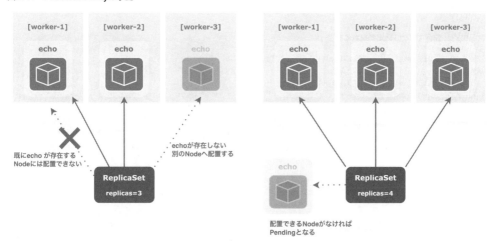

　実際に挙動を確認してみましょう。kind-gihyo のクラスタに anti-affinity-deployment.yaml を適用して Pod をデプロイします。

```
(~/k8s/availability) $ kubectl apply -f anti-affinity-deployment.yaml
deployment.apps/echo created
```

　リスト 9.30 のコマンドで Pod がどのように Node に配置されるかを確認します。NODE 列を見ると、kind で構築した 3 つの Node にそれぞれ配置されていることがわかります。

9. コンテナの運用

リスト9.30 各NodeにPodが配置される様子

```
$ kubectl get pod -l app.kubernetes.io/name=echo -o wide
NAME                    READY   STATUS    RESTARTS   AGE    IP           NODE          ←
    NOMINATED NODE   READINESS GATES
echo-66cc48b75c-5mk27   2/2     Running   0          69s    10.244.1.3   gihyo-worker←
    <none>           <none>
echo-66cc48b75c-5vnlq   2/2     Running   0          69s    10.244.3.3   gihyo-worke←
r2  <none>           <none>
echo-66cc48b75c-jq7hf   2/2     Running   0          69s    10.244.2.3   gihyo-worke←
r3  <none>           <none>
```

　この結果はPod AntiAffinityを設定しなくても得られうる結果ですが、Pod AntiAffinityを設定すれば確実に同じNodeにPodを配置しないことを保証できます。

　次に、3つのNodeに対してechoのPodの`replicas`の数を変更します。`kubectl edit deployment echo`のコマンドを実行し、Vimで`replicas`の数を4に変更してみてください。

　リスト9.31のコマンドで再度Podの状態を確認します。新しいPodを作成しようとしますが、STATUS列が`Pending`のPodがあらわれます。

リスト9.31 配置できないPodが現れる様子

```
$ kubectl get pod -l app.kubernetes.io/name=echo -o wide
NAME                    READY   STATUS    RESTARTS   AGE     IP           NODE         ←
      NOMINATED NODE   READINESS GATES
echo-66cc48b75c-5mk27   2/2     Running   0          8m26s   10.244.1.3   gihyo-work←
er   <none>           <none>
echo-66cc48b75c-5vnlq   2/2     Running   0          8m26s   10.244.3.3   gihyo-work←
er2  <none>           <none>
echo-66cc48b75c-9b4mc   0/2     Pending   0          16s     <none>       <none>       ←
      <none>           <none>
echo-66cc48b75c-jq7hf   2/2     Running   0          8m26s   10.244.2.3   gihyo-work←
er3  <none>           <none>
```

　ReplicaSetは指定された`replicas`の数のPodを実行しようとしますが、PodAffinity/PodAntiAffinityのルールによって配置可能なNodeが足りない場合は、指定した数のPodを配置できません。このようなときは`Pending`で配置保留状態のPodがあらわれます。

　`Pending`状態のPodは、新たに配置可能なNodeがクラスタに追加されたタイミングで配置されます。

　このように、Pod Affinity/AntiAffinityを利用するとより戦略的にPodを配置できます。少し高度な仕組みのため、これを活用する前に、まずはここまでに解説した単一障害点を回避するワークアラウンドを覚えておくと良いでしょう。

9.2.3　CPUを多く利用するPodをNode Affinityで隔離する

　アプリケーションによってはCPUをかなり消費する特性のものがあります。

　バッチジョブのように一時的に多くのCPUリソースを消費するようなPodを実行する場合、同

じNodeにある他のPodのパフォーマンス悪化を引き起こしかねません。このようなケースでは過度にCPUリソースを要するPodだけを専用のNodeに隔離することで、他のPodのパフォーマンスに影響を与えないようにします。

これを実現するためにはNodeを用途でグルーピングするためのラベルを付与し、Podを配置するルールで対象のラベルを持つNodeにだけPodを配置するようにします。任意のラベルのNodeにだけPodが配置されるようにするルールを定義するために**Node Affinity**を使います。

NodeAffinityの挙動を確認するために、Nodeにラベルを付与したkindのクラスタを作成します。`kind-config-gihyo-node-labels.yaml`という設定ファイル作成します。

リスト 9.32　Nodeにラベルを付与したクラスタの設定ファイル

`~/k8s/availability/kind-config-gihyo-node-labels.yaml`

```
kind: Cluster
apiVersion: kind.x-k8s.io/v1alpha4
name: gihyo-node-labels
nodes:
  - role: control-plane
  - role: worker # ① webapiのラベルを持つNode
    labels:
      group: webapi
  - role: worker # ② batchのラベルを持つNode
    labels:
      group: batch
```

`gihyo-node-labels`というkindのクラスタ名で、①の`webapi`のラベルを持つNode、②に`batch`のラベルを持つNodeを1つずつ用意します。**リスト 9.33**のコマンドでクラスタを作成します。Kubernetesのクラスタ名としては`kind-gihyo-node-labels`になります。

リスト 9.33　ラベルを付与したNodeを持つクラスタを作成

```
(~/k8s/availability) $ kind create cluster --config kind-config-gihyo-node-labels.ya←
ml
Creating cluster "gihyo-node-labels" ...
 ✓ Ensuring node image (kindest/node:v1.27.3) 🖼
 ✓ Preparing nodes 📦 📦 📦
 ✓ Writing configuration 📜
 ✓ Starting control-plane 🕹
 ✓ Installing CNI 🔌
 ✓ Installing StorageClass 💾
 ✓ Joining worker nodes 🚜
Set kubectl context to "kind-gihyo-node-labels"
You can now use your cluster with:

kubectl cluster-info --context kind-gihyo-node-labels

Have a nice day! 👋
```

作成されたNodeを確認します。**リスト 9.34**のように`group`ラベルに`webapi`と`batch`が付与され

9. コンテナの運用

たNodeが確認できます。

リスト9.34　ラベルが付与されたNode

```
$ kubectl get node -l group=webapi
NAME                        STATUS   ROLES    AGE   VERSION
gihyo-node-labels-worker    Ready    <none>   31h   v1.27.3

$ kubectl get node -l group=batch
NAME                        STATUS   ROLES    AGE   VERSION
gihyo-node-labels-worker2   Ready    <none>   31h   v1.27.3
```

Nodeにgroupというラベル付けし、WebやAPIサーバだけを配置したいNodeにはwebapiを、バッチジョブだけを配置したいNodeにはbatchとラベルを付けてそれぞれに振り分けてみましょう。

図9.12　Node AffinityでPodを配置するNodeを制御する

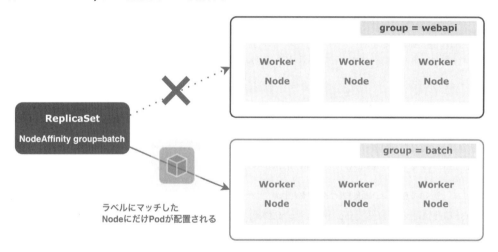

実際にkindのクラスタで挙動を確認してみましょう。time-limit-job.yamlというファイル名でリスト9.35のようなマニフェストを作成します。

これを実現するために、Jobのマニフェストでは.spec.affinity.nodeAffinityで次のようにルールを定義します。

リスト9.35　batchのNodeでのみ実行されるJobのマニフェストファイル

~/k8s/availability/time-limit-job.yaml
```
apiVersion: batch/v1
kind: Job
metadata:
  name: time-limit-job
  labels:
    app.kubernetes.io/name: time-limit-job
```

可用性の高い Kubernetes の運用　**9.2**

```yaml
spec:
  parallelism: 5 # ② 実行するPodの数
  template:
    metadata:
      labels:
        app.kubernetes.io/name: time-limit-job
    spec:
      affinity:
        # ③ Node Affinityの設定
        nodeAffinity:
          requiredDuringSchedulingIgnoredDuringExecution:
            nodeSelectorTerms:
            - matchExpressions:
              # ③-1 配置可能なNodeの設定
              - key: group
                operator: In
                values:
                - "batch"
      containers:
      - name: job
        # ① 任意の秒数だけ実行されるコンテナイメージ
        image: ghcr.io/gihyodocker/time-limit-job:v0.1.0
        env:
          # ①-1 任意の秒数
          - name: EXECUTION_SECONDS
            value: "60"
      restartPolicy: Never
```

①は Job で実行される Pod のコンテナイメージで、①-1で指定した秒数だけ実行されます[29]。

②の .spec.parallelism は Job が実行する Pod の数を指定します。Pod は並列で実行されます。

③は Node Affinity の設定で、③-1で配置可能な Node をラベルで制御する設定をしています。ここでは group=batch の Node だけに5つの Pod が実行されることを確認できれば良いわけです。

実際に挙動を確認してみましょう。 kind-gihyo-node-labels のクラスタに time-limit-job.yaml を適用して Job を実行します。

```
(~/k8s/availability) $ kubectl apply -f time-limit-job.yaml
job.batch/time-limit-job created
```

リスト 9.36 のコマンドを実行すると、 group=batch のラベルを持つ gihyo-node-labels-worker2 だけに Pod が配置されていることがわかります。

＊29　筆者が検証用に作成したコンテナイメージ。 https://github.com/gihyodocker/container-kit/pkgs/container/time-limit-job

9. コンテナの運用

リスト 9.36　group=batchの Nodeだけで実行される Pod

```
$ kubectl get pod -l app.kubernetes.io/name=time-limit-job -o wide
NAME                   READY     STATUS      RESTARTS     AGE    IP           NODE          ←
                     NOMINATED NODE    READINESS GATES
time-limit-job-9t4tp    1/1      Running     0            11s    10.244.1.8   gihyo-node-1←
abels-worker2   <none>               <none>
time-limit-job-j87sw    1/1      Running     0            11s    10.244.1.10  gihyo-node-1←
abels-worker2   <none>               <none>
time-limit-job-lt2c2    1/1      Running     0            11s    10.244.1.7   gihyo-node-1←
abels-worker2   <none>               <none>
time-limit-job-n62mj    1/1      Running     0            11s    10.244.1.11  gihyo-node-1←
abels-worker2   <none>               <none>
time-limit-job-vfmxq    1/1      Running     0            11s    10.244.1.9   gihyo-node-1←
abels-worker2   <none>               <none>
```

　このように Node Affinity によって、ワークロードに適した Node へ Pod を配置でき、他の Pod へのパフォーマンス影響のリスクを回避できます。

　もし Node Affinity で定義したものと合致する Node が存在しなければ、全ての Pod は Pending 状態となりどこにも配置されません。Node Affinity の条件に間違ったラベルを設定しないよう注意が必要です。また、Node Affinity に合致する Node があってもシステムリソースに余裕のある Node がなければ配置できません。

　kindで作成したクラスタの出番はここまでなので、次のように kind delete cluster コマンドでクラスタを削除し、コンテキストを docker-desktop に戻しておきましょう。

```
$ kind delete cluster --name gihyo-node-labels
Deleting cluster "gihyo-node-labels" ...
Deleted nodes: ["gihyo-node-labels-control-plane" "gihyo-node-labels-worker2" "gihy←
o-node-labels-worker"]

$ kind delete cluster --name gihyo-multi-workers
Deleting cluster "gihyo-multi-workers" ...
Deleted nodes: ["gihyo-multi-workers-control-plane" "gihyo-multi-workers-worker3" "g←
ihyo-multi-workers-worker" "gihyo-multi-workers-worker2"]

$ kubectl config use-context docker-desktop
Switched to context "docker-desktop".
```

マネージド Kubernetes サービスにおける Node のグループ化

　各種マネージド Kubernetes サービスにおける Node は、仮想サーバのインスタンスを指します。インスタンスはさまざまなスペックが用意されており、可用性やコスト最適化の観点からインスタンスを Pod の特性に応じて使い分けるという運用もよくあります。9.2.3 で紹介した webapi と batch で Node を分けるのはまさにその典型例です。

　マネージドの Kubernetes には、このような運用を可能にするために、インスタンスをグループ

可用性の高い Kubernetes の運用 **9.2**

化して扱うための仕組みがあります。GKE や AKS では**ノードプール**[*30][*31]、EKS では**インスタンスグループ**[*32]という概念で実現されています。

名称に違いはあれど基本的な概念は同じです。EKS であれば、EC2 の汎用な m5.large で作られるインスタンスグループと、コンピューティング最適化の c5.xlarge のインスタンスグループでクラスタを構成可能です。それぞれのグループを作成する際には任意のラベルを付与できるため、そのラベルを利用して Node Affinity での Pod の配置を実現できます。

9.2.4   Horizontal Pod Autoscaler を利用した Pod のオートスケール

Horizontal Pod Autoscaler[*33] は Pod のシステムリソース使用率に応じて、Pod 数を自動で増減させるための Kubernetes リソースです。HPA は Deployment や ReplicaSet に対して、Pod のオートスケールを実行する条件を設定するためのリソースです。

実際に echo アプリケーションに対して HPA を設定し、Pod の数を変化させてみましょう。Helm を使い次のように echo アプリケーションをデプロイします。

```
$ helm install echo oci://ghcr.io/gihyodocker/chart/echo --version v0.0.1
Pulled: ghcr.io/gihyodocker/chart/echo:v0.0.1
Digest: sha256:741ac6ded8830cba683349b99ea8e6573024136610fb2e5afe65fddeefb2dcae
NAME: echo
LAST DEPLOYED: Sun Sep  3 03:46:53 2023
NAMESPACE: default
STATUS: deployed
REVISION: 1
TEST SUITE: None
NOTES:
1. Get the application URL by running these commands:
  http://chart-example.local/
```

echo-hpa.yaml というファイル名で**リスト 9.37** のようなマニフェストファイルを作成します。

リスト 9.37   HorizontalPodAutoscaler のマニフェストファイル

~/k8s/availability/echo-hpa.yaml

```
apiVersion: autoscaling/v2
kind: HorizontalPodAutoscaler
metadata:
  name: echo
  labels:
    app.kubernetes.io/name: echo
spec:
  scaleTargetRef: # ① HPA の対象となるリソース
```

---

*30　https://cloud.google.com/kubernetes-engine/docs/node-pools
*31　https://learn.microsoft.com/ja-jp/azure/aks/create-node-pools
*32　https://docs.aws.amazon.com/ja_jp/eks/latest/userguide/managed-node-groups.html
*33　以下、HPA。

9. コンテナの運用

```
    apiVersion: apps/v1
    kind: Deployment
    name: echo
minReplicas: 1 # ③-1 レプリカ数(min)
maxReplicas: 3 # ③-2 レプリカ数(max)
metrics:
- type: Resource # ② HPAを発動させるための閾値の設定
  resource:
    name: cpu # ②-1 対象はCPU
    target:
      type: Utilization # ②-2 CPU利用率
      averageUtilization: 40 # ②-3 閾値
```

①でHPAの対象となるリソースであるechoのDeploymentを設定します。

②はどのような条件でHPAによるPodの増減を発動するかの設定です。②-1〜3ではCPU利用率40%を閾値として設定しています[*34]。

③-1と③-2は対象のリソースが作成するPod数の最小値と最大値の設定です。Podの数はこの最小値と最大値の間で、②で設定している閾値に応じて変動します。

次のようにecho-hpa.yamlをapplyし、HPAとPodの実行状況を確認します。

```
(~/k8s/availability) $ kubectl apply -f echo-hpa.yaml
horizontalpodautoscaler.autoscaling/echo created

$ kubectl get hpa -l "app.kubernetes.io/name=echo"
NAME    REFERENCE         TARGETS        MINPODS   MAXPODS   REPLICAS   AGE
echo    Deployment/echo   <unknown>/40%  1         3         1          8m56s

$ kubectl get pod -l "app.kubernetes.io/name=echo"
NAME                    READY   STATUS    RESTARTS   AGE
echo-54858bd9fd-tmhbt   2/2     Running   0          68s
```

echoアプリケーションが多くのHTTPリクエストを受ければCPU利用率は上昇します。HPAの閾値を超えると、REPLICAS列の値が増え、Podが追加されます。

しかし、ローカルKubernetes環境でこの閾値を超えるには強い負荷試験でも実施しない限り難しいです。今回はHPAの.spec.minReplicasの値を変更して、Podが増える様子の確認にとどめます。kubectl edit hpa echoで.spec.minReplicasの値を2に変更します。

程なく経過すると、次のように新たにPodが追加されます。HPAの.spec.minReplicasの値を1に戻すと、Podの数も1つに戻ります。

[*34] CPU以外にmemory（メモリ）も対象にできます。また、アプリケーション固有のメトリクスを活用したオートスケールも可能です。

可用性の高いKubernetesの運用　**9.2**

```
$ kubectl get pod -l "app.kubernetes.io/name=echo"
NAME                  READY   STATUS    RESTARTS   AGE
echo-54858bd9fd-5wsbn  2/2     Running   0          22s
echo-54858bd9fd-tmhbt  2/2     Running   0          10m
```

　HPAはこのようなPodの増減をCPU利用率といったシステムメトリクスをもとに実行してくれます。HPAを利用すれば開発者が都度Podの数を調整する必要がありません。HPAは次のCluster Autoscalerと併せて利用することで真価を発揮します。

9.2.5　Cluster Autoscalerを利用したNodeのオートスケール

　HPAはPodを増減させるための仕組みですが、Podを増やそうとしても配置するNodeのリソースが十分にないこともあります。

　このようなケースではCluster Autoscalerを利用します。Cluster AutoscalerはKubernetesクラスタ内のNodeの数を自動調整します。Cluster AutoscalerはKubernetesのリソースではなく、Nodeのオートスケールのために提供されているツールです。

　KubernetesのNodeの増減の作業は、Kubernetesを実行しているプラットフォームによって異なります。Cluster AutoscalerはGKE、EKS、AKSといったマネージドKubernetesサービスにそれぞれ対応しています。

　GKE[35]とAKS[36]はCluster Autoscalerを有効にするだけで対応可能です。EKSの場合は別途セットアップ[37]が必要です。

　Cluster Autoscalerで、HPAでのPodの増減と連動しながらクラスタで実行するNodeの数を自動で調整できます。これはクラスタのサーバコストをコントロールする上で必要不可欠です。

コラム　**Kubernetesクラスタやノードの運用を軽減する仕組み**

　Kubernetesを活用したシステムを安定的に稼働させるには、Kubernetesクラスタのノード管理やディスク容量のプロビジョニングやバージョンアップ、負荷に応じたオートスケーリングといったさまざまな運用的な考慮が必要です。Kubernetesの活用はいまや珍しくなくなりましたが、それでもこれらの運用は悩みのタネでした。

　このような運用の負担を解決するために、GKEではAutopilot[a]というクラスタやノードの運用を代行する仕組みがリリースされました。AWSではEKS Fargate[b]がリリースされ、開発者がKubernetesの運用に手を取られる時間は大幅に削減されました。

＊35　https://cloud.google.com/kubernetes-engine/docs/how-to/cluster-autoscaler
＊36　https://learn.microsoft.com/ja-jp/azure/aks/cluster-autoscaler
＊37　https://github.com/kubernetes/autoscaler/blob/master/cluster-autoscaler/cloudprovider/aws/README.md

9. コンテナの運用

図9.13　AutopilotでのGKEクラスタの作成画面

← Autopilot クラスタの作成 　　　　　　　　　　　　　　　　　⁂ STANDARD クラスタに切り替え

① クラスタの基本
クラスタの基本を設定します

② ネットワーキング
クラスタ内のアプリケーションの通信を
定義します

③ 詳細設定
その他のオプションを確認します

④ 確認と作成
すべての設定を確認し、クラスタを作成
します

クラスタの基本

名前とリージョンを指定して Autopilot クラスタを作成します。 クラスタを作成したら
Kubernetes を使用してワークロードをデプロイできます。その他のさまざまな処理は
Google が行います。

✓ ノード: 自動化されたノード プロビジョニング、スケーリング、メンテナンス
✓ ネットワーキング: 一般公開クラスタまたは限定公開クラスタ用の、VPC ネイティ
　ブのトラフィック ルーティング
✓ セキュリティ: シールドされた GKE ノードと Workload Identity
✓ テレメトリー: Cloud Operations のロギングとモニタリング

名前
autopilot-cluster-1

クラスタ名は、最大 40 文字の英小文字、数字、ハイフンを使用し、先頭を英小文字にし
ます。末尾をハイフンにすることはできません。作成後にクラスタの名前を変更すること
はできません。

リージョン
us-central1 ▼

クラスタのコントロール プレーンとノードが配置されるリージョンのロケーション。作
成後にクラスタのリージョンを変更することはできません。

次へ: ネットワーキング　　　　　　　　　　　　　　⟳ 設定をリセット

作成　　キャンセル　　同等の　REST　または　コマンドライン

　筆者も Kubernetes 構築において、Autopilot や Fargate をよく活用しています。運用に手を取られ
る時間が減ったことで、アプリケーションの開発・管理により注力できるためです。
　しかし、 GKE も EKS も通常通りのクラスタ・ノード管理の手法を依然として残しています。
Autopilot や Fargate は運用が楽な反面、通常の Kubernetes クラスタに比べるとコスト面では少し高
くつきます。また、特権コンテナの使用や Node の詳細な設定ができないという制限があります。
　コストや制限事項を許容できるのであれば、ぜひ利用を検討してみてください。

＊*a*　　https://cloud.google.com/kubernetes-engine/docs/concepts/autopilot-overview
＊*b*　　https://docs.aws.amazon.com/ja_jp/eks/latest/userguide/fargate.html

10.
最適なコンテナイメージ作成と運用

10. 最適なコンテナイメージ作成と運用

さまざまなコンテナイメージを利用してきました。Docker Hub に公開されているものはもちろん、本書の中で新たに作成したものもあります。

ここまでは、コンテナイメージの最適化には目もくれずにアプリケーションの動作を優先して作成してきました。しかし、実際に運用を意識してコンテナを使ったシステムを構築していくと、コンテナイメージのビルドプロセスにおいてさまざまな課題に直面します。イメージのサイズ、攻撃の受けにくさ、脆弱性への対応、ビルドの自動化などです。

本章ではこれらの課題に対応した最適なコンテナイメージの作成と運用手法を解説します。

10.1 運用に最適なコンテナイメージとは

本書でこれまで利用してきた主なコンテナイメージのサイズは次の通りです。

イメージ	サイズ
ubuntu:23.10	93MB
golang:1.21.6	822MB
nginx:1.25.1	192MB
mysql:8.0.33	587MB

主にechoアプリケーションやタスクアプリケーションのベースイメージとして利用してきたもので、サイズは約100MBから1GB未満といったところです。これまで利用してきた`docker image ls`コマンドでイメージのサイズも表示されていたため、そこに着目していた方であればすでに気づいていたでしょう。果たしてこれは運用していく上で妥当なサイズと言えるでしょうか。

10.1.1 イメージサイズの増大で発生する弊害

イメージサイズの増大が開発・運用にどのような影響を及ぼすかを把握しておく必要があります。イメージサイズは次のような要因からイメージビルド、コンテナが実行されるまでの時間に影響します。数100MB〜1GBのイメージを扱うと、コンテナイメージのやりとりで蓄積される時間が、塵も積もって効いてきます。

- イメージのビルド時間（ベースイメージのダウンロード時間も含まれる）
- イメージをコンテナレジストリへプッシュする時間
- コンテナを実行したいホスト・ノードへのイメージダウンロード時間

これにより、開発・運用においては次のような課題に直面することでしょう。

- Kubernetes 等のコンテナクラスタを構成するNodeのディスクの消費

- CI時間の増大
- トライアンドエラーのしにくさ、生産性の低下
- オートスケールでコンテナがサービスインされるまでの時間が長くなる（Nodeにイメージが存在しない場合は新たにダウンロードするため）

　規模の大きいシステムをコンテナで構築する場合は、最後のオートスケールが特に大きな問題でしょう。オートスケールによって、マシンリソースが足りなければ新規のノードが追加されます。立ち上がった新規のノード（インスタンス）にどれだけ早くコンテナイメージを配置できるかが重要になってきます。

　いったいどのレベルまでコンテナイメージのサイズを削減でき、現実的に運用可能なイメージに仕上げていけるのか掘り下げていきましょう。

10.2　軽量なベースイメージ

　本書でこれまで利用してきたベースイメージは、100MBを超えていたものがほとんどです。まずはこのベースイメージで消費してしまっているサイズをどれだけ削減できるかという観点で考えていくことが重要です。

　コンテナ技術はアプリケーションのデプロイに特化した仮想化技術であるという原点に立ち返ると、コンテナにはアプリケーションが必要とする最低限のツール、ライブラリさえ含まれていれば問題はないはずです。

　本節ではサイズの小さい軽量なイメージを構築していくためのいくつかのベースイメージを紹介し、実際にイメージを構築していきます。

10.2.1　scratch

　scratchは空のコンテナイメージで、Dockerによって予約された特殊なイメージです。

　scratchイメージはDocker Hubにも登録されています[1]が、`docker image pull`コマンドでは取得できません。DockerfileのFROMでのみ参照が可能です。

　scratchイメージはDockerfileの命令によってコンテナの外からファイルを注入されて初めてイメージとしての体を成します。現存する全てのコンテナイメージの親をたどっていけば必ずscratchイメージにたどり着きます。つまり、scratchはコンテナイメージの始祖にあたります。

　scratchの中身は空です。これをベースにイメージを作成する場合コンテナの外から必要なファイルをコピーすることでイメージを構成します。これまでshを使ってコンテナの中に入る機会がありましたが、コンテナの内部は一見普通のLinuxと遜色がない印象があったのではないでしょ

---

*1　https://hub.docker.com/r/library/scratch/

10. 最適なコンテナイメージ作成と運用

うか？　空のscratchイメージからどうやってこのようなOSが忠実に再現されたように見えるイメージを作るのか、疑問に思うかもしれません。

実際にUbuntuのイメージを作成して見ていきましょう。

scratchでのビルドを紐解く

scratchをベースイメージとし、Ubuntuのコンテナイメージを作成してきます。次の作業ディレクトリを作成します。

```
$ mkdir -p ~/work/ch10/ubuntu
```

UbuntuのダウンロードサイトからOSのアーカイブファイルを作業ディレクトリにダウンロードします。このアーカイブがUbuntuイメージの素になります。

```
(~/work/ch10/ubuntu) $ curl -O https://cdimage.ubuntu.com/ubuntu-base/daily/pending/←
mantic-base-amd64.tar.gz
```

Ubuntuのコンテナイメージを作成するためのDockerfileを、**リスト10.1**のように作成します。

リスト10.1　Ubuntuのイメージを作るDockerfile

`~/work/ch10/ubuntu/Dockerfile`

```
FROM scratch
# ① OSのアーカイブファイルを追加し、ルートディレクトリに展開
ADD mantic-base-amd64.tar.gz /

# ② bashを実行
CMD ["/bin/bash"]
```

①のADDでOSのアーカイブをルートディレクトリに追加しています。これまではCOPYインストラクションを使ってコンテナの外からファイルを追加してきましたが、ここではADDを使います。COPYは単純なファイルのコピーであるのに対して、ADDではコピーに加えてアーカイブの展開までを行えます。

ADDによってOSのアーカイブがファイルシステムに展開された[*2]後はrootユーザとして実行され、環境変数PATHに/usr/bin等のパスが設定されています。これで通常のUbuntuのようにさまざまなコマンドを実行できます。

②のCMDで/bin/bashを指定しています。コンテナが/bin/bashをフォアグラウンドで実行するようになるので、コンテナを実行するとUbuntuサーバが常駐で実行されているような動きになります。本質は/bin/bashを実行しているUbuntuのファイル・ディレクトリを持っているだけのイ

[*2]　ADDはCOPYとは違い、コンテナの中にコピーしたアーカイブをファイルシステム上に展開できるという特徴があります。scratchイメージは空っぽでなんのコマンドも実行できないため、このような仕組みがないとアーカイブを展開すらできないからです。

メージということです。

Dockerfileからコンテナイメージをビルドします。コンテナにbashで入り、Ubuntuのファイルシステムになっていることが確認できます。

```
(~/work/ch10/ubuntu) $ docker image build -t ch10/ubuntu:latest .
[+] Building 1.8s (5/5) FINISHED
...省略---

(~/work/ch10/ubuntu) $ docker container run -it ch10/ubuntu:latest
root@9b19da63b94b:/# uname -a
Linux 9b19da63b94b 5.15.49-linuxkit-pr #1 SMP PREEMPT Thu May 25 07:27:39 UTC 2023 ←
x86_64 x86_64 x86_64 GNU/Linux
```

このようにLinuxを再現したようなイメージはさまざまなことができるので便利ですが、アプリケーションの実行という目的においてこのようなOSに含まれるさまざまなプログラムやファイルを全て利用するわけではありません。多くのケースでは無駄なものをたくさんコンテナに含めてしまっているということになります[3]。

scratchで最小のコンテナイメージを作る

Ubuntuのコンテナイメージを通してscratchからどのようにイメージを構築できるかがわかったので、scratchの特性を活かしてサイズの小さなアプリケーションのイメージを考えてみます。究極的には、実行可能なバイナリを1つだけもつscratchイメージになるのではないでしょうか？

試しに次のようなGoのプログラムをmain.goという名前で作成します。

リスト10.2　簡単なGoのプログラム

```
                                                          ~/work/ch10/hello/main.go
package main

import "fmt"

func main() {
    fmt.Println("Hello, small image!")
}
```

scratchへとコピーするために、コンテナ外で次のようにビルドします[4]。

```
(~/work/ch10/hello) $ GOOS=linux GOARCH=$(go env GOARCH) go build -o hello main.go
```

ビルドすると -o オプションで指定したファイル名の実行ファイルが作成されます。Dockerfileは

＊3 　各種のディストリビューションはコンテナの流行以降、配布サイズを小さくすることを目指してはいます。

＊4 　Go言語はクロスコンパイルビルドの機構が備わっており、ここではGOOSでOS、GOARCHでCPUアーキテクチャを指定してビルドします。go env 変数コマンドで実行環境に即した値を取得できます。

10. 最適なコンテナイメージ作成と運用

リスト10.3のように作成します。できあがった実行ファイルhelloをscratchにコピーし、CMDでこれを実行するよう設定します。

リスト10.3　helloを実行するDockerfile

`~/work/ch10/hello/Dockerfile`

```
FROM scratch

COPY hello /

CMD ["/hello"]
```

リスト10.4のコマンドでコンテナイメージを作成します。

リスト10.4　実行ファイルhelloを持つscratchベースイメージをビルド

```
(~/work/ch10/hello) $ docker image build -t ch10/hello:scratch . --progress=plain
#0 building with "desktop-linux" instance using docker driver

#1 [internal] load .dockerignore
#1 transferring context: 2B done
#1 DONE 0.0s

#2 [internal] load build definition from Dockerfile
#2 transferring dockerfile: 117B done
#2 DONE 0.0s

#3 [internal] load build context
#3 transferring context: 65B done
#3 DONE 0.0s

#4 [1/1] COPY hello /
#4 CACHED

#5 exporting to image
#5 exporting layers done
#5 writing image sha256:1b6949629b99bbe14dc8178ca4e1442fd5f14bb8537bf6ef0187d3←
e3651222a5 done
#5 naming to docker.io/ch10/hello:scratch done
#5 DONE 0.0s
```

できあがったイメージを利用してコンテナを実行すると「Hello, small image!」が表示され、コンテナ上で作成したアプリケーションが正しく動作したことがわかります。

```
$ docker container run -it ch10/hello:scratch
Hello, small image!
```

さて、肝心のイメージサイズはどうなったでしょうか？　`docker image ls`で確認すると1.91MBになりました。これはビルドしてできあがった実行ファイルと同等のサイズであり、目的を果たしながらも極限までイメージサイズを削減できたと言えます。

```
$ docker image ls ch10/hello
REPOSITORY    TAG       IMAGE ID        CREATED          SIZE
ch10/hello    scratch   1b6949629b99    20 minutes ago   1.91MB
```

　Go言語は原則としてアプリケーションをビルドすると、依存のない1つの実行可能なスタティックバイナリのみを生成します。このため、ポータビリティが高く、イメージのサイズを極限まで削ぎ落とすことが可能です。Go言語はコンテナに適した言語といえるでしょう。多くの言語は言語ランタイムや依存ライブラリをイメージに含める必要があるため、イメージのサイズも大きくなる傾向があります[*5]。

ネイティブライブラリのリンク

　scratchベースでサイズの小さいアプリケーションイメージを作る場合、C言語やGo言語でビルドした実行バイナリをコンテナにコピーするだけというユースケースがほとんどです。この手法は非常にシンプルですが、アプリケーションが依存するライブラリをダイナミックリンクするような場合では注意が必要です。

　Go言語のようにシングルバイナリのアプリケーションをそのままコンテナに含めるようなケースでは、依存するネイティブライブラリをstatic linkしてビルドさえすれば、イメージを作る手間もかなり減ります。

●──ルート証明書

　たとえば、**リスト10.5**のようにアプリケーションからTLS/SSLでHTTPSのWebサイトにアクセスするような処理があったとします。

リスト10.5　HTTPSのサイトにGETリクエストを送信するコード

```
package main

import (
    "fmt"
    "log"
    "io"
    "net/http"
)

func main() {
    resp, err := http.Get("https://gihyo.jp/")
    if err != nil {
        log.Fatal(err)
    }
    defer resp.Body.Close()
    body, err := io.ReadAll(resp.Body)
    if err != nil {
        log.Fatal(err)
```

───────────────────────────────────

[*5]　言語によってはスタティックリンクで依存を少なくしたり、コンパイルでバイナリサイズを小さく保てるものもあります。

10. 最適なコンテナイメージ作成と運用

```
    }

    fmt.Println(string(body))
}
```

このアプリケーションをビルド、コンテナイメージを作成し実行してみると次のようなエラーが発生します。ルート証明書が存在しない場合に発生するエラーです。

```
2023/09/05 17:52:46 Get "https://gihyo.jp/": tls: failed to verify certificate: ←
x509: certificate signed by unknown authority
```

これを解決するにはルート証明書が必要です。一般的なOSであれば当たり前のように組み込まれているルート証明書ですが、scratchベースのイメージにはルート証明書すら存在しないのでこのようなエラーが発生します。

アプリケーションがHTTPS接続するケースはよくあることです。これをscratchで実現するには、libsslというライブラリやルート証明書をダウンロードしてコンテナに配置し、HTTPS接続を可能にする必要があります[6]。しかし、OSベースのイメージでは必要なライブラリをパッケージマネージャで追加しますが、scratchにはパッケージマネージャはありません。全てを自分で用意する必要があります。

scratchイメージの実用性

筆者もイメージサイズを限界まで削ぎ落とすためにscratchイメージの活用を模索したことがあります。ただ、先述のHTTPS接続の問題のように、実際のアプリケーション開発で使うのは現実的ではありません。たとえば既存のミドルウェアはscratchで動かすにはビルドから始める必要がありますし、さまざまなモジュールに依存しているのでかなりの手間がかかります。

現実的なユースケースはかなり限られていて、シングルバイナリで実行される軽量なエージェント型アプリケーションやコマンドラインツールでの利用までが関の山です。

また、デバッグしたくてもshが存在しないのでコンテナの中に入っていろいろ調査することもできません。これはイメージの軽さとトレードオフの関係にあるので、これを捨ててでもイメージの軽さを追求するのであればscratchは一つの選択肢となります。

現実的に運用で利用できるのは、後述のBusyBox(10.2.2)・Alpine Linux(10.2.3)・Distroless(10.2.4)です。ここからはそれぞれの特性を見ていきましょう。

10.2.2　BusyBox

BusyBox[7]は多くのUNIXユーティリティを単一のバイナリに統合したツールで、組み込み系シ

---

[6]　scratchでこれを行うことは徒労なため、詳細な手順は解説しません。

[7]　https://busybox.net/about.html

ステムで多く利用されています。

BusyBox は数百種の基本ユーティリティ（echo、ls、pwd等）が備えられているにもかかわらず、サイズを小さく抑えることに成功しています。一般的な OS とは違い、/bin/busybox という単一のバイナリに約数百種のユーティリティが含まれています。

実際のイメージのサイズはどのくらいなのでしょうか。busybox:1.36 というイメージが Docker Hub に公開されています。サイズを見てみると、4.04MB しかありません。最低限の OS の機能を備えたイメージであることを考えるとこれは驚異的と言えるでしょう。

```
$ docker image ls busybox
REPOSITORY    TAG      IMAGE ID       CREATED       SIZE
busybox       1.36     fc9db2894f4e   6 weeks ago   4.04MB
```

約4MB のサイズのイメージがどのくらい使えるものなのか疑問に感じる方も多いでしょう。試しに BusyBox コンテナの中を探索してみます。次のように busybox:1.36 で sh を実行します。

```
$ docker container run -it busybox:1.36 sh
/ #
```

リスト10.6 コマンドを実行するとディレクトリ別のディスク使用量を確認できます。約4MB の
コンテナイメージのうち、/bin と /lib がそのほとんどを占めています。

リスト10.6　busyboxコンテナのディレクトリ別のディスク使用量

```
/ # du -sh /*
1.1M    /bin
0       /dev
56.0K   /etc
4.0K    /home
2.7M    /lib
0       /lib64
0       /proc
8.0K    /root
0       /sys
4.0K    /tmp
12.0K   /usr
16.0K   /var
```

単一のバイナリである /bin/busybox が配置されている /bin を見てみましょう。約1MB の /bin/busybox が見つかりました。

```
/ # cd /bin
/bin # ls -lh busy*
-rwxr-xr-x  404 root      root        1.1M Jul 17 18:29 busybox
```

10. 最適なコンテナイメージ作成と運用

　次のように /binディレクトリ内をフィルタリングしないで列挙すると、どうやらたくさんのファイルが配置されていることがわかります。これらのファイルサイズはいずれも1MBです。1MBのファイルをこれだけ保持していたら、到底イメージのサイズを約4MBに抑えることはできないはずです。

　ここにBusyBoxのからくりがあります。lsコマンドで表示された結果の一番左の列の値はinode番号です。これが全て同じ値を示しているということは、これらがハードリンクによって作られたものであることを示しています。/binディレクトリ内におけるファイルの実体は /bin/busyboxだけです。

```
/bin # ls -lhi
total 433M
2364885 -rwxr-xr-x  404 root      root       1.1M Jul 17 18:29 [
2364885 -rwxr-xr-x  404 root      root       1.1M Jul 17 18:29 [[
2364885 -rwxr-xr-x  404 root      root       1.1M Jul 17 18:29 acpid
2364885 -rwxr-xr-x  404 root      root       1.1M Jul 17 18:29 add-shell
2364885 -rwxr-xr-x  404 root      root       1.1M Jul 17 18:29 addgroup
2364885 -rwxr-xr-x  404 root      root       1.1M Jul 17 18:29 adduser
... （省略） ...
```

　この仕組みにより、たとえばls /binは実質 /bin/busybox ls /binと同じということになります。BusyBoxは約1MBの小さなバイナリに数百の基本的なユーティリティを含めることで、これだけ小さなサイズでもOSとしての最低限の機能を提供することを可能にしています。

標準Cライブラリ別のイメージ

　Docker HubのBusyBoxのリポジトリ[8]を見てみると、次のように同じBusyBoxのバージョンでも -glibc、-uclibc、-muslがついてるタグが存在します。この違いはBusyBoxが持っている標準Cライブラリの違いです。

＊8　https://hub.docker.com/_/busybox

394

図10.1　Docker Hubのbusyboxのリポジトリページ

このように標準Cライブラリ別のイメージが用意されていることには理由があります。

glibc はGNU Cライブラリのことで、非常にポピュラーな標準Cライブラリの実装です。ただ、各種仕様や独自拡張などさまざまな機能をサポートして柔軟性がある一方、容量が大きいという弱点があります。BusyBoxのように組み込み用途で広く使われているディストリビューションにとって、利用しない機能によってディスク容量を浪費してしまうのは問題です。

そこで、BusyBoxは標準で **uClibc** というライブラリを採用しています。uClibcは数百KBの容量

10. 最適なコンテナイメージ作成と運用

しかなく、数MBクラスのglibcより容量面で優れています。uClibcはglibcから機能を厳選して取り込み、組み込み用途に特化することで軽量化を実現しています。

busyboxのコンテナイメージは-uclibcのものが約1.4MB、-glibcのもの[*9]が約4MBになっています。

muslも軽量な標準Cライブラリであり、組み込み用途で広く利用されています。muslはstaticリンクに最適化しており、アプリケーションをポータブルな単一バイナリとしてビルドできるようにしています。muslは比較的新しい実装で、glibc以上にPOSIXに準拠した作りになっています。

たとえば別のOSやコンピュータでglibcを使ってビルドされたバイナリは、uClibcやmuslに対応したコンテナでは実行できません。そのようなビルド環境と実行環境との差異が出ないようにするために、-glibc、-uclibc、-muslそれぞれに対応されたイメージが用意されています。

scratchと同じ内容のDockerfileで、ベースイメージをbusybox:1.36に差し替えたものとサイズの比較をしてみると、scratchは1.91MBでbusyboxは5.95MBとなりました。さすがにscratchのサイズよりは大きくなってしまいますが、この差分はコンテナイメージの世界では誤差と言って良いでしょう。

```
$ docker image ls ch10/hello
REPOSITORY    TAG        IMAGE ID        CREATED         SIZE
ch10/hello    busybox    d7be2698dbea    5 seconds ago   5.95MB
ch10/hello    scratch    9bf0b35263a8    6 minutes ago   1.91MB
```

BusyBoxの実用性

BusyBoxはOSの最低限の機能を持ちながらも、限りなくイメージを小さくすることのできるベースイメージです。BusyBoxはscratchより約1〜4MBだけ大きいですが、shを持っていてコンテナ内でのデバッグもしやすいため、データボリュームコンテナとしての利用に向いています。もちろんscratch同様にエージェント型アプリケーションやコマンドラインツールにも活用できます。

BusyBoxは最低限の機能は備えていますが、パッケージマネージャなどを持たないため使いまわしがよくない部分もあります。

-glibc、-uclibc、-muslとそれぞれに対応したイメージも用意されていますが、これらを駆使して無理にBusyBoxを利用する必要はほとんどないでしょう。サイズを問われないビルドの手間がかかるようなケースにおいては、UbuntuやCentOSなどのイメージを使った方が楽です。10.2.3のAlpine Linuxベースの公式イメージがある場合はそれを使ってもいいでしょう。

---

*9 busybox:1.36とbusybox:1.36-glibcは同一のイメージであるため、タグ名にCライブラリ名が含まれてないイメージはglibcが利用されます。busybox:1.34以前は-uclibcと同一のイメージでしたが、busybox:1.34からは-glibcと同一になっています。BusyBox自体のデフォルトは引き続きuclibcですが、コンテナではデフォルトでglibcが使われるようになったということです。

10.2.3 Alpine Linux

次に紹介するのがAlpine Linux[10]です。Alpine LinuxはBusyBoxをベースに作られたディストリビューションで、「セキュリティ、シンプルさ、リソース効率を重視するパワーユーザ」向けに設計されています。標準Cライブラリにはmuslを採用しています。

BusyBoxのイメージサイズは1MB強、対してAlpine Linuxのイメージサイズは**約7MB**です。機能を追加しているため当然BusyBoxよりサイズは大きいですが、 ubuntu:23.10が約90MBくらいあることを考えるとAlpine Linuxも圧倒的に軽量なイメージと言えるでしょう。

Dockerは2016年から公式リポジトリのイメージ[11]のAlpine Linux対応を順次進めました。Alpine Linux対応のイメージは次のようにサフィックスに -alpineが付与されています。

- nginx:1.25.1-alpine
- redis:7.2-alpine
- python:3.9.18-alpine

公式のnginxイメージページ[12]を見ると、**図10.2**のようにタグに -alpineがつけられているイメージが確認できます。

---

[10] https://alpinelinux.org/
[11] https://hub.docker.com/search?image_filter=official&q=
[12] https://hub.docker.com/_/nginx

10. 最適なコンテナイメージ作成と運用

図10.2 Docker Hubのnginxイメージのページ

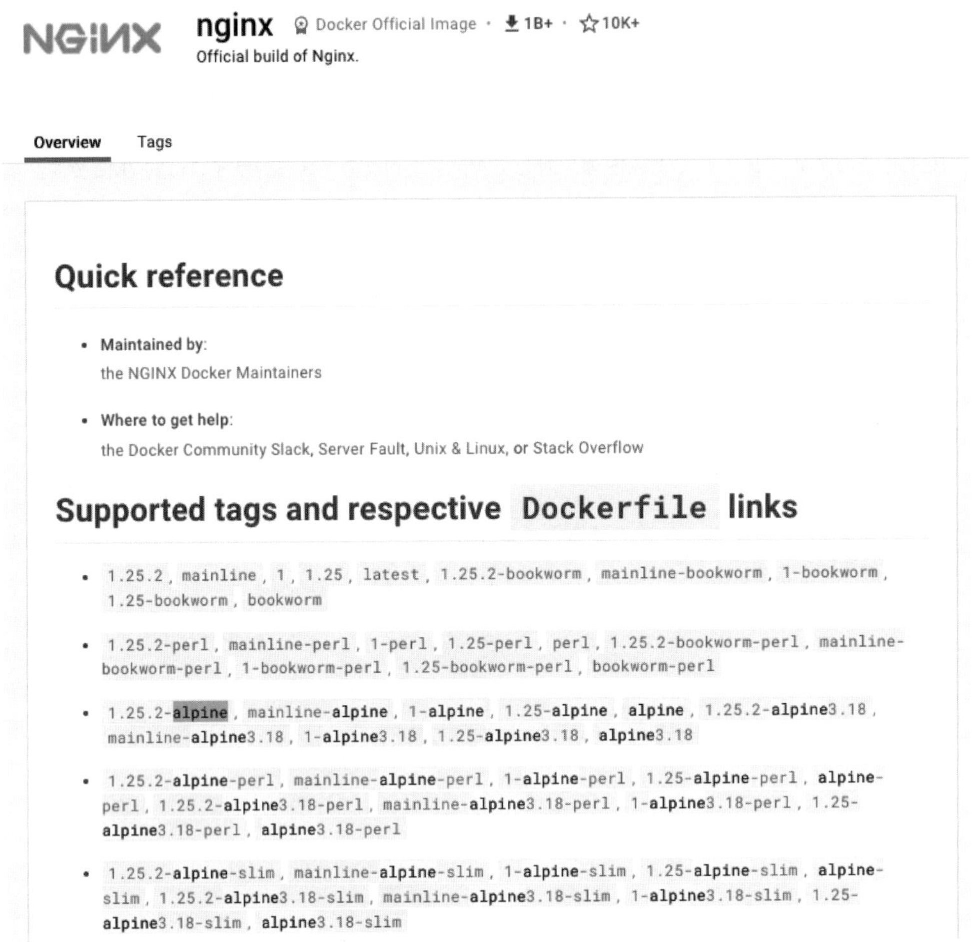

基本的に公式リポジトリのイメージは-alpineのイメージが提供されていますが、あくまでLinuxディストリビューションの選択肢の一つとして整備したという位置付けになっています[*13]。

Alpine Linuxベースでビルドされたイメージのサイズ

公式リポジトリの通常イメージのベースは約90MBあるdebianイメージで作られています。alpineイメージは約7MBのため、ベースイメージの時点でかなりの差があります。それぞれをベースに作られた完成形のnginxイメージのサイズはどうなっているでしょうか。**リスト10.7**のコマンドでイメージをダウンロードし、そのサイズの違いを確認できます。

[*13] 公式リポジトリの中でも、タグにディストリビューション名をつけずに、Alpine Linuxをベースに構築しているイメージも存在します。fluentd:latestなどが代表例です。

軽量なベースイメージ **10.2**

リスト 10.7　公式 nginx イメージのサイズの違い

```
$ docker image pull nginx:1.25.1
$ docker image pull nginx:1.25.1-alpine

$ docker image ls nginx
REPOSITORY    TAG            IMAGE ID        CREATED       SIZE
nginx         1.25.1-alpine  7987e0c18af0    3 weeks ago   40.9MB
nginx         1.25.1         ff78c7a65ec2    5 weeks ago   192MB
```

nginx:1.25.1 が約 190MB であるのに対し、 nginx:1.25.1-alpine は約 40MB でありサイズがかなり抑えられています。サイズ面で Alpine Linux は強い優位性があり、コンテナイメージの軽量さを重視するユーザに広まっていきました。

コンテナイメージとして Alpine Linux が支持された理由

なぜ Alpine Linux がベースイメージとして一定の支持を受け、公式リポジトリに対応されていくようになったのでしょうか？軽量さだけではなく、パッケージマネージャである **apk**[*14] の存在が大きな要因でした。

イメージのビルドは Dockerfile への記述を中心に行います。Dockerfile への記述が冗長、あるいは Dockerfile 外での準備が多すぎると構築するイメージの全体像が見えづらくなってしまいます。この課題を解決するには、ある程度充実したパッケージマネージャ（パッケージリポジトリ）の存在が欠かせません[*15][*16]。

軽量というコンテナイメージに求められる条件を満たしつつ、イメージ構築を快適にするパッケージマネージャを備える、Alpine Linux が人気を集めるのは自然な流れでした。

今日では Docker Hub の公式リポジトリだけではなく、多くのサードパーティリポジトリが Alpine Linux をベースイメージとしてコンテナイメージを構築し、提供しています。コンテナを早くからプロダクションで利用している企業も Alpine Linux ベースイメージの利用実績は豊富です。

> **コラム**　**Alpine Linux ベースのイメージを採用するべきか否か**
>
> 　2015 年ごろに Docker が本格的に流行し始めたころ、コンテナイメージの軽量化について議論されることはまだそれほどありませんでした。実際、当時の Docker Hub の公式イメージは Alpine Linux を正式に採用する前であり、実行用のベースイメージでも数 100MB のものが多く存在していました。
>
> 　しかし、実際に本番環境で運用するプロダクトが増えたことにより、イメージのサイズが大きいほど開発のイテレーションやリードタイムに影響を及ぼすという課題が顕在化してきました。

[*14]　apk の使い方は Appendix C.5 を参照してください。

[*15]　scratch や BusyBox もベースイメージとして根強く利用されていて軽量であることを満たしていますが、パッケージマネージャがないため Alpine Linux よりイメージ構築の面で利便性に劣るのは否めません。

[*16]　Alpine Linux のリポジトリは多くのパッケージを有していて、かつメンテナンスも比較的活発です。

10. 最適なコンテナイメージ作成と運用

DockerのAlpine Linuxへの傾倒は、これを受けた自然な流れです。

ベースイメージへの正式採用以降、次々と公式イメージはAlpineベースに置き換えられ、著名なOSSもAlpineベースのイメージを用意するようになりました。今日では多くのAlpineベースのイメージが、アプリケーションやミドルウェアを問わず本番環境で利用されています。Alpine Linuxのベースイメージとしての信頼性は十分なものと評価されています。

しかし、状況によってはAlpine Linuxの利用を許容できない面があることも事実です。CentOS等のRed Hat系ディストリビューションに慣れ親しんでいて、サポートも利用している開発者にとって、組み込み系出身のAlpine Linuxの利用に不安を覚えるのは当然でしょう。根強く支持されている標準Cライブラリであるglibcから離れれば、既存の開発手法を大きく変化させる必要が出てくるケースもあるかもしれません。DebianやCentOSにはなく、Alpine Linuxだけで発生する不具合もありえます。

より安定した（glibc）環境を求めて、サイズの大きさを受け入れてCentOSやUbuntuのイメージを選択している開発者は一定数います[a]。Alpine Linuxではなく、慣れ親しんだプラットフォームや技術を持つイメージを利用することで、アプリケーションをコンテナでビルドする上での不要なトラブルを回避するというのは賢明な判断です。

イメージのサイズではAlpine Linuxに比べると不利なためトレードオフとなります。しかしながら、コンテナイメージのベースレイヤーはキャッシュされるので、ベースレイヤーを保持しているサーバで繰り返しデプロイするのであれば初回以降はそれほどのオーバーヘッドにはなりません。また、近ごろは非Alpineの公式イメージも着々と軽量化されてきています。 `ubuntu:23.10` では約90MBまでサイズが削減されていて、サイズ面での不利は徐々に軽減されつつあります。

しかし、それでもAlpine Linuxはまだまだこれらのディストリビューションに比べると有利です。十倍以上のサイズの差があります。レイヤーキャッシュがあるといっても全てのケース、全てのタイミングで利用できるわけではないため、まだサイズは重視すべき項目です。

パッケージマネージャなど最低限の利便性を保ちつつ、これだけ小さいサイズのイメージを実現するディストリビューションは他にはありません。軽さと機能を両方満たしているものが良いイメージであることに疑いの余地はありません。

得られる軽さと、軽さを追求するために費やす時間はまさにトレードオフの関係にあります。

Alpine Linuxは多くの人になじみないディストリビューションであるため、後者はたしかに無視できない面があります。軽量さを重視するか、それとも互換性を重視するかをよく吟味して決めることが重要です。

---

[a]　互換性向上を狙ってAlpine Linuxにglibcをインストールする開発者も多く存在します。

10.2.4　Distroless

Distroless[17]はGoogle社が公開しているイメージです。必要最小限の構成になっているため、イメージのサイズとセキュリティ面で優れています。また、言語ランタイムにフォーカスしたイメージが提供されています。

---

[17]　https://github.com/GoogleContainerTools/distroless

軽量なベースイメージ **10.2**

Distrolessの主なイメージ

Distrolessには次のようなイメージが用意されています。 -debian11のサフィックスはDebian11系ベースで作られていることを示しています[*18]。

イメージ	サイズ	内容
gcr.io/distroless/base-debian11	17.5MB	glibc、libssl、opensslなど基本的なライブラリを含むイメージ
gcr.io/distroless/base-nossl-debian11	12.6MB	**base-***のイメージからにSSL関連のライブラリを除外したイメージ
gcr.io/distroless/static-debian11	2.4MB	スタティックリンク前提のコンテナイメージ
gcr.io/distroless/cc-debian11	19.8MB	libgcc1を含むイメージ
gcr.io/distroless/java17-debian11	227MB	Java 17をサポートするイメージ
gcr.io/distroless/nodejs18-debian11	162MB	Node.js v18をサポートするイメージ

base-debian11はアプリケーションを実行するための基本的なイメージであり、glibcを含みます。glibc環境においてダイナミックリンクでビルドされたアプリケーションを実行できます。Go言語やRustでビルドされたアプリケーションの実行に向いています。

base-nossl-debian11はbase-debian11からSSL関連のライブラリを除外し、サイズを省力化しています。実行するアプリケーションがインターネットに接続する必要がなければ、base-nossl-debian11で十分です[*19]。

static-debian11はDistrolessの中で最も軽量なイメージです。スタティックリンクでビルドされたアプリケーションの実行に適しています。

その他にcc-debian11、java17-debian11、nodejs18-debian11といったイメージがあり、アプリケーションのランタイム次第で適切なものを選択します。

ビルドしたアプリケーションをDistrolessコンテナで実行

Distrolessのイメージは必要最小限で構成されており、makeやgccといったアプリケーションをビルドするためのツールは含まれていません。そのため、Distrolessコンテナ内でアプリケーションをビルドすることは難しく、コンテナの外でビルドした実行ファイルをコンテナ内にコピーする必要があります。

10.2.1でビルドしたhelloの実行ファイルを利用し、Distrolessベースのコンテナイメージを作成します。**リスト10.8**の内容でDockerfile.distrolessを作成します。

---

*18　Debian12系ベースの-debian12も用意されています。

*19　HTTPS接続でTLS/SSL認証を行うにはルート証明書やca-certificatesパッケージが必要です。インターネット接続が不要であれば、これらを含むlibsslやopensslといったライブラリは不要です。

10. 最適なコンテナイメージ作成と運用

リスト 10.8 helloを実行するDistrolessベースの Dockerfile

`~/work/ch10/hello/Dockerfile.distroless`

```
FROM gcr.io/distroless/base-debian11:latest

COPY hello /usr/bin/

CMD ["hello"]
```

　やっていることはscratchのときとほぼ変わりません。違いは実行ファイルを /usr/bin/ にコピーする部分くらいです[20]。

　リスト 10.9のコマンドでイメージをビルドします。

リスト 10.9 Distrolessイメージのビルド

```
(~/work/ch10/hello) $ docker image build -f Dockerfile.distroless -t ch10/hello:dist←
roless . --progress=plain
#0 building with "desktop-linux" instance using docker driver

#1 [internal] load .dockerignore
#1 transferring context: 2B done
#1 DONE 0.0s

#2 [internal] load build definition from Dockerfile.distroless
#2 transferring dockerfile: 166B done
#2 DONE 0.0s

#3 [internal] load metadata for gcr.io/distroless/base-debian11:latest
#3 DONE 0.0s

#4 [internal] load build context
#4 transferring context: 65B done
#4 DONE 0.0s

#5 [1/2] FROM gcr.io/distroless/base-debian11:latest
#5 CACHED

#6 [2/2] COPY hello /usr/bin/
#6 DONE 0.0s

#7 exporting to image
#7 exporting layers 0.0s done
#7 writing image sha256:7c3248e69fc4f5cc746a7f03d38d8dcc5a01aae6807a3c1d1ca5ff11d728←
f818 done
#7 naming to docker.io/ch10/hello:distroless done
#7 DONE 0.0s
```

　ビルドしたコンテナイメージからコンテナを実行します。Distroless ベースのコンテナでも helloを実行できることがわかります。

───────────────────────────────

＊20　DistrolessはDebianベースのため、Linuxのファイルシステムを持っています。

402

```
$ docker container run -it ch10/hello:distroless
Hello, small image!
```

イメージサイズとの比較は次のようになります。サイズではscratchに比べて分が悪いですが、Distrolessベースでもかなりサイズを抑えられます。

```
$ docker image ls ch10/hello
REPOSITORY    TAG         IMAGE ID       CREATED         SIZE
ch10/hello    distroless  7c3248e69fc4   1 minutes ago   19.4MB
ch10/hello    scratch     1b6949629b99   1 hours ago     1.91MB
```

Distrolessはアプリケーションの実行には十分な構成ですが、コンテナの中でビルドを完結させることが難しいため使いにくさを感じるかもしれません。しかし、Distrolessは後述のMulti-stage builds(10.4)という手法で真価を発揮します。

Distrolessイメージのタグ

Distrolessイメージは主に次のタグで運用・公開されています。

タグ	説明
latest	最新のイメージ
debug	latestをshで入れるようにしたイメージ
nonroot	非rootユーザでの実行に対応したイメージ
debug-nonroot	nonrootをshで入れるようにしたイメージ

latestは最新のイメージであり、アプリケーションの実行に必要最小限で構成されています。コンテナにshコマンドで入ることもできません。

debugはlatestにBusyBoxのshを追加したイメージです。shコマンドでコンテナに入れるため、デバッグ用途での利用を想定したイメージです。開発の段階では利用されますが、本番環境では使いません。

nonrootとdebug-nonrootはコンテナ内で非rootユーザで実行するためのイメージです。非rootユーザでのコンテナ実行はセキュリティ上重要です。理由は10.6.3で解説します。

これまで利用してきたコンテナイメージは、タグにバージョン番号がつけられていることがほとんどでした。ベースイメージとして利用する場合は**リスト10.10**のようにし、変更が必要な場合は利用者がベースイメージのタグの指定を変更します。

リスト10.10　ベースイメージにバージョン番号があるイメージを利用する場合

```
# ユーザーが明示的に新しいタグに変更する必要がある
FROM golang:1.21.6

# ...
```

10. 最適なコンテナイメージ作成と運用

しかし、Distrolessイメージはバージョン番号をタグに使用せず、ビルドの度に4つのタグに対応するイメージをひたすら更新しています。ベースイメージとして利用するには**リスト10.11**のようにします。利用者はFROMのタグを変更はせずに、latestイメージを再度取得すれば良いのです。

リスト10.11　ベースイメージにlatestイメージを利用する場合

```
# latestイメージを再度取得するだけで良い
FROM gcr.io/distroless/base-debian11:latest

# ...
```

このようなタグの運用にしておくと、イメージの利用者に最新のイメージを提供しやすくなります。DistrolessのイメージはCVE[21][22]に対応したセキュリティパッチを積極的に取り込んでいるため、常にDistrolessのイメージを再取得するようにすれば、それだけでセキュリティ対策になります。

latestはイメージビルドの際に毎回ダウンロードするわけではないことに注意が必要です。ビルドの度に確実にベースイメージを再取得するにはdocker image buildコマンドに2.3.1で紹介した--pull=trueオプションをつけてビルドする必要があります[23]。

10.3 軽量なコンテナイメージを作る

コンテナイメージのサイズを小さくするためにはベースとなるイメージのサイズが小さいものを選択することで大きく効果が得られます。docker image buildの過程でいかにしてイメージのサイズが膨らまないようにしていくかを考えていきましょう。

10.3.1　デプロイするアプリケーションのサイズを削減する

コンテナにはアプリケーションや依存するライブラリ・ツール類が含まれるため、これらを削減することはイメージサイズの削減の基本です。

パッケージマネージャのキャッシュを削除する手法も人気があります。たとえば、Ubuntuのaptならrm -rf /var/lib/apt/lists/*でキャッシュを削除できます。詳細は各パッケージマネージャのドキュメントや、Docker Hubを参照してください。

---

[21] https://cve.mitre.org/cve/

[22] 共通脆弱性識別子のこと。ソフトウェアの脆弱性リストが公開されています。

[23] Kubernetesでは、imagePullPolicyをAlwaysに設定すると、毎回レジストリをチェックしてからコンテナイメージを取得します。

軽量なコンテナイメージを作る **10.3**

アプリケーションのサイズをチューニングする

　アプリケーションのサイズはコンテナイメージのサイズに直結するため、Dockerfileでイメージ
を構築する開発者にはアプリケーションとそのビルドのしかたにも精通している必要があります。
アプリケーションの改修によるサイズの削減は重要で、次のようなポイントで削減できる箇所がな
いかを見てみましょう。いずれも基本的な要素であり、アプリケーションのサイズはCIでビルドす
る際に継続的に観察しておくような仕組みを用意しておくべきでしょう。

- 不要なファイルの削除
- 不要なプログラムの削減
- 依存ライブラリの削減
- Webアプリケーションのassets（主に画像）のサイズ削減

.dockerignore

　Gitのリポジトリを全てDockerコンテナにCOPYしてビルドするケースもありますが、この場合
も不要なファイルやディレクトリをコンテナに含めないことが重要です。特に.git/ディレクトリ
に代表されるような不要な隠しディレクトリを追加してしまいがちです。そこでDockerfileと同
じ階層に.dockerignoreファイルを用意して、コンテナに含めないファイルやディレクトリを定義
できます。次のように、ビルドするアプリケーションに合った内容の.dockerignoreを配置してお
くと良いでしょう。

```
.git
.idea
*.swp
*.log
.DS_STORE
```

10.3.2　コンテナイメージのレイヤー構造を意識する

　これまではコンテナイメージの内部構造を意識せずにイメージを作成してきましたが、サイズを
最適化するにはこの内部構造について理解を深めておく必要があります。実際にイメージをビルド
しながら構造を確認していきます。

```
$ mkdir -p ~/work/ch10/layer # 作業ディレクトリ作成
```

　GitHub CLI[24]（gh）を実行するためのイメージのDockerfileを作成します（**リスト 10.12**）。

＊24　https://github.com/cli/cli

405

10. 最適なコンテナイメージ作成と運用

リスト10.12 ghを実行するイメージのDockerfile

```
                                                            ~/work/ch10/layer/Dockerfile
FROM ubuntu:23.10

# ① GHのバージョンを定義
ARG GH_VERSION=2.33.0

# ②-1 aptリポジトリの更新
RUN apt update
# ②-2 curlのインストール
RUN apt install -y curl

# ③-1 アーカイブのダウンロード
RUN curl -L -O https://github.com/cli/cli/releases/download/v${GH_VERSION}/gh_${GH_V←
ERSION}_linux_amd64.tar.gz
# ③-2 アーカイブの解凍
RUN tar xvzf gh_${GH_VERSION}_linux_amd64.tar.gz
# ③-3 ghの実行ファイルを移動
RUN mv gh_${GH_VERSION}_linux_amd64/bin/gh /usr/local/bin

# ④-1 アーカイブと解凍ディレクトリの削除
RUN rm -rf gh_${GH_VERSION}_linux_amd64*
# ④-2 curlを削除
RUN apt purge -y curl
# ④-3 aptのキャッシュを削除
RUN apt clean
# ④-4 aptのパッケージリストを削除
RUN rm -rf /var/lib/apt/lists/*


ENTRYPOINT ["gh"]
```

①のARGではghのバージョンを定義し、Dockerfileの中で使い回せるようにしています。

②-1〜2ではaptリポジトリを最新に更新し、curlをインストールしています。③でのアーカイブのダウンロードに必要です。

③-1〜3でGitHubからアーカイブをダウンロード・解凍し、実行ファイルをPATHの通ったディレクトリに移動します。

④-1〜4ではアーカイブやaptで取得したファイルを削除します。不要なファイルを残しておくとイメージのサイズが大きくなるからです。

リスト10.13のコマンドでイメージをビルドします。

リスト10.13 ~/work/ch10/layer/Dockerfile のビルド

```
(~/work/ch10/layer) $ docker image build -t ch10/gh:standard .
```

コンテナイメージはDockerfileで行われた命令単位で、レイヤーを作成します。1コマンド（1行）ごとにレイヤーが作成されるということです。そのレイヤーを積み重ね更新していくことでイメージの最終系となります。

406

軽量なコンテナイメージを作る **10.3**

　イメージがどのようなレイヤーを重ねて構成されているかの詳細はdocker image history [イメージ] コマンドで確認できます。各レイヤーで実行されている命令とファイルサイズが分かります。

　docker image history ch10/gh:standardコマンドを実行すると、**図10.3**のようにイメージのレイヤー構造を確認できます。

図10.3　ghイメージのレイヤー一覧

```
docker image history ch10/gh:standard
IMAGE          CREATED          CREATED BY                              各レイヤーのサイズ    SIZE       COMMENT
7291b87286a2   25 minutes ago   ENTRYPOINT ["gh"]                                         0B         buildkit.dockerfile.v0
<missing>      25 minutes ago   RUN |1 GH_VERSION=2.33.0 /bin/sh -c rm -rf /...           0B         buildkit.dockerfile.v0
<missing>      25 minutes ago   RUN |1 GH_VERSION=2.33.0 /bin/sh -c apt clea...          0B         buildkit.dockerfile.v0
<missing>      25 minutes ago   RUN |1 GH_VERSION=2.33.0 /bin/sh -c apt purg...          918kB      buildkit.dockerfile.v0
<missing>      12 hours ago     RUN |1 GH_VERSION=2.33.0 /bin/sh -c rm -rf g...          0B         buildkit.dockerfile.v0
<missing>      12 hours ago     RUN |1 GH_VERSION=2.33.0 /bin/sh -c mv gh_${...          43.2MB     buildkit.dockerfile.v0
<missing>      12 hours ago     RUN |1 GH_VERSION=2.33.0 /bin/sh -c tar xvzf...          43.4MB     buildkit.dockerfile.v0
<missing>      12 hours ago     RUN |1 GH_VERSION=2.33.0 /bin/sh -c curl -L ...          10.6MB     buildkit.dockerfile.v0
<missing>      12 hours ago     RUN |1 GH_VERSION=2.33.0 /bin/sh -c apt inst...          41.8MB     buildkit.dockerfile.v0
<missing>      12 hours ago     RUN |1 GH_VERSION=2.33.0 /bin/sh -c apt upda...          34.1MB     buildkit.dockerfile.v0
<missing>      12 hours ago     ARG GH_VERSION=2.33.0                                    0B         buildkit.dockerfile.v0
<missing>      2 weeks ago      /bin/sh -c #(nop)  CMD ["/bin/bash"]                     0B
<missing>      2 weeks ago      /bin/sh -c #(nop) ADD file:cc6a3e0225d3c4171...          93.1MB
<missing>      2 weeks ago      /bin/sh -c #(nop)  LABEL org.opencontainers...           0B         ＼ubuntuのベースイメージ
<missing>      2 weeks ago      /bin/sh -c #(nop)  LABEL org.opencontainers...           0B
<missing>      2 weeks ago      /bin/sh -c #(nop)  ARG LAUNCHPAD_BUILD_ARCH              0B
<missing>      2 weeks ago      /bin/sh -c #(nop)  ARG RELEASE                           0B
```

　docker image buildを繰り返し体験してきました。すでにビルドしたDockerfileに対してRUNやCOPYを追加して再度ビルドを行っても、前回成功した箇所からの差分ビルドになっていたはずです。この差分ビルドはイメージがこのように多重レイヤー構造になっているため、可能になっています。

　かつては途中のレイヤーもイメージとして保存されていましたが、現在のイメージのビルドツールであるBuildKitでは途中のレイヤーはイメージとしては保存・参照できません[*25]。

レイヤーの数を極力減らす

　図10.3で各レイヤーでのサイズを確認できました。ch10/gh:standardのビルドではレイヤーが増えることで次のようにイメージのサイズが増えていくことになります。

- ②-1：aptの更新により34.1MB増加
- ②-2：curlのインストールにより41.8MB増加
- ③-1：アーカイブのダウンロードで10.6MB増加
- ③-2：アーカイブが解凍されて43.4MB増加
- ③-3： ghコマンドの移動により43.2MB増加
- ④-1～4：削除関連処理でほぼ増減なし

---

*25　Docker 18.09以降で導入されたコンテナイメージを最適化してビルドするためのツールキットのこと。デフォルトで有効だが、DOCKER_BUILDKIT=0を付与してコマンド実行すると無効にできます。

407

10. 最適なコンテナイメージ作成と運用

　コンテナイメージは差分ビルドが可能で、各レイヤーはキャッシュとしてストレージに保持されています。ビルド中に必要なファイルであっても最終成果物となるイメージには不要なファイルがあったとすると、途中のレイヤーには不要なファイルまで含まれて、最終イメージのサイズも肥大化してしまいます。

　各レイヤーにおいてファイル操作が行われると最終イメージのサイズが膨れ上がります。これを避けるにはDockerfileのビルドで生成されるイメージのレイヤーの数を減らすことが一番効果的です。

　そこで、 Dockerfile-chainというファイル名で**リスト 10.14**のようなDockerfileを作成します。それぞれ RUNを定義して実行していた処理を、 &&を用いて連結し一度に実行するようにします。このように1回の RUNで全てを実行することで、イメージのレイヤーを削減できるわけです。

リスト 10.14　RUNの回数を削減したDockerfile

```
                                              ~/work/ch10/layer/Dockerfile-chain
FROM ubuntu:23.10

ARG GH_VERSION=2.33.0

RUN apt update && \
  apt install -y curl && \
  curl -L -O https://github.com/cli/cli/releases/download/v${GH_VERSION}/gh_${GH_VER←
SION}_linux_amd64.tar.gz && \
  tar xvzf gh_${GH_VERSION}_linux_amd64.tar.gz && \
  mv gh_${GH_VERSION}_linux_amd64/bin/gh /usr/local/bin && \
  rm -rf gh_${GH_VERSION}_linux_amd64* && \
  apt purge -y curl && \
  apt clean && \
  rm -rf /var/lib/apt/lists/*

ENTRYPOINT ["gh"]
```

　ch10/gh:chainというイメージを**リスト 10.15**のコマンドでビルドします。

リスト 10.15　~/work/ch10/layer/Dockerfile-chain のビルド

```
(~/work/ch10/layer) $ docker image build -f Dockerfile-chain -t ch10/gh:chain .
```

　ch10/gh:standard と ch10/gh:chainのイメージサイズを比較します。レイヤーを削減した方が約90MB削減できています。

```
$ docker image ls ch10/gh
REPOSITORY    TAG        IMAGE ID       CREATED         SIZE
ch10/gh       chain      72df5ef6dc4a   19 seconds ago  178MB
ch10/gh       standard   7291b87286a2   2 minutes ago   267MB
```

　図 10.4のように RUNのレイヤーは1つに削減されています。1つのレイヤでアーカイブファイル

408

やapt関連のファイルも削除できるため、サイズを抑制できます。

図10.4　レイヤーを削減した場合

```
docker image history ch10/gh:chain
IMAGE          CREATED         CREATED BY                               SIZE      COMMENT
72df5ef6dc4a   32 minutes ago  ENTRYPOINT ["gh"]                        0B        buildkit.dockerfile.v0
<missing>      32 minutes ago  RUN |1 GH_VERSION=2.33.0 /bin/sh -c apt upda…  84.6MB  buildkit.dockerfile.v0
<missing>      32 minutes ago  ARG GH_VERSION=2.33.0                    0B        buildkit.dockerfile.v0
<missing>      2 weeks ago     /bin/sh -c #(nop)  CMD ["/bin/bash"]     0B
<missing>      2 weeks ago     /bin/sh -c #(nop) ADD file:cc6a3e0225d3c4171…  93.1MB
<missing>      2 weeks ago     /bin/sh -c #(nop)  LABEL org.opencontainers.…  0B
<missing>      2 weeks ago     /bin/sh -c #(nop)  LABEL org.opencontainers.…  0B
<missing>      2 weeks ago     /bin/sh -c #(nop)  ARG LAUNCHPAD_BUILD_ARCH   0B
<missing>      2 weeks ago     /bin/sh -c #(nop)  ARG RELEASE           0B
```
＼レイヤーが1つとなり
サイズが削減される

可読性とのトレードオフ

RUNの回数を減らすことでイメージのレイヤーを削減しサイズを小さくすることは有効なテクニックですが、&&やバックスラッシュの記述が増え、ビルドのしかたによってはcdの回数も増えてDockerfileの可読性は損なわれます。また、イメージのビルドを何度もトライアンドエラーするような場合は中間レイヤーが存在することにより差分ビルドの恩恵を得られなくなります。これは開発効率を損ねかねないので最初は全てのStepをそれぞれRUNで定義し、ビルド内容が固まったタイミングでRUNに回数を減らすようにした方が良いでしょう。

また、全てのケースにこの手法を適用しようとしないことが賢明です。効果を発揮するのは数MBレベルのファイルの操作を頻繁に行うケースです。よって、操作するファイルサイズが小さくて十分無視できるレベルである、あるいはもともと中間レイヤーが少ないものであれば無理してこの手法を適用する必要はないでしょう。

Dockerfile以外でのコンテナイメージのビルドの選択肢も存在します。本書で詳細は触れませんが、ビルドプロセスにスクリプトを統合できるBuildah[26]や、優れたキャッシュ機構を持つBazel[27]などがあります。

10.4　Multi-stage builds

Docker 17.05系より**Multi-stage builds**という仕組みが導入されました。軽量なイメージの作成に役立ちます。

コンテナイメージを構築する過程で、アプリケーションのビルドとデプロイの過程が同一のコンテナで行われることがほとんどでした。この方式のネックはビルド時だけ必要なライブラリや、アプリケーション実行に必要ないのに途中でできてしまう生成物[28]を完全に掃除するのが手間であ

---

[26]　https://github.com/containers/buildah
[27]　https://bazel.build/
[28]　俗に産業廃棄物とも呼ばれます。

10. 最適なコンテナイメージ作成と運用

るということです。軽量なイメージを求めた開発者が長年悩まされていたこの問題を解決するのが
Multi-stage builds です。

10.4.1　ビルドコンテナと実行コンテナを分ける

　Multi-stage builds によって、ビルド成果物を生成するためのビルドコンテナと、できあがったビ
ルド成果物をデプロイして実行するためのコンテナに分けられます。1つの Dockerfile だけでビル
ドコンテナと実行コンテナを分け、シームレスに軽量なコンテナイメージを作れます。

　アプリケーションのビルドをコンテナ内で実行するケースにおいて、Multi-stage builds を利用
しない手はありません[29]。4.4.3で作成したタスクアプリ API の Dockerfile を Multi-stage builds に
置き換えてみることにしましょう。もともとは**リスト 10.16**のような Dockerfile を書いていました。

リスト 10.16　タスクアプリ API の Dockerfile

```
FROM golang:1.21.6

WORKDIR /go/src/github.com/gihyodocker/taskapp

COPY ./cmd ./cmd
COPY ./pkg ./pkg
COPY go.mod .
COPY go.sum .
COPY Makefile .

RUN make mod
RUN make vendor
RUN make build-api

ENTRYPOINT ["./bin/api"]
```

　これはアプリケーションのビルドと実行を行う典型的なパターンですが、ベースイメージである
golang:1.21.6が約820MBもあるという問題を抱えています。対象言語のバージョンに対応した
イメージを利用するのはビルド面では有利ですが、Go 言語の場合はビルドされたバイナリが実行
できればランタイムがインストールされている必要はないわけです。

　これを Multi-stage builds を利用する手法にしてみましょう。 ~/go/src/github.com/gihyodo
cker/taskapp/containers/api/Dockerfile.distrolessというファイル名で**リスト 10.17**のような
Dockerfile を作成します。

リスト 10.17　Multi-stage buildsを利用した Dockerfile

```
                        ~/go/src/github.com/gihyodocker/taskapp/containers/api/Dockerfile.distroless
# ① ビルド用のベースイメージ
FROM golang:1.21.6 AS build
```

＊29　原則として本番でコンテナ内でビルドするケースは Multi-stage buildsを使うべきでしょう。

```
WORKDIR /go/src/github.com/gihyodocker/taskapp

COPY ./cmd ./cmd
COPY ./pkg ./pkg
COPY go.mod .
COPY go.sum .
COPY Makefile .

RUN make mod
RUN make vendor
# ①-1 /go/src/github.com/gihyodocker/taskapp/bin/api に実行ファイルができる
RUN make build-api

# ② 実行用のベースイメージ
FROM gcr.io/distroless/base-debian11:latest

# ②-1 ビルド用イメージからビルドした実行ファイルをコピー
COPY --from=build /go/src/github.com/gihyodocker/taskapp/bin/api /usr/local/bin/

ENTRYPOINT ["api"]
```

　最大の特徴はFROMが2箇所記述されているということです。①から②の直前までがビルド用コンテナの処理で、それ以降が実行用コンテナの処理です。Multi-stage buildsではこのように「ステージ」という概念で、ビルド用のイメージと実行用のイメージを分離できます。

　①ではFROM [イメージ] AS [ステージ名]という形式でベースイメージを定義します。ビルド用にgolang:1.21.6を利用し、buildというステージ名を定義します。①-1でビルドを行い、実行ファイルが生成されます。buildステージの処理はここまでです。

　②は実行用のベースイメージを定義します。10.2.4で解説したDistrolessを利用します。

　②-1 は Multi-stage builds ならではの記述です。 COPY --from=[コピー元ステージ名] [コピー元ステージのパス] [当該ステージのコピー先パス]の書式により、別のステージからファイルをコピーできます。ここでは①-1で生成した実行ファイルをコピーします。ビルド用のステージで生成した成果物を実行用ステージにコピーするわけです。

　ch10/taskapp-api:distrolessという名前で次のようにビルドしてみましょう。

```
(~/go/src/github.com/gihyodocker/taskapp/) $ docker image build -f containers/api/Do←
ckerfile.distroless -t ch10/taskapp-api:distroless . --progress=plain
#0 building with "desktop-linux" instance using docker driver

#1 [internal] load .dockerignore
#1 transferring context: 2B done
#1 DONE 0.0s

...(中略)...

#17 [stage-1 2/2] COPY --from=build /go/src/github.com/gihyodocker/taskapp/bin/api /←
usr/local/bin/
#17 DONE 0.0s
```

10. 最適なコンテナイメージ作成と運用

```
#18 exporting to image
#18 exporting layers 0.0s done
#18 writing image sha256:b0356ed1cbfe2f5fa35a90baf49959377e6f61fee56e5a8417d368b656←
d70e25 done
#18 naming to docker.io/ch10/taskapp-api:distroless done
#18 DONE 0.0s
```

　Multi-stage buildsなしでビルドした`ghcr.io/gihyodocker/taskapp-api:v1.0.0`とサイズを比較します。Multi-stage buildsなしは959MBであるのに対して、Multi-stage buildsでビルドしたイメージのサイズは**29MB**にまで抑えられています。必要なのは実行コンテナだけなので、コピー元であるビルドコンテナは破棄された状態でイメージが作成されます。

```
$ docker image ls ghcr.io/gihyodocker/taskapp-api:v1.0.0
REPOSITORY                        TAG        IMAGE ID       CREATED          SIZE
ghcr.io/gihyodocker/taskapp-api   v1.0.0     dfd0073a5732   5 minutes ago    1.01GB

$ docker image ls ch10/taskapp-api:distroless
REPOSITORY         TAG          IMAGE ID       CREATED          SIZE
ch10/taskapp-api   distroless   b0356ed1cbfe   23 seconds ago   29MB
```

　実行用コンテナを全く汚すことなく、かつサイズの小さなイメージを構築できました。非常にスマートです。

　10.3.2では`RUN`の実行回数を減らすことでサイズを削減しましたが、どうしても可読性を損ねる手法でした。Multi-stage buildsではビルド用ステージは破棄されるため、無理して`RUN`の実行回数を削減する記述をする必要はありません。Dockerfileの可読性を維持しつつ、サイズを押さえることが期待できます。

　Multi-stage buildsはサイズの削減だけではなく、ポータビリティにも寄与します。別のコンテナや非コンテナ環境で作られた成果物を実行コンテナに外からコピーする手法がありましたが、これはビルド環境に依存する[*30]ため必ずしも実行コンテナで期待した動作になるとは限りませんでした。Multi-stage buildsは1つのDockerfileでステージ間のファイルのやりとりができるため、コンテナホストを問わず同じ最終成果物を期待できるというのが大きな利点です。

　軽量なイメージを追求することは高速なオートスケールや開発効率に寄与します。Dockerの黎明期はイメージのサイズを小さくできても、セキュリティ面やDockerfileの可読性といった面の課題を抱えていましたが、Multi-stage buildsの登場により解決されました。Multi-stage buildsはコンテナでアプリケーションを開発する上で必要不可欠な技術なので、確実に身に着けておきましょう。

[*30]　glibcなどのCライブラリの違いなど。

BuildKit **10.5**

コラム **外部イメージをステージとして使う**

Multi-stage buildsの用途は、直前のステージからのファイルコピーだけに限定されるものではありません。既存の外部イメージをステージとして利用することも可能です。

例として、**リスト10.18**のDockerfileを見てみましょう。

リスト10.18 外部イメージをステージとして利用したDockerfile

```
FROM gcr.io/distroless/base-debian11:latest

COPY --from=ghcr.io/gihyodocker/taskapp-api:v1.0.0 /go/src/github.com/gihyodo←
cker/taskapp/bin/api /usr/local/bin/
```

直前のステージを利用するケースと同様にCOPYを次の書式で記述できます。

```
COPY --from=[外部イメージ] [外部イメージのパス] [当該ステージのコピー先パス]
```

外部イメージのステージとしての利用は、既存のイメージに含まれるファイルを取り出し、新たなイメージに含めてビルドするケースで有用です。

10.5 BuildKit

ここからはイメージビルダー[31]において、現在デフォルトの実装になっているBuildKitについて解説します。

10.5.1 BuildKitとは

BuildKitは従来のイメージビルダー（`docker image build`コマンド）を拡張したものです。BuildKitはDocker 18系から実験的に提供されていましたが、デフォルトは無効でした。Docker 23系からはBuildKitがデフォルトで有効になっており、 `docker image build`コマンドは内部的にBuildKitを使用しています[32]。

BuildKitはレガシービルダーに比べて、次のような改善がされています。

● **ビルドプロセスの高速化**

● **分散イメージビルド**

---

[31] コンテナイメージのビルド機能。`docker image build`コマンドの機能を指します。

[32] BuildKit以前のイメージビルド機能はレガシービルダーと呼ばれています。環境変数DOCKER_BUILDKITの値を0に設定すると、`docker image build`コマンドはレガシービルダーの実装で動作します。

- リアルタイムなビルド進行状況の視覚表示
- マルチプラットフォームビルド

パフォーマンスや利便性が改善されていますが、特に重要なのは「マルチプラットフォームビルド」の機能です。BuildKitの目玉であると同時に、コンテナの実運用で欠かせない技術です。まずはコンテナ技術において、なぜマルチプラットフォーム対応が必要なのかを説明します。

10.5.2　コンテナ技術におけるマルチプラットフォーム対応

本書ではこれまでさまざまなコンテナイメージを利用してきました。たとえば、Docker Hubで公開されている公式のnginxイメージは、Windows/macOS/Linux環境を問わず利用できます。昨今はコンシューマPCに多様なCPUアーキテクチャの選択肢がありますが、x86_64アーキテクチャでもARMアーキテクチャでもコンテナは動作します。

コンテナを利用するユーザにとっては何不自由ないように思えますが、実はそれほど簡単な話ではありません。

Docker Hubの公式nginxイメージのページを見ると、**図10.5**のように「OS/ARCH」というドロップダウンがあります。このドロップダウンは実行可能プラットフォーム（OSとCPUアーキテクチャのセット）のことであり、いくつかの項目が表示されます。

図10.5　Docker Hubのnginxイメージ。複数のOS、CPUアーキテクチャに対応している

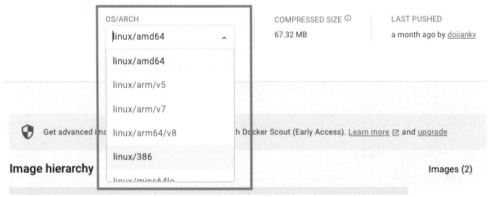

OSはホスト環境のOSというわけではなく、コンテナの実行を担うOSを指します。Windowsも

macOSもLinuxの仮想環境[33]を経由してコンテナを実行するため、OS=linuxのイメージを問題なく利用できます。

コンテナイメージを利用できるかどうかは、ARCHだけ注目すれば良いです。Windowsで一般的なAMD64互換のCPUであればamd64が、Apple SiliconのmacOSであればarm64/v8が必要です[34]。

1.1.1でも解説しましたが、コンテナ型仮想化技術は、ホストOSのファイルシステムを区画化して隔離するに過ぎません。ホストOSのリソースがそのままコンテナに共有されるため、コンテナで動くアプリケーションはホストのCPUアーキテクチャに依存するという点を認識しておく必要があります。

dockerdは実行プラットフォームに対応できるイメージを自動で選択し、ダウンロードするマルチプラットフォーム機能をサポートしています。そのため、コンテナイメージを利用するだけであればほとんど負担になりません。

しかし、コンテナイメージをビルドしてチームに共有したり、公開する場合は各実行プラットフォームに対応したイメージを用意する必要があります。

筆者がghcr.ioで公開しているghcr.io/gihyodocker/echoやghcr.io/gihyodocker/taskapp-apiといったイメージも、実は図10.6のようにマルチプラットフォーム対応がされています。

---

[33] WindowsはWSL2、macOSはVirtualization Frameworkが構築したLinux VM上でコンテナ環境が作られています。

[34] uname -mコマンドを実行するとそのマシンのCPUアーキテクチャを確認できます。

10. 最適なコンテナイメージ作成と運用

図10.6 マルチプラットフォーム対応がされたtaskapp-apiイメージ

次に、実際にマルチプラットフォーム向けのコンテナイメージを構築していきましょう。

10.5.3 BuildKitでマルチプラットフォーム対応のイメージをビルドする

ローカルでBuildKitを利用したイメージビルドを行います。

始めに、マルチプラットフォームに対応できるイメージビルダーを用意します。その後に、マルチプラットフォーム対応のDockerfileの記述について解説し、実際にビルドを行います。

マルチプラットフォーム対応用のイメージビルドの準備

BuildKitはイメージビルダーを使ってコンテナイメージをビルドしています。利用可能なイメージビルダーの一覧は、**リスト10.19**のコマンドで確認できます。

リスト10.19 BuildKitのイメージビルダー一覧

```
$ docker buildx ls
NAME/NODE         DRIVER/ENDPOINT STATUS  BUILDKIT              PLATFORMS
default *         docker
  default         default          running v0.11.6+616c3f613b54 linux/amd64, linux/am↩
d64/v2, linux/amd64/v3, linux/arm64, linux/riscv64, linux/ppc64le, linux/s390x, linu↩
x/386, linux/mips64le, linux/mips64, linux/arm/v7, linux/arm/v6
desktop-linux     docker
```

```
desktop-linux desktop-linux   running v0.11.6+616c3f613b54 linux/amd64, linux/am←
d64/v2, linux/amd64/v3, linux/arm64, linux/riscv64, linux/ppc64le, linux/s390x, linu←
x/386, linux/mips64le, linux/mips64, linux/arm/v7, linux/arm/v6
```

　これまでローカルでビルドしてきたイメージは、Docker Desktop が用意したデフォルトのイメージビルダーが利用されていました。

　しかし、このデフォルトのイメージビルダーには、マルチプラットフォーム向けのビルドができないという制約が存在します。

　マルチプラットフォーム対応のイメージビルダーは、**リスト 10.20** のコマンドで作成できます。

リスト 10.20　マルチプラットフォーム対応のイメージビルダーの作成

```
$ docker buildx create --name gihyo --use
gihyo
```

　--name オプションを省略した場合は適当な名前で作成されますが、ここではわかりやすくするため gihyo としています。 --use オプションをつけると、ビルダーを作成したタイミングでデフォルトのビルダーとして設定されます。

　ここで作成した gihyo のイメージビルダーを用いて、マルチプラットフォーム対応のコンテナイメージをビルドしていきます。

> **コラム** ▶ **QEMU（Quick EMUlator）**
>
> 　マルチプラットフォーム向けのビルドを実現するために、linux/amd64 と linux/arm64 それぞれのイメージビルド環境が必要ではないかと感じた読者もいるでしょう[a]。
>
> 　ただ、それぞれの環境を用意することは手間もコストもかかります。そこで、BuildKit では QEMU（Quick EMUlator）というツールを使ってこの問題を解決しています。
>
> 　QEMU（Quick EMUlator）[b] は OSS のプロセッサエミュレーターおよび仮想化ツールあり、別のアーキテクチャの環境をエミュレートできます。
>
> 　この仕組みにより、 linux/amd64 で linux/arm64 をエミュレートしたり、その逆も可能になります。
>
> 　Docker Desktop の BuildKit では QEMU を利用できるようになっているため、QEMU のセットアップは不要です。
>
> 　ただし、QEMU を使ったビルドはネイティブビルドに比べると遅い点は注意が必要です。
>
> ---
>
> **＊a**　ネイティブビルドと呼ばれます。
> **＊b**　https://www.qemu.org/

マルチプラットフォーム対応用の Dockerfile

　筆者が作成した echo アプリケーションを題材に、マルチプラットフォーム対応のイメージをビ

10. 最適なコンテナイメージ作成と運用

ルドしていきます。

　https://github.com/gihyodocker/echo のリポジトリをローカルに clone します。このリポジトリは本書でこれまで扱ってきた echo アプリケーションの完成形リポジトリです。

```
$ mkdir -p ~/go/src/github.com/gihyodocker
$ cd ~/go/src/github.com/gihyodocker
(~/go/src/github.com/gihyodocker) $ git clone https://github.com/gihyodocker/echo
```

　echoのリポジトリに Dockerfile.slim（**リスト 10.21**）というファイルを用意しています。マルチプラットフォーム対応用のDockerfileです。

リスト 10.21　マルチプラットフォーム対応した echoアプリケーションの Dockerfile

~/go/src/github.com/gihyodocker/echo/Dockerfile.slim

```
# ①-1 プラットフォームに対応するイメージを利用
FROM --platform=$BUILDPLATFORM golang:1.21.6 AS build
# ①-2 BuildKitの変数を再定義して利用可能にする
ARG TARGETARCH

WORKDIR /go/src/github.com/gihyodocker/echo
COPY . .

# ② プラットフォームに対応したGoアプリケーションのビルド
RUN GOARCH=${TARGETARCH} go build -o bin/echo main.go

# ③ Distrolessイメージではプラットフォームの明示的な指定は不要
FROM gcr.io/distroless/base-debian11:latest
LABEL org.opencontainers.image.source=https://github.com/gihyodocker/echo

COPY --from=build /go/src/github.com/gihyodocker/echo/bin/echo /usr/local/bin/

CMD ["echo"]
```

　このDockerfileはマルチプラットフォーム向けの設定がされています。ポイントを見ていきましょう。

　①-1 の FROM には --platform というオプションが設定されています。 BUILDPLATFORM というBuildKit が用意した変数が代入されていて、 この変数には linux/amd64 や linux/arm64 といった値が入ります。コンテナイメージはそのプラットフォームに対応したイメージを利用します。この仕組みにより、指定されたプラットフォーム毎のビルドが可能になります。

　BuildKitではDockerfile内で次の変数を利用可能です。BUILDで始まる変数はイメージのビルドを実行するホストのプラットフォームを、TARGETで始まる変数はコンテナの実行対象のプラットフォームを表しています。これらの変数は状況に応じて取捨選択します。

418

変数名	内容	値の例
`BUILDPLATFORM`	ビルド実行ホストのプラットフォーム	`linux/arm64`
`BUILDOS`	ビルド実行ホストのOS	`linux`
`BUILDARCH`	ビルド実行ホストのCPUアーキテクチャ	`amd64`, `arm64`
`TARGETPLATFORM`	実行対象のプラットフォーム	`linux/amd64`, `linux/arm64`
`TARGETOS`	実行対象のOS	`linux`
`TARGETARCH`	実行対象のCPUアーキテクチャ	`amd64`, `arm64`

変数はDockerfile内で`ARG`を用いて再定義することで、`RUN`等のインストラクションで利用可能になります[35]。①-2の`ARG`では`TARGETARCH`を利用するために定義しています。

②ではGo言語のアプリケーションをプラットフォームを指定してビルドします。①-2で再定義した`TARGETARCH`を`GOARCH`に代入して利用します。

③では最終成果物のベースイメージを従来と同じ記法で指定しています。Distrolessは複数プラットフォームのイメージが同一のタグでサポートされています。そのため、イメージのプラットフォームを明示的に指定する必要がありません。イメージのタグにプラットフォームの値を含むようなイメージを利用する場合は、`TARGETPLATFORM`を利用すると良いでしょう。

マルチプラットフォーム対応のコンテナイメージをビルドする

ローカル環境でマルチプラットフォーム対応のイメージビルドを行います。

マルチプラットフォーム向けのイメージはローカルで確認することが難しいため、マルチプラットフォーム対応イメージを格納できるghcr.ioにPushして確認します。そのために、次のようにghcr.ioにログインしておきます[36]。GitHubのユーザ名は置き換えて実行してください。

```
$ echo $CR_PAT | docker login ghcr.io -u [GitHubのユーザー名] --password-stdin
Login Succeeded
```

マルチプラットフォーム対応のイメージビルドには、これまで使ってきた`docker image build`コマンド[37]を利用します。

リスト10.22のコマンドでコンテナイメージをビルドします。マルチプラットフォーム関連のオプションが必要です。

リスト10.22 BuildKitを使ったマルチプラットフォーム向けのビルド

```
(~/go/src/github.com/gihyodocker/echo) $ docker image build --no-cache \
    --platform linux/amd64,linux/arm64 \
    --push \
    --builder gihyo \
```

---

[35] ①-1のように`FROM`だけで変数を利用する場合は、BuildKitによって自動的に設定されるため、`ARG`での再定義は不要です。

[36] 2.3.6でログイン方法を解説しています。

[37] `docker buildx build`（BuildKitでのイメージビルドコマンド）へのエイリアスになっています。

```
    -f Dockerfile.slim \
    -t ghcr.io/stormcat24/buildkit/echo:latest .
```

--platformでは対象のプラットフォームをカンマ区切りで指定します。ここではlinux/amd64とlinux/arm64向けのイメージをそれぞれビルドします。

--pushはビルド後すぐにコンテナレジストリに Pushするためのオプションです。今回linux/amd64とlinux/arm64のイメージをビルドしていますが、1つのコンテナエンジンに複数プラットフォームのイメージはロードできません[*38]。そのためローカルで成果物を確認することが難しいので、直接ghcr.ioに Pushしています。

--builderは**リスト10.20**コマンドで作成しておいたイメージビルダーの名前を指定します。

ビルドを実行すると、図10.7のような結果が出力されます。linux/amd64とlinux/arm64向けそれぞれのビルドが行われていることがわかります。

図10.7　マルチプラットフォーム向けイメージのビルド結果

GitHubで Packagesの画面を確認すると、図10.8のようにマルチプラットフォーム対応のコンテナイメージを確認できます。

[*38] ビルドするプラットフォームのイメージが1つだけであれば問題ありません。

図10.8 ghcr.ioにPushされたマルチプラットフォーム向けイメージ

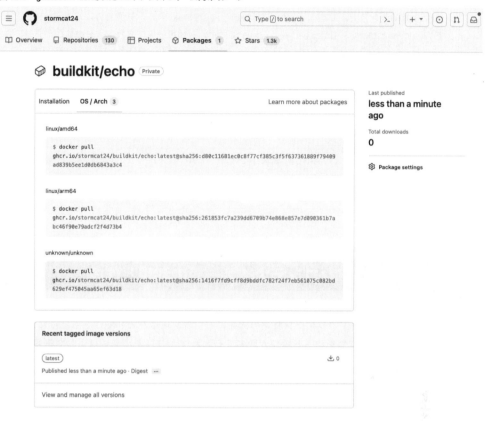

　これでBuildKitを利用したマルチプラットフォーム向けのイメージビルドができました。

　今回はマルチプラットフォーム対応のビルドをローカル環境で行いましたが、実際の運用では手元でこのような作業を行うことはほぼありません。実際にはGitHub ActionsのようなCIツールを使い、マルチプラットフォーム対応のビルドを行います。その方法については10.7で解説します。

コラム　マルチプラットフォームのイメージにどこまで対応すべきか？

　Docker Hubのnginxイメージ（図10.5）のように、多様なプラットフォームに対応したイメージを提供している例を紹介しました。実運用でここまで多様にサポートすべきか？と言われれば決してそうではありません。

　Docker Hubで提供されている公式イメージがここまで手広くサポートしている理由として、ユースケースの多さがあります。サーバとして利用するLinux系のOSを始め、WindowsやmacOS等のコンシューマPC、組み込み型のPC[*a]といったさまざまなケースで利用されます。

　しかし、私達がコンテナで開発するアプリケーションにおいて、これをOSSとして公開したり、

10. 最適なコンテナイメージ作成と運用

多様なプラットフォームで動作させる必要がなければここまで手厚くサポートしなくても良いです。一般的な Web システムであれば、サーバは x86_64 の Linux 系 OS、開発者のコンシューマ PC として Windows と macOS（Intel もしくは Apple Silicon）をサポートできれば十分です。つまり、`linux/amd64` と `linux/arm64` に対応したイメージを用意できれば良いわけです。

また、ARM 系 CPU の Linux サーバを利用する事例も増えてきているため、ARM 対応イメージをビルドする意味はあります。AWS は ARM アーキテクチャをベースに構築された AWS Graviton[b] という CPU を Amazon EC2[c] に投入しています。AWS Graviton は通常のプロセッサより料金が安価に設定されていることもあり、クラウドのコストを抑制するために選択するケースがあります。

---

*a　Raspberry Pi や、自動車での採用事例も多い組み込み OS である Wind River Linux で Docker を実行する事例もあります。
*b　https://aws.amazon.com/jp/ec2/graviton/
*c　AWS が提供する仮想サーバ。EKS や ECS で実行するコンテナを配置するためにも利用されます。

10.6　セキュアなコンテナイメージの利用と作成

コンテナ型仮想化技術はアプリケーションの開発において、俊敏性と利便性をもたらしました。しかし、コンテナ技術の特性を狙った攻撃が数多く行われており、その脅威は決して無視できません。

ホスト OS 型仮想化技術がホスト OS のリソースと仮想マシンの空間を強力に隔離するのに対して、コンテナ型仮想化技術でのホスト OS のリソースの分離レベルはそれほど強くはありません。それゆえにコンテナ経由でホスト OS、もしくは他のコンテナへの不正アクセスを行う攻撃がよく行われます[39]。

コンテナに対する攻撃の脅威を軽減するためには、次のような対策があります。1つずつ見ていきましょう。

- コンテナイメージを必要最小限で構成する（10.6.1）
- 特権モード（privilege）での実行を避ける（10.6.2）
- root ユーザでの実行を避ける（10.6.3）
- 信頼性のあるコンテナイメージ、ツールを利用する（10.6.4）
- Trivy でコンテナイメージの脆弱性チェックをする（10.6.5）

10.6.1　コンテナイメージを必要最小限で構成する

コンテナは必要最小限のファイルやツールだけを含んでいれば十分です。

---

*39　この攻撃は一般的にコンテナブレークアウトと呼ばれています。

セキュアなコンテナイメージの利用と作成　**10.6**

　不要なツールがなければ、そのツールの脆弱性を利用した攻撃が避けられます。ファイルやディレクトリへの過剰な権限の付与を避けることも重要です。不要な権限がなければ、ディレクトリ・トラバーサルのような攻撃の被害を軽減できます。

10.6.2　特権モード(privilege)での実行を避ける

　一般的なアプリケーション[40]をコンテナで実行する場合、基本的に必要なファイルやツールはコンテナ内で完結し、ホストOS側のファイルへのアクセスを必要とするシーンは原則ありません。

　しかし、コンテナからホストOSのリソースを操作する特殊なユースケースも存在します。9.1.1におけるホストOSに蓄積されたログを操作するケースや、9.2のKindでのKubernetesクラスタ作成といったケースが該当します。

　このような特殊なケースは、コンテナを特権モード(privilege)で実行しないと実現できません。通常のアプリケーションをコンテナで実行する用途で特権モードが必要になることはまずありません。

　特権モードは、コンテナの運用においてはログのデータシッパーのようなケース以外での利用は慎重になるべきです。サードパーティのコンテナイメージを利用する際、特権モードを必要とするようなものであればその妥当性を十分に吟味してください。

10.6.3　rootユーザでの実行を避ける

　これまでたくさんのコンテナイメージをビルドし、コンテナを実行してきました。そのコンテナがどのユーザで実行されているかまでは意識してきてこなかったでしょう。

　次のように、 ubuntu:23.10のコンテナでwhoamiコマンドを実行するとrootが返ってきます。さらにidコマンドを実行するとuid（ユーザID）、gid（所属グループID）、groups（所属グループのリスト）にそれぞれ0が表示されます。

```
$ docker container run -it ubuntu:23.10 bash
root@392ece8cd999:/# whoami
root

root@392ece8cd999:/# id
uid=0(root) gid=0(root) groups=0(root)
```

　このように、Dockerコンテナ内の実行ユーザはデフォルトでrootになっています。ホストOSのrootユーザのuidは0であり、コンテナのrootユーザのuidも0です。コンテナ型仮想技術ではホストOSのリソースをコンテナでも共有するため、コンテナとホストのrootユーザは同一ということになります。

---

[40]　ホストのファイルを読み書きするCLIツールなどは除く。

423

10. 最適なコンテナイメージ作成と運用

しかし、多くのコンテナランタイム[41]では、コンテナのrootがホストOSと同様の操作ができないよう、LinuxのNamespaceの機能を使ってリソースを分離することで対策しています。

たとえば、ホストOSでps auxコマンドを実行するとたくさんのプロセスが表示されますが、コンテナのrootユーザでこのコマンドを実行しても、**リスト10.23**のようにコンテナで実行されているプロセスしか表示されません。

リスト10.23　コンテナのrootユーザーでプロセス一覧を参照

```
$ docker container run -it ubuntu:23.10 bash
root@ed8d996beb54:/# ps aux
USER       PID %CPU %MEM    VSZ   RSS TTY      STAT START   TIME COMMAND
root         1  0.0  0.0   4172  3384 pts/0    Ss   16:40   0:00 bash
root         9  0.0  0.0   7892  3564 pts/0    R+   16:40   0:00 ps aux
```

この結果を見ると、rootでコンテナを実行して良いとも思えます。しかし、コンテナランタイムにユーザのリソース分離に関する脆弱性が発見された場合、rootユーザでコンテナを実行していることが致命傷になりかねません。最悪のケースを想定して、コンテナの実行ユーザは非rootユーザにするべきです。

ここからは非rootユーザで実行できるコンテナイメージの作り方を解説します。

非rootユーザのコンテナイメージを作る

Ubuntuを題材に、非rootユーザで実行されるコンテナイメージを構築します。次の作業ディレクトリを作成します。

```
$ mkdir -p ~/work/ch10/nonroot
```

非rootユーザでコンテナを実行する**リスト10.24**のようなDockerfileを作成します。

リスト10.24　非rootユーザの設定をしたDockerfile

`~/work/ch10/nonroot/Dockerfile`

```
FROM ubuntu:23.10

# ① gihyoユーザーを作成
RUN useradd --create-home --home-dir /home/gihyo --shell /bin/bash gihyo

# ② 実行ユーザーを設定
USER gihyo
```

①ではLinuxのuseraddコマンドでgihyoという非rootユーザを作成します。作成したユーザをコンテナの実行ユーザにするため、②のようにUSERインストラクションでgihyoユーザを設定し

---

[41] Dockerなどのコンテナエンジンにおいて、コンテナを実行・管理するための基幹部分のこと。コンテナランタイムの詳細についてはAppendix C.1で解説します。

ます。
作成したDockerfileをビルドします。

```
(~/work/ch10/nonroot) $ docker image build -t ch10/ubuntu:nonroot .
```

作成したイメージを利用し、次のようにコンテナを実行します。非rootユーザで実行されていることがわかります。

```
$ docker container run -it ch10/ubuntu:nonroot
gihyo@452c80f25f88:/$ whoami
gihyo

gihyo@452c80f25f88:/$ id
uid=1001(gihyo) gid=1001(gihyo) groups=1001(gihyo)
```

このようにして、rootユーザでのコンテナ実行を回避できます。

Distrolessのnonrootイメージを利用する

Distrolessをベースイメージとして利用する場合、もっと簡単に非rootユーザでのコンテナ実行を実現できます。

Distrolessには実運用のためのイメージタグのlatest、デバッグ用イメージタグのdebugの他に、nonrootとdebug-nonrootという非rootユーザで実行できるイメージが用意されています[42]。

試しにDistrolessのデバッグイメージに入り、whoamiコマンドでどのユーザで実行されているかを確認します。

通常のデバッグイメージのgcr.io/distroless/base-debian11:debugでは、whoamiはrootユーザを返します。

```
$ docker container run -it --rm gcr.io/distroless/base-debian11:debug
/ # whoami
root
```

非rootユーザかつデバッグイメージのgcr.io/distroless/base-debian11:debug-nonrootではwhoamiはnonrootユーザを返します。

```
$ docker container run -it --rm gcr.io/distroless/base-debian11:debug-nonroot
~ $ whoami
nonroot
```

＊42 Distrolessではnonrootのタグで区別していますが、他のコンテナイメージもそうなっているわけではありません。Distrolessのように区別せずに、非rootユーザ対応されているコンテナイメージもあります。

10. 最適なコンテナイメージ作成と運用

Distrolessをベースイメージにするのであれば、nonrootタグイメージを利用すれば必然的に非rootユーザ化されます。

なお、Multi-stage buildsで非rootユーザのイメージを作るには注意が必要です。**リスト10.25**のDockerfileを見てください。

リスト10.25　Multi-stage buildsの非rootユーザー対応

```
FROM --platform=$BUILDPLATFORM golang:1.21.6 AS build
# ...(省略)...

FROM gcr.io/distroless/base-debian11:nonroot

# buildステージからコピーするファイルの所有権を変える
COPY --from=build --chown=nonroot:nonroot /go/src/github.com/gihyodocker/taskapp/bi↩
n/api /usr/local/bin/

ENTRYPOINT ["api"]
```

buildステージのコンテナはrootユーザで実行されています。実行コンテナはnonrootユーザで実行されるため、COPYで--chownオプションを付与してファイルの所有権を変更する必要があります。

10.6.4　信頼性のあるコンテナイメージ、ツールを利用する

利用するサードパーティイメージは信頼性のあるものを選択することが重要です。しかし、「何を以て信頼性があると判断するか」は非常に難しいです。ここではいくつかの判断材料を紹介します。

公式イメージとVerified Publisherによるイメージ

Docker Hubの公式イメージ[43]のイメージは非常に多くのユーザに利用されています。公式イメージはDocker社によってメンテナンスされるものと、Docker社とパートナーシップを結んだ企業やオープンソースプロジェクトによってメンテナンスされているものもあります。

公式のイメージは**図10.9**のように「Docker Official Image」のバッジが付いています。

＊43　https://docs.docker.com/docker-hub/official_images/

セキュアなコンテナイメージの利用と作成 **10.6**

図10.9　Nginxの公式イメージ

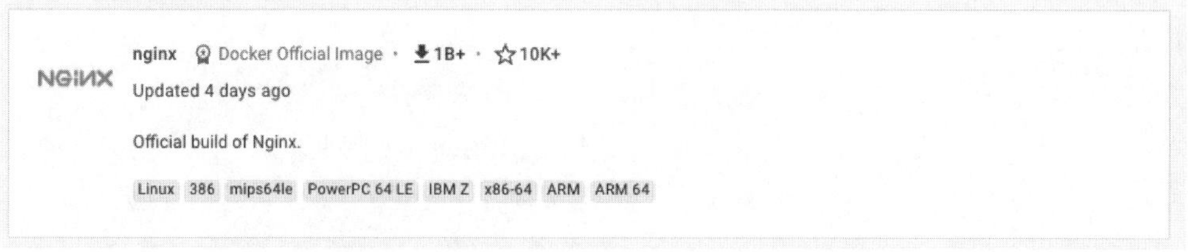

公式イメージにはJavaやGo言語などの言語ランタイム、UbuntuのようなOS、nginxやMySQLといった著名なソフトウェアのイメージをサポートしています。また、非常に多くのユーザに利用されており、利用実績も豊富です。ソフトウェアのバージョンに追従するタグを持つイメージも比較的迅速に提供される傾向があります。

公式イメージの他に、Docker Verified Publisher Program[44]で認定された組織・団体によって公開されているイメージもあります。

Verified Publisher の認定を受けた組織・団体は、Docker のセキュリティと品質基準を満たしていることを示しています。この認定を受けたパブリッシャーは、そのイメージが安全であり、継続的なサポートが提供されることを保証しています。

この認定を受けた組織・団体が公開するイメージには、**図10.10**のように「Verified Publisher」のバッジが付いています。

図10.10　**Verified Publisher**によって公開されているコンテナイメージ

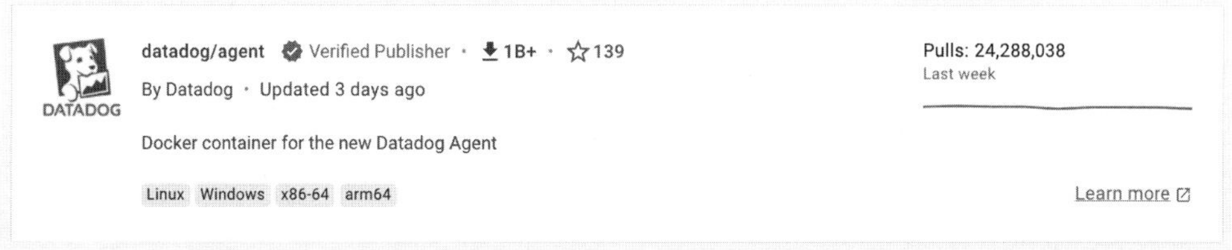

著名なソフトウェアであれば、まずはDocker Hubでイメージが公開されているかを調べると良いでしょう。Docker HubのWebサイトで検索するか、`docker search [検索ワード]` コマンドで検索できます。nginxの場合、**図10.11**のように検索結果が表示されます。

───────────────────────

＊44　https://docs.docker.com/docker-hub/dvp-program/

427

10. 最適なコンテナイメージ作成と運用

図10.11 Docker Hubで公開されているnginx関連のイメージ

```
docker search nginx
NAME                                             DESCRIPTION                                       STARS     OFFICIAL   AUTOMATED
nginx                                            Official build of Nginx.                          18990     [OK]
unit                                             Official build of NGINX Unit: Universal Web …     10        [OK]
nginxinc/nginx-unprivileged                      Unprivileged NGINX Dockerfiles                    121
nginx/nginx-ingress                              NGINX and  NGINX Plus Ingress Controllers fo…     79
nginx/nginx-prometheus-exporter                  NGINX Prometheus Exporter for NGINX and NGIN…     33
nginx/unit                                       NGINX Unit is a dynamic web and application …     64
nginxinc/nginx-s3-gateway                        Authenticating and caching gateway based on …     5
nginx/nginx-ingress-operator                     NGINX Ingress Operator for NGINX and NGINX P…     1
nginxinc/amplify-agent                           NGINX Amplify Agent docker repository             1
nginxinc/nginx-quic-qns                          NGINX QUIC interop                                1
nginxinc/ingress-demo                            Ingress Demo                                      4
nginxproxy/nginx-proxy                           Automated Nginx reverse proxy for docker con…     103
bitnami/nginx                                    Bitnami nginx Docker Image                        173                  [OK]
nginxproxy/acme-companion                        Automated ACME SSL certificate generation fo…     123
bitnami/nginx-ingress-controller                 Bitnami Docker Image for NGINX Ingress Contr…     29                   [OK]
ubuntu/nginx                                     Nginx, a high-performance reverse proxy & we…     98
nginxinc/nginxmesh_proxy_debug                                                                     0
nginxproxy/docker-gen                            Generate files from docker container meta-da…     12
kasmweb/nginx                                    An Nginx image based off nginx:alpine and in…     6
nginxinc/mra-fakes3                                                                                0
rancher/nginx-ingress-controller                                                                   11
nginxinc/ngx-rust-tool                                                                             0
nginxinc/mra_python_base                                                                           0
nginxinc/nginxmesh_proxy_init                                                                      0
rancher/nginx-ingress-controller-defaultbackend                                                    2
```

イメージの名称変更やメンテナンス頻度に注意する

　公式イメージやVerified Publisherのバッジは判断材料の一つですが、その中でも注意深く見る必要があるイメージが存在します。

　Javaはその例の1つです。図10.12のようにjavaのイメージが公開されていますが、最後の更新は6年前になっています。

図10.12　非推奨になったjavaのイメージ

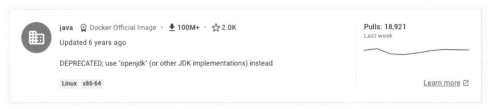

　現在はDEPRECATED（非推奨）になっており、図10.13のようにopenjdkがJavaのランタイムを担うイメージになっています。

図10.13　openjdkイメージ

利用しているイメージにおいて、最後の更新から多くの時間が経過していないか、DEPRECATED になっていないか注意が必要です。メンテナンスがされていないイメージは、時間の経過とともに脆弱性を抱えることになるからです。

次に解説するコンテナイメージの脆弱性チェックの仕組みを導入すれば、コンテナイメージの脆弱性や問題点に気づきやすくなります。

10.6.5 Trivyでコンテナイメージの脆弱性チェックをする

Trivy[45]はOSS[46]のコンテナイメージ脆弱性診断ツールです。

Trivyはasdfでインストールできます。

```
$ asdf plugin add trivy
$ asdf install trivy 0.45.0
$ asdf global trivy 0.45.0
```

既存のコンテナイメージの脆弱性スキャンをする

Trivyの最も簡単な使い方は既存のコンテナイメージの脆弱性スキャンです。 trivy image [コンテナイメージ]のコマンドで実行できます。

公式の nginx:1.25.1 に対して脆弱性スキャンをするには次のようにします。

```
$ trivy image nginx:1.25.1
```

脆弱性スキャンの結果は**図10.14**のように出力されます。

＊45　https://github.com/aquasecurity/trivy

＊46　Trivyは@knqyf263氏により開発されました。現在はAqua Security社に譲渡され、引き続き活発に開発されています。

10. 最適なコンテナイメージ作成と運用

図 10.14　nginx イメージの脆弱性スキャン結果

```
nginx:1.25.1 (debian 12.1)

Total: 103 (UNKNOWN: 0, LOW: 75, MEDIUM: 24, HIGH: 4, CRITICAL: 0)
```

Library	Vulnerability	Severity	Status	Installed Version	Fixed Version	Title
apt	CVE-2011-3374	LOW	affected	2.6.1		It was found that apt-key in apt, all versions, do not correctly... https://avd.aquasec.com/nvd/cve-2011-3374
bsdutils	CVE-2022-0563			1:2.38.1-5+b1		partial disclosure of arbitrary files in chfn and chsh when compiled with... https://avd.aquasec.com/nvd/cve-2022-0563
coreutils	CVE-2016-2781		will_not_fix	9.1-1		coreutils: Non-privileged session can escape to the parent session in chroot https://avd.aquasec.com/nvd/cve-2016-2781
	CVE-2017-18018		affected			coreutils: race condition vulnerability in chown and chgrp https://avd.aquasec.com/nvd/cve-2017-18018
gcc-12-base	CVE-2022-27943			12.2.0-14		libiberty/rust-demangle.c in GNU GCC 11.2 allows stack exhaustion in demangle_const https://avd.aquasec.com/nvd/cve-2022-27943
gpgv	CVE-2022-3219			2.2.40-1.1		denial of service issue (resource consumption) using compressed packets https://avd.aquasec.com/nvd/cve-2022-3219
libaom3	CVE-2023-39616	HIGH		3.6.0-1		AOMedia v3.0.0 to v3.5.0 was discovered to contain an invalid read mem... https://avd.aquasec.com/nvd/cve-2023-39616
libapt-pkg6.0	CVE-2011-3374	LOW		2.6.1		It was found that apt-key in apt, all versions, do not correctly... https://avd.aquasec.com/nvd/cve-2011-3374
libblkid1	CVE-2022-0563			2.38.1-5+b1		partial disclosure of arbitrary files in chfn and chsh when compiled with... https://avd.aquasec.com/nvd/cve-2022-0563
libc-bin	CVE-2010-4756			2.36-9+deb12u1		glibc: glob implementation can cause excessive CPU and memory consumption due to... https://avd.aquasec.com/nvd/cve-2010-4756

脆弱性は CVE 識別子別に表示され、Severity（重大度）を確認できます。状況によっては公式イメージであっても、Severity が HIGH の項目もあります。内容を見て、適切な対処が必要です。

コンテナイメージビルド前にスキャンをする

コンテナイメージビルド前、つまり手元のファイルシステムに対しての脆弱性スキャンも可能です。trivy fs --scanners [検査項目] [ディレクトリのパス] のコマンドで実行できます。

ディレクトリに対して脆弱性スキャンをする場合は、--scanners オプションに検査項目の指定が必要です。検査項目には次のものがサポートされています。

- vuln（脆弱性があるツールが含まれていないかチェック）
- config（問題のある Dockerfile の記述をチェック）
- secret（クレデンシャルが含まれないかをチェック）

実際に ~/go/src/github.com/gihyodocker/taskapp/containers/nginx-api のディレクトリに対してスキャンをしてみましょう。

```
(~/go/src/github.com/gihyodocker/taskapp) $ trivy fs ./containers/nginx-api --scanne←
rs vuln,config,secret
```

スキャン結果は図 10.15 のように出力されます。非 root ユーザでのコンテナ実行を避けるよう指摘されています。

図10.15 nginx-apiディレクトリに対するスキャン結果

```
trivy fs ./containers/nginx-api --scanners vuln,config,secret
2023-09-12T03:41:57.462+0900    INFO    Vulnerability scanning is enabled
2023-09-12T03:41:57.462+0900    INFO    Misconfiguration scanning is enabled
2023-09-12T03:41:57.463+0900    INFO    Secret scanning is enabled
2023-09-12T03:41:57.463+0900    INFO    If your scanning is slow, please try '--scanners vuln' to disable secret scanning
2023-09-12T03:41:57.463+0900    INFO    Please see also https://aquasecurity.github.io/trivy/v0.45/docs/scanner/secret/#recommendation for faster secret detec
tion
2023-09-12T03:41:57.847+0900    INFO    Number of language-specific files: 0
2023-09-12T03:41:57.847+0900    INFO    Detected config files: 1

Dockerfile (dockerfile)

Tests: 26 (SUCCESSES: 24, FAILURES: 2, EXCEPTIONS: 0)
Failures: 2 (UNKNOWN: 0, LOW: 1, MEDIUM: 0, HIGH: 1, CRITICAL: 0)

HIGH: Specify at least 1 USER command in Dockerfile with non-root user as argument

Running containers with 'root' user can lead to a container escape situation. It is a best practice to run containers as non-root users, which can be done by
adding a 'USER' statement to the Dockerfile.

See https://avd.aquasec.com/misconfig/ds002


LOW: Add HEALTHCHECK instruction in your Dockerfile

You should add HEALTHCHECK instruction in your docker container images to perform the health check on running containers.

See https://avd.aquasec.com/misconfig/ds026
```

　また、 `--scanners` オプションで指定する検査項目は設定ファイルへの定義も可能です。検査対象のディレクトリのルートに、 `trivy.yaml` （**リスト 10.26**）を配置します。

リスト 10.26 Trivyの設定ファイル

`~/go/src/github.com/gihyodocker/taskapp/trivy.yaml`

```
scan:
  scanners:
    - vuln
    - config
    - secret
```

設定ファイルを利用してスキャンするには、次のコマンドを実行します。

```
(~/go/src/github.com/gihyodocker/taskapp) $ trivy fs ./containers/nginx-api
```

　このように Trivy のような脆弱性スキャンツールを活用することで、コンテナイメージの問題点に気づきやすくなります。また、Dockerfile の Lint の書式チェックを行う hadolint[*47] というツールもよく使われます。これらのツールは、セキュリティ・品質両面で良いコンテナイメージを作るために役立ちます。

10.7 CIツールでコンテナイメージをビルドする

　コンテナを活用するアプリケーション開発では、次の一連のフローを何度も繰り返します。

---

*47　https://github.com/hadolint/hadolint

10. 最適なコンテナイメージ作成と運用

1. **実装**
2. **ユニットテスト**
3. **アプリケーションのビルド**
4. **コンテナイメージのビルド**
5. **コンテナレジストリへのイメージのPush**
6. **各種環境へのデプロイ**

ここまでは「コンテナイメージのビルド」の工程を全て手元で行ってきました。しかし、このような定常作業を人の手で行うことは開発者の時間を奪う上に、ミスが生じやすいものです。

一連の手順はCI/CDツールを使って適切に自動化しておくことが重要です。コンテナを活用する開発では、実装〜コンテナレジストリへのイメージのPushまでの手順をCI[*48]システムで、各種環境へのデプロイをCD[*49]システムで行うことが定番のパターンになっています。

本節ではGitHub Actionsを利用し、コンテナイメージを`ghcr.io`へPushするまでの処理について解説します。

10.7.1 GitHub Actions

コンテナイメージのビルドを実行する前に、GitHub Actions[*50]について簡単に解説します。

GitHub Actionsは、GitHubのリポジトリ内でCI/CDのワークフローを実現するためのシステムです。かつて、CI/CDシステムといえばJenkinsやCircleCIなどサードパーティなツールを活用することがほとんどでした。

対して、GitHub ActionsはGitHubとシームレスに統合されたCI/CDツールです。GitHub Actionsを利用するためのセットアップ作業は不要で、設定を記述したYAMLファイルをリポジトリの`.github/workflows/`ディレクトリに作成するだけでワークフローを作成できます。

ワークフローを定義するYAMLファイルも直感的です。**リスト10.27**はGitHub Actionsのサイトで提供されているクイックスタート[*51]の設定ファイルです。

リスト10.27　GitHub Actionの設定例（Quickstart for GitHub Actionsより引用）

```
name: GitHub Actions Demo
run-name: ${{ github.actor }} is testing out GitHub Actions 🚀
on: [push]
jobs:
  Explore-GitHub-Actions:
    runs-on: ubuntu-latest
    steps:
```

＊48　Continous Integrationの略で、継続的インテグレーションのこと。

＊49　Continous Deliveryの略で、継続的デリバリーのこと。

＊50　https://github.co.jp/features/actions

＊51　https://docs.github.com/en/actions/quickstart

432

CIツールでコンテナイメージをビルドする **10.7**

```
      - run: echo "🎉 The job was automatically triggered by a ${{ github.event_name↩
}} event."
      - run: echo "🐧 This job is now running on a ${{ runner.os }} server hosted by↩
GitHub!"
      - run: echo "🔎 The name of your branch is ${{ github.ref }} and your reposito↩
ry is ${{ github.repository }}."
    - name: Check out repository code
      uses: actions/checkout@v3
    - run: echo "💡 The ${{ github.repository }} repository has been cloned to the↩
runner."
    - run: echo "🖥 The workflow is now ready to test your code on the runner."
    - name: List files in the repository
      run: |
        ls ${{ github.workspace }}
    - run: echo "🍏 This job's status is ${{ job.status }}."
```

.jobs の配下には任意のワークフローの設定です。 .jobs.Explore-GitHub-Actions.runs-on では
ワークフローの実行環境を定義します。

.jobs.Explore-GitHub-Actions.steps 配下には Step と呼ばれるワークフローの処理を定義しま
す。Step には1つシェルが与えられ、任意の処理を実行できます。

また、GitHub Actions には定番の処理をカスタムアクションとして再利用・配布可能にする仕
組みがあります。GitHub Marketplace には多くのアクションが公開されています[*52]。コードの
チェックアウト、言語ランタイムやツールのセットアップ、コンテナイメージをビルドするための
アクション等が公開され、広く利用されています。

10.7.2 テンプレートからリポジトリを作成する

実際に GitHub Actions でコンテナイメージの CI を体験してみましょう。手早く体験できるよう、
サンプルとして github.com/gihyodocker/image-bootstrap[*53] というリポジトリを用意しました。

このリポジトリはテンプレートとして利用でき、自身でカスタマイズできます。リポジトリの
ページを開き、**図 10.16** の「Use this template」をクリックします。

[*52] https://github.com/marketplace?type=actions

[*53] https://github.com/gihyodocker/image-bootstrap

図10.16 github.com/gihyodocker/image-bootstrapのリポジトリ

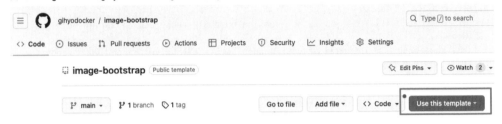

リポジトリの作成画面に遷移します。図10.17のようにgihyodocker/image-bootstrapがテンプレートとして選択されています。Ownerにはログインしているユーザ、もしくは任意のOrganizationを選択します。Repository nameは任意の名称で問題ありませんが、ここではimage-bootstrapとします。

図10.17 テンプレートからリポジトリを作成

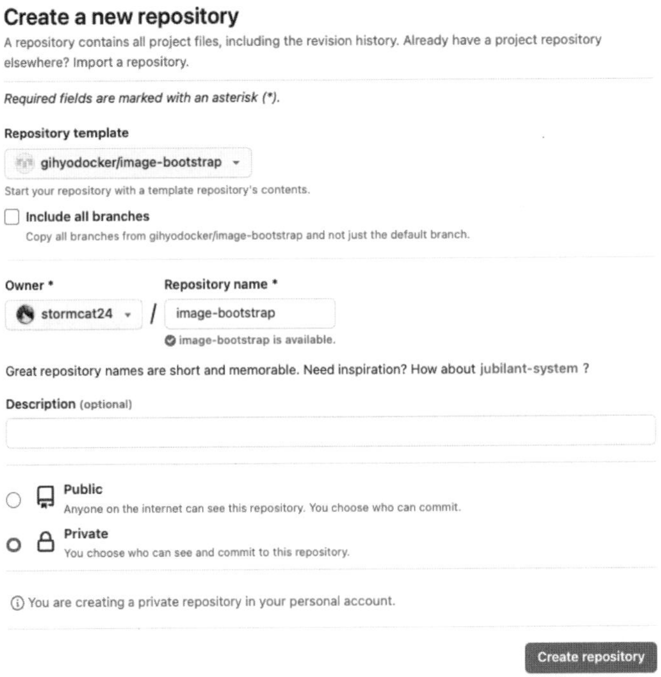

図10.18のように、テンプレートからリポジトリが作成されます。

図 10.18 テンプレートから作成されたリポジトリ

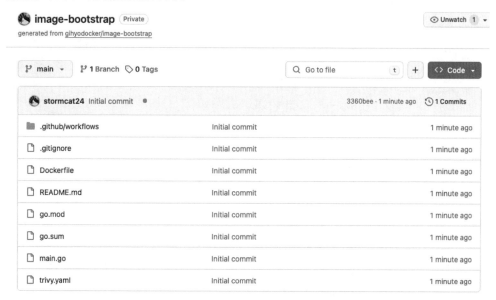

10.7.3 ワークフローの設定

作成したリポジトリに配置されているワークフローの設定ファイルを見ていきます。GitHub Actionsのワークフロー設定ファイルとして`.github/workflows/push-images.yml`ファイルを配置しています[*54]。

ワークフローの設定内容（**リスト 10.28**）を解説します。

リスト 10.28 コンテナイメージ用ワークフローの設定ファイル

```
                                                       .github/workflows/push-images.yml
name: Push the container image

on:
  # ① ワークフローのトリガー設定
  push:
    branches:
      # ①-1 mainブランチへのpushで実行
      - main
    tags:
      # ①-2 vから始まるタグのpushで実行
      - 'v*'

# ② 環境変数の設定
```

[*54] GitHub Actionsでは`.github/workflows/`ディレクトリに`.yml`の拡張子で設定ファイルを配置します。

10. 最適なコンテナイメージ作成と運用

```yaml
env:
  CONTAINER_REGISTRY: ghcr.io

jobs:
  # ワークフローの設定
  push_image:
    # ③-1 最新のUbuntuの仮想マシンで実行
    runs-on: ubuntu-latest
    # ③-2 ワークフローのパーミッション設定
    permissions:
      contents: read
      packages: write
    steps:
      # ④-1 リポジトリをチェックアウト
      - uses: actions/checkout@v4
        with:
          # ④-3 push直前のコミットを取得する設定
          fetch-depth: 0
      # ④-2 コンテナイメージのタグに使うバージョンを算出
      - name: Calculate the version
        run: echo "IMAGE_VERSION=$(git describe --tags --always)" >> $GITHUB_ENV
      # ⑤ QEMUをセットアップ
      - uses: docker/setup-qemu-action@v3
      # ⑥ BuildKitをセットアップ
      - uses: docker/setup-buildx-action@v3
      # ⑦ ghcr.ioへのログイン処理
      - uses: docker/login-action@v3
        with:
          registry: ghcr.io
          username: ${{ github.actor }}
          password: ${{ secrets.GITHUB_TOKEN }}
      # ⑧ Trivyでの脆弱性スキャン
      - name: Run Trivy vulnerability scanner in fs mode
        uses: aquasecurity/trivy-action@0.16.0
        with:
          scan-type: 'fs'
          scan-ref: '.'
          trivy-config: trivy.yaml
      # ⑨ イメージをビルドし、pushする
      - name: Build and push plain image
        uses: docker/build-push-action@v5
        with:
          context: .
          push: true
          platforms: linux/amd64,linux/arm64
          tags: ${{ env.CONTAINER_REGISTRY }}/${{ github.repository }}:${{ env.IMAGE←
_VERSION }}
          # ⑨-1 キャッシュ保存先の設定
          cache-to: type=registry,ref=${{ env.CONTAINER_REGISTRY }}/${{ github.repos←
itory }}:cache,mode=max
          # ⑨-2 キャッシュ参照元の設定
          cache-from: type=registry,ref=${{ env.CONTAINER_REGISTRY }}/${{ github.rep←
ository }}:cache
```

ワークフロートリガーの設定

①ではワークフローのトリガーを設定しています。GitHub Actionsでは、ブランチへのpush、タグのpush、Pull Requestの作成といったタイミング[*55]で任意のワークフローを実行できます。

①-1と①-2はワークフローがトリガーされる条件を設定しています。mainブランチにpushされたとき（またはPull Requestがmainにマージされたとき）と、Gitのタグの名前がvで始まる場合に実行されます。

このリポジトリのように、mainブランチとタグのビルドの際に、コンテナイメージをビルドさせる運用が多いです。Pull Requestにもトリガーを設定し、Pull Requestに紐づくコンテナイメージをビルドするケースもあります。

ワークフローの設定

ここからは実行されるワークフローの設定について見ていきます。

●──実行環境と権限の設定

③-1ではワークフローを実行する仮想マシンを指定します。GitHub Actionsではこれをランナーと呼びます。

GitHub Actionsが用意しているランナーにはUbuntuやmacOS、Windows Serverがあります[*56]。ここではLinuxベースのランナーで十分なためubuntu-latestを使用します。

③-2の設定はワークフローのパーミッション設定です。

GitHub ActionsではGitHubのリポジトリを操作するためのアクセストークンが自動で取得され、ワークフローの設定ファイルでは${{ secrets.GITHUB_TOKEN }}で参照できます。GitHub ActionsではGitHubのリポジトリやパッケージを操作するためのアクセストークンを自動で設定し、参照してくれることも強みです。

contentsはリポジトリの内容に対するパーミッションです。今回はリポジトリの内容を変更する必要はないため、read（読み取り専用）を設定しています。

packagesはGitHub Packagesに対するパーミッションです。ビルドしたコンテナイメージをghcr.ioにPushする必要があるため、write（書き込み可能）を設定しています。

●──リポジトリの取得とイメージタグの算出

ここからはStepの設定を見ていきます。

④-1ではactions/checkoutという公開アクションを利用し、対象のリポジトリを実行環境にチェックアウトします。

④-2ではコンテナイメージのタグに使うバージョンを算出する処理をしています。タグに利用する値をどのように決定するかは運用においての悩みどころです。タグの値を決めるプラクティスとして、Gitのリポジトリのバージョン情報を利用する方法があります。具体的には

[*55] https://docs.github.com/actions/using-workflows/events-that-trigger-workflows

[*56] https://github.com/actions/runner-imagesを参照してください。

`git describe --tags --always`コマンドで取得できる値をタグに使用します。

たとえば、最後のコミットに`v0.1.0`というタグがつけられている場合、コマンドはタグの値をそのまま返します。

```
$ git describe --tags --always
v0.1.0
```

`v0.1.0`の後にコミットがされてリビジョンが進んだ場合は、最後につけられたタグの値をベースに次のような値を返します。

```
$ git describe --tags --always
v0.1.0-1-g4a61295
```

これはリポジトリにpush直前のコミット情報が含まれているときだけ算出できます。

しかし、GitHub Actionsでこれを行うには少し工夫が必要です。actions/checkout[57]でのリポジトリのチェックアウト時間を削減するために、最後のコミットだけを取得するようになっており、この値を算出できません。そこで、④-3で`fetch-depth`の設定をすることでこれを可能にしています。

算出したタグの値は、環境変数に設定して後続のStepで参照できます。`echo`コマンドを次の構文で記述して実現します。

```
echo "環境変数名=値" >> $GITHUB_ENV
```

ここでは、次のように`IMAGE_VERSION`という環境変数に設定します。

```
echo "IMAGE_VERSION=$(git describe --tags --always)" >> $GITHUB_ENV
```

●──ツール、ランタイム類のセットアップ

GitHub Actionsでは`setup-`のプレフィックスで公開されているアクションが多く存在します。これらはツールや言語ランタイムを実行環境にセットアップするためのアクションです。

⑤ではQEMUを、⑥ではBuildKitをセットアップします。コンテナイメージをマルチプラットフォーム対応させるために必要です。

●──コンテナレジストリへの認証

⑦ではdocker/login-action[58]を使い、`ghcr.io`への認証処理を行っています。

＊57　https://github.com/actions/checkout
＊58　https://github.com/docker/login-action

usernameにはリポジトリのオーナーが必要で、`${{ github.actor }}`で設定できます。

passwordにはコンテナレジストリを操作するためのアクセストークンが必要です。③-2で設定したパーミッションを持つアクセストークンを`${{ secrets.GITHUB_TOKEN }}`で設定できます。

docker/login-actionではghcr.ioだけではなく、Docker HubやGCR、ECRといったさまざまなコンテナレジストリをサポートしています。

●──Trivyでの脆弱性スキャン

10.6.5で解説したTrivyでの脆弱性チェックをCIのプロセスに組み込むことも良いプラクティスです。⑧ではaquasecurity/trivy-action[59]を使って脆弱性スキャンを実行します。

●──コンテナイメージをビルドしてPush

最後に⑨でコンテナイメージのビルドとコンテナレジストリへのPushを実行します。docker/build-push-action[60]というアクションを利用します。

イメージタグを含むコンテナイメージの完全名称は、環境変数を活用して次のように設定できます。

```
${{ env.CONTAINER_REGISTRY }}/${{ github.repository }}:${{ env.IMAGE_VERSION }}
```

github.repositoryはGitHub Actionsがデフォルトで設定する変数です。テンプレートリポジトリであればgihyodocker/image-bootstrap、テンプレートをコピーしたリポジトリであれば[GitHubユーザー名|組織名]/image-bootstrapを返します。

また、⑨-1〜2はキャッシュの設定です。type=registryはコンテナレジストリに保存するイメージをキャッシュとして利用する方式です。

cache-toはキャッシュの保存先です。ghcr.io/gihyodocker/image-bootstrap:cacheというイメージがキャッシュとなり、ビルドのたびに更新されます。cache-fromは利用するキャッシュの参照元です。

今回の例ではコンテナイメージが十分に最適化されています。キャッシュによる恩恵はそれほど受けられませんが、レイヤーの多いコンテナイメージであれば効果を発揮することを覚えておいてください。

なお、type=registry以外にもtype=inline、type=ghaといった方式も存在します[61]。

10.7.4　ワークフローの実行

実際にワークフローを実行してみましょう。

---

[59]　https://github.com/aquasecurity/trivy-action
[60]　https://github.com/docker/build-push-action
[61]　詳細はhttps://docs.docker.com/build/ci/github-actions/cacheを参照してください。

10. 最適なコンテナイメージ作成と運用

まず、テンプレートリポジトリをコピーして作成したリポジトリを ~/go/src/github.com/gihyo docker ディレクトリに clone します。[GitHubユーザー名|組織名] は自身のものに置き換えて実行してください。

```
(~/go/src/github.com/gihyodocker) $ git clone git@github.com:[GitHubユーザー名|←
組織名]/image-bootstrap.git
```

タグをPushしてワークフローを実行する

実はリポジトリを作成したタイミングでワークフローは一度実行されていますが、ここではあらためて実行します。次のように v0.1.0 のタグを作成し、GitHub に Push します。

```
(~/go/src/github.com/gihyodocker/image-bootstrap) $ git tag v0.1.0

(~/go/src/github.com/gihyodocker/image-bootstrap) $ git push origin v0.1.0
Total 0 (delta 0), reused 0 (delta 0), pack-reused 0
To github.com:stormcat24/image-bootstrap.git
 * [new tag]          v0.1.0 -> v0.1.0
```

Push後すぐにワークフローが開始されます。実行中のワークフローはリポジトリの「Actions」タブで**図 10.19**のように確認できます。

図 10.19　ワークフローの一覧画面

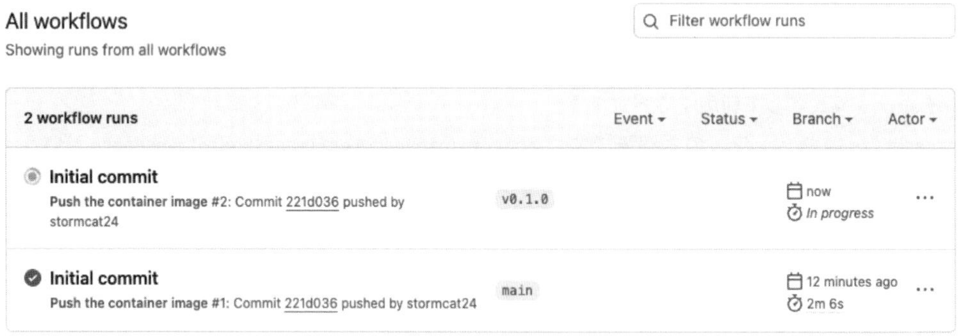

All workflows
Showing runs from all workflows

| Filter workflow runs |

| 2 workflow runs | Event ▾ | Status ▾ | Branch ▾ | Actor ▾ |

◎ **Initial commit**
Push the container image #2: Commit 221d036 pushed by stormcat24　　`v0.1.0`　　📅 now　🕐 In progress　…

✔ **Initial commit**
Push the container image #1: Commit 221d036 pushed by stormcat24　　`main`　　📅 12 minutes ago　🕐 2m 6s　…

v0.1.0 のワークフローの詳細画面を開きます。

図10.20　ワークフローの詳細画面

push_imageをクリックすると、ワークフローのStep一覧画面に遷移します。

図10.21　Stepの一覧画面

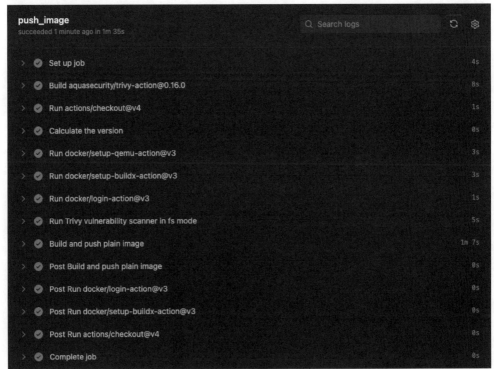

各Stepを開くことで、その処理の実行結果を確認できます。コンテナイメージのビルドとPushの実行結果は次のように出力されます。

10. 最適なコンテナイメージ作成と運用

図10.22 イメージのビルドとPushの実行結果

作成されたコンテナイメージを確認する

ワークフローで作成されたコンテナイメージを確認します。リポジトリの右下にある「Packages」に image-bootstrap が作成されているので、これをクリックすると図10.23に遷移します。

図10.23 コンテナイメージの詳細画面

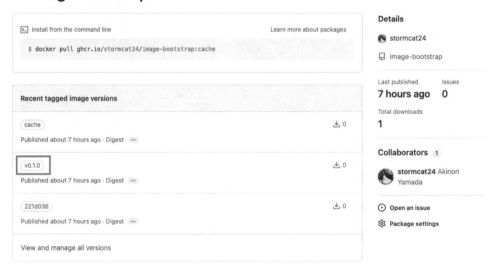

v0.1.0のイメージが作られています。v0.1.0をクリックすると詳細画面に遷移します。

さらに「OS/Arch」のタブを開くと、linux/amd64 と linux/arm64 向けのイメージが作られていることを確認できます。

図10.24　コンテナイメージの詳細画面

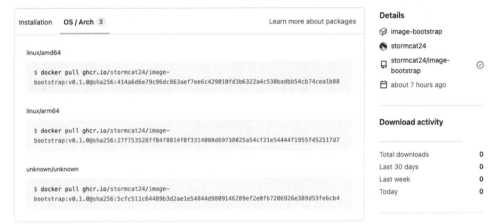

　このように、GitHub ActionsのワークフローコンテナイメージのビルドとPushまでを行うことができました。コンテナを活用したアプリケーション開発において、ここまでの一連のワークフローは必要不可欠ですので整備できるようにしておきましょう。

　本章ではコンテナイメージのビルドまでを行いましたが、コンテナをデプロイするところまでは行っていません。そこから先の「各種環境へのデプロイ」は、本章で解説したCIの領域ではなく、CDの領域でGitHub Actions以外のツールを利用して行います。その理由については第11章で詳しく解説します。

10. 最適なコンテナイメージ作成と運用

> **コラム** **実運用ではlatestのイメージタグを避ける**
>
> これまで手元でコンテナイメージをビルドしたとき、latestのタグを利用することがありました。latestタグのコンテナを再度デプロイしても、明示的にイメージを再取得しなければコンテナの中身は変わりません。そのため、latestタグのイメージを開発環境や本番環境でデプロイを繰り返すと、コンテナの中身が変わっていないなどのトラブルに遭遇することがあります。
>
> 10.7.3で紹介した、Gitのバージョン情報をタグに利用する方法はこの問題を回避するためのプラクティスです。
>
> この手法であればソースコードに変更が入りリポジトリのリビジョンが変わると、おのずとイメージタグの値も変わります。つまり、この運用でつけられたタグのイメージは強制的に上書きされない限り、不変です。デプロイの運用においては非常に有効です。
>
> latestタグの使用は、Distrolessのイメージのlatestタグのような真っ当な理由がない限り避けた方が良いです。

11.
コンテナにおける継続的デリバリー

11. コンテナにおける継続的デリバリー

第10章ではコンテナイメージをビルドし、コンテナレジストリへのPushまでの工程について解説しました。

本章では、コンテナ活用の際に継続的デリバリーの仕組みやツールについて解説し、一連のリリースパイプラインを構築できることを目指します。

11.1　継続的デリバリーとは

継続的デリバリー（Continuous Delivery、CD）とはソフトウェアの機能追加やバグフィックス等を、極力人の手を介さず迅速にエンドユーザへ提供するための手法・方法論です。

継続的デリバリーはソフトウェア開発には欠かせない手法ですが、洗練された運用をしているプロジェクトがある一方で、十分に整備されていないプロジェクトがまだまだ多いことも現実としてあります。

今一度ソフトウェアデリバリー整備の重要性を深掘りし、コンテナアプリケーションのデプロイ手法の王道であるGitOpsについて解説します。

11.1.1　不十分なデプロイプロセスが引き起こす弊害

本書ではローカル環境やクラウドサービスに対して、 docker container run や kubectl (apply|run) といったコマンドを手元で実行してコンテナをデプロイしてきました。

しかし、このような手続きによる手動デプロイプロセスでプロダクトを運用していると、次のような問題に直面します。

- 繰り返し作業による時間の浪費
- ヒューマンエラーの誘発
- デプロイ結果の一貫性と再現性の担保が難しい
- デプロイの属人化
- システムのスケーラビリティを狭める

読者の皆さんも、全ての問題に該当しなくとも心当たりがあるのではないでしょうか？

デプロイプロセスが整備されていないと、技術者にとっては本質的な開発をするための時間が減りますし、プロダクトの運用や品質にも影響します。

これは技術者だけの問題ととらえられがちですが、近年ではプロダクト開発組織としてのパフォーマンスにも影響すると言われています。この事についてもう少し掘り下げていきましょう。

継続的デリバリーとは **11.1**

11.1.2 ソフトウェアデリバリーの重要性とCI/CDの棲み分け

ソフトウェア開発や運用の方法論が、開発組織のパフォーマンスや収益性にどのような影響を及ぼすかについて記した「Lean と DevOps の科学」という書籍があります[*1]。

この書籍では数年に渡り、数々の開発組織に対して行った調査から、開発生産性・プロダクトの収益性・従業員の士気といった組織パフォーマンスが、**ソフトウェアデリバリー**のパフォーマンスと相関があることを述べました。

ここで言うソフトウェアデリバリーは、「設計・開発・ビルド・テスト・デプロイ・検証」といった一連の手順を指します。

組織パフォーマンスを高める上で、4つの指標[*2]を重視すべきだと言われています。調査によると、この4つの指標で良い数値を出している組織ほど、組織パフォーマンスが高い傾向にあると記されています。

指標	内容
デプロイ頻度	本番環境へのリリース頻度
変更のリードタイム	コミットから本番環境リリースまでの所要時間
平均修復時間	本番環境での障害から修復するまでの平均時間
変更失敗率	デプロイ起因で本番環境に障害が発生する割合

デプロイ頻度やリードタイムを高めるには、繰り返し行われるビルド・テスト・デプロイ工程の自動化を行い、人の手を介さずに変更をユーザに届けるリリースパイプラインが必要です。

CIを活用した自動化とリリースパイプラインの作成は、これまでも広く行われてきました。

ただ、これに加えて、近年は平均修復時間や変更失敗率を改善する重要性も増してきています。カナリアリリースや Blue-Green Deployment 等の安全なリリース方法、障害の際にすばやく前のバージョンに切り戻せる仕組み作りが必要不可欠です。守りの部分が整備されてこそ、デプロイ頻度や変更のリードタイムを高められます。

これらはそれなりに高度な仕組みであり、CIだけで実現するのは難しいです。そのため、専門的なCD（継続的デリバリー）ツールで行われるようになってきています。テストやアーティファクト（コンテナ技術においてはコンテナイメージ）のビルドまでをCIツールで、それ以降のデプロイをCDツールでという棲み分けが進みつつあります。

専門的なCDツールとしていくつかのプロダクトがありますが、近年注目を集めているのはGitOpsという思想でアプリケーションのデプロイを行うツールです。

[*1] 「LeanとDevOpsの科学（Nicole Forsgren Ph.D／Gene Kim／Jez Humble 著、武舎るみ／武舎広幸訳、インプレス、2018 年）」。原著は「Accelerate: The Science Behind Devops: Building and Scaling High Performing Technology Organizations」。

[*2] Four Keysと呼ばれています。

11. コンテナにおける継続的デリバリー

11.1.3　GitOps方式の継続的デリバリー

GitOps は Weaveworks 社[3]が提唱し始めた継続的デリバリーを実現するためのプラクティスです。

手動やCIツールを使ったデプロイでは、デプロイの目標状態を実現するためにいくつかの手順を重ねます。対して、GitOps ではアプリケーションとインフラストラクチャの目標状態を**宣言的**に定義します。

コンテナのデプロイにおける宣言的な目標状態はどのようなものでしょうか。実は Compose や Kubernetes のマニフェストファイルは宣言型の設定ファイルであり、これらはデプロイの目標状態を表しています。

つまり、全てのデプロイの目標状態をマニフェストファイルとして定義することが宣言型の継続的デリバリー実現の第一歩です。コンテナ技術では当たり前のように行われていることです。

宣言型の継続的デリバリーは開発者の手続きを排除し、マニフェストファイルを定義するだけでデプロイ対象のクラスタに目標状態が実現されます。このコンセプトをベースに、GitOps では Git を使ってマニフェストファイル群の履歴を持つことで、目標状態の履歴を持つことができます。

アプリケーションに変更が入るとコンテナイメージのタグも変わるため、マニフェストファイルの定義も変わります。環境変数の追加・変更・削除によっても変わります。履歴を持つにはまさに Git はうってつけのツールです。履歴を持つことで、クラスタを過去のリビジョンの目標状態にロールバックすることも可能です。

GitOps では Git リポジトリを、クラスタの目標状態の根拠となる唯一の情報源[4]として扱い、マニフェストファイル群を管理します。後は GitOps の継続的デリバリーツールが**図11.1**のように全てを担います。

---

[3]　https://www.weave.works/

[4]　Single Source of Truth（SSOT）。唯一の情報源とすることで、一貫性と正確性を確保する。

図11.1 GitOpsツールでの継続的デリバリー

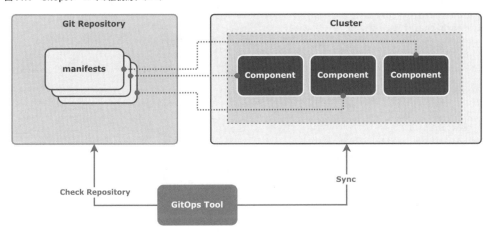

GitOpsで継続的デリバリーを実現するツールはいくつか存在します。本書ではKubernetes向けの代表的なデリバリーシステムであるFluxとArgo CDについて解説します。また、Kubernetes以外もサポートするPipeCDについても解説します。

11.2 Flux

Flux[*5]はOSSの継続的デリバリーシステムです。GitOpsに対応しており、Kubernetes向けのアプリケーションのデリバリーを行います。

Fluxは現在バージョン2系ですが、1系からは破壊的な変更がされています。当初はFlux 2系に向けて、FluxプロジェクトはArgo CD(11.3)プロジェクトと共同でオープンなGitOpsエンジンを作る計画がされていましたが、これは頓挫しました。現在はFluxもArgo CDもそれぞれの指針で開発が続けられています。

本書においてはFlux 2系を扱います[*6]。

11.2.1 Fluxのインストール

Fluxのインストールやデプロイ対象のアプリケーション登録のためにFluxのCLIツールが必要です。asdfを利用してインストールします。

[*5] https://fluxcd.io/
[*6] 本書では以後バージョンを省略してFluxと表記しますが、Flux 2系を指しています。

11. コンテナにおける継続的デリバリー

```
$ asdf plugin add flux2
$ asdf install flux2 2.2.2
$ asdf global flux2 2.2.2
```

`flux install`コマンドでFluxをインストールします。Flux関連のコンポーネントは`flux-system`のNamespaceにデプロイされます。

```
$ flux install
✚ generating manifests
✔ manifests build completed
► installing components in flux-system namespace
CustomResourceDefinition/alerts.notification.toolkit.fluxcd.io created
CustomResourceDefinition/buckets.source.toolkit.fluxcd.io created
...(中略)...
◎ verifying installation
✔ helm-controller: deployment ready
✔ kustomize-controller: deployment ready
✔ notification-controller: deployment ready
✔ source-controller: deployment ready
✔ install finished
```

11.2.2　アプリケーションのデプロイ

Fluxを利用して、GitOpsスタイルでechoアプリケーションをデプロイします。

リポジトリをFluxの管理対象にする

11.1.3で解説したように、GitOpsではデプロイの目標状態であるマニフェストを格納したGitリポジトリが必要です。

そこで、echoアプリケーションのマニフェストをそろえたリポジトリを用意します。テンプレートリポジトリとしてgithub.com/gihyodocker/echo-bootstrap[7]を用意しているので、これを図11.2のように「Use this template」から自身のリポジトリとして作成してください。リポジトリはPrivateでかまいません。

＊7　https://github.com/gihyodocker/echo-bootstrap

450

図11.2 echo-bootstrapのテンプレートリポジトリ

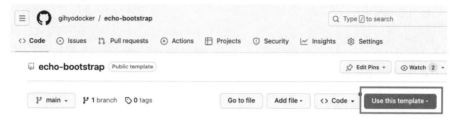

図11.3のようにリポジトリが作成されます。

図11.3 テンプレートから作成したecho-bootstrapリポジトリ

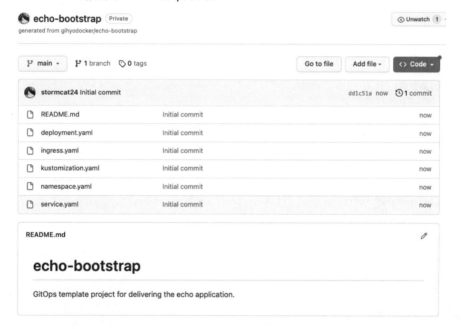

　このリポジトリをFluxの管理対象にするため、FluxのCLIツールから登録します。GitHubのパーソナルアクセストークンが必要で、環境変数として定義します[*8]。また、本章では筆者が用意したテンプレートリポジトリを読者のGitHubアカウントにコピーして利用します。コマンドでアカウント名を使い回せるよう、 `GITHUB_OWNER` という環境変数も用意します[*9]。

[*8] 本書でこれまで利用してきたパーソナルアクセストークンで問題ありません。
[*9] `owner-name`は任意のGitHubアカウント名、もしくは組織名に置き換えてください。

11. コンテナにおける継続的デリバリー

```
export GITHUB_TOKEN=ghp_*********************************
export GITHUB_OWNER=owner-name
```

リスト 11.1 のコマンドで、Git リポジトリを Flux の管理対象にします。 --owner オプションはリ
ポジトリの作成先に書き換えてコマンドを実行します。

リスト 11.1　GitリポジトリをFluxの管理対象にする

```
$ flux bootstrap github \
  --token-auth \
  --owner=$GITHUB_OWNER \
  --repository=echo-bootstrap \
  --components-extra=image-reflector-controller,image-automation-controller \
  --branch=main \
  --path=. \
  --read-write-key \
  --personal
► connecting to github.com
► cloning branch "main" from Git repository "https://github.com/stormcat24/echo-boo←
tstrap.git"
✔ cloned repository
► generating component manifests
✔ generated component manifests
✔ component manifests are up to date
► installing components in "flux-system" namespace
✔ installed components
✔ reconciled components
► determining if source secret "flux-system/flux-system" exists
► generating source secret
► applying source secret "flux-system/flux-system"
✔ reconciled source secret
► generating sync manifests
✔ generated sync manifests
✔ sync manifests are up to date
► applying sync manifests
✔ reconciled sync configuration
◎ waiting for Kustomization "flux-system/flux-system" to be reconciled
✔ Kustomization reconciled successfully
► confirming components are healthy
✔ helm-controller: deployment ready
✔ image-automation-controller: deployment ready
✔ image-reflector-controller: deployment ready
✔ kustomize-controller: deployment ready
✔ notification-controller: deployment ready
✔ source-controller: deployment ready
✔ all components are healthy
```

リポジトリが Flux の管理対象になると、Flux はリポジトリに変更（**図 11.4**）を加えます。

図11.4　**Flux が加えるファイル**

gotk-components.yaml は flux-system で実行されている Flux コンポーネントのマニフェストファイルです。gotk-sync.yaml は Flux に管理対象としたリポジトリを設定するためのマニフェストファイルです。そして、これらのマニフェストファイルを束ねる kustomization.yaml が追加されています[*10]。

Flux では、flux-system で実行されているコンポーネントのマニフェストもリポジトリで管理されます。

また、リポジトリのマニフェストは開発者自身や GitHub Actions のような CI ツールで変更することもあります。本節でも後ほど変更を行うため、次のようにリポジトリを作業ディレクトリに git clone しておいてください。

```
$ mkdir -p ~/work/ch11
(~/work/ch11) $ git clone git@github.com:$GITHUB_OWNER/echo-bootstrap.git
```

デプロイの実行

Flux は管理対象リポジトリ内の kustomization.yaml を読み取って、アプリケーションをデプロイします。

ローカル環境には、すでに Flux によって echo アプリケーションがデプロイされています。次のコマンドで、echo アプリケーション関連の Kubernetes リソースの作成を確認できます。

```
$ kubectl -n gitops-echo get ingress,deployment,service,pod
NAME                               CLASS   HOSTS              ADDRESS     PORTS   AGE
ingress.networking.k8s.io/echo     nginx   echo.gihyo.local   localhost   80      4m8s
```

~~~~~~~~~~~~~~~~~~~~

＊10　マニフェストファイルの内容は割愛します。

11. コンテナにおける継続的デリバリー

```
NAME                        READY   UP-TO-DATE   AVAILABLE   AGE
deployment.apps/echo        1/1     1            1           4m8s

NAME             TYPE        CLUSTER-IP       EXTERNAL-IP   PORT(S)   AGE
service/echo     ClusterIP   10.109.243.196   <none>        80/TCP    4m8s

NAME                          READY   STATUS    RESTARTS   AGE
pod/echo-76c6d58f5f-z2r88     2/2     Running   0          4m8s
```

　デプロイされたアプリケーションの内容は、手元でkubectlを実行して適用した場合基本的な内容は変わりません。ただ、Fluxによるデプロイであることを示すために、ラベルには次のようにFlux関連の情報が追加されています。

```
$ kubectl -n gitops-echo get deployment echo -o jsonpath='{.metadata.labels}'
{"app.kubernetes.io/name":"echo","kustomize.toolkit.fluxcd.io/name":"flux-system","k←
ustomize.toolkit.fluxcd.io/namespace":"flux-system"}
```

マニフェストファイルの変更によるデプロイ

　GitOpsではリポジトリの変更を検知し、その変更を自動でクラスタに反映してデプロイします。

　試しに`deployment.yaml`で`.spec.replicas`の値を2に変更します（**リスト11.2**）。

リスト11.2　echo-bootstrapリポジトリのDeploymentマニフェストファイル

`~/work/ch11/echo-bootstrap/deployment.yaml`

```
apiVersion: apps/v1
kind: Deployment
metadata:
  name: echo
  labels:
    app.kubernetes.io/name: echo
spec:
  replicas: 2 # 変更箇所
  selector:
    matchLabels:
      app.kubernetes.io/name: echo
  template:
    metadata:
      labels:
        app.kubernetes.io/name: echo
    spec:
      containers:
      - name: nginx
        image: ghcr.io/gihyodocker/simple-nginx-proxy:v0.1.0
        env:
        - name: NGINX_PORT
          value: "80"
        - name: SERVER_NAME
          value: "localhost"
        - name: BACKEND_HOST
          value: "localhost:8080"
        - name: BACKEND_MAX_FAILS
```

```
      value: "3"
    - name: BACKEND_FAIL_TIMEOUT
      value: "10s"
    ports:
    - name: http
      containerPort: 80
  - name: echo
    image: ghcr.io/gihyodocker/echo:v0.1.0-slim
```

変更は次のようにコミットし、Push します。

```
(~/work/ch11/echo-bootstrap) $ git add -A
(~/work/ch11/echo-bootstrap) $ git commit -m "Increase the number of replicas"
(~/work/ch11/echo-bootstrap) $ git push origin main
```

Push 後、1分以内に程なくして Flux が変更を検知し、クラスタに反映します。次のように、Pod の数が2つに増えます。

```
$ kubectl -n gitops-echo get pod
NAME                    READY   STATUS    RESTARTS   AGE
echo-76c6d58f5f-n9978   2/2     Running   0          3m18s
echo-76c6d58f5f-z2r88   2/2     Running   0          42m
```

GitOps ではリポジトリの変更を定期的にチェックして、変更があればクラスタに反映します。このことを一般的に Sync と呼びます[11]。これが GitOps の基本的な挙動です。

GitOps により、開発者は kubectl や Helm、Kustomize といったツールを手元で使わずに変更を反映できます。手動デプロイプロセスが引き起こす多くの弊害を回避する上で欠かせない仕組みです。

11.3 Argo CD

Argo CD[12]は Flux と同様、Kubernetes 向けの継続的デリバリーシステムです。OSS として開発されています。

Argo CD は CLI 操作だけでなく、Web アプリケーションでの GUI も用意されています[13]。GUI でクラスタへのアプリケーションのデプロイ状況が確認できるなど、利便性から多くの企業で利用されています。

＊11 GitOps ではデプロイを Sync と呼び替える開発者も多いです。

＊12 https://argo-cd.readthedocs.io/en/stable/

＊13 Flux でも GUI 開発の議論が進められていますが、リリースにはいたっていません。

11. コンテナにおける継続的デリバリー

11.3.1 Argo CDのインストール

Argo CDの操作にCLIツールを使うため、asdfでインストールします。

```
$ asdf plugin add argocd
$ asdf install argocd 2.9.3
$ asdf global argocd 2.9.3
```

ローカルKubernetes環境にArgo CDをインストールします。専用のNamespaceとしてargocd を作成し、Argo CDが提供しているマニフェストファイルを適用します（**リスト11.3**）。

リスト11.3　Argo CDのインストール

```
$ kubectl create namespace argocd
$ kubectl apply -n argocd -f https://raw.githubusercontent.com/argoproj/argo-cd/←
v2.9.3/manifests/install.yaml
```

ローカル環境で操作するためにいくつか手を加えます。

Argo CDにはデフォルトでIngressリソースが用意されていません[*14]。ここではローカル環境で動作を確認するために、8080ポートにポートフォワードを行います。

リスト11.4　argocd-serverへのポートフォワーディング

```
$ kubectl -n argocd port-forward service/argocd-server 8080:443
Forwarding from 127.0.0.1:8080 -> 8080
Forwarding from [::1]:8080 -> 8080
```

後続の処理を行うためにはポートフォワーディングを維持する必要があるので、このコマンドは閉じないようにしてください。

WebアプリケーションやCLIでArgo CDを操作するために認証が必要です。次のように、argocd コマンドでArgo CDのadminユーザのパスワードを出力します。パスワードは控えておいてください。

リスト11.5　Argo CDのadminパスワードを表示

```
$ argocd admin initial-password -n argocd
****************

This password must be only used for first time login. We strongly recommend you upda←
te the password using `argocd account update-password`.
```

[*14] ローカル以外の環境で構築する場合は、その環境に応じてIngressを作成してください。

argocd loginコマンドでポートフォワード先のArgo CDにログインします[*15]。--insecureオプションをつけ、証明書の警告を無視します。

```
$ argocd login localhost:8080 --insecure
Username: admin
Password:
'admin:login' logged in successfully
Context 'localhost:8080' updated
```

次に、Argo CDのWebアプリケーションをhttps://localhost:8080で開きます。証明書の警告が表示されますが、これを無視します。

図11.5　Argo CDのログイン画面

リスト11.5で取得したパスワードを使ってログインすると、図11.6が表示されます。

*15　認証の有効期限切れエラー（Unauthenticated desc = invalid session: Token is expired）が表示される場合は、再度実行してください。

11. コンテナにおける継続的デリバリー

図 11.6　Argo CD のホーム画面

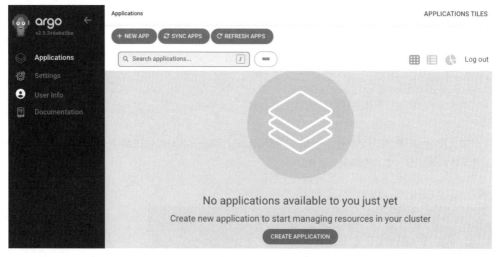

11.3.2　アプリケーションのデプロイ

Argo CD を使い、GitOps スタイルでサンプルアプリケーションをデプロイします。

サンプルリポジトリを fork する

Argo CD におけるユースケースのサンプルリポジトリとして、gihyodocker/argocd-example-apps[*16]を用意しました[*17]。

このリポジトリをそのまま使うこともできますが、リポジトリを fork すればマニフェストの変更を検知したデリバリーの挙動を確認できます。`argocd-example-apps` という名前で読者の GitHub アカウント、もしくは任意の Organization に fork します。

[*16] https://github.com/gihyodocker/argocd-example-apps
[*17] Argo CD 公式リポジトリの https://github.com/argoproj/argocd-example-apps を fork したものです。

図 11.7　argoproj/argocd-example-appsを forkしたリポジトリ

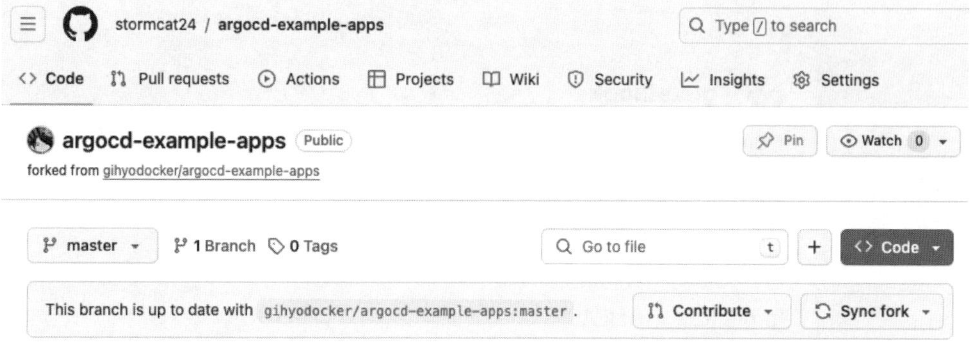

アプリケーションを Argo CDに登録する

　Argo CDにデプロイ対象のアプリケーションを登録します。ここでは、`argocd-example-apps`リポジトリの直下にある`guestbook`を登録します。`guestbook`は Kubernetesの Deploymentと Serviceリソースだけで構成されるシンプルなアプリケーションです。

　まず、ローカル Kubernetes環境に`guestbook`専用の Namespaceを作成します。

```
$ kubectl create namespace guestbook
namespace/guestbook created
```

　アプリケーションのデプロイ設定は Argo CDの Webアプリケーションでも行うことが可能ですが、ここでは CLIを活用します。**リスト 11.6**のコマンドで作成します。

リスト 11.6　Argo CDでデプロイするアプリケーションの作成

```
$ argocd app create guestbook \
  --repo https://github.com/[fork先のユーザーかOrganization]/argocd-example-apps.git←
\
  --path guestbook \
  --dest-server https://kubernetes.default.svc \
  --dest-namespace guestbook \
  --insecure
```

　Argo CDの Webアプリケーションを見ると、guestbookアプリケーションが登録されます。

11. コンテナにおける継続的デリバリー

図11.8 Argo CDに登録されたguestbook

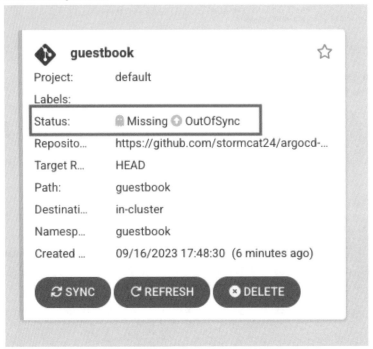

　ここで注目すべきなのは「Status」の項目です。左側が「APP HEALTH」、右側が「SYNC STATUS」を表しています。詳細を解説します。

● APP HEALTH

APP HEALTHはクラスタにデプロイされるアプリケーションの状態を表します。

ステータス	状態
Healthy	アプリケーションのコンポーネントが正常に稼働
Progressing	クラスタへの変更を適用中
Degraded	コンポーネントになんらかの問題が存在
Missing	クラスタにコンポーネントが存在しない
Unknown	状態が不明

　guestbookのアプリケーションはまだArgo CDでデプロイされていないため、この時点ではMissingとなっています。

● SYNC STATUS

　SYNC STATUSはGitリポジトリとクラスタとの同期状態を表します。

ステータス	状態
Synced	アプリケーションのコンポーネントがGitリポジトリの目標状態と一致
OutOfSync	クラスタとGitリポジトリに差分がある状態

アプリケーションが登録されたタイミングでは、差分だけがチェックされた状態であるためOutOfSyncとなります。

Argo CDでアプリケーションをデプロイする

図11.8の上部にあるguestbookをクリックすると、詳細画面（図11.9）が開きます。

図11.9 登録されたguestbookの状態

詳細画面上部の「SYNC」ボタンからSyncを行います。するとSync前の確認ダイアログが図11.10のように表示されます。

11. コンテナにおける継続的デリバリー

図11.10 Syncの確認ダイアログ

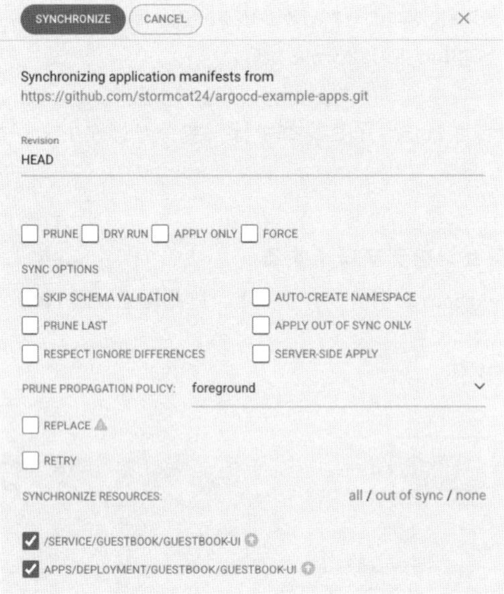

ここではそのままの設定で「SYNCHRONIZE」をクリックします。するとSyncが開始され、GUIは図11.11のように変化します。

図11.11 Sync後のguestbookアプリケーション

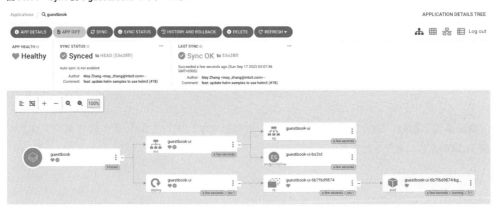

kubectlコマンドでも次のように各種リソースが作成されていることを確認できます。

```
$ kubectl -n guestbook get service,deploy,replicaset,pod
NAME                   TYPE        CLUSTER-IP        EXTERNAL-IP    PORT(S)    AGE
service/guestbook-ui   ClusterIP   10.109.117.245    <none>         80/TCP     4m16s
```

```
NAME                                 READY   UP-TO-DATE   AVAILABLE   AGE
deployment.apps/guestbook-ui         1/1     1            1           4m16s

NAME                                         DESIRED   CURRENT   READY   AGE
replicaset.apps/guestbook-ui-6b7f6d9874      1         1         1       4m16s

NAME                                 READY   STATUS    RESTARTS   AGE
pod/guestbook-ui-6b7f6d9874-bgh76    1/1     Running   0          4m16s
```

マニフェストファイルの変更によるデプロイ

GUIでSyncを行いましたが、これだと手動デプロイとあまり変わりません。そこで、**リスト11.7**のようにArgo CDが差分を検知した際に自動でSyncできるようにします。

リスト 11.7　Auto Syncの設定

```
$ argocd app set guestbook --sync-policy automated
```

マニフェストに変更を加えるために、作業ディレクトリにリポジトリを git clone します。

```
(~/work/ch11) $ git clone git@github.com:[リポジトリのオーナー]/argocd-example-apps.←
git
```

~/work/ch11/argocd-example-apps/guestbook/guestbook-ui-deployment.yaml の内容を変更します。**リスト11.8**のように、 .spec.replicas を2に変更します。

リスト 11.8　guestbook-uiのマニフェストファイル

```
                          ~/work/ch11/argocd-example-apps/guestbook/guestbook-ui-deployment.yaml
apiVersion: apps/v1
kind: Deployment
metadata:
  name: guestbook-ui
spec:
  replicas: 2 # 変更箇所
  revisionHistoryLimit: 3
  selector:
    matchLabels:
      app: guestbook-ui
  template:
    metadata:
      labels:
        app: guestbook-ui
    spec:
      containers:
      - image: gcr.io/heptio-images/ks-guestbook-demo:0.2
        name: guestbook-ui
        ports:
        - containerPort: 80
```

11. コンテナにおける継続的デリバリー

変更は次のようにコミットし、Pushします。

```
(~/work/ch11/argocd-example-apps) $ git add -A
(~/work/ch11/argocd-example-apps) $ git commit -m "Increase the number of replicas"
(~/work/ch11/argocd-example-apps) $ git push origin master
```

Argo CDのAuto Syncにより変更が検知され、クラスタに反映されます。GUI上ではPodが2つに増えたことを確認できます。

図11.12　Auto SyncによるPodの増加

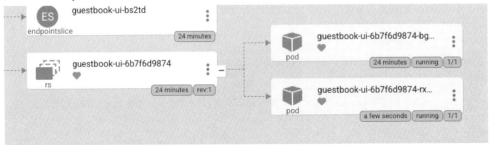

もちろん、kubectlでもPodの増加を確認できます。

```
$ kubectl -n guestbook get pod
NAME                              READY   STATUS    RESTARTS   AGE
guestbook-ui-6b7f6d9874-bgh76     1/1     Running   0          24m
guestbook-ui-6b7f6d9874-rxmmd     1/1     Running   0          72s
```

これがArgo CDを使ったGitOpsの基本的な流れです。

Argo CDはguestbookアプリケーションのようにプレーンなマニフェストファイルや、HelmやKustomizeでのデプロイも可能です。

また、Argo CDではGUIが提供されていることもあり、Fluxに比べて多くの開発者にとって親しみやすいです。Kubernetesに習熟していない開発者にとって、kubectlでクラスタにデプロイされているアプリケーションを確認することはハードルが高いです。筆者の経験上、Argo CDであればKubernetesにそれほどなじみのない開発者にも受け入れられやすいです。

次に進む前に、**リスト11.4**で行ったポートフォワーディングは停止しておいてください。

11.4 PipeCD

PipeCD[18]は GitOps スタイルの継続デリバリーシステムです。 OSS で、 2023 年 5 月には CNCF(Cloud Native Computing Foundation) の Sandbox プロジェクトに認定されました[19]。

11.4.1 PipeCDの特徴

PipeCD は筆者が所属するサイバーエージェントの部署で発案され、開発されました。

サイバーエージェントでは多くの部署やグループ会社で事業を展開していて、技術選定はそれぞれに委ねられています。裁量があるがゆえに、Kubernetes を採用する事業もあれば、ECS、Cloud Run を採用する事業もありました。継続的デリバリーの方法においても、CircleCI や GitHub Actions のところもあれば、Argo CD を構築して運用している事業もありました。

しかし、サイバーエージェントでは異動の機会も多いため、その度にいろいろなツールを学び直さなくてはならないという課題がありました。会社とエンジニア組織の規模拡大に伴い、エンジニアのオンボーディングコストが無視できなくなってきたのです。

そこで、技術スタックが異なっていても、各事業が GitOps での一貫したデリバリー体験やベストプラクティスを享受できる仕組が必要であると考えました。この目的を達成するために開発されたのが PipeCD です。PipeCD のコンセプトは次の一文で示されています。

The One CD for All {applications, platforms, operations}

PipeCD は Kubernetes だけではなく、Google Cloud Run[20]、Amazon ECS、AWS Lambda[21]、Terraform[22]など、多種多様なデリバリーに対応しています。Flux CD と Argo CD は Kubernetes 専用の継続的デリバリーシステムですが、これが PipeCD のユニークなところです。

11.4.2 クイックスタート環境の構築

ここからはローカル Kubernetes 環境に PipeCD を構築し、実際に体験していきましょう。PipeCD はユーザがすばやく体験できるためのクイックスタート環境を構築できます。

---

[18] https://pipecd.dev/
[19] CNCFのプロジェクトは 3 段階の成熟度が設定されており、Sandbox、Incubating、Graduatedの順で成熟していきます。Fluxと Argo CDは Graduatedプロジェクトです。
[20] https://cloud.google.com/run
[21] https://aws.amazon.com/jp/lambda/
[22] https://www.terraform.io/

11. コンテナにおける継続的デリバリー

pipectlのインストール

PipeCDのCLIツールであるpipectlで構築できるため、asdfでインストールします。

```
$ asdf plugin add pipectl
$ asdf install pipectl 0.45.3
$ asdf global pipectl 0.45.3
```

サンプルリポジトリをフォークする

PipeCDにおけるユースケースのサンプルリポジトリとして、gihyodocker/pipecd-examples[23]を用意しました[24]。

このリポジトリをそのまま使うこともできますが、リポジトリをforkすればマニフェストの変更を検知したデリバリーの挙動を確認できます。`pipecd-examples`という名前で読者のGitHubアカウント、もしくは任意のOrganizationにforkします。

図11.13 pipe-cd/examplesをforkしたリポジトリ

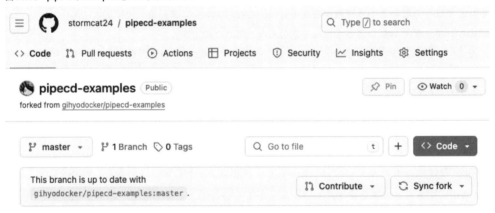

PipeCDのControl Planeを構築する

クイックスタート用のPipeCDのControl Planeを構築します。Contol PlaneにはAPIやWebサーバといったコンポーネントが含まれます。

次のコマンドをPipeCDのバージョンを指定して実行します。

```
$ pipectl quickstart --version v0.45.3
```

内部ではHelmによるインストールが行われます。その後ターミナルは入力待ち受け状態になり

---

[23] https://github.com/gihyodocker/pipecd-examples
[24] PipeCD公式リポジトリのhttps://github.com/pipe-cd/examplesをforkしたものです。

ますが、そのままにしておきます。

数分するとブラウザが起動し、**図11.14**のようなログイン画面が表示されます。クイックスタート用のPipeCDはUsername・Passwordともに`hello-pipecd`でログインできます。Argo CDほど洗練されたUI・UXではありませんが、PipeCDにもWebアプリケーションのGUIが用意されています。

図11.14 PipeCDのログイン画面

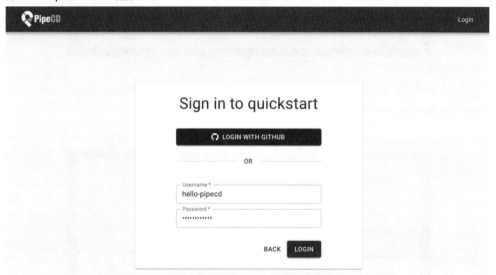

Piped（エージェント）のインストール

PipeCDにおいて、デリバリーはPiped[25]というエージェントコンポーネントによって行われます。なぜControl PlaneとPipedで分かれているかはコラム「PipeCDでControl PlaneとPipedをそれぞれ構築する理由」で解説します。

PipedはControl PlaneのAPIから取得したマニフェストの変更検知をトリガーに、クラスタ上のアプリケーションに変更を行います。

PipeCDのWebアプリケーションにログインした後、Pipedの「ADD」をクリックします。**図11.15**のようなポップアップが表示され、新しいPipedを追加するための情報を入力します。入力内容は任意ですが、ここではNameに`gihyo`を入力し「Save」をクリックします。

---

[25] 混同しやすいですが、PipedはPipeCDのコンポーネントの一つです。

11. コンテナにおける継続的デリバリー

図11.15　Pipedの追加ポップアップ

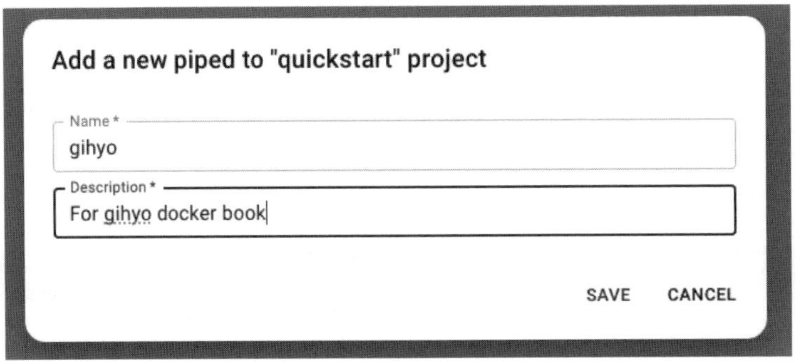

Add a new piped to "quickstart" project

Name *
gihyo

Description *
For gihyo docker book

SAVE　　CANCEL

　新たにPipedが登録され、PipedのIdとKeyが発行されます。この情報はPipedのインストールに必要なため控えておいてください。

図11.16　PipedとIdとKeyの発行

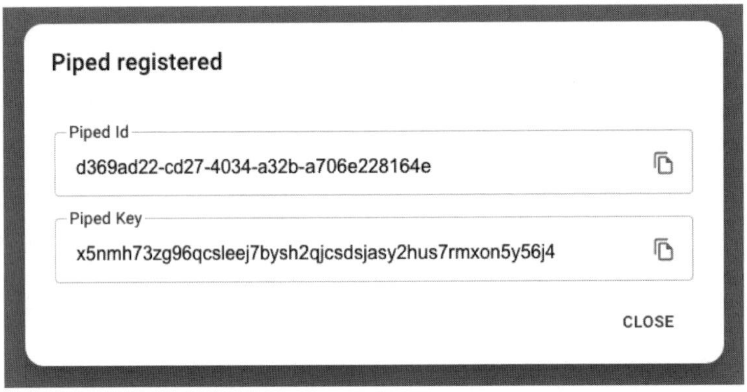

Piped registered

Piped Id
d369ad22-cd27-4034-a32b-a706e228164e

Piped Key
x5nmh73zg96qcsleej7bysh2qjcsdsjasy2hus7rmxon5y56j4

CLOSE

　ここで、先程実行したままの`pipectl quickstart`コマンドのターミナルに戻ります。待ち受け状態になっており、PipedのID・Key・GitRemoteRepoを入力できるようになっています。控えておいたPipedのIdとKeyを入力します。GitRemoteRepoはforkしておいたリポジトリのURLを`https://github.com/[リポジトリのオーナー]/pipecd-examples.git`の形式で入力します。

　入力後、**図11.17**のようにPipedがインストールされます。ターミナルは引き続き待ち受け状態ですが、そのままにしておきます[26]。

---

[26]　8080ポートへのポートフォワーディングが行われています。コマンドを終了しても、`kubectl -n pipecd port-forward service/pipecd 8080:8080`で再開できます。

468

図 11.17　Pipedのインストール

```
pipectl quickstart --version v0.45.3
Installing the controlplane in quickstart mode...
Release "pipecd" does not exist. Installing it now.
NAME: pipecd
LAST DEPLOYED: Mon Sep 11 02:43:26 2023
NAMESPACE: pipecd
STATUS: deployed
REVISION: 1
TEST SUITE: None

Intalled the controlplane successfully!

Installing the piped for quickstart...

Openning PipeCD control plane at http://localhost:8080/
Please login using the following account:
- Username: hello-pipecd
- Password: hello-pipecd
For more information refer to https://pipecd.dev/docs/quickstart/

Fill up your registered Piped information:
ID: d369ad22-cd27-4034-a32b-a706e228164e
Key: x5nmh73zg96qcsleej7bysh2qjcsdsjasy2hus7rmxon5y56j4
GitRemoteRepo: https://github.com/stormcat24/pipecd-examples.git
Release "piped" does not exist. Installing it now.
NAME: piped
LAST DEPLOYED: Mon Sep 11 03:18:09 2023
NAMESPACE: pipecd
STATUS: deployed
REVISION: 1
TEST SUITE: None
NOTES:
Now, the installed piped is connecting to .

Intalled the piped successfully!

PipeCD console is ready at http://localhost:8080/
```

　Pipedのインストールが完了し正常に実行されると、PipeCDのWebアプリケーション上では図11.18のように実行中のPipedを確認できます。緑色になっていれば正常に稼働しています。

11. コンテナにおける継続的デリバリー

図11.18　稼働中のPiped

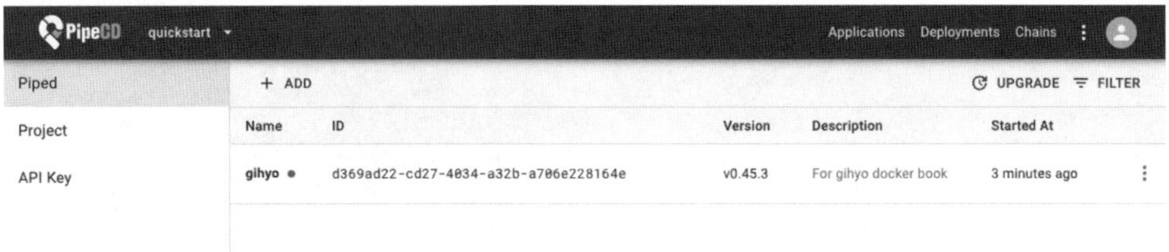

これで、PipeCDでのデリバリー準備ができました。

11.4.3　アプリケーションのデプロイ

forkしたpipecd-examplesリポジトリのマニフェストを使ってデプロイしてみましょう。

PipeCDのGUIで「Applications」のタブを選択します。PipeCDにおけるApplicationは、マニフェストをグルーピングしたようなものです。PipeCDはApplication単位でマニフェストを反映し、デプロイを行います。

「ADD」をクリックすると、Applicationの登録画面が表示されます。Platform Providerを kubernetes-defaultを選択すると、examplesリポジトリの kubernetes ディレクトリ配下がアプリケーションの候補として提案されます。

今回は候補の中にある helm-local-chart を利用します。**図 11.19**のように選択し、「SAVE」をクリックします。

470

図11.19 PipeCDでのアプリケーションの登録

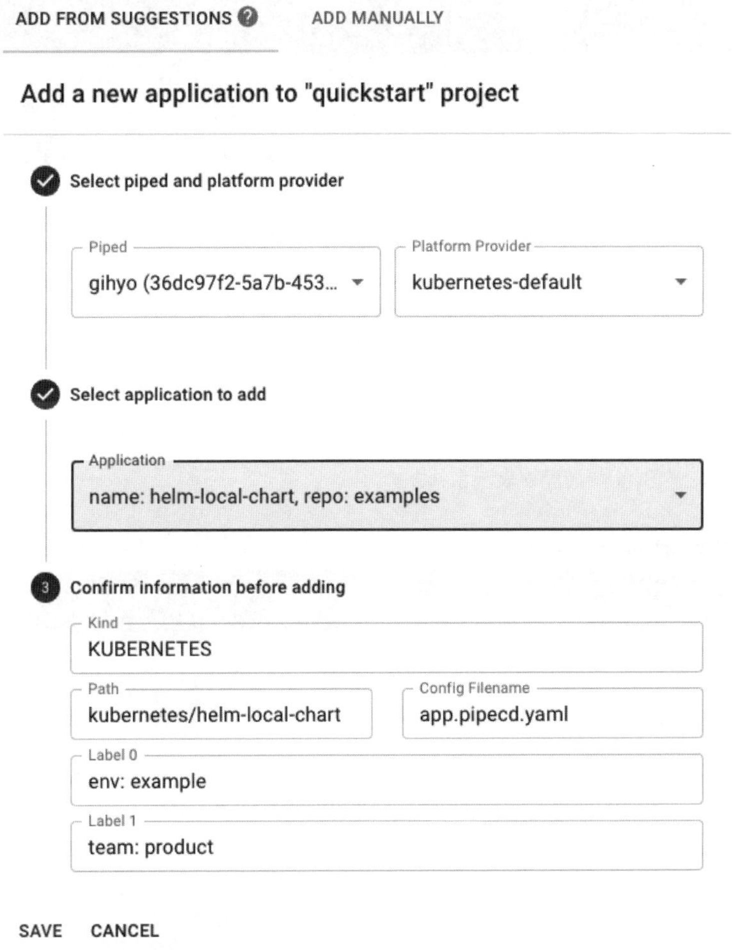

ADD FROM SUGGESTIONS ❓   ADD MANUALLY

Add a new application to "quickstart" project

✓ Select piped and platform provider

Piped
gihyo (36dc97f2-5a7b-453... ▼

Platform Provider
kubernetes-default ▼

✓ Select application to add

Application
name: helm-local-chart, repo: examples ▼

③ Confirm information before adding

Kind
KUBERNETES

Path
kubernetes/helm-local-chart

Config Filename
app.pipecd.yaml

Label 0
env: example

Label 1
team: product

SAVE   CANCEL

　ホーム画面に戻り「REFRESH」をクリックすると、登録されているアプリケーションの一覧（**図11.20**）が表示されます。

11. コンテナにおける継続的デリバリー

図11.20　登録されたアプリケーションの一覧

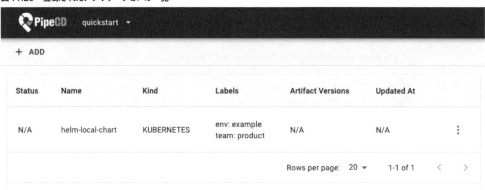

アプリケーションの登録後、程なくしてSyncが始まります。GUIの上部にある「Deployments」をクリックすると、Syncの履歴が表示されます。

図11.21　PipeCDのDeployments（Sync）履歴

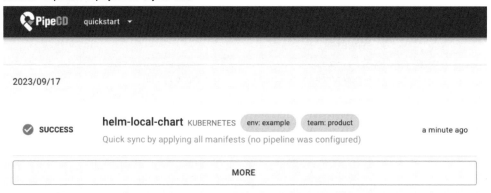

`helm-local-chart`のリンクからアプリケーションの詳細画面（**図11.22**）を開くと、デプロイされているアプリケーションの状態を確認できます。ステータスの概念はArgo CDとほぼ同じです。

PipeCD **11.4**

図11.22　アプリケーションの詳細画面

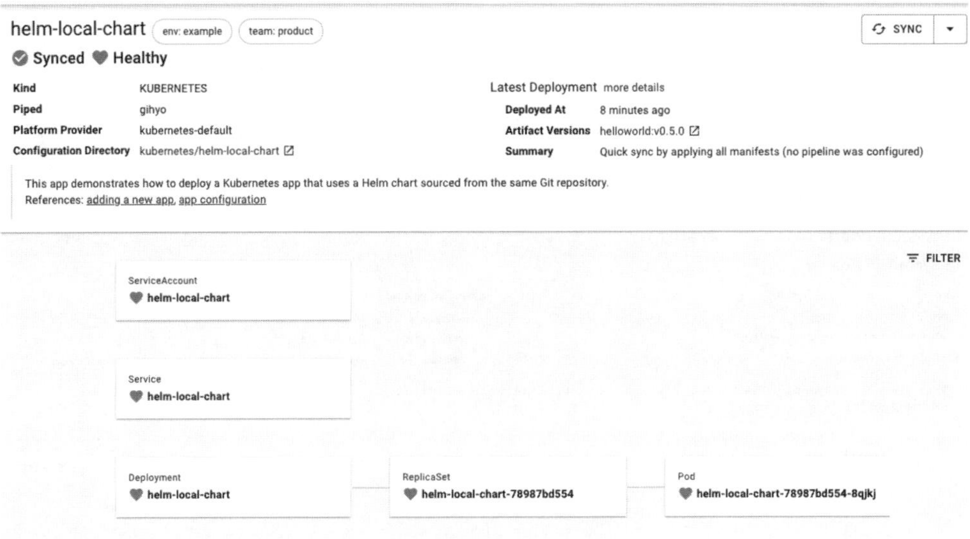

マニフェストファイルの変更によるデプロイ

　PipeCDでもマニフェストの変更によるデプロイを試しておきましょう。マニフェストに変更を加えるために、作業ディレクトリにリポジトリを git clone します。

```
(~/work/ch11) $ git clone git@github.com:[リポジトリのオーナー]/pipecd-examples.git
```

　pipecd-examples/kubernetes/helm-local-chart/values.yamlの内容を変更します。**リスト11.9**のように、 .replicaCountを2に変更します。

リスト11.9　helm-local-chartのカスタムvaluesファイル

~/work/ch11/pipecd-examples/kubernetes/helm-local-chart/values.yaml

```
replicaCount: 2 # 変更箇所

image:
  repository: gcr.io/pipecd/helloworld
  tag: v0.5.0

fullnameOverride: helm-local-chart

service:
  port: 9085
```

　変更は次のようにコミットし、Push します。

473

11. コンテナにおける継続的デリバリー

```
(~/work/ch11/pipecd-examples) $ git add -A
(~/work/ch11/pipecd-examples) $ git commit -m "Increase the number of replicas"
(~/work/ch11/pipecd-examples) $ git push origin master
```

Auto Syncにより変更が検知され、Podが2つに増えたことを確認できます。

図11.23　Auto SyncによるPodの増加

以上がPipeCDでの継続的デリバリー手法です。

今回はKubernetesのアプリケーションを扱いましたが、Amazon ECSやAWS Lambda、Cloud Run等でも同じようにデプロイができます。複数のプロジェクトでさまざまな技術スタックを扱うようなケースでも、統一的なGitOpsのプロセスを提供できることが強みです。

ここまでFlux、Argo CD、PipeCDでのデプロイを解説してきましたが、それぞれツールのコンセプトは異なってもGitOpsという基本思想は同じです。プロダクトのユースケースや組織の事情に合わせて、適切なツールを選択してみてください。

> **コラム　PipeCDでControl PlaneとPipedをそれぞれ構築する理由**
>
> PipeCDでControl PlaneとPipedをそれぞれ構築するのには理由があります。
>
> 継続的デリバリーシステムは強力な仕組みですが、構築や運用には工数を取られます。複数のプロジェクトを扱う場合はなおさらです。
>
> 多くのプロジェクトを抱える企業においては、Argo CDを継続的デリバリーの社内基盤化して提供するような事例もあります。Argo CDを一箇所で管理すれば、管理工数は削減できます。
>
> Argo CDの構築を思い出してください。11.3.1では、Argo CDをローカルKubernetes環境に構築

しました。図11.24のようにArgo CDとアプリケーションを同一クラスタに配置させたため、特に不自由を感じなかったはずです。

図11.24　アプリケーションとArgo CDを同一クラスタに配置させる例

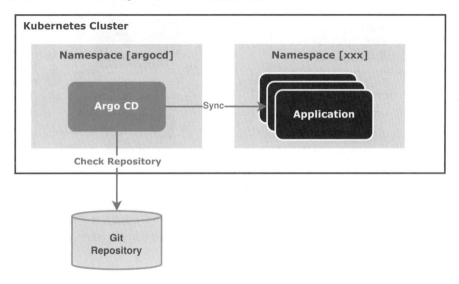

Argo CDから複数のクラスタに対してデプロイするようなケースを考えてみてください。このようなケースではArgo CDはデプロイ対象クラスタとは違う環境に構築されます。Argo CDからデプロイ対象クラスタを操作するには、図11.25のようにインターネット、もしくはプライベートネットワークを経由して認証が必要になります。この点の考慮をして環境を構築しなくてはなりません。

図11.25　ネットワークを経由で認証が必要になる構成

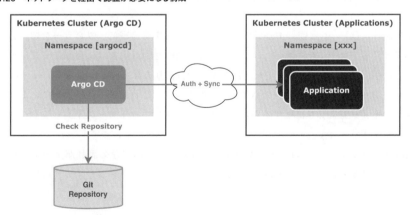

対して、PipeCDではクラスタを操作する部分をPipedというエージェントに切り出しました。Pipedはそれぞれのプロジェクトでデプロイ対象のクラスタに配置、つまり同居させます。そのため、継続的デリバリーの社内基盤でありがちなクラスタへの認証プロセスをスキップできます。

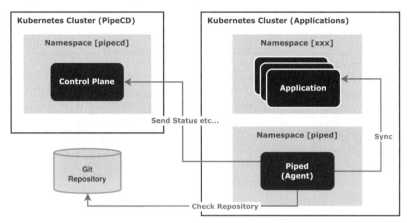

図 11.26　PipeCDのControl PlaneとPipedの構成

　Pipedに切り出されていることで、継続的デリバリーツールからデプロイ対象クラスタへのインバウンド通信は不要です。PipedからControle Planeへのアウトバウンド通信だけ十分です。PipeCDのこのアーキテクチャは、セキュリティを高めた上で大規模組織での利用に対応できるように考えられたものです。

　Control Planeを一箇所で管理すれば、PipeCDを社内基盤として複数のプロジェクトに提供できます。

11.5　ソフトウェアデリバリーの完全自動化

　ここまで、Flux CD・Argo CD・PipeCDを使ってGitOpsでの継続的デリバリーを体験してきました。マニフェストファイルを用意し、リポジトリにcommit・pushすれば自動でデプロイされるため、ユーザが手元でkubectlコマンドを利用する必要はありません。

　しかし、ソフトウェアデリバリーのパイプラインとしてはこれだけでは不足しています。新しいバージョンのイメージをデプロイする場合、都度開発者がマニフェストのイメージタグを更新しなくてはデプロイされません。

　GitOpsの仕組みだけだと、コーディングからデプロイまでの一連の流れが完全に自動化できません。これを解決するためには、CIとGitOpsを組み合わせたソフトウェアデリバリーの完全自動化が必要です。

11.5.1　マニフェストで定義するコンテナイメージのタグを自動更新する

　10.7でコンテナイメージビルドの自動化を体験しました。CIでは最終的にコンテナレジストリ

へのイメージのPushまでが行われます。足りていないのは、「コンテナレジストリ上の新しいイメージを検知し、マニフェストをそのイメージタグで書き換える」という処理です。このプロセスを自動化できれば、CIとGitOpsをソフトウェアデリバリーのパイプラインとして統合できます。

構築すべきソフトウェアデリバリーパイプラインの構成は図11.27のようになります。

図11.27　CIとGitOpsを組み合わせたパイプライン

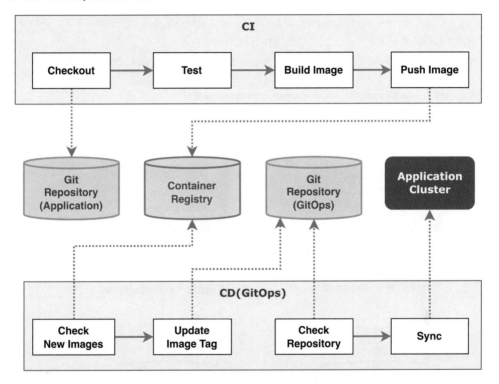

ここからはFluxを例として、このパイプラインを実現します。

Image reflector controller と Image automation controller

Fluxでイメージの更新をトリガーに、マニフェストファイルに記述したイメージのタグを変更します。Fluxの標準機能にはこのような仕組みがありませんが、Image reflector controller[*27]とImage automation controller[*28]の2つの追加コンポーネントをインストールすることで実現可能になります。

追加コンポーネントは、`flux bootstrap github`コマンドに`--components-extra=image-reflector-controller,image-automation-controller`オプションを付与することで追加します。実は**リスト11.1**でのFluxインストール時に、すでに追加しています。

Image reflector controllerとImage automation controllerの役割を**図11.28**に示します。

図11.28 Image reflector controllerとImage automation controllerの役割

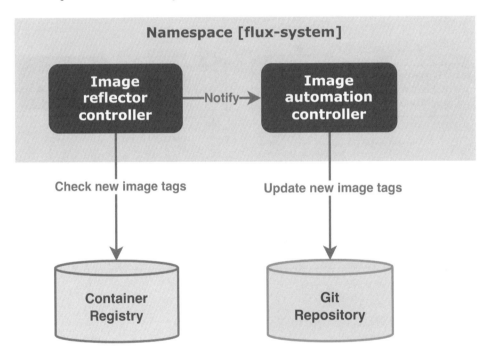

Image reflector controllerは一定の間隔でコンテナレジストリを確認し、新しいイメージタグが作られているかどうかを確認します。

新しいイメージタグがある場合は、Image automation controllerがGitのマニフェストファイルに記述されているイメージタグを書き換え、Pushします。

[*27] https://github.com/fluxcd/image-reflector-controller
[*28] https://github.com/fluxcd/image-automation-controller

Gitリポジトリのリビジョンが新しくなるため、Fluxは新しいリビジョンの内容に従ってクラスタを目標状態にします。

イメージをビルドするリポジトリを作成する

Gitリポジトリ内のマニフェストを自動更新するために、echoアプリケーションのイメージをビルドするためのリポジトリが必要です。

そこで、テンプレートリポジトリとしてgithub.com/gihyodocker/echo[*29]を用意しました。このリポジトリを図11.29のように「Use this template」から自身のリポジトリとして作成してください。このリポジトリはPrivateでかまいません。

図11.29　github.com/gihyodocker/echo のリポジトリ

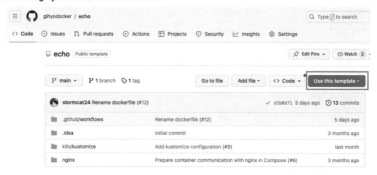

図11.30のようにリポジトリが作成されます。

[*29] https://github.com/gihyodocker/echo

11. コンテナにおける継続的デリバリー

図11.30 テンプレートから作成したechoリポジトリ

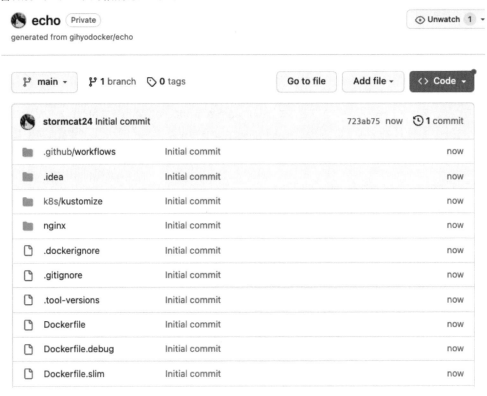

テンプレートから作成したリポジトリをローカルの作業ディレクトリにcloneします。

```
(~/work/ch11) git clone git@github.com:$GITHUB_OWNER/echo.git
```

このリポジトリにはすでにGitHub Actionsでコンテナイメージをビルドするためのワークフローが用意されています[*30]。mainブランチに変更をPushするか、vで始まるタグをPushするとワークフローが開始されます。

このリポジトリでイメージをビルドするために、タグv0.1.0を作成してPushします。

```
(~/work/ch11/echo) $ git tag v0.1.0
(~/work/ch11/echo) $ git push origin v0.1.0
```

程なくして、イメージをビルドするためのワークフロー（**図11.31**）が実行されます。

---

*30　.github/workflows/push-image.yml ファイルを参照してください。

480

図11.31　echoイメージをビルドするワークフロー

echoリポジトリの「Packages」からechoイメージのパッケージ詳細画面（**図11.32**）を開きます。右下の「Package settings」をクリックします。

図11.32　echoイメージのパッケージページ

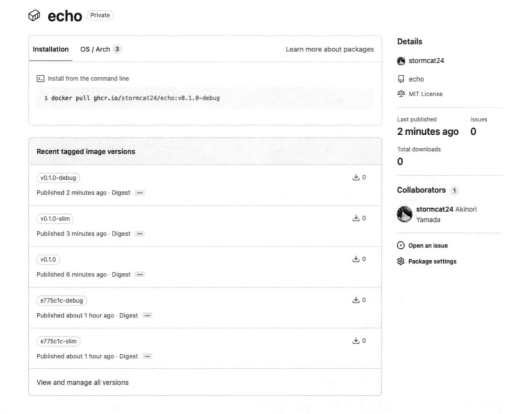

11. コンテナにおける継続的デリバリー

コンテナイメージを認証なしでPullするために、「Change package visibility」をPublicにします。Privateの場合はFluxで認証情報の設定をすると可能ですが、本書では無料で使うためにPublicとします。

図11.33　Packageの公開・非公開設定

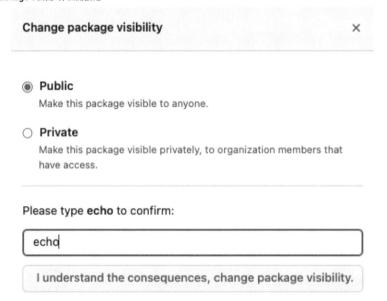

イメージタグの自動アップデートの設定

ここからはマニフェストに記述したイメージのタグを自動で更新するための設定を行います。

● ImageRepositoryの作成

ImageRepositoryというコンポーネントを作成します。ImageRepositoryでは、監視対象にするコンテナレジストリのイメージの情報を設定します。

リスト11.10のコマンドを実行し、echoという名前でImageRepositoryを作成します。

リスト11.10　ImageRepositoryの作成

```
(~/work/ch11/echo-bootstrap) $ flux create image repository echo \
  --image=ghcr.io/$GITHUB_OWNER/echo \
  --interval=1m \
  --export > ./flux-system/image-repository.yaml
```

--imageオプションは監視対象のイメージです。

--intervalオプションではコンテナレジストリに対して、どれくらいの間隔で新しいイメージタグをチェックするかを設定します。1mは1分間隔でチェックします。

`--export`オプションはImageRepositoryをマニフェストファイルに出力する設定です。

●───ImagePolicy の作成

ImagePolicyというコンポーネントを作成します。ImagePolicyでは、タグの命名規則の情報を設定します。

リスト11.11のコマンドを実行し、echoという名前でImagePolicyを作成します。

リスト11.11　ImagePolicyの作成

```
(~/work/ch11/echo-bootstrap) $ flux create image policy echo \
  --image-ref=echo \
  --filter-regex='^(?P<version>v\d+\.\d+\.\d+(-\d+)?).*-slim' \
  --filter-extract='$version' \
  --select-alpha=asc \
  --export > ./flux-system/image-policy.yaml
```

`--image-ref`オプションは対象のImageRepositoryの名前です。echoは作成したImageRepositoryを指しています。

`--filter-regex`オプションは該当するコンテナイメージのタグの命名規則を正規表現で設定します。10.7.3で解説したイメージタグの形式に準じているため、`^(?P<version>v\d+\.\d+\.\d+(-\d+)?).*-slim`という正規表現を用いています。たとえば、次のようなタグ名に合致します。

- `v0.1.0-slim`（Gitのタグの**Push**で作られた**slim**イメージ）
- `v0.1.0-1-g2a40c30-slim`（Gitの**main**ブランチへの**Push**で作られた**slim**イメージ）

今回は正規表現で制御しましたが、セマンティックバージョン（`--select-semver`）や自然数（`--select-numeric`）のタグに対応するオプションも用意されています[31]。

`--filter-extract`オプションでは`--filter-regex`で指定した正規表現の名前付きキャプチャを指定します。最新版のイメージはタグ名のソートで算出しますが、今回のタグ命名規則に合わせるための調整だと思ってください。

`--select-alpha`オプションは`--filter-*`オプションの設定に準じて、昇順か降順でソートします。ascの場合、最後の値が最新として扱われます。

●───自動更新対象のマニフェストの設定

自動更新の対象となるアプリケーションのマニフェストにも設定が必要です。

echo-bootstrapリポジトリの`deployment.yaml`を、**リスト11.12**のように修正します。

＊31　詳細は https://fluxcd.io/flux/cmd/flux_create_image_policy/ を参照してください。

11. コンテナにおける継続的デリバリー

リスト 11.12　自動更新の設定をしたマニフェストファイル

`~/work/ch11/echo-bootstrap/deployment.yaml`

```
apiVersion: apps/v1
kind: Deployment
metadata:
  name: echo
  labels:
    app.kubernetes.io/name: echo
spec:
  replicas: 2
  selector:
    matchLabels:
      app.kubernetes.io/name: echo
  template:
    metadata:
      labels:
        app.kubernetes.io/name: echo
    spec:
      containers:
      - name: nginx
        image: ghcr.io/gihyodocker/simple-nginx-proxy:v0.1.0
        env:
        - name: NGINX_PORT
          value: "80"
        - name: SERVER_NAME
          value: "localhost"
        - name: BACKEND_HOST
          value: "localhost:8080"
        - name: BACKEND_MAX_FAILS
          value: "3"
        - name: BACKEND_FAIL_TIMEOUT
          value: "10s"
        ports:
        - name: http
          containerPort: 80
      - name: echo
        # ① ビルドしたコンテナイメージ
        image: ghcr.io/[リポジトリのオーナー]/echo:v0.1.0-slim # {"$imagepolicy": "f↵
lux-system:echo"}
```

　修正箇所は①だけです。先程GitHub Actionsのワークフローでビルドしてできたコンテナイメー
ジに変更します。[リポジトリのオーナー]部分は置換してください。ImagePolicyの正規表現で
-slimのイメージに反応するよう設定したので、タグはv0.1.0-slimとします。

　`# {"$imagepolicy": "flux-system:echo"}`というコメントは、Image automation controllerに変
更箇所を認識させるために必要です。ImagePolicyはechoという名前でflux-systemのNamespace
に作られるので、 flux-system:echoとなります。

● ImageUpdateAutomation の作成

　ImageUpdateAutomationというコンポーネントを作成します。ImageUpdateAutomationはタグ
の自動更新を有効にするための設定を行います。

リスト11.11のコマンドを実行し、echoという名前でImageUpdateAutomationを作成します。

リスト11.13　ImageUpdateAutomationの作成

```
(~/work/ch11/echo-bootstrap) $ flux create image update flux-system \
  --git-repo-ref=flux-system \
  --git-repo-path="." \
  --checkout-branch=main \
  --push-branch=main \
  --author-name=Flux \
  --author-email="flux@example.com" \
  --commit-template="{{range .Updated.Images}}{{println .}}{{end}}" \
  --export > ./flux-system/image-automation.yaml
```

オプションの詳細な説明は省略しますが、イメージタグの自動更新を有効にして、自動でGitOpsのリポジトリにコミット・Pushする設定がされています。

ここまで、 --export で出力したマニフェストファイルは、次のように ./flux-system/kustomization.yaml に追加します。

```
(~/work/ch11/echo-bootstrap/flux-system) $ kustomize edit add resource image-reposit↩
ory.yaml
(~/work/ch11/echo-bootstrap/flux-system) $ kustomize edit add resource image-policy.↩
yaml
(~/work/ch11/echo-bootstrap/flux-system) $ kustomize edit add resource image-automat↩
ion.yaml
```

これまでの変更を反映し、 main ブランチにPushします。

```
(~/work/ch11/echo-bootstrap) $ git add -A
(~/work/ch11/echo-bootstrap) $ git commit -m "Prepare auto-update settings"
(~/work/ch11/echo-bootstrap) $ git push origin main
```

次のように kustomize コマンドでマニフェストを生成し、自動更新関連の設定を直接反映します[32]。

```
(~/work/ch11/echo-bootstrap) $ kustomize build ./flux-system | kubectl apply -f -
```

次のように関連のリソースが表示されれば、設定が反映されています。

---

[32]　本来は flux reconcile kustomization flux-system --with-source コマンドで反映しますが、現行バージョンではFlux2のバグにより動いていません。

11. コンテナにおける継続的デリバリー

```
$ kubectl -n flux-system get imagerepository,imagepolicy,imageupdateautomation
NAME                                              LAST SCAN              TAGS
imagerepository.image.toolkit.fluxcd.io/echo      2024-01-18T17:23:07Z   6

NAME                                            LATESTIMAGE
imagepolicy.image.toolkit.fluxcd.io/echo        ghcr.io/stormcat24/echo:v0.1.0-slim

NAME                                                    LAST RUN
imageupdateautomation.image.toolkit.fluxcd.io/flux-system   2024-01-18T17:23:08Z
```

コードを変更し、新しいバージョンのイメージをビルドする

マニフェストファイルのイメージタグを更新するために、echo リポジトリのコードを変更し、新しくイメージをビルドします。

main.go を変更します。変更は何でも良いため、**リスト 11.14** のように「Hello Container!!」を「Hello GitOps!!」に変更します。

リスト 11.14　~/work/ch11/echo/main.go

```
func main() {
    http.HandleFunc("/", func(w http.ResponseWriter, r *http.Request) {
        log.Println("Received request")
        fmt.Fprintf(w, "Hello GitOps!!") // 変更箇所
    })
    // 以下省略...
}
```

変更を main ブランチに Push します。

```
(~/work/ch11/echo) $ git add -A
(~/work/ch11/echo) $ git commit -m "Change response message"
(~/work/ch11/echo) $ git push origin main
```

程なくして GitHub Actions のワークフローが実行されます。数分で新しいイメージがビルドされ、**図 11.34** のように v0.1.0-1 系のイメージを確認できます。

486

図11.34 新しくビルドされたイメージ

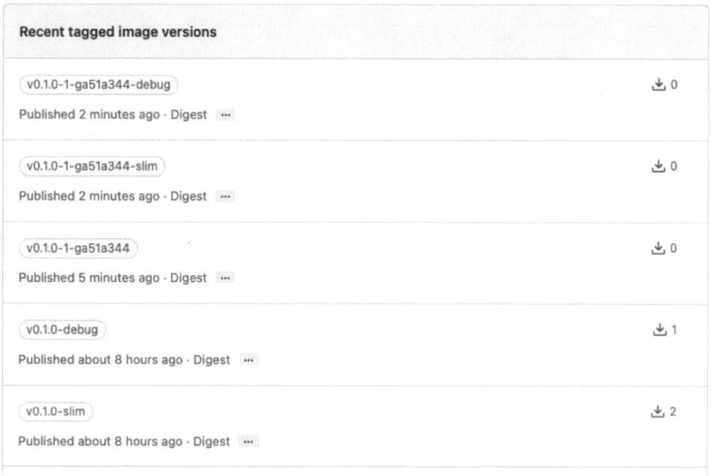

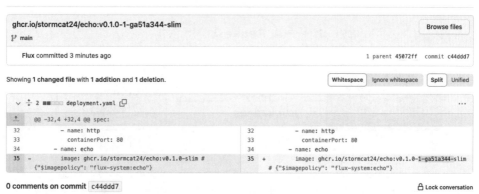

　Image reflector controllerが新しいイメージを検知し、Image automation controllerが新しいイメージタグでマニフェストファイルを図11.35のように書き換えています。

図11.35 自動更新されたイメージタグ

　これでリポジトリが新しいリビジョンになるため、クラスタのDeploymentが更新され、新しいPodが作成されます。以上がFluxを利用したイメージ自動更新の仕組みです。
　他のGitOpsツールにも近い仕組みがあります。Argo CDでは、Argo CD Image Updater[33]を導入して実現できます。PipeCDでは、Event watcher[34]を用いて実現

---

[33] https://argocd-image-updater.readthedocs.io/en/stable/
[34] https://pipecd.dev/docs-v0.45.x/user-guide/event-watcher/

できます。

> **コラム** **GitOpsに承認プロセスを組み込む**
>
> ここまで体験した自動更新の仕組みでは、新しいイメージが作成される度に必ずデプロイされていました。mainブランチに例外なくPushしていたためです。しかし、環境や運用によっては自動でデプロイされることに抵抗があるかもしれません。
>
> そのようなケースでは、承認プロセス（承認フロー）を組み込む運用が多いです。最もオーソドックスな手法は、Pull Requestを活用する方法です。Pull Requestを自動で作成する仕組みにすると、直接mainブランチにPushされなくなり、Pull Requestのマージタイミングは開発者が制御できます。
>
> 図11.36　Pull Requestを用いたGitOpsの承認フロー
>
>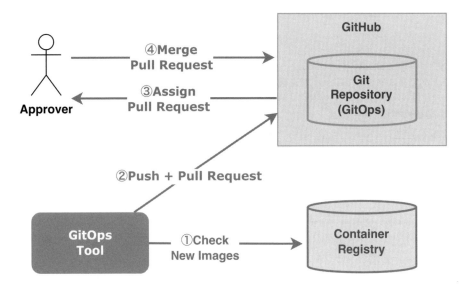
>
> FluxのImageUpdateAutomationで実現するのであれば、main以外のブランチにPushして、そのブランチに対応するPull Requestを自動で作成する仕組みを構築すれば実現できます[a]。Argo CD Image Updaterでも同様のワークロードで対応できます。
>
> また、PipeCDはWAIT_APPROVAL[b]という承認ステージを追加する機能を標準で備えています。
>
> [a] peter-evans/create-pull-request（https://github.com/marketplace/actions/create-pull-request）などのアクションを活用できます。
>
> [b] https://pipecd.dev/docs-dev/user-guide/managing-application/customizing-deployment/adding-a-manual-approval/

12.
コンテナのさまざまな活用方法

12. コンテナのさまざまな活用方法

前章までは、コンテナを使った Web アプリケーションの構築や Kubernetes でのコンテナオーケストレーション等の王道的な使い方を学んできました。本章ではチーム開発での開発環境の統一、コマンドラインツールのコンテナでの利用、負荷テストでの利用といった活用法を解説します。

12.1 チーム開発で開発環境を統一・共有する

コンテナの強みは何と言っても優れたポータビリティによってもたらされる再現性の高さです。

3.3 でも解説したように、アプリケーションやミドルウェアの挙動を環境変数で制御できるようにしておくことでコンテナイメージの抽象度を高めることができ、さまざまな環境にデプロイしやすくなります。

これは開発・本番環境を通して再現性のあるデプロイをするためのアプローチですが、複数人のチームで開発する際の開発環境の共有・統一にも役立てることができます。

12.1.1 利用するソフトウェア・ツールを統一する

チーム開発をする上で、利用するツールはバージョンとともに統一できていた方が不要なトラブルは回避できます。また、複数のプロジェクトを掛け持ちするような場合、プロジェクトを行ったり来たりしてしまうと、どうしてもホストの環境を汚してしまいがちです。そうしないためにもホストから隔離されていて、かつ必要なツールを含むコンテナが共通の開発環境として提供されることが望ましいでしょう。

たとえば、MySQL や Redis といったデータストアを利用するには、それらを操作するためのクライアントツールが必要です。高機能な MySQL クライアントである mycli[1] や Redis クライアントである Redis Cli[2] を含む redis-tools といったツールの利用をチームとして標準化することを考えてみましょう。

まず、作業ディレクトリを作成します。

```
$ mkdir -p ~/work/ch12/workspace/
```

作業ディレクトリに**リスト 12.1** のような Dockerfile を作成します。

---

*1   https://github.com/dbcli/mycli
*2   https://redis.io/docs/connect/cli/

チーム開発で開発環境を統一・共有する **12.1**

リスト 12.1　様々な CLI ツールを含めた Dockerfile

~/work/ch12/workspace/Dockerfile
```
FROM ubuntu:23.10

# ① タイムゾーンの設定
ENV TZ="Asia/Tokyo"
RUN ln -snf /usr/share/zoneinfo/$TZ /etc/localtime && echo $TZ > /etc/timezone

# ② パッケージを更新し、mycliとredis-toolsをインストール
RUN apt update
RUN apt -y install \
  mycli redis-tools \
  iputils-ping net-tools dnsutils telnet tcpdump traceroute

CMD ["/bin/bash"]
```

①ではコンテナにタイムゾーンを設定しています。aptでのツールのインストール途中に、対話的にタイムゾーンを尋ねられることがあるためコンテナのビルドがハングしてしまいます。タイムゾーンが設定されていれば、滞りなくインストール完了します。

②ではaptでmycliとredis-toolsをインストールしています。また、ネットワーク関連のユーティリティもインストールしています。

このイメージは「1コンテナに1つの関心事」というコンテナの王道からは逸れたものですが、アプリケーションとしてデプロイするわけではないので許容します。

次のようにイメージをビルドし、workspaceという名前のコンテナとして実行します。

```
(~/work/ch12/workspace) $ docker image build -t ch12/workspace:latest .

$ docker container run --rm --name workspace -it ch12/workspace:latest
root@ac0a4933465a:/#
```

このようにコンテナを簡易的なOSのようなものとして扱い、必要なツールを利用できます。また、ネットワーク関連のユーティリティも用意しておけば、他のコンテナに対して疎通をしたりといったデバッグの用途で利用できます。コンテナイメージを他のチームメンバーに共有すれば、メンバーも同じ体験ができるでしょう。

筆者もこのようなコンテナを有効活用しています。開発において、ツールのさまざまなインストール手順をドキュメントに書くより、そのツールを備えたDockerfileやイメージを共有した方が早いことが多いです。

Kubernetesにおいても同様のことが可能です。kubectlで実行したコンテナはKubernetesクラスタ内に入るので、デバッグはもちろんのこと、作成したServiceの疎通確認等にも利用できます。

```
$ kubectl run -i --rm --tty workspace --image=ch12/workspace:latest --restart=Never ←
-- bash -il
```

491

12. コンテナのさまざまな活用方法

12.1.2 開発環境は集合知

全てではなくても、チーム内で統一された開発環境がコンテナで提供されることは非常に意義の
あることです。開発環境の共有は多くの開発者の手間を省きますが、利点はそれだけではありま
せん。

チーム開発においては、各開発者それぞれが精通した分野を持っていて、開発のしかたも利用し
ているツールもそれぞれ色があります。開発環境を統一するということは各自が持っているノウハ
ウをチームで共有し、集合知として開発へ活かしていくということに他なりません。

これを実現する上で統一した開発環境をコンテナで整備することは非常に良い選択肢です。
Dockerfileで手順をプログラマブルに記述でき、高速なコンテナの起動・破棄が可能であるため、
開発環境にそのときどきのベストプラクティスを継続的に取り込めます。

開発環境のコンテナ化については、仕様としての導入も進んでいます。Microsoftが中心となっ
て策定した、Development Containers（devcontainer）というコンテナ（Docker）を活用して開
発環境を統一する仕様[3]があります。Visual Studio Codeから利用したことがある読者も多いで
しょう。

> **コラム** **コンテナはVagrantの代替となるか？**
>
> 開発環境の統一・共有の手法としてVagrant[a]は今でも根強く利用されています。コンテナ技術
> の普及もあり、このVagrantの役割をコンテナに置き換えてみようと考えている方も多いのではな
> いでしょうか？
>
> コンテナは起動も高速で、ボリュームマウントの仕組みを利用したホストとのファイルシステ
> ムの共有ができるため、Vagrantより優れているように思えるかもしれません。筆者もかつては
> Vagrantを愛用していましたが、現在はローカル環境では完全にコンテナを利用しています。
>
> しかし、Vagrantの代替としてコンテナを積極的に使うべきか？という問いには、必ずしもイエ
> スとは答えられません。筆者としては安易にVagrantからコンテナに載せ替えるべきではないと考
> えています。
>
> Vagrantを利用すべきケースから考えてみましょう。本番環境でコンテナを使用せず、現在
> Vagrantで安定した開発環境を構築できているなら、移行すべきではありません。
>
> コンテナ型仮想化技術はファイルシステムの区画化にすぎないため、完全仮想化ではありません。
> コンテナで運用していないアプリケーションはOSの状態に依存していることがほとんどです。そ
> のため、機能が極限まで削ぎ落とされたコンテナ内で期待した挙動を得られるとは限りません。こ
> の解消に手間を取られてしまうことも考えられます。
>
> ローカルで軽量さを求めてVagrantからコンテナに移行したとします。ローカル検証環境では軽
> 快でも、いざ非コンテナ環境のサーバにデプロイしたとき、環境の違いからトラブルを生んでしま
> う可能性が高まってしまいます。コンテナを本番でも使わなければ、結局ポータビリティは確保で

---

[3] https://containers.dev/

コマンドラインツール（CLI）をコンテナで利用する **12.2**

きません。

　コンテナを Vagrant の代替として利用するのであれば、開発環境から本番環境までの完全なコンテナ化までを前提にしないとコンテナの良さを十分に活かすことはできないでしょう。

　コンテナ群で構成されるシステムについては、コンテナとコンテナオーケストレーションによって構成した方がよいでしょう。先述の workspace コンテナは簡易的な OS として利用していたため、まさに Vagrant に近い使い方でしたが、アプリケーションやミドルウェアのコンテナは含めていません。こういった開発補助ツールもコンテナでも Vagrant でも代替可能です。

　筆者の考えをまとめると次のようになります。さまざまな利用ケースがありますが、基本的にこの基準で考えると良いでしょう。

- **完全にコンテナで構成されるシステムはVagrantではなくコンテナを選択すべき**
- **普段コンテナで運用しないアプリケーションやミドルウェアはVagrantから移行する必要はない**
- **Vagrantからコンテナへ載せ替えるのであれば、本番環境までもコンテナへ移行する前提で検証・テストを十分にすべき**

　また、Vagrant の標準仮想化ソフトウェアである VirtualBox は、開発中のプレビュー段階ですが Apple silicon に対応しています。Windows では WSL2 の利用が増えていますし、Multipass[b]という仮想化ソフトウェアの利用も増えてきています。

＊a　VirtualBox 等の仮想化ソフトウェアで実行される仮想マシンに、開発環境で利用するアプリケーションやミドルウェアを簡単に構築するためのツール。 https://www.vagrantup.com/

＊b　https://multipass.run/

12.2　**コマンドラインツール（CLI）をコンテナで利用する**

　コンテナの使い所は Web サーバやミドルウェア、バッチジョブといったアプリケーションにとどまりません。これ以外にも多くの使いどころがあります。コマンドラインツール（CLI）もコンテナの利用が効果的な領域の一つです。

12.2.1　Trivyをコンテナで実行する

　10.6.5 にて、Trivy を使ったコンテナイメージの脆弱性チェックを紹介しました。Trivy を asdf でローカル環境にインストールして行いましたが、ここではコンテナを使って実行してみます。

　まずはコンテナを使わないコマンドについて確認します。 nginx:1.25.1のイメージをスキャンするには次のコマンドを実行していました。

```
$ trivy image nginx:1.25.1
```

493

Trivyは**リスト12.2**のコマンドで実行できます。

リスト12.2 コンテナでのTrivyの実行コマンド

```
$ docker container run --rm -it aquasec/trivy:0.45.0 image nginx:1.25.1
```

docker container runにはコンテナ内で実行するコマンドを引数として渡せます。aquasec/trivy:0.45.0のイメージはENTRYPOINTにtrivyコマンドを指定しているため、trivy以降の引数を設定しています。また、実行後にコンテナを残す必要もないため、--rmオプションも付与します。

コマンドを実行すると、**図12.1**のようにtrivyがコンテナで実行されます。

図12.1 コンテナ内で実行されるtrivy

```
docker container run --rm -t aquasec/trivy:0.45.0 image nginx:1.25.1
2023-09-24T07:10:11.728Z    INFO    Need to update DB
2023-09-24T07:10:11.728Z    INFO    DB Repository: ghcr.io/aquasecurity/trivy-db
2023-09-24T07:10:11.728Z    INFO    Downloading DB...
39.94 MiB / 39.94 MiB [---------------------------------------------------------] 100.00% 17.79 MiB p/s 2.4s
2023-09-24T07:10:15.008Z    INFO    Vulnerability scanning is enabled
2023-09-24T07:10:15.008Z    INFO    Secret scanning is enabled
2023-09-24T07:10:15.008Z    INFO    If your scanning is slow, please try '--scanners vuln' to disable secret scanning
2023-09-24T07:10:15.008Z    INFO    Please see also https://aquasecurity.github.io/trivy/v0.45/docs/scanner/secret/#recommendation for faster secret dete
```

指定したイメージが存在しなければ、docker container runは実行時に自動でイメージをダウンロードします。そのため初めてのツールを使うときも手間は最小で済みます。

ボリュームマウントしてコンテナを実行する

CLIをコンテナとして利用するとき、コンテナ内にないファイルが必要なこともあります。このケースではボリュームマウントを利用します。Trivyの設定ファイル、trivy.yamlを題材にします。

```
$ mkdir -p ~/work/ch12/trivy
```

作業ディレクトリを作成し、中にtrivy.yaml(**リスト12.3**)を作成します。CRITICALレベルの脆弱性チェックだけを行う設定になっています。

リスト12.3 Trivyの設定ファイル

~/work/ch12/trivy/trivy.yaml

```
scan:
  scanners:
    - vuln

severity:
  - CRITICAL
```

リスト12.4のコマンドでTrivyを実行します。

コマンドラインツール（CLI）をコンテナで利用する **12.2**

リスト 12.4　ボリュームマウントを用いた Trivy の実行コマンド

```
(~/work/ch12/trivy) $ docker container run --rm -v .:/var/lib/trivy -it aquasec/triv←
y:0.45.0 \
  -c /var/lib/trivy/trivy.yaml image nginx:1.25.1
```

　-v［ホストマシンのディレクトリ］:［コンテナのディレクトリ］オプションでディレクトリをマ
ウントできます。ここではカレントディレクトリを /var/lib/trivy ディレクトリにマウントして
います。

　コンテナイメージ以降の引数は、 trivy コマンドに渡される引数です。 -c /var/lib/trivy/triv
y.yaml で Trivy の設定ファイルを指定しています。

　コマンドを実行すると、**図 12.2** のような結果が得られます。マウントした trivy.yaml が利用さ
れていることが確認できます。

図 12.2　ボリュームマウントした設定ファイルを利用して Trivy を実行

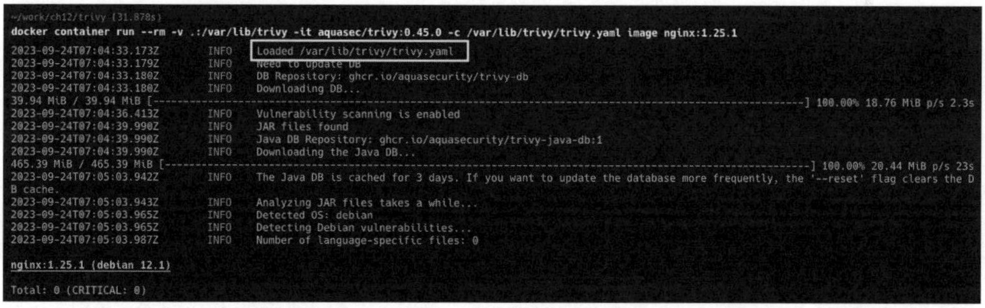

　また、コンテナの中で出力したファイルをそのままローカル環境で参照できます。

　trivy コマンドは -f オプションで結果のファイルフォーマットを、 -o オプションで出力先のパ
スを指定できます。**リスト 12.5** コマンドのように、コンテナ側の /var/lib/trivy/results.json に
結果を JSON で出力します。

リスト 12.5　マウントしたディレクトリに JSON ファイルを出力するコマンド

```
(~/work/ch12/trivy) $ docker container run --rm -v .:/var/lib/trivy -it aquasec/triv←
y:0.45.0 \
  -c /var/lib/trivy/trivy.yaml -f json -o /var/lib/trivy/results.json image ngin←
x:1.25.1
```

　このコマンドを実行すると、カレントディレクトリに results.json が出力されます。

```
(~/work/ch12/trivy) $ ls -l
.rw-r--r-- stormcat 1796141739 9.4 KB Sun Sep 24 16:34:50 2023 {} results.json
.rw-r--r-- stormcat 1796141739  53 B  Sun Sep 24 16:03:26 2023 {} trivy.yaml
```

495

12. コンテナのさまざまな活用方法

　ボリュームマウントの活用により、ホストとコンテナ間でのファイルの受け渡しも簡単にできます。

　このように、コンテナを利用すれば、CLIツールもホストへのインストールなしで利用可能です。インストールが煩雑なツールをコンテナで代用できますし、さまざまなバージョンのコンテナイメージが提供されているためバージョンの切り替えも簡単です。

　ここまで何度も述べてきたように、コンテナは1つのアプリケーションとして機能します。そのため多くのコンテナレジストリには公式、有志が数多くのコンテナを単体アプリケーションとして動作する形で配布しています。アプリケーションの実行の観点では、Vagrantや、システムコンテナ等に勝っていると言えます。

　また、コンテナは使い捨てのスクリプト実行環境としても優秀です。続いては、コンテナでCLIツールやスクリプトを活用する方法について解説します。

12.2.2　シェルスクリプトをコンテナで実行する

　Trivyをコンテナで利用する例は、通常のCLI実行を単純にコンテナでの実行に置き換えたものでした。特定のCLIツールを1回だけ利用しています。実際には、デプロイや運用系の一連の処理を記述したシェルスクリプトをさまざまなツールを利用して行うケースが多いはずです。この一連のツールの取得や処理の流れをコードとして管理できれば作業効率化が見込めます。このようなユースケースにおいてもコンテナは効果的に利用できます。

　スクリプトを多くの環境に配布することを考慮すると、必要なツールやライブラリが保証された環境を用意することが重要です。シェルスクリプトを書いていて、特定のOSや環境で意図した動作にならなかった経験をしたことはないでしょうか？　デフォルトで入っているコマンドやシェルの違い、さらに言えば最も広く利用されているシェルであるbashも3系と4系とでは挙動が異なります。

　スクリプトが依存するツールやライブラリのバージョンを上げることで、実行環境にある別のツールの挙動が変わる副作用も起こりえます。シェルスクリプトは手軽で便利ですが、全ての環境で動作を保証できるようなものを実装するにはさまざまなケアが必要になります。

　環境差異に伴う不要なトラブルを避けるためには、スクリプトを依存ツールもろともコンテナで隔離してしまうという手法があります。ポータビリティを向上させるためには非常に効果的なテクニックです。

　例として、jqに依存したシェルスクリプトであるshow-attr.sh（**リスト12.6**）があったとします。これをコンテナで実行することを考えてみましょう。show-attr.shは標準出力に出されたJSONから指定された属性の値を抽出する処理をしています。

コマンドラインツール（CLI）をコンテナで利用する **12.2**

リスト 12.6　jqを実行するシェルスクリプト

`~/work/ch12/show-attr/show-attr.sh`

```sh
#!/bin/sh

ATTR=$1
if [ "$ATTR" = "" ]; then
  echo "required attribute name argument" 1>&2
  exit 1
fi

echo '{
  "id": 100,
  "username": "gihyo",
  "comment": "Finally, jq version 1.7 has been released."
}' | jq -r ".$ATTR"
```

このスクリプトを実行するためのDockerfile(**リスト 12.7**)を作成します。

リスト 12.7　show-attr.shを実行するための Dockerfile

`~/work/ch12/show-attr/Dockerfile`

```dockerfile
FROM --platform=$BUILDPLATFORM ubuntu:23.10 AS build

ARG TARGETARCH

RUN apt update
RUN apt install -y curl

RUN curl -L -o /tmp/jq https://github.com/jqlang/jq/releases/download/jq-1.7/jq-linu↵
x-${TARGETARCH}
RUN chmod +x /tmp/jq

FROM gcr.io/distroless/base-debian11:debug

COPY --from=build /tmp/jq /usr/local/bin/
COPY show-attr.sh /usr/local/bin/

ENTRYPOINT ["sh", "/usr/local/bin/show-attr.sh"]
CMD [""]
```

　Multi-stage buildsでDistrolessをベースにコンテナイメージを作成しています。buildステージでダウンロードしたjqと、show-attr.shをコピーします。

　show-attr.shはENTRYPOINTとして設定し、引数だけを渡せばコンテナでスクリプトを実行できるようにします。

　ch12/show-attr:latestというイメージタグでビルドします。

```
(~/work/ch12/show-attr) $ docker image build -t ch12/show-attr:latest .
```

　docker container runコマンドでスクリプトを実行します。引数にusernameを指定したため、

497

12. コンテナのさまざまな活用方法

JSONの usernameの値が返されます。

```
(~/work/ch12/show-attr) $ docker container run --rm ch12/show-attr:latest username
gihyo
```

CLIツール自身やシェルスクリプトをコンテナで便利に実行できました。

コンテナでCLIツールを導入すれば、ホストの安定版とコンテナの開発版のような使い分けも簡単になります。

コンテナがない時代のシェルスクリプトは、依存しているツールやライブラリの管理が難しかったですし、何よりもスクリプトを見るだけでは推し量れない環境構築時の前提知識など不明瞭な側面も多々ありました。

コンテナによって実行環境ごと分離する手法は、ポータビリティの担保はもちろんのこと、Dockerfileの中で必要なツールやライブラリが明示されるというメリットもあります。さらにはCI/CDでスクリプトを含んだコンテナ自体をテストするといったこともできます。

12.3 負荷テスト

コンテナの有効な活用方法の1つとして**負荷テスト**があります。コンテナの複製、複数ノードへの展開によって発行するHTTPリクエスト数の限界を引き上げられるからです。

Locustという負荷テストツールを用い、コンテナを利用した負荷テストを体験します。

作業ディレクトリとして~/work/ch12/locust/ を作成し、その中で進めていきます。

```
$ mkdir -p ~/work/ch12/locust/
```

12.3.1　Locustの概要

Locustは負荷テストツールの一つであり、複数のworkerを利用した分散実行にも対応しています[*4]。コンテナはその数を容易に増減できるため、Locustのような分散処理用途に向いています。

Locustは Pythonで書かれているため、負荷テストのシナリオをPythonで記述できます。プログラマブルにシナリオを記述できるため、自由度と機敏さに優れています。

例として、 locustfile.pyというファイル（**リスト12.8**）を作成します。

＊4　　負荷テストツールとしてはJmeterが有名で高機能ですが、GUIを操作することもあるため負荷テストの実行までにいろいろなステップが必要となりますし、負荷テスト実行までの敷居がそれなりに高いものがあります。

負荷テスト **12.3**

リスト 12.8 Locustのシナリオ実装

~/work/ch12/locust/locustfile.py

```python
from locust import HttpUser, task, between


class EchoUser(HttpUser):
    wait_time = between(1, 5)

    @task
    def index(self):
        self.client.get("/")
```

このシナリオは非常に単純なものです。/ へGETリクエストするシナリオを定義しています。
作成した locustfile.py は、後ほど12.3.2で利用します。

12.3.2　Kubernetes上のアプリケーションに対する負荷テスト

Locustの実行と負荷テスト対象のアプリケーションは、ローカルKubernetes環境に構築します。

負荷テスト対象をKubernetesにデプロイする

負荷テストの対象となる環境が必要なため、ローカルKubernetes環境にechoアプリケーション
を構築します。Helmを用います。

echo-values.yaml（**リスト 12.9**）を作成し、Podを複数実行できる設定をします。

リスト 12.9　replicaCountを上書きするカスタムvaluesファイル

~/work/ch12/locust/echo-values.yaml

```yaml
replicaCount: 3
```

Helmでechoアプリケーションを load-test という Namespace にデプロイします。

```
(~/work/ch12/locust) $ helm install echo oci://ghcr.io/gihyodocker/chart/echo --vers↩
ion v0.0.1 \
  --create-namespace \
  --namespace load-test \
  --values ./echo-values.yaml
```

LocustをKubernetesにデプロイする

続いて、LocustをローカルKubernetes環境にデプロイします。

シナリオを記述した locustfile.py を Pod へとボリュームマウントするために、設定ファイル
を扱うためのリソースである ConfigMap を作成します。ConfigMap は初出ですが、利用方法は
Secret とさほど変わりません。秘匿情報を扱う場合は Secret、そうでなければ ConfigMap という
使い分けになります。

Secret 同様に、 kubectl create configmap コマンドでファイルからマニフェストファイルを作

499

12. コンテナのさまざまな活用方法

成できます。

リスト 12.10 のコマンドで `configmap.yaml` ファイルに出力します。

リスト 12.10　locustfile.pyを ConfigMapにするコマンド

```
(~/work/ch12/locust) $ kubectl -n load-test create configmap locust --from-file=./lo←
custfile.py --save-config --dry-run=client -o yaml > configmap.yaml
```

`configmap.yaml` は**リスト 12.11** のようになっています。

リスト 12.11　Locustのシナリオファイルを定義した ConfigMap

~/work/ch12/locust/configmap.yaml

```
apiVersion: v1
data:
  locustfile.py: |
    from locust import HttpUser, task, between


    class EchoUser(HttpUser):
        wait_time = between(1, 5)

        @task
        def index(self):
            self.client.get("/")
kind: ConfigMap
metadata:
  annotations:
    kubectl.kubernetes.io/last-applied-configuration: |
      {"kind":"ConfigMap","apiVersion":"v1","metadata":{"name":"locust","namespac←
e":"load-test","creationTimestamp":null},"data":{"locustfile.py":"from locust import←
 HttpUser, task, between\n\n\nclass EchoUser(HttpUser):\n    wait_time = between(1, ←
5)\n\n    @task\n    def index(self):\n        self.client.get(\"/\")\n"}}
  creationTimestamp: null
  name: locust
  namespace: load-test
```

次に、Locustを分散して実行できるよう構築します。Workerに対して指示を出す `locust-master` と、Workerのコンテナである `locust-worker` を構築します。

Master側のマニフェストとして `deployment-master.yaml`(**リスト 12.12**)を作成します。

リスト 12.12　master向けLocustのマニフェスト

~/work/ch12/locust/deployment-master.yaml

```
apiVersion: apps/v1
kind: Deployment
metadata:
  name: locust-master
  namespace: load-test
  labels:
    app.kubernetes.io/name: locust-master
spec:
  replicas: 1
```

```yaml
  selector:
    matchLabels:
      app.kubernetes.io/name: locust-master
  template:
    metadata:
      labels:
        app.kubernetes.io/name: locust-master
    spec:
      containers:
        - name: locust
          image: locustio/locust:2.16.1
          args:
            # ① Masterとして実行
            - "--master"
            # ② 負荷テストの対象となるURLを指定
            - "-H"
            - "http://echo"
            # ③-3 マウントしたファイルを指定
            - "-f"
            - "/usr/share/locust/locustfile.py"
          ports:
            # ④-1 Workerから接続されるポート
            - containerPort: 5557
              name: conn
              protocol: TCP
            # ⑤-1 LocustのWebサーバポート
            - containerPort: 8089
              name: web
              protocol: TCP
          volumeMounts:
            # ③-2 ConfigMapのVolumeをマウント
            - name: locust
              mountPath: "/usr/share/locust"
              readOnly: true
      volumes:
        # ③-1 ConfigMapからVolumeを定義
        - name: locust
          configMap:
            name: locust

---
apiVersion: v1
kind: Service
metadata:
  name: locust-master
  namespace: load-test
  labels:
    app.kubernetes.io/name: locust-master
spec:
  ports:
    # ④-2 Workerから接続されるポート
    - name: conn
      port: 5557
      targetPort: conn
    # ⑤-2 LocustのWebサーバポート
```

12. コンテナのさまざまな活用方法

```
      - name: web
        port: 8089
        targetPort: web
  selector:
    app.kubernetes.io/name: locust-master
```

①ではLocustをMasterとして実行するために、--masterオプションを指定します。

②は負荷テストの対象となるURLです。Helmでデプロイされたechoのserviceは、クラスタ内ではhttp://echo.load-test.cluster.svc.localで参照できます。locust-masterは同一のNamespaceにデプロイするため、http://echoと省略可能です。

③-1～3はシナリオファイルを定義したConfigMapを利用する設定です。

MasterはWorkerからの接続が必要です。また、Webアプリケーションとしての役割も担います。そのため、④-1～2と⑤-1～2でポートの設定を行い、Service経由で参照できるようにします。

次に、Worker側のマニフェストファイルとして、deployment-worker.yaml(**リスト12.13**)を作成します。

リスト12.13　worker向けLocustのマニフェスト

`~/work/ch12/locust/deployment-worker.yaml`

```
apiVersion: apps/v1
kind: Deployment
metadata:
  name: locust-worker
  namespace: load-test
  labels:
    app.kubernetes.io/name: locust-worker
spec:
  # ① Workerを3つ用意
  replicas: 3
  selector:
    matchLabels:
      app.kubernetes.io/name: locust-worker
  template:
    metadata:
      labels:
        app.kubernetes.io/name: locust-worker
    spec:
      containers:
        - name: locust
          image: locustio/locust:2.16.1
          args:
            # ② Workerとして実行
            - --worker
            # ③ MasterのServiceをホストとして指定
            - "--master-host=locust-master"
            - "-H"
            - "http://echo"
            - "-f"
            - "/usr/share/locust/locustfile.py"
          volumeMounts:
```

負荷テスト **12.3**

```
          - name: locust
            mountPath: "/usr/share/locust"
            readOnly: true
      volumes:
        - name: locust
          configMap:
            name: locust
```

①ではレプリカ数を複数設定することで、WorkerのPodを複数実行できるようにします。Worker数の調整は、レプリカ数を変更するだけで済みます。

②ではLocustをWorkerとして実行するために、 --workerオプションを指定します。また、WorkerはMasterに接続する必要があるため、③でMasterのホスト名にService名を指定します[*5]。

ここまで作成したマニフェスト群をKustomizeで取りまとめます。次のコマンドでkustomization.yamlを作成します。

```
(~/work/ch12/locust) $ kustomize create --autodetect
```

作成されたkustomization.yamlは次のようになります。

```
apiVersion: kustomize.config.k8s.io/v1beta1
kind: Kustomization
resources:
- configmap.yaml
- deployment-master.yaml
- deployment-worker.yaml
```

kustomization.yamlからマニフェストを生成し、次のようにkubectlでapplyします。

```
(~/work/ch12/locust) $ kustomize build . | kubectl apply -f -
configmap/locust created
service/locust-master created
deployment.apps/locust-master created
deployment.apps/locust-worker created
```

Locustで負荷テストを実行する

負荷テストの実行はLocustのWebアプリケーションから行います。ローカルの8089ポートをlocust-masterの8089ポートにポートフォワーディングします。

＊5 locust-master Serviceで定義した5557ポートに接続します。

```
$ kubectl -n load-test port-forward service/locust-master 8089:8089
Forwarding from 127.0.0.1:8089 -> 8089
Forwarding from [::1]:8089 -> 8089
```

ブラウザでhttp://localhost:8089を開くと、LocustのWebアプリケーション（**図 12.3**）が表示されます。

図12.3　LocustのWebアプリケーション

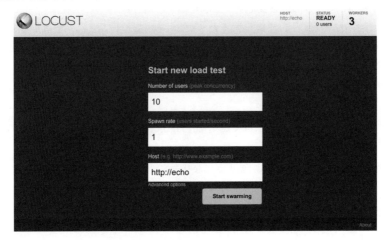

「Number of users」は作成するクライアント数で、「Spawn rate」は毎秒のクライアント作成数です。試しに「Number of users」を10に、「Spawn rate」を1で「Start swarming」をクリックします。すると負荷テストが開始されます。

Statistics(**図12.4**)ではリクエストの実行状況を、Charts(**図 12.5**)ではリアルタイムにリクエスト数や平均レスポンスタイムといったチャートを見ることができます。

図12.4 LocustのStatistics

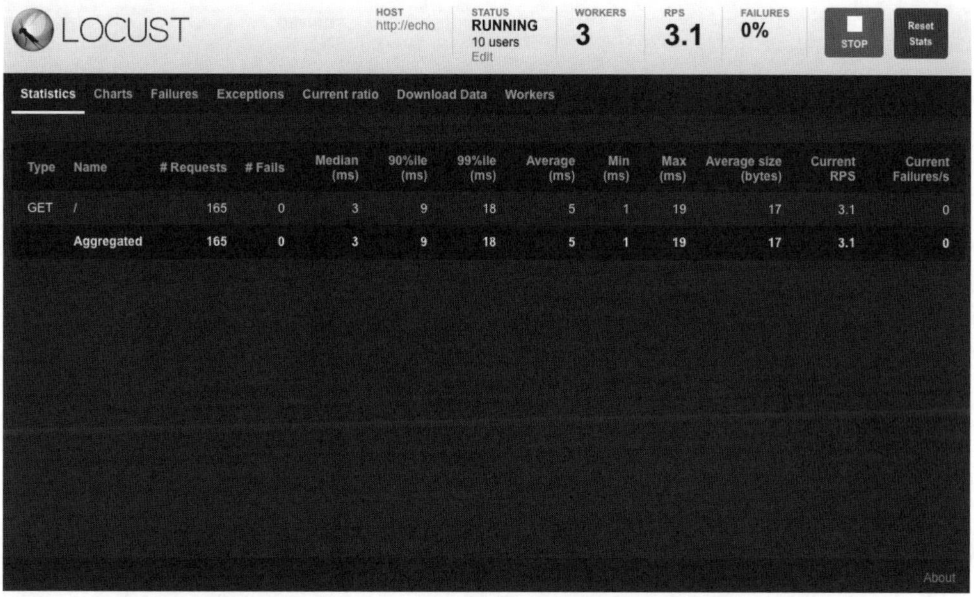

図12.5 LocustのCharts

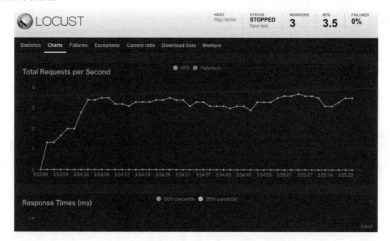

負荷テストは右上の「STOP」ボタンで停止できます。

12. コンテナのさまざまな活用方法

図12.6 LocustのWorker一覧

このように、コンテナを利用すればMaster/Workerベースの負荷テスト環境を簡単に準備できます。負荷テストをかける側もコンテナで実行する手法は珍しくありません。

コラム　k6での負荷テストの実行

近年ではk6[a]というOSSの負荷テストツールも人気になってきています。k6には次のような特徴があります。

- シナリオをJavaScriptで記述できる
- 大量のユーザを効率的にシミュレート可能なアーキテクチャ
- HTTP/2、gRPC、WebSocket等のプロトコルにも対応

k6自体はGo言語で書かれていますが、JavaScriptでのシナリオの実装が可能です。単純に負荷テスト対象にHTTPリクエストを送信する場合は、**リスト12.14**のようなシンプルな実装になります。

リスト12.14　k6でHTTPリクエストを送信するシナリオ

```
import http from 'k6/http';
import { sleep } from 'k6';

export default function () {
  http.get('https://test.k6.io');
  sleep(1);
}
```

k6はgrafana/k6[b]というコンテナイメージが公開されているため、コンテナでの実行（**図12.7**）も可能です。

負荷テスト **12.3**

図12.7　コンテナでのk6の実行

```
docker container run --rm -i grafana/k6:0.46.0 run --vus 1 --duration 5s - < script.js
WARNING: The requested image's platform (linux/amd64) does not match the detected host platform (linux/arm64/v8) and no specific platform was requested


          /\      |‾‾|  /‾‾/   /‾‾/
     /\  /  \     |  |_/  /   /  /
    /  \/    \    |      |  /  ‾‾\
   /          \   |  |‾\  \ |  (_) |
  / _____ \  |__|  \__\ \_____/ .io

  execution: local
     script: -
     output: -

  scenarios: (100.00%) 1 scenario, 1 max VUs, 35s max duration (incl. graceful stop):
           * default: 1 looping VUs for 5s (gracefulStop: 30s)


running (01.0s), 1/1 VUs, 0 complete and 0 interrupted iterations
default   [  19% ] 1 VUs  1.0s/5s

running (02.0s), 1/1 VUs, 1 complete and 0 interrupted iterations
default   [  39% ] 1 VUs  2.0s/5s

running (03.0s), 1/1 VUs, 2 complete and 0 interrupted iterations
default   [  59% ] 1 VUs  3.0s/5s

running (04.0s), 1/1 VUs, 2 complete and 0 interrupted iterations
default   [  79% ] 1 VUs  4.0s/5s

running (05.0s), 1/1 VUs, 3 complete and 0 interrupted iterations
default   [  99% ] 1 VUs  5.0s/5s

     data_received..................: 52 kB 9.9 kB/s
     data_sent......................: 732 B 141 B/s
     http_req_blocked...............: avg=103.23ms min=110.83µs med=574.29µs max=411.67ms p(90)=288.47ms p(95)=350.07ms
     http_req_connecting............: avg=44.54ms  min=0s       med=0s       max=178.17ms p(90)=124.72ms p(95)=151.44ms
     http_req_duration..............: avg=189ms    min=186.31ms med=187.28ms max=195.13ms p(90)=192.91ms p(95)=194.02ms
       { expected_response:true }...: avg=189ms    min=186.31ms med=187.28ms max=195.13ms p(90)=192.91ms p(95)=194.02ms
     http_req_failed................: 0.00% ✓ 0        ✗ 4
     http_req_receiving.............: avg=6.25ms   min=3.35ms   med=6.89ms   max=9.47ms   p(90)=9.25ms   p(95)=9.36ms
     http_req_sending...............: avg=1.23ms   min=339.25µs med=511.18µs max=3.56ms   p(90)=2.66ms   p(95)=3.11ms
     http_req_tls_handshaking.......: avg=54.34ms  min=0s       med=0s       max=217.39ms p(90)=152.17ms p(95)=184.78ms
     http_req_waiting...............: avg=181.51ms min=173.99ms med=183.43ms max=185.19ms p(90)=184.76ms p(95)=184.97ms
     http_reqs......................: 4      0.768413/s
     iteration_duration.............: avg=1.29s    min=1.19s    med=1.19s    max=1.6s     p(90)=1.48s    p(95)=1.54s
     iterations.....................: 4      0.768413/s
     vus............................: 1      min=1       max=1
     vus_max........................: 1      min=1       max=1


running (05.2s), 0/1 VUs, 4 complete and 0 interrupted iterations
default ✓ [ 100% ] 1 VUs  5s
```

　k6単体ではJMeterやLocustのような分散実行には対応していません[c]。分散実行できないことは不利に感じるかもしれませんが、その分効率的にマシンリソースを使用できるため、単一のk6プロセスで3万〜4万の同時ユーザを生成できます。この規模であれば秒間30万リクエスト（RPS）の生成も無理な数字ではないため、多くのケースでは事足りるでしょう[d]。

---

[a]　https://k6.io/

[b]　https://hub.docker.com/r/grafana/k6

[c]　Kubernetesをk6の実行環境とし、https://github.com/grafana/k6-operatorを利用すると分散実行は可能です。

[d]　ユーザ数やリクエスト数の規模の見積もりはhttps://k6.io/docs/testing-guides/running-large-tests/から引用。

A.
開発ツールのセットアップ

A. 開発ツールのセットアップ

Docker や Kubernetes を用いた開発を行う上でさまざまな開発ツールが必要であり、本書もこれらの利用を前提に書かれています。本章では開発ツールのセットアップについて解説します。

A.1 WSL2

WSL は **Windows Subsystem for Linux** の略であり、バージョン 2 である WSL2 は Microsoft 社が Windows 向けに構築した Linux カーネルです。旧バージョンである WSL1 は Linux をエミュレーションしていましたが、WSL2 は完全な Linux カーネルを実現しており、ネイティブな Docker を実行できます[1]。

Windows/WSL2 環境上で Docker 等のコンテナ環境を構築するには、次の方法があります。本書では Docker Desktop を導入します。

- **WSL2 上の Linux 上に直接コマンドラインでインストールする**
- **Docker Desktop（1.4.1）や Rancher Desktop（Appendix A.4）を導入し、WSL2 をバックエンドとする**

A.1.1 WSL2 の前提条件

WSL2 の動作する Windows OS の条件は次の通りです。

- **Windows 10 May 2020 Update 以降の Windows OS**
- **Windows のエディション（Home、Pro など）は問わない**

また、「コントロールパネル」から「プログラムと機能」→「Windows の機能の有効化または無効化」をクリックし、「Linux 用 Windows サブシステム」にチェックが入っていることを確認します。

---

[1] WSL の登場以前は、Hyper-V や VMware、VirtualBox といった仮想化ソフトウェアで実行した Linux 環境上で Docker のデーモンプロセスを実行させる手法で Docker を利用可能にしていました。

図A.1 Linux 用 Windows サブシステムの設定

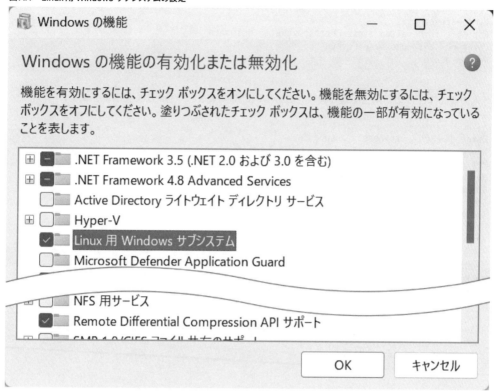

A.1.2 WSL2のインストール

PowerShell（Windows PowerShell）を開き、`wsl --install`コマンドを実行するとUbuntuのインストールが始まります。この処理は数分かかります。

```
PS C:\Users\storm> wsl --install
インストール中: Ubuntu
Ubuntu がインストールされました。
Ubuntu を起動しています...
Installing, this may take a few minutes...
```

Linuxのアカウント作成を求められるので、任意のユーザ名とパスワードを入力します[*2]。

---

*2　Windowsのログインアカウント名と同じにする必要はありません。

A. 開発ツールのセットアップ

```
Please create a default UNIX user account. The username does not need to match your ←
Windows username.
For more information visit: https://aka.ms/wslusers
Enter new UNIX username: gihyo
New password:
```

入力後にユーザの初期化処理が実行され、WSL2で構築されたLinuxを利用できます。

```
Enter new UNIX username: gihyo
New password:
Retype new password:
passwd: password updated successfully
Installation successful!
To run a command as administrator (user "root"), use "sudo <command>".
See "man sudo_root" for details.

Welcome to Ubuntu 22.04.2 LTS (GNU/Linux 5.15.90.1-microsoft-standard-WSL2 x86_64)

 * Documentation:  https://help.ubuntu.com
 * Management:     https://landscape.canonical.com
 * Support:        https://ubuntu.com/advantage


This message is shown once a day. To disable it please create the
/home/gihyo/.hushlogin file.
gihyo@stormcat-winintel:~$
```

A.1.3 WSL2で利用できるディストリビューション

　wsl --installコマンドでインストールされるLinuxディストリビューションはUbuntuです。デフォルトのUbuntu以外にも、WSL2はその他にもさまざまなディストリビューションを用意しています。

　利用できるディストリビューションの一覧はwsl --list --onlineコマンドで確認できます。

```
PS C:\Users\storm> wsl --list --online
インストールできる有効なディストリビューションの一覧を次に示します。
'wsl.exe --install <Distro>' を使用してインストールします。

NAME                            FRIENDLY NAME
Ubuntu                          Ubuntu
Debian                          Debian GNU/Linux
kali-linux                      Kali Linux Rolling
Ubuntu-18.04                    Ubuntu 18.04 LTS
Ubuntu-20.04                    Ubuntu 20.04 LTS
Ubuntu-22.04                    Ubuntu 22.04 LTS
OracleLinux_7_9                 Oracle Linux 7.9
OracleLinux_8_7                 Oracle Linux 8.7
OracleLinux_9_1                 Oracle Linux 9.1
```

```
SUSE-Linux-Enterprise-Server-15-SP4    SUSE Linux Enterprise Server 15 SP4
openSUSE-Leap-15.4                      openSUSE Leap 15.4
openSUSE-Tumbleweed                     openSUSE Tumbleweed
```

Debianをインストールする場合は、 wsl —installコマンドにディストリビューション名を指定します。

```
PS C:\Users\storm> wsl --install Debian
インストール中: Debian GNU/Linux
Debian GNU/Linux がインストールされました。
```

インストールされている仮想マシンの一覧と状態を確認するには、 wsl —list —verboseコマンドを実行します。

```
PS C:\Users\storm> wsl --list --verbose
  NAME        STATE         VERSION
* Ubuntu      Stopped       2
  Debian      Stopped       2
```

任意のディストリビューションのシェルにログインするには、 -—distribution(-d)オプションにディストリビューション名を指定して実行します。

```
PS C:\Users\storm> wsl --distribution Debian
gihyo@stormcat-winintel:/mnt/c/Users/storm$
```

ディストリビューション名を指定せずにwslコマンドを実行すると、デフォルトのディストリビューションにログインします。

WSL2により手軽に安定したLinux環境を用意できるようになり、コンテナ環境の構築にも有用なので積極的に利用していきましょう。

本書ではWindows環境におけるコンテナやサンプルアプリケーションの操作を、コマンドプロンプトやPowerShellではなくWSL2で構築したLinux（Ubuntu）で行います。

A.1.4   makeのインストール

本書では、サンプルコードを操作する際にmakeコマンドが必要になる箇所があります。WSL上のシェルで、次のようにaptコマンドを使ってインストールしてください。

```
$ sudo apt update
$ sudo apt install make
```

A. 開発ツールのセットアップ

> **コラム** **WSL2を用いた開発スタイルの定着**
>
> 　Linux環境の簡単な構築を実現したWSL2はWindows環境の開発体験を向上させました。使い慣れたWindowsを利用でき、LinuxやmacOSに縛られる必要がないというのも人気の理由ですが、それ以上に普及を後押ししたのが優れた開発体験だと筆者は考えます。
>
> 　Microsoftが提供するVisual Studio Code(vscode)[a][b]は、Windows上にWSL2とシームレスな開発環境を簡単に構築できます。WSL2に対してvscodeの機能を全てそのまま利用でき、WSL2でインストールした仮想環境への接続、ターミナルを開いての仮想環境の操作、WSL2内のファイル操作や編集などが可能です。
>
> **図A.2　Visual Studio CodeでのWSL2環境の操作**
>
>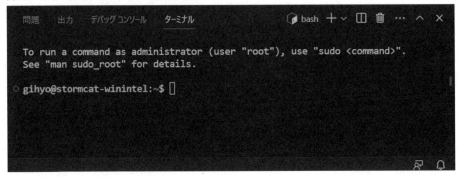
>
> ～～～～～～～～～～～～～～～～～～～～～～～～～～～～～～～～
>
> [a] https://code.visualstudio.com/
> [b] https://github.com/Microsoft/vscode-remote-release

A.2 asdf

　本書はコンテナやサンプルアプリを扱うためのさまざまなツールを利用しており、読み進める上で読者にはそれぞれインストールしてもらう必要があります。

　しかし、それぞれインストール方法は異なりますし、絶えずツールのバージョンは新しくなっていきます。本書で想定したバージョン以外のツールを使用してしまうと、期待した結果が得られない可能性があります。これをできるだけ回避するため、本書ではバージョン管理ツールの**asdf**を使用し、ツールのインストール簡便化と、バージョンの固定を実現します。

A.2.1　asdfとは

asdf[3]は言語ランタイムやコマンドラインツールをインストール、バージョン管理するためのソフトウェアであり、OSSとして開発されています。asdfによるツールのインストールは、それぞれのツールに対応したプラグインによって行われます。asdfのプラグインは数多く公開されており、ポピュラーなツールはある程度カバーされています。また、独自のプラグインを作って任意のツールのインストールとバージョン管理も可能です。

asdfの特徴は次のようになっています。

- 統一的な操作でツールをインストールできる
- 同じツールを複数バージョンインストールでき、場合によっては利用するバージョンを変更できる
- 設定ファイルでグローバルに使用するバージョンと、リポジトリ内で使用するバージョンを明確に定義できる

設定ファイルがあることでツールのバージョンを共有できるため、書籍が依存するツールのバージョン管理や、チーム開発においても有用です。

A.2.2　asdfのインストール

asdfはシェルで実行されるため、LinuxやmacOS環境で動作します。Windows上のシェルでは動作が保証されていませんが、Appendix A.1で構築したLinux仮想マシンでは動作します。asdfはGitとcurlに依存するため、インストールされていなければしておきます[4]。

asdfをインストールする方法はいくつかありますが[5]、Gitでのインストール方法を紹介します。まず、asdfのリポジトリを~/.asdfディレクトリにcloneします。

```
$ git clone https://github.com/asdf-vm/asdf.git ~/.asdf --branch v0.12.0
```

次に、シェル起動時の設定ファイル（.bashrc等）に、asdfのスクリプトとコマンド補完の設定を読み込ませられるように次の処理を追記します。

```
. "$HOME/.asdf/asdf.sh"
. "$HOME/.asdf/completions/asdf.bash"
```

＊3　https://asdf-vm.com/

＊4　WSL2で構築するUbuntuであれば、Gitとcurlはデフォルトでインストールされています。

＊5　詳細は https://asdf-vm.com/guide/getting-started.html を参照してください。

A. 開発ツールのセットアップ

A.2.3　ツールのインストール

asdfはプラグインを介してツールをインストールします。公開されているasdfのプラグインは次のように確認できます。

```
$ asdf plugin list all
```

例として、Neovimをインストールしてみましょう。

まず、asdf plugin add プラグイン名 コマンドでプラグインを追加します。

```
$ asdf plugin add neovim
```

インストール可能なバージョンは、asdf list all プラグイン名 で確認できます。

```
$ asdf list all neovim
0.1.0
...
0.9.0
0.9.1
nightly
stable
```

Neovimのバージョン0.8.0をインストールするには、asdf install プラグイン名 バージョンを実行します。最新版をインストールしたい場合は、asdf install プラグイン名 latestを実行します。

```
$ asdf install neovim 0.8.0
$ asdf install neovim latest
```

A.2.4　利用するバージョンの設定

インストールされたバージョンの確認は次のようにします。指定した0.8.0に加え、この時点での最新である0.9.1もインストールされています。

```
$ asdf list neovim
  0.8.0
  0.9.1
```

利用したいバージョンを設定するには、asdf global neovim バージョン コマンドを実行します。バージョンにはlatestの指定も可能です。

```
$ asdf global neovim 0.8.0
```

global コマンドで固定したバージョンはディレクトリを問わず適用されます。この設定は~/.to ol-versionsという設定ファイルに追記されています。nvimコマンドのバージョンを確認すると、指定したバージョン系統であることが確認できます。

```
$ cat ~/.tool-versions
neovim 0.8.0

$ nvim -v
NVIM v0.8.0-1210-gd367ed9b2
```

また、特定のディレクトリ内でだけ違うバージョンを使うという設定も可能です。asdf local プラグイン名 バージョンコマンドを実行します。この場合は、対象のディレクトリに .tool-versionsファイルが作成され、ディレクトリ内で限定なバージョンが適用されます[6]。

```
$ mkdir local-test; cd local-test
(local-test) $ asdf local neovim latest

(local-test) $ cat .tool-versions
neovim 0.9.1

(local-test) $ nvim -v
NVIM v0.9.1
```

A.3 kind

kind はコンテナの中でKubernetes クラスタを実行させるためのツールです。「Kubernetes in Docker」の略です。コンテナをKubernetes の Node として使い、Kubernetes クラスタを構築します。

---

[6]　asdf localコマンドで作成した .tool-versionsをGitのリポジトリに含めて共有することが多いです。

A. 開発ツールのセットアップ

図A.3 kindのロゴ

通常、Kubernetesは物理・仮想環境を問わないマルチNode環境に対して構築されます。しかし、Docker Desktopのようなローカル環境ではシングルNodeで構成されるKubernetes環境しか構築できません。kindはローカル環境において、マルチNodeで実用に近いKubernetesクラスタが必要な場合によく利用されます。

A.3.1　kindのインストール

kindはasdf（Appendix A.2）でインストール可能です。

```
$ asdf plugin add kind
$ asdf install kind 0.20.0
$ asdf global kind 0.20.0
```

kindコマンドが実行できることを確認します。

```
$ kind version
kind v0.20.0 go1.20.4 darwin/arm64
```

A.3.2　マルチNodeのKubernetesクラスタをローカル環境に構築する

kindでマルチNodeのKubernetesクラスタを構築します。kindはデフォルトではControl Planeのみで構成されるクラスタを作成するため、マルチNodeを作成するための設定が必要です。

ホームディレクトリにkind-config-gihyo.yamlというファイル名で**リストA.1**のような設定ファイルを作成します。

リストA.1　マルチNodeクラスタの設定ファイル

```
                                                          ~/kind-config-gihyo.yaml
kind: Cluster
apiVersion: kind.x-k8s.io/v1alpha4
name: gihyo # ① クラスタ名が kind-gihyo となる
nodes: # ② Nodeの設定
  - role: control-plane
  - role: worker
  - role: worker
```

```
    - role: worker
```

①の .name ではクラスタの名称を設定できますが、実際に作成されるクラスタ名にはプレフィックスに kind- が付与されます。この場合は kind-gihyo というクラスタ名になります。

②の .nodes 配下に role を定義した Node の設定を列挙します。今回は control-plane となる Node を 1 つ、worker となる Node を 3 つ用意します。

リスト A.2 でローカル Kubernetes 環境にマルチ Node のクラスタを作成できます。

リスト A.2　kindで Kubernetes クラスタを作成

```
$ kind create cluster --config ~/kind-config-gihyo.yaml
Creating cluster "gihyo" ...
 ✓ Ensuring node image (kindest/node:v1.27.3) 📦
 ✓ Preparing nodes 📦 📦 📦 📦
 ✓ Writing configuration 📜
 ✓ Starting control-plane ⚓
 ✓ Installing CNI 🔌
 ✓ Installing StorageClass 💾
 ✓ Joining worker nodes 🚜
Set kubectl context to "kind-gihyo"
You can now use your cluster with:

kubectl cluster-info --context kind-gihyo

Have a nice day! 👋
```

kindでクラスタが構築されると、自動的に kubectl のコンテキストが変更されます。

```
$ kubectl config current-context
kind-gihyo
```

構築された Node の一覧は **リスト A.3** で確認できます。

リスト A.3　kindで構築されたクラスタの Node 一覧

```
$ kubectl get nodes
NAME                   STATUS   ROLES           AGE     VERSION
gihyo-control-plane    Ready    control-plane   5m21s   v1.27.3
gihyo-worker           Ready    <none>          5m3s    v1.27.3
gihyo-worker2          Ready    <none>          5m2s    v1.27.3
gihyo-worker3          Ready    <none>          5m3s    v1.27.3
```

コラム　Docker in Docker(dind) / Container in Container

Kubernetes では Control Plane やアプリケーションのコンテナをマルチ Node で実行しています

A. 開発ツールのセットアップ

が、kindではどのようにマルチNodeが実現されているのでしょうか？

実はkindではkindのコンテナ自体がNodeとして動作しており、kindのコンテナの中でControl Planeやアプリケーションのコンテナが実行されています。つまり、コンテナが入れ子になって動作しているのです。図A.3はまさにそれを表現したロゴとなっています[a]。

kindだけではなく、コンテナの中でDockerホストを実現するための`docker:dind`というコンテナイメージも公開されています[b]。dindは「Docker in Docker」の略で、コンテナの入れ子を前提にしたコンテナイメージには慣例として`dind`というイメージタグが利用されます。

昨今はDocker以外のコンテナエンジンもあるため、「Container in Container」という表現の方が正しいかもしれません。

---

[a] ロシアの民芸品であるマトリョーシカ人形をイメージするとわかりやすいでしょう。
[b] dindコンテナはホスト側のリソースを扱うための特権である`--privileged`オプションを与えて実行します。

A.4 Rancher Desktop

Rancher DesktopはOSSのデスクトップ向けコンテナ実行環境です。

本書ではDocker Desktopをローカルコンテナ環境として利用しているため、Rancher Desktopのセットアップの必要はなく、参考までに掲載します[7]。

Rancher Desktopはhttps://rancherdesktop.io/ からダウンロードできます。Windows、macOS、Linuxに対応しています。

図A.4 Rancher Desktopのダウンロードページ

ダウンロードしたファイルを使い、Rancher Desktopをインストールします。セットアップの完了画面（図A.5）で、「Run Rancher Desktop」にチェックを入れて「Finish」をクリックします。

---

[7] 本書の内容はRancher Desktopでも実践できます。

図 A.5　Rancher Desktopのセットアップウィザード

Rancher Desktopが起動し、GUIのアプリケーション（**図 A.6**）が開きます。

図 A.6　Rancher DestkopのGUI

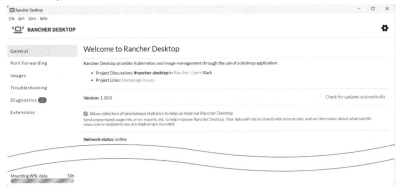

Rancher Desktopでは利用するコンテナエンジンを選択できます。デフォルトではコンテナエンジンとしてdockerd(Moby)が利用されていますが、containerd[*8]も選択できます。

図 A.7　Rancher Desktopのコンテナエンジン設定

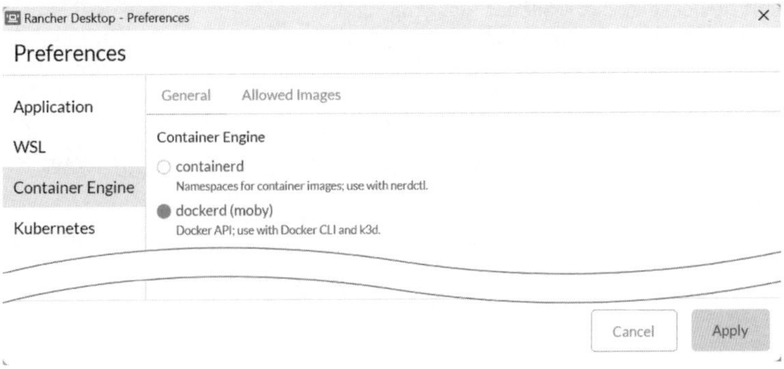

また、Rancher DesktopでもDocker Desktopと同様にKubernetesを実行できます。Rancher

---

[*8]　containerdについてはAppendix C.1.1にて解説します。

A. 開発ツールのセットアップ

Desktop初回起動時にKubernetes環境が構築されています。

図A.8 Rancher DesktopのKubernetes設定

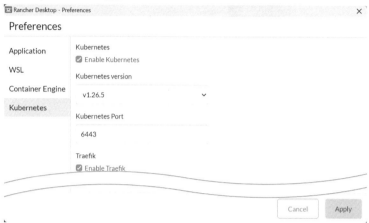

Rancher Desktopをインストールすると、`kubectl`のコンテキストに`rancher-desktop`が追加されます。

```
$ kubectl config get-contexts
CURRENT   NAME              CLUSTER           AUTHINFO          NAMESPACE
*         docker-desktop    docker-desktop    docker-desktop
          rancher-desktop   rancher-desktop   rancher-desktop
```

次のようにコンテキストを`rancher-destop`に変更すると、Rancher DesktopのKubernetes環境を利用できます。

```
$ kubectl config use-context rancher-desktop
Switched to context "rancher-desktop".
```

Docker Desktopにはサブスクリプションプラン（第1章のコラム「Dockerのサブスクリプションプラン」で解説）が導入されたため、無料で利用できるRancher Desktopを選択するユーザも増えてきています。

B.
さまざまなコンテナ
オーケストレーション環境

B. さまざまなコンテナオーケストレーション環境

本編では Kubernetes 実行環境として主に Docker Desktop を利用してきました。しかし、実際の
プロジェクトにおいては、パブリッククラウドやオンプレミス環境に開発・本番環境の Kubernetes
環境を構築して運用します。

本章では、代表的なパブリッククラウドである Google Cloud、AWS、Azure が提供する Kubernetes
サービスを使い、Kubernetes クラスタを構築します。さらに、オンプレミス環境への Kubernetes
クラスタ構築や、Amazon ECS についても解説します。

B.1 Google Kubernetes Engine(GKE)

Google Kubernetes Engine(以下、GKE) は Google Cloud で提供されているマネージド Kubernetes
サービスです。

Google が Kubernetes の開発を主導していることもあり、Kubernetes の各種マネージドサービス
の中では最も早く新しいバージョンが投入される傾向があります。

まず GKE を利用する前の準備から始めます。プロジェクトの作成、Google Cloud のコマンドラ
インツールである Google Cloud SDK のインストールを行います。最後に、GKE に Kubernetes クラ
スタを新規作成します。

Google Cloud に登録していない方は Google Cloud の無料トライアル登録 URL[1]で新規登録して
ください。新規登録の場合は 90 日間有効なトライアルを利用できます。年間$300 のクレジットが
得られるので活用しない手はありません[2]。

B.1.1　GKEクラスタの構築準備

Google Cloud は Google アカウント[3]があれば利用できます。

ブラウザで Google Cloud Console[4]を開くと、Google の認証画面が表示されます。Google アカ
ウントでサインインします。

Google Cloud プロジェクトの作成

Google Cloud Console にサインインできたら、学習用として Google Cloud のプロジェクト
gihyo-container を作成します[5]。

図 B.1 のように、「プロジェクト名」に gihyo-container を指定します。「プロジェクト名」とは

＊1　https://cloud.google.com/free/

＊2　トライアルの内容は変更されることがあります。詳しくは https://cloud.google.com/free/docs/free-cloud-features を参照してくだ
さい。

＊3　Google、Google Workspace を利用しているアカウントで問題ありません。

＊4　https://console.cloud.google.com

＊5　Google Cloud に新規登録すると「My First Project」というプロジェクトがデフォルトで作成されます。

別に「プロジェクトID」も割り振られます[6]。「作成」をクリックします。

図B.1　GCPプロジェクトの新規作成

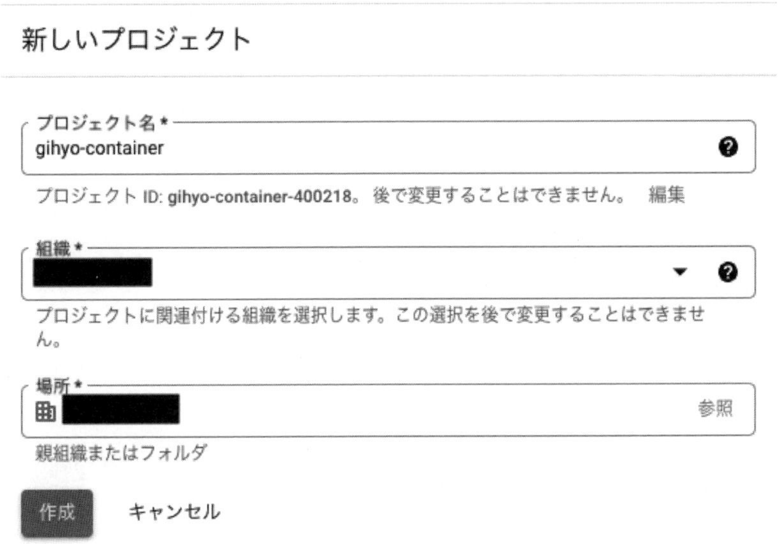

gcloud CLIのセットアップ

Google Cloudのプロダクトとサービスを操作するために、Cloud SDK[7]というライブラリとツールが提供されています。

コマンドラインからGoogle Cloudを操作するには、Cloud SDKのCLIツールであるgcloud CLIで行います。gcloud CLIのインストール方法は利用するOSにより異なるため、gcloud CLIのドキュメント[8]からインストールしてください。

gcloud CLIは`gcloud`コマンドで実行できます。本格的に利用する前に、次のコマンドでコンポーネントのバージョンアップを行います。

```
$ gcloud components update
```

GKE 1.26からは`kubectl`での認証に対する変更が入ったため、gke-gcloud-auth-plugin[9]を追加でインストールする必要があります。次のコマンドでインストールします。

```
$ gcloud components install gke-gcloud-auth-plugin
```

---

[6]　プロジェクト名がグローバルでユニークでない場合、サフィックスに連番が付与されます。

[7]　https://cloud.google.com/sdk?hl=ja

[8]　https://cloud.google.com/sdk/docs/install?hl=ja

[9]　https://cloud.google.com/kubernetes-engine/docs/deprecations/auth-plugin?hl=ja

B. さまざまなコンテナオーケストレーション環境

gcloud CLIで各自のGoogle Cloudプロジェクトを制御できるようにするため、次のコマンドで認証を行います。コマンドを実行するとWebブラウザが起動し、サインインを求められます。

```
$ gcloud auth login
```

gcloud CLIで操作するGoogle CloudのプロジェクトIDを設定する必要があります。プロジェクトIDは次のコマンドで確認できます。

```
$ gcloud projects list
PROJECT_ID              NAME             PROJECT_NUMBER
gihyo-container-400218  gihyo-container  274156061871
```

gcloud config set project [プロジェクトID]コマンドで操作するプロジェクトを設定できます。次のように設定します[*10]。

```
$ gcloud config set project gihyo-container-xxxxxx
Updated property [core/project].
```

gcloud CLIが操作するデフォルトのリージョンを設定します。東京リージョンを表すasia-northeast1を指定し、コマンドを実行します[*11]。

```
$ gcloud config set compute/region asia-northeast1
Updated property [compute/region].
```

Kubernetes Engine APIを有効にする

GKEクラスタを操作するためには、Google CloudのKubernetes Engine APIを有効にする必要があります。次のコマンドを実行して有効にします。

```
$ gcloud services enable container.googleapis.com
```

B.1.2　GKEクラスタの構築

実際にGKEクラスタを構築します。GKEには2つの運用モードが存在するため、その違いを把握しておきましょう。

[*10]　作成したプロジェクトIDで置き換えて実行してください。

[*11]　compute.googleapis.comのAPIを有効にするように促されることがあるため、その場合は有効にします。

Google Kubernetes Engine(GKE)　**B.1**

Kubernetesの運用とGKEクラスタの運用モード

　クラスタの運用モードに触れる前に、Kubernetesの基本的な運用について考えてみましょう。

　5.4で解説したように、KubernetesクラスタはControl Plane群とWorker Node群で構成されます。ローカル以外の環境でKubernetesクラスタを自ら構築する場合、kubeadm*12やkubespray（Appendix B.4.2）といったクラスタ構築ツールを利用します。これらのツールは簡単にKubernetesクラスタを構築できますが、Control PlaneやWorker Nodeとなるサーバは利用者が運用する必要があります。

　Kubernetesを運用する上で、次のような作業が必要となります。

- Control Planeの管理
- Worker Nodeの追加や削除
- ストレージやネットワークの管理
- モニタリング
- Kubernetesのアップデート
- サーバのセキュリティアップデート

　Kubernetesの利用自体にはそれほどハードルが高くなくても、運用にはそれなりの手間がかかることは否めません。GKEを始めとするKubernetesのマネージドサービスは、これらの運用作業の一部を代行してくれます。

　GKEクラスタの運用モードには次の2つが用意されています。開発者は2つの運用モードのうちどれか1つを選択します。

- Standardモード
- Autopilotモード

　Standardモードは基本的な運用モードです。Control PlaneはGKE側で管理されているため、ユーザが管理すべきサーバはWorker Node群だけです。また、アップデート作業もユーザが指示したタイミングで自動的に行ってくれます。モニタリングも充実しているため、よほどの理由がなければGKEのようなマネージドKubernetesサービスを利用するのが良いでしょう。

　AutopilotモードはGKEの構築と運用の手間をさらに軽減してくれる運用モードです。AutopilotではWorker Nodeの管理すら必要ではありません。また、実行するPodが消費するリソースに対して課金がされるため、コストを最適化しやすくなります。

　本書ではAutoPilotモードを使ってGKEクラスタを作成します。

AutopilotでGKEクラスタを構築

　gcloudを用いて `gihyo-gke` という名前でKubernetesクラスタを新規に作成します。

＊12　https://kubernetes.io/docs/reference/setup-tools/kubeadm/

B. さまざまなコンテナオーケストレーション環境

```
$ gcloud container clusters create-auto gihyo-gke
...
kubeconfig entry generated for gihyo-gke.
NAME       LOCATION         MASTER_VERSION  MASTER_IP       MACHINE_TYPE  NODE_VERSIO←
N    NUM_NODES  STATUS
gihyo-gke  asia-northeast1  1.27.3-gke.100  34.84.225.175   e2-medium     1.27.3-gk←
e.100      3          RUNNING
```

作成したクラスタの情報は`gcloud container clusters describe gihyo-gke`コマンドか、Cloud Console(図B.2)で確認できます。

図B.2　Cloud ConsoleのGKEクラスタのページ

GKEクラスタの作成後、`kubectl`のコンテキストは自動的に作成したGKEクラスタに変更されています。

```
$ kubectl config current-context
gke_gihyo-container-400218_asia-northeast1_gihyo-gke
```

次のコマンドで稼働しているNodeを確認できます。AutopilotモードにおいてユーザはNodeの管理は不要ですが、参照はできます。

```
$ kubectl get node
NAME                              STATUS  ROLES   AGE    VERSION
gk3-gihyo-gke-pool-1-3be6fb88-7xzc Ready  <none>  5m58s  v1.27.3-gke.100
```

GKEクラスタの削除

作成したGKEクラスタは次のコマンドを使って削除できます。GKEクラスタはモードを問わず、Podをデプロイしていなくても利用料金が発生します。本書での学習が終わり次第、速やかに削除してください。

```
$ gcloud container clusters delete gihyo-gke
```

B.2 Amazon Elastic Kubernetes Service(EKS)

Amazon Elastic Kubernetes Service(以下、EKS) はAWSで提供されているマネージド Kubernetes サービスです。

AWSにはEKSの他にECS（Amazon ECS）というマネージドサービスもありますが、ECSは独自仕様のコンテナサービスです。

筆者はさまざまな環境でKubernetes環境を構築してきましたが、その中でもEKSの設定に難しさを感じています。手順が多いことや、AWSの各リソースに対しての知識が他のマネージドサービスより求められることなど、初学者にはハードルが高いです。

まずはEKSクラスタを構築する前の準備から始めます。

B.2.1 EKSクラスタの構築準備

EKSを構築する前に、AWSのアカウントが必要です。アカウントといっても特定のユーザを指すものではありません。仮想サーバやEKSといった各種リソースを配置するための論理的なグループであり、Google Cloudで言うところのプロジェクトのようなものです。

ブラウザでAWSアカウント作成画面[13]を開き、AWSアカウントを作成します。「AWSアカウント」は任意でかまいません。以降はアカウント作成者の個人情報や、請求情報等を入力した後にAWSアカウントが作成されます。

アカウントが作成されると、AWSマネジメントコンソールという画面に遷移します。マネジメントコンソールではAWSの各サービスの操作が可能です。ここからはマネジメントコンソール上で動作するシェル環境を使いながら、EKSクラスタ構築の準備をします。

AWS CloudShell の環境準備

AWSのリソースを操作する主な方法は、マネジメントコンソールでGUIを利用するか、AWS CLI[14]を利用するかです[15]。本書では基本的にコマンドライン操作を志向しているため、EKSの構築もコマンドラインで行います。

Google Cloudの場合はWeb経由でCLIに認証ができましたが、AWSの場合は少し勝手が違います。AWSにはデフォルトでその仕組みはありません[16]。

AWS CLIを手早く利用するには、AWS Identity and Access Management(以下、IAM) で必要な権限を持ったユーザとそのアクセスキーを作成する必要があります。しかし、このような構築作業には強い権限が必要になりがちです。やたらに強い権限を持つIAMユーザの作成は避けたいとこ

---

[13] https://portal.aws.amazon.com/billing/signup

[14] https://aws.amazon.com/jp/cli/

[15] AWS SDKをプログラムに組み込んで操作する手法もあります。

[16] AWS IAM Identity Center(https://aws.amazon.com/jp/iam/identity-center/)でその仕組みを構築できます。

B. さまざまなコンテナオーケストレーション環境

ろです。

そこで、AWS は AWS CloudShell[17]というツールを用意しています。AWS CloudShell は Web で事前に認証されたシェルであり、マネジメントコンソール上で実行できます。CloudShell からの AWS 操作は、マネジメントコンソールの GUI による操作と同等の権限があります。

マネジメントコンソール上部の「検索」に cloudshell と入力すると、CloudShell へのリンク（図 B.3）が表示されます。これをクリックして CloudShell の画面を開きます。

図 B.3　AWS CloudShell へのリンク

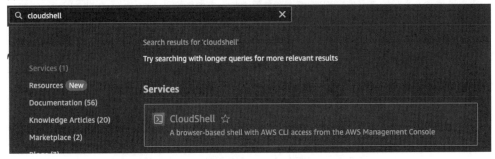

今回は AWS の東京リージョンで作業をするため、右上のリージョン選択を「Asia Pacific(Tokyo) ap-northeast-1」を選択します。

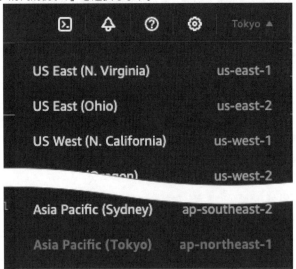

すると、東京リージョンでの CloudShell が立ち上がります。このシェル環境で EKS クラスタを構築していきます。

---

[17] https://docs.aws.amazon.com/ja_jp/cloudshell/latest/userguide/welcome.html

図B.4 AWS CloudShellのシェル実行環境

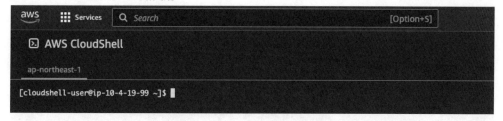

B.2.2　eksctlを用いたEKSクラスタの構築

　AWS CLIでEKSクラスタの操作は可能ですが、その手順は非常に煩雑です。そのため、Weaveworks社がEKSの構築作業を軽減するeksctl[18]というツールを利用します[19]。

　eksctlは設定ファイルでクラスタの構成を定義でき、構築作業や運用を簡単にします。しかし、それでもAWSになじみのないユーザには難しく感じるはずです。

　そこで、筆者がEKSを簡単に構築できるスクリプト[20]を準備しました。本番運用の観点ではさまざまなケアが必要ですが、学習用途では十分です。

　さっそく、次のスクリプトを実行してインストールします。CloudShell環境にはそもそもeksctlがインストールされていないため、必要なツールを導入します。

```
[cloudshell-user@ip-10-4-19-99 ~]$ curl -fsSL https://raw.githubusercontent.com/gihy↵
odocker/cloudshell/main/aws/eks/setup-tools.sh | bash -
```

　リストB.1のコマンドでスクリプトを実行します。-nオプションにgihyo-eksというクラスタ名を、-rオプションには東京リージョンの識別子であるap-northeast-1を指定します。

リストB.1　EKSを簡単に構築するスクリプトを実行

```
[cloudshell-user@ip-10-4-19-99 ~]$ curl -fsSL https://raw.githubusercontent.com/gihy↵
odocker/cloudshell/main/aws/eks/create-eks.sh | bash -s -- -n gihyo-eks -r ap-northe↵
ast-1
```

　CloudShell上でEKSクラスタの構築が始まります（図B.5）。10分から20分程度かかります。

---

[18] https://eksctl.io/
[19] EKSの公式リファレンスにはeksctlでの構築方法が記載されているほどです。
[20] https://github.com/gihyodocker/cloudshell

B. さまざまなコンテナオーケストレーション環境

図B.5　eksctlを活用したスクリプトでEKSクラスタを構築

スクリプトの終了後、作成したクラスタを確認していきます。

CloudShellにはkubectlがプリインストールされています。kubectlのコンテキストを作成した
EKSクラスタにするために、次のコマンドを実行します。

```
[cloudshell-user@ip-10-4-19-99 ~]$ aws eks update-kubeconfig --name gihyo-eks --regi←
on ap-northeast-1
```

スクリプトの終了直後でも、EKSのアドオンであるPodの作成が途中の可能性があります。
kube-systemの次のPodがRunningになっていればEKSクラスタ構築は完了です。

```
[cloudshell-user@ip-10-4-19-99 ~]$ kubectl -n kube-system get pod
NAME                        READY   STATUS    RESTARTS   AGE
aws-node-fh5lr              2/2     Running   0          11m
coredns-57cb7cc4f9-5rfwz    1/1     Running   0          10m
coredns-57cb7cc4f9-b7crz    1/1     Running   0          10m
kube-proxy-6sntx            1/1     Running   0          10m
```

ローカルマシンで作成したEKSクラスタを操作する

CloudShellでkubectlを使ったクラスタの操作を行いましたが、このままではローカル環境で
EKSクラスタを扱えないため少し不便です[21]。そこで、ローカルマシンでkubectlを使ったクラス
タの操作を行えるようにしてみましょう。

実は今回のEKSクラスタの構築時に、筆者が用意したスクリプトでローカルマシン用のIAM

＊21　GitOpsでデプロイを運用する場合、ローカルで操作すべきではないという議論もあります。

ユーザを作成しています。次のように gihyo- をプレフィックスに持つIAMユーザが作成されています[22]。

```
[cloudshell-user@ip-10-4-19-99 ~]$ aws iam list-users
{
    "Users": [
        {
            "Path": "/",
            "UserName": "gihyo-q5uu1z",
            "UserId": "AIDARJ3NAC2YPPHFGHYBC",
            "Arn": "arn:aws:iam::0xxxxxxxxxxx:user/gihyo-q5uu1z",
            "CreateDate": "2023-09-30T18:17:29+00:00"
        }
    ]
}
```

作成したIAMユーザにクラスタの操作権限を与えるには、 kube-sysytemの aws-auth という ConfigMap にIAMユーザを定義し、 system:masters というグループに所属させる必要があります。すでにスクリプトにより、その定義がされています。

```
[cloudshell-user@ip-10-4-19-99 ~]$ kubectl -n kube-system get configmap aws-auth -o ←
yaml
apiVersion: v1
data:
  mapRoles: |
    - groups:
      - system:bootstrappers
      - system:nodes
      rolearn: arn:aws:iam::0xxxxxxxxxxx:role/eksctl-gihyo-eks-nodegroup-worker-Node←
InstanceRole-EMBLG2A6GK0R
      username: system:node:{{EC2PrivateDNSName}}
  mapUsers: |
    - groups:
      - system:masters
      userarn: arn:aws:iam::0xxxxxxxxxxx:user/gihyo-q5uu1z
      username: gihyo-q5uu1z
kind: ConfigMap
metadata:
  creationTimestamp: "2023-09-30T18:30:54Z"
  name: aws-auth
  namespace: kube-system
  resourceVersion: "1937"
  uid: e7c7fa99-d1a3-4abe-9330-be279daaf1a8
```

IAM ユーザを利用するため、アクセスキーとシークレットキーを作成します。次のように、 aws iam create-access-key --user-name [IAMユーザー名] コマンドで作成できるため、その内容を控えておきます。

---

[22] IAMユーザ名には乱数を付与しているため、環境によって異なります。

B. さまざまなコンテナオーケストレーション環境

```
[cloudshell-user@ip-10-4-19-99 ~]$ aws iam create-access-key --user-name gihyo-q5uu1↩
z
{
    "AccessKey": {
        "UserName": "gihyo-q5uu1z",
        "AccessKeyId": "AKIARxxxxxxxxxxxxxxx",
        "Status": "Active",
        "SecretAccessKey": "RHKACxxxxxxxxxxxxxxxxxxxxxxxxxxxxxxxxxxx",
        "CreateDate": "2023-09-30T18:40:54+00:00"
    }
}
```

　ここからはローカルマシンでの操作で、AWS CLIが必要です。インストールされていなければ、asdfで次のようにインストールできます。

```
$ asdf plugin add awscli
$ asdf install awscli 2.13.22
$ asdf global awscli 2.13.22
```

　aws configureコマンドで、先程控えた認証情報を入力します。他のAWSアカウントの認証情報と競合しないよう、gihyoというプロファイルを指定します。

```
$ aws configure --profile gihyo
AWS Access Key ID [None]: AKIARxxxxxxxxxxxxxxx
AWS Secret Access Key [None]: RHKACxxxxxxxxxxxxxxxxxxxxxxxxxxxxxxxxxxx
Default region name [None]: ap-northeast-1
Default output format [None]:
```

　kubectlのコンテキストと認証情報を設定します。次のコマンドを実行します。

```
$ aws eks update-kubeconfig --name gihyo-eks --profile gihyo
Updated context arn:aws:eks:ap-northeast-1:0xxxxxxxxxxx:cluster/gihyo-eks in /Users/↩
stormcat/.kube/config
```

　Node一覧を取得するコマンドを実行すると、次のような結果が返されます。

```
$ kubectl get node
NAME                                                STATUS   ROLES    AGE   VERSION
ip-192-168-125-80.ap-northeast-1.compute.internal   Ready    <none>   15h   v1.28.1-↩
eks-43840fb
```

ノードグループの管理

　EKSではAmazon EC2の仮想マシンをKubernetesのNodeとして扱います。Node群は仮想マシ

ンをグルーピングするノードグループ*23で作成でき、スケールアウト・スケールインも容易です。
EKSのNodeは、次のどちらかの手法を用いて運用できます。

● **セルフマネージド型ノード**[*24]
● **マネージド型ノードグループ**[*25]

セルフマネージド型ノードは、利用者が全てのNodeを管理・運用する手法です。アップグレードやスケーリングは自らで管理する必要がありますが、細かいカスタマイズが可能なため柔軟性があります。

マネージド型ノードグループは、自動でのアップグレードやオートスケーリング、障害復旧等、運用を省力化する手法です。特別な理由がなければ、マネージド型ノードグループを選択すると良いでしょう。

本章で筆者が用意したスクリプトで構築したEKSクラスタは、マネージド型ノードグループを利用しています。スクリプトの中で、**リストB.2**のようなeksctlの設定ファイルを生成し、クラスタを作成しています。

リストB.2　eksctlの設定ファイル

```
apiVersion: eksctl.io/v1alpha5
kind: ClusterConfig

metadata:
  name: gihyo-eks
  region: ap-northeast-1
  version: latest

addons:
  - name: vpc-cni
    version: latest
  - name: coredns
    version: latest
  - name: kube-proxy
    version: latest

# マネージド型ノードグループの設定
managedNodeGroups:
  - name: workers
    labels: { role: workers }
    instanceType: t3.medium
    desiredCapacity: 1
    privateNetworking: true
```

マネージド型ノードグループで作成されたNodeは、EC2の一覧から**図B.6**のように確認でき

---

*23　ノードグループはEC2のオートスケーリング・グループの機能で実現されます。

*24　https://docs.aws.amazon.com/ja_jp/eks/latest/userguide/worker.html

*25　https://docs.aws.amazon.com/ja_jp/eks/latest/userguide/managed-node-groups.html

B. さまざまなコンテナオーケストレーション環境

ます。

図B.6　マネージド型ノードグループで作成された Node

Instances (1) Info				⟳	Connect

🔍 *Find instance by attribute or tag (case-sensitive)*			

Instance state = running ✕	Clear filters

☐	Name ▽	Instance ID	Instance state ▽	Instance type ▽
☐	gihyo-eks-workers-Node	i-0da31bd0e1577d8ac	⊘ Running ⊕⊖	t3.medium

---

コラム **EKS on Fargate**

EKSはAWS Fargate[a]というサーバレスコンピューティング技術でも実行できます。

マネージド型ノードグループは運用を大きく省力化しますが、Node として動いている EC2 の仮想マシンは利用者に隠蔽されているわけではありません。

それに対して Fargate は、利用者がその Node の存在を全く意識することなく利用できます。利用者は Pod の定義だけを EKS クラスタに適用すれば、Fargate が内部で必要なコンピューティングリソースを確保してくれます。t3.medium のようなインスタンスタイプを指定する必要すらありません。

Fargate での実行はメリットだらけに思えるかもしれませんが、Fargate ならではの留意事項がいくつかあります。代表的なものを3つ挙げます。

- **コストが高くなりやすい**
- **Podの起動に時間がかかる**
- **DaemonSetがサポートされていない**

セルフマネージド型・マネージド型ノードグループと Fargate ではそもそもコストモデルが異なるため、単純なコストの比較はできません。ただ、コストが高くなりやすい傾向があります。どちらも EKS の利用料金がかかるのは同じですが、前者はインスタンスの利用料金、後者は Pod が確保する vCPU とメモリの量に応じた利用料金が追加でかかります[b]。

一般的に Fargate よりセルフマネージド型・マネージド型ノードグループのほうが安くなる傾向があるにせよ、Node のリソースが余剰になってしまうスケジューリングをしてしまうと Fargate より高くつくこともあります。これはケースバイケースなのです。

Fargate では Pod 定義を EKS クラスタに反映してから、必要なコンピューティングリソースが確保されます。そのため、すでに Node が存在しているセルフマネージド型、マネージド型ノードグループと違い、その分のオーバーヘッドがあります。Pod の起動は比較的遅くなります。

Fargate はサーバが隠蔽されているため、Kubernetes の Node という概念そのものがなくなります。そのため、各 Node に少なくとも1つの Pod を配置する DaemonSet リソースを利用できま

536

せん。

　このような特徴や、運用やコストのトレードオフを考慮したうえでFargateの利用を検討すると良いでしょう。

　なお、Fargateで動作するEKSクラスタの構築は、eksctlで可能です[c]。

~~~~~~

[a]　https://docs.aws.amazon.com/ja_jp/eks/latest/userguide/fargate.html
[b]　https://aws.amazon.com/jp/fargate/pricing/
[c]　https://eksctl.io/usage/fargate-support/

EKS クラスタの削除

　作成したEKSクラスタはCloudShell内で、次のコマンドを使って削除できます。EKSクラスタはPodをデプロイしていなくても利用料金が発生します。本書での学習が終わり次第、速やかに削除してください。

```
[cloudshell-user@ip-10-4-19-99 ~]$ eksctl delete cluster --name gihyo-eks
```

B.3 Azure Kubernetes Service(AKS)

　Azure Kubernetes Service(以下、AKS)はMicrosoft Azureで提供されているマネージドKuberneteサービスです。

　Azureはサインアップしてから最初の30日間は$200のクレジットを利用できるため、このクレジットの範囲内でAKSを十分に体験できます。

B.3.1　AKSクラスタの構築準備

　AKSクラスタを構築する前の準備から始めます。AKSを利用するために、Azureのアカウントが必要です。ブラウザでAzureのトップページ[26]を開き、「無料で始める」をクリックします。

　既存のMicrosoftのアカウントを保持している場合、そのアカウントでサインアップできます。また、GitHubアカウントでもサインアップできます。

　サインアップ後はAzure potalというWebアプリケーションが開きます。Azure potal上でもAzureの各リソースの操作・管理が可能ですが、本書ではCLIツールであるAzure CLIを利用します。

　なお、Azureではアカウントおよび組織の境界を定めるための「サブスクリプション」という概念があります。Azureではサブスクリプション毎に利用料金が計上されます。Google Cloudで言う

~~~~~~

[26]　https://azure.microsoft.com/ja-jp/free/

B. さまざまなコンテナオーケストレーション環境

ところのプロジェクトのようなものです。

Azure CLIのセットアップ

Azure CLIのインストール方法は利用環境により異なります。Azure CLIのドキュメント*27を参照し、環境に合った方法でAzure CLIをインストールします*28。

Azure CLIでAzureのリソースを操作するには、 `az login` コマンドでAzureサブスクリプションにサインインする必要があります。コマンドを実行するとWebブラウザが起動し、サインインを求められます。

```
$ az login
A web browser has been opened at https://login.microsoftonline.com/organizations/oau←
th2/v2.0/authorize. Please continue the login in the web browser. If no web browser ←
is available or if the web browser fails to open, use device code flow with `az logi←
n --use-device-code`.
```

リソースプロバイダを設定する

Azureのリソースプロバイダは、Azureのサービスやリソースを操作可能にするAPIを提供します。リソースプロバイダは200種類以上存在し、一覧は次のコマンドで確認できます。

```
$ az provider list --output table
```

たとえば、Azureの仮想マシンを操作するには `Microsoft.Compute` というリソースプロバイダが必要です*29。しかし、多くのリソースプロバイダはデフォルトで有効になっていません。そのため、開発者は都度必要なリソースプロバイダを有効にします。

AKSクラスタを構築するには、次の4つのリソースプロバイダが必要です。

- `Microsoft.OperationsManagement`
- `Microsoft.OperationalInsights`
- `microsoft.insights`
- `Microsoft.ContainerService`

リストB.3のコマンドでリソースプロバイダを登録します。

---

*27 https://learn.microsoft.com/ja-jp/cli/azure/

*28 ローカルにインストールせず、Azure Cloud Shell(https://learn.microsoft.com/ja-jp/azure/cloud-shell/overview)でAzure CLIを操作する方法もあります。

*29 `Microsoft.Compute` はデフォルトで利用可能です。

リスト B.3　AKSに必要なリソースプロバイダーを登録するコマンド

```
$ az provider register --namespace Microsoft.OperationsManagement
Registering is still on-going. You can monitor using 'az provider show -n Microsoft.←
OperationsManagement'

$ az provider register --namespace Microsoft.OperationalInsights
Registering is still on-going. You can monitor using 'az provider show -n Microsoft.←
OperationalInsights'

$ az provider register --namespace microsoft.insights
Registering is still on-going. You can monitor using 'az provider show -n microsoft.←
insights'

$ az provider register --namespace Microsoft.ContainerService
Registering is still on-going. You can monitor using 'az provider show -n Microsoft.←
ContainerService'
```

　リソースプロバイダの登録には2～3分かかります。**リストB.4**のコマンドで各リソースプロ
バイダの登録状況を確認できます。「RegistrationState」列が Registered になっていれば登録完了
です。

リスト B.4　リソースプロバイダーの登録状況を確認するコマンド

```
$ az provider show --namespace Microsoft.OperationsManagement --output table
Namespace                        RegistrationPolicy    RegistrationState
-------------------------------  --------------------  -------------------
Microsoft.OperationsManagement   RegistrationRequired  Registered

$ az provider show --namespace Microsoft.OperationalInsights --output table
Namespace                        RegistrationPolicy    RegistrationState
-------------------------------  --------------------  -------------------
Microsoft.OperationalInsights    RegistrationRequired  Registered

$ az provider show --namespace microsoft.insights --output table
Namespace           RegistrationPolicy    RegistrationState
------------------  --------------------  -------------------
microsoft.insights  RegistrationRequired  Registered

$ az provider show --namespace Microsoft.ContainerService --output table
Namespace                        RegistrationPolicy    RegistrationState
-------------------------------  --------------------  -------------------
Microsoft.ContainerService       RegistrationRequired  Registered
```

　これでAKSクラスタを構築する準備は完了です。

B.3.2　AKSクラスタの構築

　ここからはAzure CLIを利用してAKSクラスタを構築します。

　まず、AKSクラスタを配置するリソースグループが必要です。リソースグループはAzureリソー
スが配置される論理的なグループであり、Azureサブスクリプション内で一意です。

B. さまざまなコンテナオーケストレーション環境

リソースグループにはリージョンの指定が必要です。Azureのリージョンは次のコマンドで確認できますが、今回はjapaneastというリージョンを利用します。

```
$ az account list-locations --output table
DisplayName              Name                RegionalDisplayName
-----------------------  ------------------  ------------------------------------
...
Japan East               japaneast           (Asia Pacific) Japan East
...
```

リソースグループは次のコマンドで作成します。リソースグループ名はgihyo、--locationにはリージョン名であるjapaneastを指定します。

```
$ az group create --name gihyo --location japaneast
```

このリソースグループ内にgihyo-aksという名前のAKSクラスタを作成します。**リストB.5**のコマンドを実行します。

リストB.5　AKSクラスタの作成コマンド

```
$ az aks create --resource-group gihyo --name gihyo-aks --enable-managed-identity \
  --network-plugin azure -a ingress-appgw \
  --appgw-name gihyo-gateway --appgw-subnet-cidr "10.225.0.0/16" \
  --node-count 1 --generate-ssh-keys
```

5分から10分程度でAKSクラスタが作成されます。

B.3.3　AKSクラスタの操作

AKSクラスタの認証情報を取得し、kubectlでクラスタを操作できるようにします。さらに、実際にクラスタへアプリケーションをデプロイします。

AKSクラスタの認証情報を取得する

az aks get-credentialsコマンドで、対象のAKSクラスタの認証情報を取得します。

```
$ az aks get-credentials --resource-group gihyo --name gihyo-aks
Merged "gihyo-aks" as current context in /Users/stormcat/.kube/config
```

kubectlのコンテキストは作成したgihyo-aksに変更されます。

```
$ kubectl config current-context
gihyo-aks
```

kubectlでAKSを操作します。`kubectl get node`コマンドは、Nodeとして実行されているAzureの仮想マシンを返します。NodeはAKSのノードプールによって作成され、GKE同様に仮想マシンのスペックの制御やオートスケールに対応しています。

```
$ kubectl get node
NAME                              STATUS  ROLES   AGE    VERSION
aks-nodepool1-23557449-vmss000000 Ready   agent   4m8s   v1.26.6
```

AKSクラスタの削除

作成したAKSクラスタは次のコマンドで削除可能です。AKSクラスタはPodをデプロイしていなくても利用料金が発生します。本書での学習が終わり次第、速やかに削除してください。

```
$ az group delete --name gihyo --yes --no-wait
```

B.4 オンプレミス環境でのKubernetesクラスタの構築

ここまでパブリッククラウドのコンテナ環境を中心に紹介してきましたが、クラウドに頼ることができない事情がある場合、Kubernetesは利用できないのでしょうか？　もちろんNoです。KubernetesはOSSであるため、オンプレミス環境においてもクラスタを構築できます。

ここではKubernetesクラスタを構築するツールであるkubesprayを使用して独自の環境にゼロからクラスタを構築するための手順を解説します。

B.4.1　オンプレミスクラスタの構築準備

オンプレミスクラスタを構築する前に、Control PlaneとNodeとして利用するサーバと、作業用のopsサーバについて説明します。

クラスタとして構築するサーバの準備

まずはクラスタの構築先となる複数のサーバ群を用意します[30]。今回は次の構成のサーバを用意してKubernetesクラスタを構築します。

- 作業用サーバ（ops）x 1台
- Kubernetes Control Planeサーバ（control-plane）x 3台
- Kubernetes Nodeサーバ（node）x 1台

---

[30] オンプレミスでもパブリッククラウドでもかまいません。複数サーバを用意するのが難しい場合は構築の雰囲気を把握してください。

541

B. さまざまなコンテナオーケストレーション環境

- 上記のサーバのOSは全てUbuntu 22.04 LTSとする
- 全てのサーバは閉じられたローカルネットワーク上に構築されており、それぞれプライベートIPアドレスを持つ

これらのサーバの名前とIPアドレスは次のように設定されています。

名前	プライベートIPアドレス	役割
control-plane01	10.90.65.11	Control Plane
control-plane02	10.90.65.12	Control Plane
control-plane03	10.90.65.13	Control Plane
node01	10.90.65.21	Node
ops	10.90.65.90	作業用 (ops)

Control Planeはアプリケーションをデプロイするためのサーバ（node）の管理や、ServiceやPodといったリソースの管理を担う司令塔としての役割を持ちます。Control Planeはクラスタの可用性を確保するために、3台配置することが推奨されています。

GKEのようなマネージドサービスではControl Plane管理やメンテナンスはサービス側によって行われているため、開発者がその存在を意識することはほとんどありませんが、オンプレミス環境ではControl Planeも開発者が構築・メンテナンスをしていく必要があります。

アプリケーションのPodのデプロイ先となるサーバはNodeです。GKEのNodeと同様です。今回は検証用なので1台のみ用意しています。

opsはkubesprayを実行する作業用サーバで、Kubernetesのクラスタには入りません。

今回はopsからAnsibleを利用してkubesprayを実行し、構築先のサーバ群であるControl PlaneとNodeをKubernetesクラスタとして構成されるようにします。

opsのSSH公開鍵の登録

AnsibleはopsサーバからSSH経由で実行されます。opsサーバのrootユーザのSSH鍵を作成し、公開鍵をControl PlaneとNodeサーバに登録しておきます。

```
(root@ops) $ ssh-keygen -t rsa
ssh-rsa AAAAB3NzaC1yc2......
```

作成した公開鍵の登録は全てのControl Plane、Nodeサーバのrootユーザに対して行います。

```
(root@control-plane01) echo "ssh-rsa AAAAB3NzaC1yc2......" >> ~/.ssh/authorized_keys
(root@control-plane02) echo "ssh-rsa AAAAB3NzaC1yc2......" >> ~/.ssh/authorized_keys
(root@control-plane03) echo "ssh-rsa AAAAB3NzaC1yc2......" >> ~/.ssh/authorized_keys
(root@node01) echo "ssh-rsa AAAAB3NzaC1yc2......" >> ~/.ssh/authorized_keys
```

IPv4フォワーディングを有効にする

kubesprayを実行するために構築先サーバのIPv4フォワーディングを有効にします。Ubuntuでは/etc/sysctl.confにIPv4フォワーディングの設定であるnet.ipv4.ip_forwardを記述しますが、デフォルトではコメントアウトされているのでこれを次のようにして有効にします。

```
# Uncomment the next line to enable packet forwarding for IPv4
net.ipv4.ip_forward=1
```

/etc/sysctl.confの変更を反映するには再起動が必要です。再起動をせずに即座に反映したい場合は次のようなコマンドを実行します（有効なのは再起動までのため、/etc/sysctl.confの変更も併せて行っておくべきです）。

```
(root@control-plane01) $ sysctl -w net.ipv4.ip_forward=1
```

B.4.2　kubesprayを用いたEKSクラスタの構築

kubespray[31]は構成管理ツールであるAnsible[32]を用いてKubernetesクラスタを一式構築するためのツールです。クラスタを構築するためのサーバの準備が必要ですが、サーバさえそろっていれば約30分ほどでクラスタの構築を完了できます。

まずはopsサーバにkubesprayをセットアップし、Kubernetesクラスタの設定を作成します。

opsサーバにkubesprayをセットアップする

opsサーバでkubesprayを実行するためにkubesprayのセットアップを行います。

kubesprayは依存するモジュールをダウンロードするため、pip[33]が必要です。次のようにaptでインストールします。

```
(root@ops) $ apt install -y python3-pip
```

次に、kubesprayをGitHubからcloneします。バージョンはv2.23.0を使用します。

```
(root@ops) $ git clone https://github.com/kubernetes-sigs/kubespray
(root@ops) $ cd kubespray && git checkout v2.23.0
```

kubesprayのrequirements.txtを利用してkubesprayの依存ライブラリを取得します。

---

[31]　https://github.com/kubernetes-sigs/kubespray

[32]　サーバの設定やツールのインストールをリモートのサーバから実行し、定義した構成のサーバを大量にセットアップするのに役立つツール

[33]　Pythonのパッケージマネージャー。

B. さまざまなコンテナオーケストレーション環境

```
(root@ops ~/kubespray) pip install -r requirements.txt
```

　Ansibleのinventory[34]を次のように設定します。IPS変数にはControl PlaneとNodeのサーバの
IPアドレスを半角スペース区切りで記述します。

```
(root@ops ~/kubespray) $ cp -rfp inventory/sample inventory/mycluster
(root@ops ~/kubespray) $ declare -a IPS=(10.90.65.11 10.90.65.12 10.90.65.13 ←
10.90.65.21)
(root@ops ~/kubespray) $ CONFIG_FILE=inventory/mycluster/hosts.yaml python3 contrib/←
inventory_builder/inventory.py ${IPS[@]}
```

クラスタを構成するサーバの設定

　opsサーバで先ほど展開したkubesprayディレクトリ内の設定ファイルを編集します。

　~/kubespray/inventory/mycluster/hosts.yaml(**リスト B.6**)ではクラスタを構成するControl
PlaneとNodeを設定できます。inventory設定でIPS変数に設定したIPアドレスが列挙されて
いるので、あらかじめ決めておいたサーバ名称に書き換えます。

リスト B.6　kubesprayで構築するクラスタの設定ファイル

```
                                                    ~/kubespray/inventory/mycluster/hosts.yaml
all:
  hosts:
    control-plane01:
      ansible_host: 10.90.65.11
      ip: 10.90.65.11
      access_ip: 10.90.65.11
    control-plane02:
      ansible_host: 10.90.65.12
      ip: 10.90.65.12
      access_ip: 10.90.65.12
    control-plane03:
      ansible_host: 10.90.65.13
      ip: 10.90.65.13
      access_ip: 10.90.65.13
    node01:
      ansible_host: 10.90.65.21
      ip: 10.90.65.21
      access_ip: 10.90.65.21
  children:
    kube_control_plane:
      hosts:
        control-plane01:
        control-plane02:
        control-plane03:
    kube_node:
      hosts:
        node01:
```

---

[34]　サーバに対してどのような設定を行うかを定義するためのもの

```
    etcd:
      hosts:
        control-plane01:
        control-plane02:
        control-plane03:
    k8s_cluster:
      children:
        kube_control_plane:
        kube_node:
    calico_rr:
      hosts: {}
```

.all.children.kube_control_plane.hosts には Control Plane サーバ群を、.all.children.kube
_node.hosts には Node サーバ群を指定します。

Kubernetes の設定

~/kubespray/inventory/mycluster/group_vars/k8s_cluster/k8s-cluster.yml で は 構 築 す る
Kubernetes クラスタの設定をします。Kubernetes のバージョンの設定等が行えます。

```
# 中略...
## Change this to use another Kubernetes version, e.g. a current beta release
kube_version: v1.27.5
```

クラスタ構築の実行

ここまで来ればあとはクラスタの構築を実行するだけです。次のように ansible-playbook コマ
ンドを実行すると、クラスタの構築が開始されます。

```
(root@ops ~/kubespray) $ ansible-playbook -i inventory/mycluster/hosts.yaml \
  --become --become-user=root cluster.yml
```

構築先の環境やサーバのスペックにもよりますが、おおよそ20分から30分でクラスタの構築が
完了します。処理が完了したら、任意の Control Plane サーバで kubectl コマンドを実行できるかを
確認しましょう。Control Plane と Node がそれぞれ登録されていることが確認できます。

```
root@control-plane01:~# kubectl get node
NAME             STATUS    ROLES           AGE    VERSION
control-plane01  Ready     control-plane   93s    v1.28.2
control-plane02  Ready     control-plane   71s    v1.28.2
control-plane03  Ready     control-plane   66s    v1.28.2
node01           Ready     <none>          26s    v1.28.2
```

ここまで来れば、ローカルやマネージド Kubernetes クラスタと同様にアプリケーションの Pod
や Service といったリソースを作成していくだけです。

B. さまざまなコンテナオーケストレーション環境

このように、kubesprayを利用すると独自のオンプレミス環境でもKubernetesクラスタをそれほど時間をかけずに構築できます。構築に特別な手間はかかりませんでした。

自前でKubernetesクラスタを構築すると、マネージドサービスではないため、Control Planeの可用性の確保やKubernetesのバージョンアップといったメンテナンス作業も自らで行っていく必要があります。

本番ではこういったKubernetesクラスタを適切に管理できる体制、あるいはマネージドサービスの利用が必要です。これらのコストはKubernetesでのコンテナオーケストレーションによるメリットとトレードオフの関係になります。

B.5 Amazon Elastic Container Service(ECS)

Appendix B.2で、KubernetesのマネージドサービスであるAmazon EKSを解説しました。AWSはEKSだけではなく、Amazon Elastic Container Service(Amazon ECS)という、Kubernetesとは異なる独自のコンテナオーケストレーションシステムも提供しています。

Kubernetesは柔軟性・拡張性で有利である反面、複雑さがあることも否定できません。運用面では、EKSやFargateによって運用の手間は軽減されましたが、それでも複雑さを完全に払拭できるとまで言い難いです。

対して、ECSはAWS独自仕様ではありますが、Kubernetesに比べてシンプルな設定でコンテナをデプロイできます。コンテナのデプロイ部分に限ると、Docker Composeになじみがあれば、あまり時間をかけずにキャッチアップできるでしょう。

そして、ECSはAWSによるマネージドサービスであるため、コンテナの運用にそれほど習熟していない組織でも十分に運用できます。

また、ECSではEKS同様にFargateでのコンテナ実行が可能です。コンテナを実行するサーバの管理をせずに、シンプルで安定したコンテナ環境を利用できる点は大きな強みです。

本節では、ECSクラスタの構築とコンテナのデプロイについて簡単に解説します。

B.5.1 CDKでECSクラスタの作成とコンテナのデプロイを定義する

AWSでECSを始めとしたリソースを作成するため、AWS Cloud Development Kit[35]（以下、CDK）での方法を簡単に解説します。

CDKはAWSリソースをコードで定義し、プロビジョニングするための開発キットです。TypeScript、JavaScript、Java、C#といった多様な言語をサポートし、柔軟な記述が可能です。

今回は、筆者がECSを簡単に構築できるCDKのスクリプト（**リストB.7**）を用意しました。詳細

---

[35] https://aws.amazon.com/jp/cdk/

546

の解説は割愛しますが、CDKでのECSクラスタ作成の雰囲気をつかめれば十分です。スクリプトの完全な実装はGitHubのリポジトリ[36]に公開してあるので、興味がある方は確認してみてください。

このCDKスクリプトでは、ECSクラスタの他に、コンテナアプリケーションをインターネットに公開するために必要なAWSリソースを定義しています。さらに、ECSクラスタ構築後にはechoアプリケーションをデプロイします。

リスト B.7　CDKでECSクラスタとechoアプリケーションをデプロイするスクリプト

```
                                                              gihyo-ecs-stack.ts
import * as cdk from 'aws-cdk-lib';
import { Construct } from 'constructs';
import * as ec2 from 'aws-cdk-lib/aws-ec2';
import * as ecs from 'aws-cdk-lib/aws-ecs';
import * as elbv2 from 'aws-cdk-lib/aws-elasticloadbalancingv2';
import * as log from 'aws-cdk-lib/aws-logs';

export class GihyoEcsStack extends cdk.Stack {
  constructor(scope: Construct, id: string, props?: cdk.StackProps) {
    super(scope, id, props);

    // VPCの作成...
    // ECSの作成...
    // Security Groupの作成...
    // ALB(Application Load Balancer)の作成...
    // ALB Listenerの作成...
    // ALB TargetGroupの作成...
    // ...

    // ① ECS Task Definitionの作成
    const echoTaskDefinition = new ecs.FargateTaskDefinition(this, 'TaskDefinitionEc←
ho', {
      cpu: 256,
      memoryLimitMiB: 512,
    });
    // ①-1 "nginx"コンテナの設定
    const nginxContainer = echoTaskDefinition.addContainer("EchoConNginx", {
      containerName: "nginx",
      image: ecs.ContainerImage.fromRegistry('ghcr.io/gihyodocker/simple-nginx-prox←
y:v0.1.0'),
      logging: ecs.LogDrivers.awsLogs({
        streamPrefix: 'echo-nginx',
        logRetention: log.RetentionDays.ONE_MONTH,
      }),
      environment: {
        NGINX_PORT: "80",
        SERVER_NAME: "localhost",
        BACKEND_HOST: "localhost:8080",
        BACKEND_MAX_FAILS: "3",
        BACKEND_FAIL_TIMEOUT: "10s",
      },
    });
```

---

[36] https://github.com/gihyodocker/cloudshell/blob/main/aws/ecs/gihyo-ecs/lib/gihyo-ecs-stack.ts

B. さまざまなコンテナオーケストレーション環境

```
    nginxContainer.addPortMappings({
      containerPort: 80,
      hostPort: 80
    })
    // ①-2 "echo"コンテナの設定
    const echoContainer = echoTaskDefinition.addContainer("EchoConEcho", {
      containerName: "echo",
      image: ecs.ContainerImage.fromRegistry('ghcr.io/gihyodocker/echo:v0.1.0-sli↵
m'),
      logging: ecs.LogDrivers.awsLogs({
        streamPrefix: 'echo-nginx',
        logRetention: log.RetentionDays.ONE_MONTH,
      }),
    });
    echoContainer.addPortMappings({
      containerPort: 8080,
      hostPort: 8080,
    })

    // ② ECS Serviceの設定
    const service = new ecs.FargateService(this, 'ServiceEcho', {
      cluster,
      taskDefinition: echoTaskDefinition,
      desiredCount: 1,
      assignPublicIp: true,
      securityGroups: [
        securityGroupApp,
      ]
    });
    service.attachToApplicationTargetGroup(targetGroup);

    new cdk.CfnOutput(this, 'EndpointURL', {
      value: `http://${alb.loadBalancerDnsName}`,
      description: 'The endpoint URL',
    });
  }
}
```

echoアプリケーションをCDKでどのようにデプロイするかについて簡単に解説します。

①では、ECSのTask Definition（タスク定義）を定義します。Task Definitionは、Kubernetesで
はPodを定義するマニフェストのようなものに相当します。Task Definitionには複数のコンテナを
定義でき、①-1でnginxコンテナを、①-2でechoコンテナを定義しています。

ECSはコンテナデプロイ時に、Task Definitionを使ってTaskを生成します。Taskは複数のコン
テナをまとめた集合体であり、KubernetesではPodに相当します。

②では、ECSのServiceを定義します。ServiceはKubernetes同様、コンテナへの経路を確立
したり、トラフィックの分散を担います。また、実行するTaskの数もServiceで定義します。
KubernetesのServiceとReplicaSetの性質を併せ持つようなものとイメージすると良いでしょう。

Amazon Elastic Container Service(ECS) **B.5**

B.5.2　CDKでECSクラスタを作成し、コンテナをデプロイする

CDKスクリプトを使ってこの構成を構築するには、AWS CloudShell上でCDKを実行します。実際に構築する場合、次の手順で進めてください。

```
[cloudshell-user@ip-10-2-95-86 ~]$ git clone https://github.com/gihyodocker/cloudshe←
ll.git
[cloudshell-user@ip-10-2-95-86 ~]$ cd cloudshell/aws/ecs/gihyo-ecs/
[cloudshell-user@ip-10-2-95-86 gihyo-ecs]$ npm install
[cloudshell-user@ip-10-2-95-86 gihyo-ecs]$ cdk bootstrap
[cloudshell-user@ip-10-2-95-86 gihyo-ecs]$ cdk deploy
```

CDKでのプロビジョニングには数分かかります。途中、対話形式で「Do you wish to deploy these changes (y/n)」に対して入力を求められるので、yを入力して処理を続けます。

CDKで定義した構成でAWSリソースをプロビジョニングします。cdk deployコマンド（**リスト B.8**）を実行します。

cdk deployコマンドが順調に進むと、**リスト B.8**の内容が出力されます。

リスト B.8　ECSクラスタや関連リソースの構築

```
[cloudshell-user@ip-10-2-95-86 gihyo-ecs]$ cdk deploy
... (中略) ...
Do you wish to deploy these changes (y/n)? y
GihyoEcsStack: deploying... [1/1]
GihyoEcsStack: creating CloudFormation changeset...

✅  GihyoEcsStack

✨  Deployment time: 244.1s

Outputs:
GihyoEcsStack.EndpointURL = http://GihyoE-Alb16-vAZMEKh10qRz-1774191118.ap-northeas←
t-1.elb.amazonaws.com
Stack ARN:
arn:aws:cloudformation:ap-northeast-1:xxxxxxxxxxx:stack/GihyoEcsStack/c8c95530-741←
f-11ee-b2f1-0af0bf7b414d

✨  Total time: 255.85s
```

出力のGihyoEcsStack.EndpointURL部分に、ECSで構築したechoアプリケーションにアクセスするためのURLが表示されます。これはCDKで作成したALB[37]のURLです。ECSにデプロイしたコンテナにHTTP/HTTPSでアクセスするには、ALBを経由します。

＊37　Application Load Balancer。AWSのロードバランサ。

549

B. さまざまなコンテナオーケストレーション環境

```
$ curl -i http://GihyoE-Alb16-vAZMEKh10qRz-1774191118.ap-northeast-1.elb.amazonaws.c↩
om
HTTP/1.1 200 OK
Date: Wed, 25 Oct 2023 16:55:31 GMT
Content-Type: text/plain; charset=utf-8
Content-Length: 17
Connection: keep-alive
Server: nginx/1.25.1

Hello Container!!
```

　これがECSクラスタの作成と、コンテナデプロイまでの一連の流れです。

ECS クラスタの削除

　作成したECSクラスタと、連携するAWSリソース群は次のコマンドで削除可能です。ECSで実行されているコンテナや、クラスタ構築時にCDKで作成したALB等にも利用料金が発生します。本書での学習が終わり次第、速やかに削除してください。

```
[cloudshell-user@ip-10-2-4-170 gihyo-ecs]$ cdk destroy
```

コラム **Amazon ECS Anywhere**

　Amazon ECSには根強い人気がありますが、AWSのサービスであるため、他のプラットフォームではその恩恵を受けられませんでした。

　そこでAWSは2021年に、Amazon ECS Anywhere[a]をリリースしました。

　従来、ECSではコンテナをEC2やFargate上のコンテナ環境にデプロイ可能でしたが、ECS AnywhereではAWS以外のコンテナ環境にもデプロイできるようになりました。

　ECS Anywhereでは、ECSクラスタ自体はAWSの管理下にありますが、外部のコンテナ実行環境を「Externalインスタンス」としてECSクラスタに参加させることができます。

　手元で作成したローカルのコンテナ実行環境や、オンプレミスのコンテナ環境等をExternalインスタンスに追加できます。

　オンプレミス環境においてはKubernetesが選択されることが多いですが、ECS Anywhereの登場はそんな流れに一石を投じました。

a　https://aws.amazon.com/jp/ecs/anywhere/

C.
コンテナ開発・運用のTips

C. コンテナ開発・運用の Tips

本編で触れられなかったコンテナ開発・運用の Tips について解説します。

C.1 コンテナランタイム

1.2 では Docker について、第 1 章のコラム「Moby プロジェクト」では Docker をオープンソース化した Moby プロジェクトについて解説しました。もう少し踏み込んで見ていきましょう。

Docker は Moby プロジェクトを取っ掛かりに、コンテナ技術の標準化とオープン化、コア技術の再編を進めました。

その流れで生まれたのが Open Container Initiative(OCI) という標準仕様です。OCI には、次の 3 つの標準仕様が定義されています。

OCI 仕様	概要
runtime-spec[*1]	コンテナの実行環境やライフサイクルについての仕様
image-spec[*2]	コンテナイメージのフォーマットについての仕様
distribution-spec[*3]	コンテナレジストリについての仕様

標準仕様ができたことでコンテナ技術の開発は発展し、選択肢も広がりました。特に、runtime-spec を実装したコンテナランタイムの開発は活況です。

本節では、代表的なコンテナランタイムである containerd について解説します。また、containerd を操作する CLI である nerdctl についても解説します。

C.1.1 containerd

containerd は OCI の runtime-spec を実装したコンテナランタイムの 1 つです。

containerd はもともと Docker の一部として開発され、Docker 社から CNCF(Cloud Native Computing Foundation) へ寄贈されました。CNCF への寄贈後も、Docker はコンテナランタイムとして containerd を利用しています。つまり、最もポピュラーなコンテナランタイムです。

containerd と各種コンテナ実行環境やコンポーネントとの関係は、**図 C.I** のようになっています。

＊1 https://github.com/opencontainers/runtime-spec

＊2 https://github.com/opencontainers/image-spec

＊3 https://github.com/opencontainers/distribution-spec

552

図C.1 containerdとの関係図

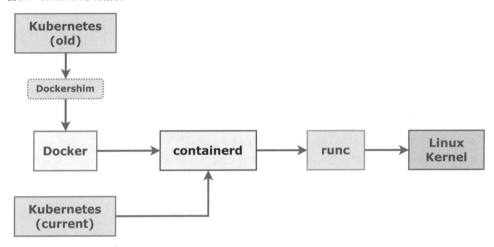

runcはコンテナを作るためのコンポーネントです。Linuxカーネルを直接操作してコンテナを実現するため、低レベルランタイムとも呼ばれます。containerdはこのrunc経由で、コンテナを実行します。そして、Dockerはcontainerdを利用しています。

Kubernetesはかつて、Dockerを経由してコンテナを実行していました。しかし、KubernetesとDockerのインターフェイスをブリッジするDockershimが必要でした。これはKubernetesの開発コミュニティにとって、持続的な開発の足枷になっていました。

Kubernetesのリファクタリングが進んだ結果、Dockershimを廃止し、containerdを直接利用する方式[4]に落ち着きました。Kubernetes 1.24系でDockershimは削除されています。

Dockerと現在のKubernetesもcontainerdを利用しています。Dockerでビルド・実行したコンテナは、Dockerの依存を廃したKubernetesでも利用可能です。

コンテナ技術の標準化やcontainerdの存在が、それぞれのコンテナ技術の発展に大きく寄与したと言えるのではないでしょうか。

> **コラム** **KubernetesのDocker非推奨化騒動**
>
> KubernetesからのDockershim削除の流れで、実は一つ騒動がありました。
>
> Kubernetes 1.20からDockershimが非推奨になり、1.24系で完全に削除されるというアナウンスが行われました。これに対して、一部の開発者が「Kubernetesから排除されるDockerはもう使うべきではない」「DockerでビルドしたイメージやコンテナがKubernetesで実行できない」という誤った認識を持ってしまい、それが広がって、ちょっとした騒動になったのです。
>
> 当然そのような認識は間違いです。すでに解説の通り、あくまでKubernetesがDockerを経由せ

---

[4] Kubernetesは、CRI-O等のcontainerd以外のランタイムも利用可能です。

C. コンテナ開発・運用のTips

> ず、直接containerdを利用するようになっただけです。
>
> これからも安心してDockerを利用してください。

C.1.2　nerdctl

現在のKubernetesは直接containerdを利用していますが、我々開発者もDockerを経由せずに手元でcontainerdを使う方法があります。nerdctl[*5]というCLIツールです。

nerdctlは、Docker CLIのように使い勝手良くcontainerdを操作できるようにしています。Dockerのコマンドを完全に再現しているわけではありませんが、対応する基本的なコマンドは用意されています[*6]。

Docker CLIのコマンド	nerdctlのコマンド
`docker container run`	`nerdctl run`
`docker image build`	`nerdctl build`
`docker comppose`	`nerdctl compose`

Appendix A.4で紹介したRancher Desktopでは、**図C.2**のように、コンテナエンジンをDockerではなく、containerdにできます。

図C.2　Rancher Desktopのコンテナエンジン選択画面

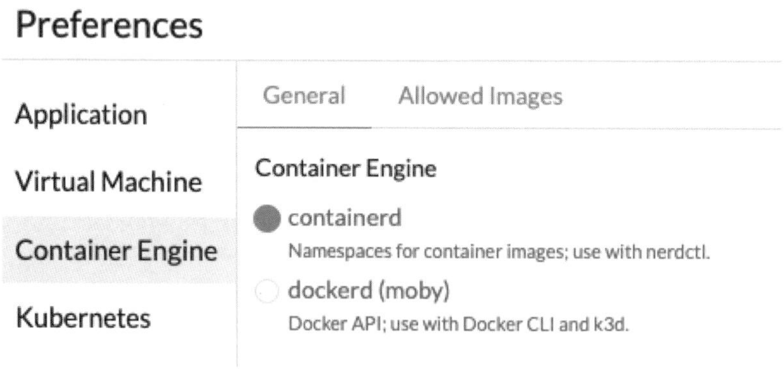

Dockerを利用しなくなる代わりに、nerdctlがインストールされます。nerdctl経由でRancherが実行するcontainerdを利用できるようになり、イメージのビルドやコンテナの実行ができます。

＊5　https://github.com/containerd/nerdctl

＊6　その他のコマンドについては、公式のリファレンス https://github.com/containerd/nerdctl/blob/main/docs/command-reference.md を参照してください。

Kubernetes の Tips **C.2**

C.2 **Kubernetes の Tips**

Kubernetes の運用に関するいくつかの Tips を紹介します。

C.2.1 エフェメラルコンテナによる既存 Pod のデバッグ

エフェメラルコンテナは、Pod のデバッグやトラブルシューティングに活用できる一時的なコンテナです。Kubernetes 1.23 系から導入されました。

10.2.4 において、Distroless イメージについて解説しました。Distroless イメージは非常に軽量であり、本番環境向けの latest や nonroot タグのイメージには sh すら含まれていません。そのため、kubectl exec コマンドでコンテナの中に入ることもできません。

この問題を解決するために、Distroless は sh を含む debug や debug-nonroot タグといったデバッグ用イメージを提供しています。これらをベースイメージに使えばコンテナの中に入ることができますが、セキュリティ上は好ましくありません。

しかし、どうしても sh を含まないコンテナの中に入ってデバッグをしたいということも起きうるでしょう。これを解決するのがエフェメラルコンテナです。

エフェメラルコンテナは既存の Pod のプロセスネームスペースに対し、一時的に別のコンテナをアタッチすることでデバッグを可能にします。このため sh などログインシェルがない環境でも sh を用いたデバッグが可能となります。

実際に、エフェメラルコンテナを使った既存 Pod のデバッグを試していきましょう。

デバッグ対象の Pod を作成する

デバッグ対象として、echo の -slim タグを持つコンテナイメージから Pod を作成します。kubectl run コマンドで Pod を作成する場合、コンテナ名も Pod 名と同名の echo となります。

```
$ kubectl run echo --image=ghcr.io/gihyodocker/echo:v0.1.0-slim
pod/echo created
```

このコンテナイメージは Distroless の latest をベースイメージとして作られているため、次のように kubectl exec コマンドでコンテナの中に入ることはできません。

```
$ kubectl exec -it echo sh
kubectl exec [POD] [COMMAND] is DEPRECATED and will be removed in a future version. ←
Use kubectl exec [POD] -- [COMMAND] instead.
OCI runtime exec failed: exec failed: unable to start container process: exec: "sh":←
 executable file not found in $PATH: unknown
command terminated with exit code 126
```

555

C. コンテナ開発・運用のTips

kubectl debugによるエフェメラルコンテナの実行

エフェメラルコンテナを使って、既存Podのデバッグを行います。

エフェメラルコンテナは、kubectl debug -it [既存のPod名] --image=[エフェメラルコンテナのコンテナイメージ] --target=[Pod内のコンテナ名]のコマンドで実行できます。

リストC.1のコマンドでエフェメラルコンテナを実行します。echo Podのechoコンテナに対して、ubuntu:23.10をエフェメラルコンテナとしてアタッチします。

リストC.1　エフェメラルコンテナの実行

```
$ kubectl debug -it echo --image=ubuntu:23.10 --target=echo
Targeting container "echo". If you don't see processes from this container it may be←
 because the container runtime doesn't support this feature.
Defaulting debug container name to debugger-84v4j.
If you don't see a command prompt, try pressing enter.
root@echo:/#
```

ps -efコマンドを実行すると、echoアプリケーションがPID=1で実行されていることが確認できます。

```
root@echo:/# ps -ef
UID          PID  PPID  C STIME TTY          TIME CMD
root           1     0  0 06:29 ?        00:00:00 echo
root          14     0  0 06:32 pts/0    00:00:00 /bin/bash
root          22    14  0 06:32 pts/0    00:00:00 ps -ef
```

デバッグ対象コンテナのファイルシステムを確認する

エフェメラルコンテナでデバッグ対象コンテナのファイルシステムを調べてみましょう。

echoコンテナは、実行ファイルを/usr/local/bin/echoに配置するよう作られているため、これを確認します。/usr/local/binディレクトリを見ます。しかし、次のようにechoファイルは見つかりません。

```
root@echo:/# ll /usr/local/bin/
total 8
drwxr-xr-x  2 root root 4096 Oct 11 14:09 ./
drwxr-xr-x 10 root root 4096 Oct 11 14:09 ../
```

エフェメラルコンテナは既存Podのプロセスネームスペースを共有しているに過ぎないため、デバッグ対象のコンテナに入って操作しているわけではありません。基本のファイルシステムは、エフェメラルコンテナとしてアタッチしているubuntu:23.10です。

では、どのようにデバッグ対象コンテナのファイルシステムを確認すればよいでしょうか。

エフェメラルコンテナには、/proc/[PID]/rootディレクトリ以下がデバッグ対象コンテナのファイルシステムになっています。今回のechoアプリケーションはPID=1で動いているため、

`/proc/1/root`ディレクトリを確認すれば良いです。

```
root@echo:~# cd /proc/1/root
root@echo:/proc/1/root# ls -l ./usr/local/bin
total 6092
-rwxr-xr-x 1 root root 6236360 Sep 13 02:26 echo
```

shを含めたコンテナをデバッグするのとはどうしても体験は異なりますが、コンテナ内のファイルの状態を確認する用途であれば活用できます。

デバッグ用コンテナとエフェメラルコンテナどちらを選択すべきか

コンテナのデバッグを行う際、デバッグ用コンテナを作るかエフェメラルコンテナを利用するか判断に迷うかもしれません。次表のように、それぞれ一長一短があります。

用途	デバッグ用コンテナ	エフェメラルコンテナ
Dockerでの利用	可能	不可能
Kubernetesでの利用	可能	可能
本番環境での利用	可能だが、望ましくはない	可能
既存の構成（デプロイ、コンテナイメージ等）への変更	あり	なし
コンテナ内の操作	可能	一部不可能

デバッグ用コンテナは全ての操作は可能ですが、セキュリティ面には課題があります。まず、エフェメラルコンテナで十分なデバッグができるかを考え、難しい場合にはデバッグ用コンテナを選択するのが良いでしょう。

C.2.2　Pod Security Admissionを用いたセキュリティ強化

データシッパーのような用途では、Podに特権モード（privilege）やホストへのファイルアクセスといった強い権限が必要です。しかし、一般的なコンテナの利用では過剰な権限であり、セキュリティリスクになります。

Kubernetesには、セキュリティ上影響を及ぼしかねないPodの実行を制限する仕組みとして、「Pod Security Standard」と「Pod Security Admission」が提供されています。これらについて簡単に解説します。

Pod Security Standard

Pod Security Standard[7]は、Podのセキュリティ強化のベストプラクティスと、事前定義されたセキュリティポリシーを提供します。

---

[7]　https://kubernetes.io/ja/docs/concepts/security/pod-security-standards/

C. コンテナ開発・運用のTips

　セキュリティポリシーは、次の3段階のレベルが定義されています。Podが満たすべきセキュリティ要件が、それぞれレベルで実装されています。

ポリシー	内容	セキュリティレベル
privileged（特権）	制限のないポリシー	低
baseline（ベースライン、デフォルト）	一般的なアプリケーションが安全に動作する最小限のポリシー	中
restricted（制限）	ほとんどの権限が厳しく制限され、高いセキュリティ要件が要求されるポリシー	高

Pod Security Admission(PSA)

　Pod Security Admission(以下、PSA)[8]は、Pod Security Standard を Pod に強制するための仕組みです。Kubernetes 1.22系から提供され、1.25系で安定版となりました[9]。

　PSA は Namespace に対し、 `.metadata.labels` に次のように設定します。

```
apiVersion: v1
kind: Namespace
metadata:
  name: your-namespace
  labels:
    pod-security.kubernetes.io/[MODE]: [LEVEL]
```

　`[MODE]`（モード）には、次の `enforce`、 `audit`、 `warn` のいずれかが入ります。

PSAのモード	ポリシー違反時の挙動
enforce	Podの実行が拒否される
audit	監査ログに記録されるが、Podの実行は拒否されない
warn	コンソールに警告が表示されるが、Podの実行は拒否されない

　`[LEVEL]`（レベル）には、Appendix C.2.2 で事前定義されたポリシー名のいずれかを指定します。
　例として、PSA の設定をした `gihyo-psa` という名前の Namespace を作成します（**リストC.2**）。PSA のモードは複数設定が可能です。ここでは全てのモードを指定し、それぞれのレベルは、デフォルトのセキュリティレベルである `baseline` を設定しています。

＊8　https://kubernetes.io/docs/concepts/security/pod-security-admission/
＊9　以前は Pod Security Policy(PSP)という仕組みが存在しましたが、1.25系で削除されました。

リスト C.2　PSAを適用した Namespace

```
                                          ~/work/appendix-c/psa/namespace.yaml
apiVersion: v1
kind: Namespace
metadata:
  name: gihyo-psa
  labels:
    pod-security.kubernetes.io/enforce: baseline
    pod-security.kubernetes.io/audit: baseline
    pod-security.kubernetes.io/warn: baseline
```

Namespace のマニフェストを apply します。

```
(~/work/appendix-c/psa) $ kubectl apply -f namespace.yaml
namespace/gihyo-psa created
```

PSA を適用した Namespace に対し、Pod のデプロイを試みます。

リスト C.3 のような Pod を定義したマニフェストファイルを作成します。これは echo アプリケーションのコンテナを実行する Pod ですが、コンテナの .securityContext.privileged を true に設定すると、Pod は Kubernetes に対して特権を要求します[10]。

リスト C.3　特権を要求する Pod

```
                                       ~/work/appendix-c/psa/pod-privileged.yaml
apiVersion: v1
kind: Pod
metadata:
  name: echo-privileged
  namespace: gihyo-psa
  labels:
    app.kubernetes.io/name: echo-privileged
spec:
  containers:
  - name: echo
    image: ghcr.io/gihyodocker/echo:v0.1.0-slim
    ports:
    - containerPort: 8080
    # 特権を要求する設定
    securityContext:
      privileged: true
```

Pod のマニフェストを apply します。しかし、特権を要求する Pod のため、Pod の起動が失敗します。

＊10　echo アプリケーションの特権は特権を必要とする実装ではありません。例として示しています。

C. コンテナ開発・運用の Tips

```
(~/work/appendix-c/psa) $ kubectl apply -f pod-privileged.yaml
Error from server (Forbidden): error when creating "pod-privileged.yaml": pods "ech←
o-privileged" is forbidden: violates PodSecurity "baseline:latest": privileged (cont←
ainer "echo" must not set securityContext.privileged=true)

$ kubectl -n gihyo-psa get pod
No resources found in gihyo-psa namespace.
```

Pod起動の失敗は、`enforce=baseline`の設定によるものです。その他に、`audit`と`warn`の設定も
しているため、監査ログへの記録とコンソールへの警告が出力されます。

PSAを活用するとNamespace単位で満たすべきセキュリティレベルを強制できます。

> **コラム** **Open Policy Agent**
>
> PSAと似た仕組みとして、Open Policy Agent(OPA)[a]というプロダクトも存在します。
>
> PSAはPodに焦点を当てているのに対し、OPAではKubernetesのさまざまなリソースに対して
> 細かいポリシー制御が可能です。ポリシーを独自に定義することもできます。
>
> ～～～～～～～～～～～～～～～～～～～～～～～～～～～～～～～～～～～～
> [a]　https://www.openpolicyagent.org/

C.3　コンテナ開発、デプロイのTips

コンテナ技術を学ぶ上で、さまざまなツールやプラクティスを紹介してきました。本節ではその
内容を補完するいくつかのTipsについて簡単に解説します。

C.3.1　Compose Watchでコンテナの自動更新を行う

ローカル環境での開発においてComposeは有用なツールです。しかし、コードや設定ファイル
を変更した場合は、再度`docker compose up`でコンテナを更新する必要があります。

この作業の繰り返しは手間となるため、ファイルの変更を検知し、自動で実行中のコンテナを最
新に更新してくれるツールであるTiltを4.7で紹介しました。

しかし、Composeの2.22系からはCompose Watch[11]が追加され、Compose単独でもファイル
の変更検知とコンテナの自動更新ができるようになりました。

例として、タスクアプリの`compose.yaml`(**リスト C.4**)にCompose Watchの設定を追加します。

～～～

[11]　https://docs.docker.com/compose/file-watch/

リスト C.4　webコンテナにCompose Watchの設定を追加

```
                                    ~/go/src/github.com/gihyodocker/taskapp/compose.yaml
version: '3.9'
services:
# ...省略
  web:
    build:
      context: .
      dockerfile: ./containers/web/Dockerfile
    # Compose Watchの設定
    develop:
      watch:
        - action: rebuild
          path: ./pkg
    depends_on:
# ...省略
```

対象のコンテナの `.develop.watch` 配下にCompose Watchの設定をします。

イメージをビルドとコンテナの更新の設定はシンプルで、`action` に `rebuild` を設定し、`path` には変更検知対象のディレクトリを設定するだけです。ここでは、`./pkg` 配下のファイルが更新された場合、`web` のコンテナを差し替えます。

Compose Watch は次のコマンドで実行できます。

```
(~/go/src/github.com/gihyodocker/taskapp) $ docker compose watch
```

Compose 管理の対象コンテナを全て作成し、**図 C.3** のように待ち受け状態になります。

図 C.3　Compose Watchによる変更待ち受け状態

```
docker compose watch

[+] Building 0.0s (0/0)
[+] Running 6/6
 ✔ Container taskapp-mysql-1      Running
 ✔ Container taskapp-api-1        Healthy
 ✔ Container taskapp-migrator-1   Started
 ✔ Container taskapp-nginx-api-1  Running
 ✔ Container taskapp-web-1        Healthy
 ✔ Container taskapp-nginx-web-1  Started
watching [/Users/stormcat24/go/src/github.com/gihyodocker/taskapp/pkg]
```

試しに、`./pkg/app/web/handler/template/index.html` に変更を加えます。このファイルは変更検知の対象なため、すぐにビルドが始まり、コンテナが**図 C.4** のように更新されます。

C. コンテナ開発・運用のTips

図C.4 変更を検知し、自動でコンテナを更新

```
watching [/Users/stormcat24/go/src/github.com/gihyodocker/taskapp/pkg]
Rebuilding web after changes were detected:
 - /Users/stormcat24/go/src/github.com/gihyodocker/taskapp/pkg/app/web/handler/template/index.html
[+] Building 4.3s (17/17) FINISHED
```

このようにComposeだけでもコンテナの自動更新が可能となりました。

C.3.2 TiltでKubernetesアプリケーションを扱う

TiltはKubernetesアプリケーションでも力を発揮します。いくつかのパターンを紹介します。

Tiltでマニフェストファイルをまとめる

KustomizeやHelmなどのマニフェスト管理ツールを利用していない場合、マニフェスト群の管理は非常に煩雑です。Tiltでは、これらをコードとして**リストC.5**のように管理できます。

リストC.5 マニフェスト群をTiltで管理

```
                                        ~/go/src/github.com/gihyodocker/taskapp/k8s/plain/local/Tiltfile
# 利用を許可するコンテキスト
allow_k8s_contexts([
  'docker-desktop',
  'kind-kind',
  'minikube'
])

default_namespace = 'taskapp'

# namespaceの作成
load('ext://namespace', 'namespace_yaml', 'namespace_create', 'namespace_inject')
k8s_yaml(namespace_yaml(default_namespace), allow_duplicates=False)

# マニフェストファイルを適用
k8s_yaml(namespace_inject(read_file('./mysql-secret.yaml'), default_namespace))
k8s_yaml(namespace_inject(read_file('./mysql.yaml'), default_namespace))
k8s_yaml(namespace_inject(read_file('./migrator.yaml'), default_namespace))
k8s_yaml(namespace_inject(read_file('./api-config-secret.yaml'), default_namespace))
k8s_yaml(namespace_inject(read_file('./api.yaml'), default_namespace))
k8s_yaml(namespace_inject(read_file('./web.yaml'), default_namespace))
```

タスクアプリであれば、次のコマンドで確認できます。

```
(~/go/src/github.com/gihyodocker/taskapp) $ tilt up --file k8s/plain/local/Tiltfile
```

TiltとKustomizeを連携する

TiltではKustomizeのアプリケーションも扱えます。**リストC.6**のように管理できます。

コンテナ開発、デプロイの Tips **C.3**

リスト C.6　Tilt と Kustomize の連携

`~/go/src/github.com/gihyodocker/taskapp/k8s/kustomize/base/Tiltfile`

```
# 利用を許可するコンテキスト(省略)...
# namespaceの作成(省略)...

# Kustomizeでマニフェストファイルを生成(kustomization.yaml←
があるディレクトリ相対パス)
yaml = kustomize('.')
# 生成したマニフェストファイルを適用
k8s_yaml(yaml)
```

　タスクアプリであれば、次のコマンドで確認できます。

```
(~/go/src/github.com/gihyodocker/taskapp) $ tilt up --file k8s/kustomize/base/Tiltfi←
le
```

Tilt と Helm を連携する

　Tilt では Helm のアプリケーションも扱えます。

　echo アプリケーションの Chart を作成し、デプロイする手順を**リスト 8.64** で紹介しました。**リスト C.7** のような Tiltfile を作成し、管理できます。

リスト C.7　Tilt と Helm の連携

`~/k8s/helm/Tiltfile`

```
# 利用を許可するコンテキスト(省略)...

yaml = helm(
  './echo', # Chartのディレクトリパス
  name='echo',
  namespace='default',
  values=['./local-echo.yaml']
  )
# 生成したマニフェストファイルを適用
k8s_yaml(yaml)
```

　次のコマンドで確認できます。

```
(~/k8s/helm) $ tilt up
```

　もちろん、リモートにある Helm Chart も利用できます。いくつかの Chart を利用する場合、Tiltfile で利用する Chart やバージョン、カスタム values ファイルのパスをコード管理できて便利です。また、同じ用途であれば Helmfile*12 も人気のツールです。

---

*12　https://github.com/helmfile/helmfile

C. コンテナ開発・運用のTips

C.4 生成AI技術を活用したコンテナ開発の効率化

近年、生成AI技術が急速に台頭してきました。ChatGPTやGitHub Copilotの進歩は凄まじく、従来の開発手法だけではなく、ビジネスの在り方をも大きく変革するゲームチェンジャーとして注目されています。

本節ではコンテナを利用した開発をより効率的に行うために、生成AI技術をどのように利用するかを紹介します。

C.4.1 ChatGPTを活用する

ChatGPT[*13]はOpenAI[*14]によって開発された大規模言語モデル（LLM）を活用した生成AI技術です。利用者と対話できるのが特徴で、質問への回答やテキストの要約、文書作成等が可能です。

2024年2月現在、ChatGPTでは主にGPT-3.5とGPT-4というモデルが提供されています。GPT-4はChatGPT Plus（有料）を契約することで利用できます。GPT-3.5は2021年末までの学習にとどまっていますが、後発のGPT-4ではWeb上から取得した最新情報を活用します。これにより、新規性のある事柄にある程度対応した回答を出せます。

ChatGPTは可能な限り正確な回答をしようとしますが、その回答の正確性が保証されているわけはありません。そのような前提がありつつも、筆者もChatGPTを日々の開発で活用しています。もちろん、コンテナを利用する開発にも有益です。

例として「Go言語でDistrolessを使ったDockerfileの例」という質問を図C.5のようにします。

図C.5　ChatGPTへの質問

程なくして、ChatGPTは図C.6のような回答を返してくれます。

[*13] https://chat.openai.com
[*14] https://openai.com

図C.6　ChatGPTからの回答

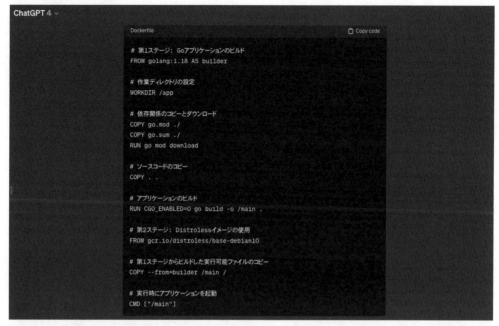

　Multi-stage buildsを利用した実践的な手法を提示してくれました。参考用途では非常に有益であり、検索エンジンを利用するよりも効率的に本質的な情報を得られる可能性があります。

C.4.2　GitHub Copilotを活用する

　GitHub Copilot[15]は生成AI技術を活用したプログラミング支援ツールです。プログラミングに特化しており、コードの自動補完等のコーディング支援が可能です。プログラミング言語だけではなく、DockerfileやKubernetesのマニフェストファイルの作成にも活用できます。

　利用にはGitHub Copilotのサブスクリプション設定が必要です。30日間は試用版の利用が可能なため、ぜひ試してみてください。料金体系の詳細は公式ドキュメント[16]を参照してください。

　GitHub CopilotはJetBrainsのIDEやVim、Visual Studio Codeといったさまざまなエディタで利用できます。エディタ別の設定方法は公式ドキュメント[17]を参考に行ってください。

　例として、Visual Studio CodeでKubernetesのマニフェストファイルを記述します。まず、空のservice.yamlを作成します。

　手始めにapiVersion: v1を入力すると、図C.7のようにグレーの内容が提案されます。

---

[15] https://github.com/features/copilot
[16] https://docs.github.com/ja/billing/managing-billing-for-github-copilot/about-billing-for-github-copilot
[17] https://docs.github.com/ja/copilot/using-github-copilot/getting-started-with-github-copilot

C. コンテナ開発・運用の Tips

図C.7 Serviceが提案される

```
! service.yaml U ●                                          ⁎⁎ ⬜ ...

! service.yaml
  1    apiVersion: v1
  2    kind: Service
```

コードの提案を受けつつ、`.metadata.name` を `mysql` に変更します。すると、その内容を考慮して
MySQL用の設定を提案してくれます。

図C.8 MySQLへのルーティングの提案

```
! service.yaml U ●                                          ⁎⁎ ⬜ ...

! service.yaml
  1    apiVersion: v1
  2    kind: Service
  3    metadata:
  4      name: mysql
  5      labels:
  6        app: mysql
  7    spec:
  8      ports:
       - port: 3306
         targetPort: 3306
       selector:
         app: mysql
```

また、GitHub Copilot Chatという対話的に回答を得られるチャットインターフェイスも提供され
ており、筆者も愛用しています。

C.5 Alpine Linuxのパッケージマネージャ apk

第10章で解説したように、ベースイメージとしてDistrolessが台頭してきました。それまで軽量
なコンテナイメージを作るためにAlpine Linuxは重宝されてきましたが、アプリケーションのベー
スイメージとしては出番を失いつつあります。

しかし、サードパーティのソフトウェア[18]は依然としてAlpineベースのイメージも提供してい
ます。イメージの軽さという利点を考えると、Alpine Linuxベースのサードパーティイメージは引
き続き有用です。

＊18 nginxなど、イメージのタグに `-alpine` というサフィックスをつけて提供する例は珍しくありません。

566

Alpine Linux のパッケージマネージャ apk **C.5**

　サードパーティイメージをベースに独自のイメージを構築するケースもあるため、Alpine Linux のパッケージ管理システムである apk の基本的な使い方を解説します。

C.5.1　パッケージマネージャ apk を操作する

　apk は Alpine Linux のパッケージマネージャです。他のディストリビューションのそれと同様に中央集権的なリポジトリ[19]を持っています。

　Alpine Linux には sh が入っているため、コンテナ内でシェルによる対話的な操作が可能です。 sh の実体は ash という組み込み系 OS でポピュラーなシェルです[20]。ここではコンテナに入って apk の操作を学びましょう。

```
$ docker container run --rm -it alpine:3.18.3
/ #
```

apk update

　apk update ではローカルにある apk のインデックスキャッシュを更新します。パッケージ検索やインストールはこのローカルにあるインデックスの情報を元に行われます。インデックスキャッシュは /var/cache/apk ディレクトリに保持されます。

```
$ apk update
fetch https://dl-cdn.alpinelinux.org/alpine/v3.18/main/aarch64/APKINDEX.tar.gz
fetch https://dl-cdn.alpinelinux.org/alpine/v3.18/community/aarch64/APKINDEX.tar.gz
v3.18.3-126-g844291c27ba [https://dl-cdn.alpinelinux.org/alpine/v3.18/main]
v3.18.3-132-g8db57058edd [https://dl-cdn.alpinelinux.org/alpine/v3.18/community]
OK: 19938 distinct packages available
```

apk search

　apk search [キーワード] では利用可能なパッケージを検索できます。

```
$ apk search neovim
fzf-neovim-0.40.0-r2
neovim-0.9.0-r2
neovim-doc-0.9.0-r2
neovim-lang-0.9.0-r2
py3-pynvim-0.4.3-r6
```

apk add

　apk add [パッケージ名] ではパッケージをインストールできます。インストールしたいパッ

＊19　https://pkgs.alpinelinux.org/packages

＊20　bash はデフォルトではインストールされていません。bash を利用したい場合は別途インストールが必要です。

C. コンテナ開発・運用のTips

ケージの名称を指定します。

```
$ apk add neovim
(1/11) Installing libintl (0.21.1-r7)
...(中略)...
(11/11) Installing neovim (0.9.0-r2)
Executing busybox-1.36.1-r2.trigger
OK: 30 MiB in 26 packages
```

--no-cacheオプションを付与すると、/var/cache/apkディレクトリに保持されているapkのインデックスキャッシュを利用するのではなく、新たに取得したインデックスを元にパッケージをインストールします。また、/var/cache/apkにインデックスキャッシュが保存されないため、別途/var/cache/apkの中身を削除する必要がなくなります。apk add --no-cacheは軽量なイメージを志すDockerfileでは頻出します。

```
$ apk add --no-cache neovim
fetch https://dl-cdn.alpinelinux.org/alpine/v3.18/main/aarch64/APKINDEX.tar.gz
fetch https://dl-cdn.alpinelinux.org/alpine/v3.18/community/aarch64/APKINDEX.tar.gz
(1/11) Installing libintl (0.21.1-r7)
...(中略)...
(11/11) Installing neovim (0.9.0-r2)
Executing busybox-1.36.1-r2.trigger
OK: 30 MiB in 26 packages
```

apk del

apk delではインストールされているパッケージをアンインストールします。apk add --virtualなどと組み合わせて使わなくなったパッケージの削除に用います。

```
$ apk del neovim
(1/10) Purging neovim (0.9.0-r2)
...(中略)...
(10/10) Purging unibilium (2.1.1-r0)
Executing busybox-1.36.1-r2.trigger
OK: 88 MiB in 38 packages
```

--virtualオプション

--virtualオプションはapkの複数のパッケージをひとまとめにして別名をつけるオプションです。イメージを作成する際に必要なライブラリやツールをインストールすることが多々ありますが、ビルドの過程では必要なライブラリであっても実行時には不要なケースもあります。ビルドだけに必要なものを残しておくとイメージが肥大化してしまうので、イメージのサイズを削減するためにこのようなライブラリは削除した方が賢明です。その際、実行時に必要なライブラリとそうでないライブラリの管理が煩雑になりがちです。そこで--virtualオプションを使って、実行時には不要なライブラリ群に別名をつけることで、apk del [別名]によって対象のパッケージ群を一括

で削除できます。

次の例では ruby-dev、perl-dev といったビルド時だけで必要なライブラリ群に build-deps という別名をつけてインストールしています。

```
$ apk add --no-cache --virtual=build-deps ruby-dev perl-dev
fetch https://dl-cdn.alpinelinux.org/alpine/v3.18/main/aarch64/APKINDEX.tar.gz
fetch https://dl-cdn.alpinelinux.org/alpine/v3.18/community/aarch64/APKINDEX.tar.gz
(1/22) Installing ca-certificates (20230506-r0)
...(中略)...
(22/22) Installing build-deps (20230903.082337)
Executing busybox-1.36.1-r2.trigger
Executing ca-certificates-20230506-r0.trigger
OK: 111 MiB in 48 packages
```

```
$ apk del --no-cache build-deps
fetch https://dl-cdn.alpinelinux.org/alpine/v3.18/main/aarch64/APKINDEX.tar.gz
fetch https://dl-cdn.alpinelinux.org/alpine/v3.18/community/aarch64/APKINDEX.tar.gz
(1/23) Purging build-deps (20230903.083012)
...(中略)...
Executing busybox-1.36.1-r2.trigger
OK: 8 MiB in 15 packages
```

以上がパッケージマネージャである apk の基本操作です。これらをどう Dockerfile で使うかは、GitHub などで公開されている既存の Alpine Linux ベースの Dockerfile を参照するといいでしょう。

C.5.2 alpine-sdk パッケージ

alpine のコンテナイメージには make、git、gcc、curl といった、アプリケーションのビルドに必要不可欠なツールがインストールされていません。一つずつインストールすることもできますが、Dockerfile の記述が煩雑になり管理が大変です。

そこで Alpine Linux には **alpine-sdk** という便利なパッケージが用意されています。alpine-sdk にはビルドに必要な定番なパッケージが含まれています。alpine のコンテナの中でこのような操作をする場合、次のようにインストールしておくと良いでしょう。

```
$ apk add --no-cache alpine-sdk
fetch https://dl-cdn.alpinelinux.org/alpine/v3.18/main/aarch64/APKINDEX.tar.gz
fetch https://dl-cdn.alpinelinux.org/alpine/v3.18/community/aarch64/APKINDEX.tar.gz
(1/41) Installing fakeroot (1.31-r2)
...(中略)...
(41/41) Installing alpine-sdk (1.0-r1)
Executing busybox-1.36.1-r2.trigger
Executing ca-certificates-20230506-r0.trigger
OK: 256 MiB in 56 packages
```

参考文献

- 「Docker overview」 https://docs.docker.com/get-started/overview/
- 「Docker's Next Chapter: Advancing Developer Workflows for Modern Apps」 https://www.docker.com/blog/docker-next-chapter-advancing-developer-workflows-for-modern-apps/
- 「Docker Acquires Mutagen for Continued Investment in Performance and Flexibility of Docker Desktop」 https://www.docker.com/blog/mutagen-acquisition/
- 「Docker Series B: More Fuel To Help Dev Teams Get Ship Done」 https://www.docker.com/blog/helping-dev-teams-get-ship-done/
- 「Docker 一強の終焉にあたり、押さえるべき Container 事情」 https://zenn.dev/ttnt_1013/articles/f36e251a0cd24e
- 「Dockerfile reference」 https://docs.docker.com/engine/reference/builder/
- 「Use the Docker command line docker」 https://docs.docker.com/engine/reference/commandline/cli/
- 「Docker Compose overview」 https://docs.docker.com/compose/
- 「Overview of best practices for writing Dockerfiles」 https://docs.docker.com/develop/develop-images/dockerfile_best-practices/
- 「Working with the Container registry」 https://docs.github.com/en/packages/working-with-a-github-packages-registry/working-with-the-container-registry
- 「Bash Uploader Security Update」 https://about.codecov.io/security-update/
- 「Monorepo vs. polyrepo」 https://github.com/joelparkerhenderson/monorepo-vs-polyrepo
- 「Tiltfile Concepts」 https://docs.tilt.dev/tiltfile_concepts
- 「Concepts - Kubernetes」 https://kubernetes.io/docs/concepts/
- 「Kubernetes Components」 https://kubernetes.io/docs/concepts/overview/components/
- 「Command line tool (kubectl)」 https://kubernetes.io/docs/reference/kubectl/
- 「The Istio service mesh」 https://istio.io/latest/about/service-mesh/
- 「Concepts - Linkerd」 https://linkerd.io/2.14/overview/
- 「Service Mesh Comparison」 https://servicemesh.es/
- 「GRADUATED AND INCUBATING PROJECTS」 https://www.cncf.io/projects/
- 「Reference Docs for Kustomize」 https://kubectl.docs.kubernetes.io/references/kustomize/
- 「Helm Commands」 https://helm.sh/docs/helm/helm/
- 「Configure logging drivers」 https://docs.docker.com/config/containers/logging/configure/
- 「Elastic and Amazon Reach Agreement on Trademark Infringement Lawsuit」 https://www.elastic.co/blog/elastic-and-amazon-reach-agreement-on-trademark-infringement-lawsuit
- 「BretFisher/docker-for-mac.md」https://gist.github.com/BretFisher/5e1a0c7bcca4c735e716abf62afad389
- 「About GKE logs」 https://cloud.google.com/kubernetes-engine/docs/concepts/about-logs
- 「Horizontal Pod Autoscaler Walkthrough」 https://kubernetes.io/docs/tasks/run-application/horizontal-pod-autoscale-walkthrough/

- 「musl - Introduction」 https://www.musl-libc.org/intro.html
- 「Multi-stage builds」 https://docs.docker.com/build/building/multi-stage/
- 「Multi-platform images」 https://docs.docker.com/build/building/multi-platform/
- 「BuildKit」 https://docs.docker.com/build/buildkit/
- 「Breakout Container」 https://container-security.dev/security/breakout-to-host.html
- 「Trivy Vulnerability Scanner Joins the Aqua Open-source Family」 Trivy Vulnerability Scanner Joins the Aqua Open-source Family
- 「Lean と DevOps の科学」（Nicole Forsgren Ph.D / Gene Kim / Jez Humble 著、武舎るみ/武舎広幸訳、インプレス、2018 年）
- 「dora-team/fourkeys」 https://github.com/dora-team/fourkeys
- 「Flux Documentation」 https://fluxcd.io/flux/
- 「Argo CD - Declarative GitOps CD for Kubernetes」 https://argo-cd.readthedocs.io/en/stable/
- 「PipeCD」 https://pipecd.dev/
- 「Locust Documentation」 https://docs.locust.io/en/stable/
- 「k6 Documentation - Grafana k6」 https://k6.io/docs/
- 「Docker Desktop WSL 2 backend on Windows」 https://docs.docker.com/desktop/wsl/
- 「kind」 https://kind.sigs.k8s.io/
- 「Google Kubernetes Engine documentation」 https://cloud.google.com/kubernetes-engine/docs
- 「Amazon EKS User Guide」 https://docs.aws.amazon.com/eks/latest/userguide/what-is-eks.html
- 「Quickstart: Deploy an Azure Kubernetes Service (AKS) cluster using Azure CLI」 https://learn.microsoft.com/en-us/azure/aks/learn/quick-kubernetes-deploy-cli
- 「Installing Kubernetes with Kubespray」 https://kubernetes.io//docs/setup/production-environment/tools/kubespray/
- 「Don't Panic: Kubernetes and Docker」 https://kubernetes.io/blog/2020/12/02/dont-panic-kubernetes-and-docker/
- 「Dockershim Deprecation FAQ」 https://kubernetes.io/blog/2020/12/02/dockershim-faq/
- 「Kubernetes 1.20 から Docker が非推奨になる理由」 https://blog.inductor.me/entry/2020/12/03/061329
- 「nerdctl: Docker-compatible CLI for containerd」 https://github.com/containerd/nerdctl
- 「GitHub Copilot Chat now generally available for organizations and individuals」 https://github.blog/2023-12-29-github-copilot-chat-now-generally-available-for-organizations-and-individuals/
- 「Alpine User Handbook」 https://docs.alpinelinux.org/user-handbook/0.1a/index.html

索 引

記号・数字

--build-arg	42
--config-file	160
--filterオプション	69
--from-file	225
--help	47
--log-opt	346
--name	34
--nameオプション	67
--no-cache	39
--pullオプション	49
--rm	68, 494
オプション	72
--virtual	568
--volumes-from	111
-alpine	397
-aオプション	70
-dオプション	43, 66, 79
-fオプション	48
-i	67
-pオプション	45, 66
-qオプション	69
-t	67
-tオプション	39, 48
-v	68, 495
-vオプション	108
.	39
.dockerignore	129, 405
.gitignore	106, 223
.metadata.annotation	300
.spec.strategy.type	254
.tool-versions	517
.wslconfig	25
$$	131
1コンテナ＝1プロセス	91
1つの関心事	95
1つのコンテナで複数のプロセスを実行	94
1つのマニフェストファイルとしてマージ	293
4つの指標	447

A

accessModes	227
ADD	388
AKS	174, 537
AKSクラスタの削除	541
Alpine Linux	397, 400, 566
alpine-sdk	569
Amazon CloudWatch Logs	369
Amazon ECS	173, 546

Amazon ECS Anywhere	550
Amazon Elastic Container Service	546
Amazon Elastic Kubernetes Service	529
ancestorフィルター	69
Apache Mesos	173
API	218
apiVersion	217
APIサーバ	119, 138, 234
apk	399, 567
apk add	567
apk add --no-cache	568
apk del	568
apk search	567
apk update	567
APP HEALTH	460
Apple M1	22
Apple silicon	493
Apple Silicon	22
Application	470
ARG	42
Argo CD	455
Argo CD Image Updater	487
argocd	456
arm	96
ARM	22
AS	411
asdf	116, 515
asdfのプラグイン	516
ash	567
audit	558
Auto Healing	372
Auto Sync	464, 474
Autopilot	383
Autopilotモード	527
AWS	529
AWS App Runner	15
AWS CLI	529
AWS Cloud Development Kit	546
AWS CloudShell	530
AWS Fargate	536
AWS Identity and Access Management	529
AWS Lambda	15
awslogs	345
AWSアカウント	529
az	538
Azure CLI	538
Azure Container Instances	15
Azure Kubernetes Service	537
Azure LogAnalytics	369
Azure potal	247

B

Base64	101, 223
baseline	558
bash	496
Bazel	409
Beats	348, 357
Blue-Green Deployment	266
Borg	173
Buildah	409
BuildKit	97, 413
build 属性	80
BusyBox	392

C

CD	432, 446
CDK	546
CDツール	447
cert-manager	250
ChatGPT	564
CI	137, 432, 447
CircleCI	14
CIと GitOps	477
CLI	175
Cloud Load Balancing	208
Cloud Native Computing Foundation	271, 465
Cloud Run	15
Cloud SDK	525
Cluster Autoscaler	383
ClusterIP Service	205
ClusterRole	279, 280
ClusterRoleBinding	279, 282
CMD	38, 42
CMDの指定方式	42
CMDを上書き	66
CNCF	271, 465
COMMAND	69
command 属性	100
commonAnnotations	300
commonLabels	300
Compose	117
Compose Watch	560
compose.yaml	78
Concurrency Policy	274
condition	161
ConfigMap	499
CONTAINER ID	43, 54, 69
ContainerCreating	259
containerd	552
containers	190
Containers	11
context	160
Continuous Delivery	446

Control Plane	184, 474
COPY	37, 74, 411
CPU	376
CPUアーキテクチャ	96
CPUやメモリの割り当て	23
CREATED	40, 69
cron	92
Cron	272
CronJob	272
Ctrl+C	43
curl	34
CVE	404

D

DaemonSet	360, 536
Data Volume	107
Data Volumeコンテナ	109
DDL	126
debug	403
debug-nonroot	403, 425
default	186
depends_on	86, 161
Deployment	195, 197
devcontainer	492
Development Containers	492
dind	520
Distroless	400, 425
DNS	205, 249
Docker	5
Docker CLI	6
docker compose	78
Docker Compose	15, 78
docker compose down	80
docker compose ps	131
docker compose up	79
docker container cp	74
docker container exec	73
docker container logs	73
docker container ls	45, 68
docker container prune	75
docker container restart	75
docker container rm	71
docker container run	34, 43, 65
docker container stats	77
docker container stop	45
docker cotainer stop	35
Docker Desktop	176, 510
Docker Desktopの設定	23
Docker Engine	6
docker help	47
Docker Hub	33, 52, 57
docker image build	39, 48
docker image history	407

573

docker image ls	54
docker image prune	76
docker image pull	34, 53
docker image push	61
docker image save	113
docker image tag	55
Docker in Docker	520
docker inspect	344
docker login	57
Docker Personal	30
docker pull	43
Docker REST API	6
docker run	43
docker search	52
Docker Server	6
Docker Swarm	16
docker system prune	76
dockerd	175
dockerfile	160
Dockerfile	7, 8
Dockershim	553
Docker社	6
DSL	7, 37

E

Each container should have only one concern	95
ECK Operator	350
ECS	546
ECSクラスタの削除	550
EKS	174, 529
EKS Fargate	383
eksctl	531
EKSクラスタの削除	537
Elastic Cloud	368
Elastic Load Balancing	208
Elastic Stack	348, 349
Elasticsearch	348, 368
Enable Kubernetes	176
enforce	558
entrykit	155
ENTRYPOINT	40
env	190
ENV	42
environment属性	100
envsubst	151
Exact	212
ExternalName Service	208

F

filter	69
fluentd	345
Fluentd	342
Flux	449

Flux 2	449
Forbid	274
FROM	37, 411

G

gcloud CLI	525
gcplogs	345
GHCR	33
ghcr.io	33, 419
GitHub Actions	14, 432
GitHub Container Registry	33, 59
GitHub Copilot	565
GitHub Copilot Chat	566
GitHub Packages	59
GitOps	448
GKE	173, 524
GKEクラスタの削除	528
glibc	98, 395
Go	391
golang	129
golang-migrate	119, 125
Google	172, 173
Google Cloud	173, 524
Google Cloud Console	524
Google Cloud Logging	369
Google Kubernetes Engine	524
Graceful Shutdown	36, 264

H

Headless Service	205
healthcheck	161
Healthy	161
Helm	292, 312
Helmfile	563
Horizontal Pod Autoscaler	381
html/template	148
HTMLテンプレート	148
HTTPハンドラ	142, 147
HTTPリクエストのパスマッチング	212

I

IaC	12
IAM	529
IMAGE	69
Image automation controller	478
IMAGE ID	40, 54
Image reflector controller	478
ImageRepository	482
ImageUpdateAutomation	484
image属性	80
Immutable Infrastructure	12
ImplementationSpecific	212
Infrastructure as Code	12

Ingress 209
Ingress NGINX Controller 209, 245
IngressClass 210
Ingressコントローラー 209
IPv4フォワーディング 543
Istio 271

J

Job 231
JSON Patch 303
json-file 345

K

k3s 182
k6 506
k8s 173
k8s_yaml 215
k9s 216
Kibana 348, 355
kind 190, 517
kubconfig 243
kube-node-lease 186
kube-public 186
kube-system 186
kubeadm 527
kubectl 179, 214
kubectl api-resources 280
kubectl apply 180
kubectl config 243
kubectl create secret 223
kubectl debug 556
kubectl delete 192, 195
kubectl edit 257
kubectl exec 191
kubectl get 186, 214
kubectl logs 191, 204, 369
kubectl patch 260
kubectl rollout history 197
kubectl rollout undo 200
kubectx 250
Kubernetes 26, 172, 173, 176
Kubernetes API 218
Kubernetes APIのどの操作が可能であるかを定義した
　ロール 278
Kubernetes in Docker 517
Kubernetesクラスタをリセット 29
KubernetesのDocker非推奨化騒動 553
kubespray 527, 541
kustomization.yaml 295, 453
Kustomize 292
kustomize build 297
kustomize edit 299

L

L7 209
LABEL 42
latest 33, 56, 403, 444
library 53
lifecycle.preStop 265
Linkerd 271
Linux Containers 7
Linux 環境 513
Linux 環境へのインストール 30
livenessProbe 262, 263
LoadBalancer Service 208
Locust 498
logging driver 342, 345
Logstash 348
LXC 7

M

MAINTAINER 42
maxSurge 261, 262
maxUnavailable 261
metadata 190
metadata.annotations 213
Microk8s 182
Microservices 18
Microsoft Azure 537
Minikube 182
Monorepo 134, 136
Multi-stage builds 98, 409
Multipass 493
musl 98, 396
Mutable Infrastructure 12
MySQL 119, 225

N

NAMES 66, 69
Namespace 186, 222
nameフィルター 69
nginx 120
nginxコンテナ 82
Node 184
Node Affinity 377
NodePort Service 207
nonroot 403, 425

O

OCI 552
OPA 560
Open Container Initiative 552
Open Policy Agent 560
Open Repository for Container Tools 11
OpenID Connect方式 285

575

ops 542

P

pathType 212
Pending 376
PersistentVolume 227
PersistentVolumeClaim 227
Personal access tokens 59
PipeCD 465, 474
pipectl 466
Piped 467, 474
Pod 187
Pod AntiAffinity 373
Pod Security Admission 558
Pod Security Standard 557
Pod 間の親和性 373
Pod 操作 191
Podの起動 536
Podのデプロイ戦略 254
Podの状態 191
Polyrepo 134, 136
ports 191
PORTS 45, 69
PowerShell 511
Prefix 212
privilege 557
prune 75
PSA 558
Pull Request 488
push 57

Q

QEMU 417

R

Rancher Desktop 520
RBAC 278, 359
readinessProbe 262, 263
releaseラベル 202
ReplicaSet 193, 197, 372
REPOSITORY 40
RESTful API 119
restricted 558
Role 279
Role-Based Access Control 278
RoleBinding 279, 282
RollingUpdate 254
root 423
RUN 38
runc 553
Running 259

S

Sandbox 465
scratch 387
Secret 222
secretGenerator 307
secrets 104
secrets 要素 105
Service 200
service_healthy 161
ServiceAccount 278, 282
ServiceAccountトークン方式 285
servicesで定義した名称による名前解決 84
sh 567
SIGINT 36, 43
SIGKILL 264
SIGTERM 36, 264
SIZE 40
spec 190
spec.selector 268
SPOF 119
SSH 74
SSL 249
Standardモード 527
STARS 53
StatefulSet 227
static link 391
STATUS 69
Strategic Merge Patch 302
Suspend 274
Sync 455
SYNC STATUS 460
systemd-timer 272

T

TAG 40
Tags 53
Task Definition 548
tcpSocket 263
Terminating 259
terminationGracePeriodSeconds 264
Terraform 13
test 161
The One CD for All applications, platforms, operations . 465
Tilt 163, 215
tilt up 164
Tiltfile 164
TLS 249
top 77
Trivy 429, 493
Troubleshoot 28
TypeScript 546

U

uClibc	395
undo	200
Unhealthy	161
upstream	153
USER	424

V

Vagrant	492
VCS	104
Verified Publisher	427
VirtualBox	493
visibility	63
Visual Studio Code	514
volumeClaimTemplates	229
volumes	102
vscode	514

W

warn	558
Weaveworks	448
Webアプリケーション	116
Webサーバ	35, 120
Windows PowerShell	511
Windows Server	97
Windows Subsystem for Linux	510
Windowsプラットフォーム	97
Windowsベースコンテナ	97
WORKDIR	37
Worker Node	184
WSL	510
wsl --install	512
wsl --list	512
WSLl	510
WSL2	510
WSL2モード	23

X

X509クライアント証明書方式	285
x64	96

あ

アーカイブ	46
アーティファクト	137
アクセス権限の違いを持つグループ	288
アクセス制御	288
新しいAPIバージョン	218
新しいPodを作る個数	262
圧縮	155
アップデート	27
アノテーション	300
アプリケーションとファイルシステムを同梱した箱	14
アプリケーションのサイズ	405
アンインストール	29
依存するツールやライブラリのバージョン	496
一時的なクレデンシャル	107
一度に複数のリソースタイプ	215
一貫したデリバリー体験	465
イメージID	55
イメージサイズ	386
イメージタグの自動アップデート	482
イメージに関する操作	46
イメージのバージョン管理	7
イメージ名	39
インスタンスグループ	381
インストラクション	37
運用	75
永続化	107
エイリアス	55
エクスポート	113
エスケープ	131
エフェメラルコンテナ	205, 555
エフェメラルポート	45
オートヒーリング	372
オーバーヘッド	17
オーバーレイ	293
オンプレミス	96

か

開発環境の共有・統一	490
開発環境のコンテナ化	492
開発環境は集合知	492
開発キット	546
外部イメージ	413
外部ストレージ	226
仮想IPアドレス	192
仮想マシン	13
可搬性	4, 96
可変的なインフラ	12
可用性	370
カレントディレクトリ	37
環境差異	12, 496
環境変数	100
完全自動化	476
管理	75
疑似端末	67
機密情報	63
キャッシュ	39
旧来のデプロイ方式	8
共通の開発環境	490
共有	108
クーベネティス	173
クラウド	96
クラスタの構築	545
繰り返し作業	446

グループ	278
クレデンシャル	102
クレデンシャルを無効化	107
継続的デリバリー	446
軽量な仮想環境	4
軽量なコンテナイメージ	404
軽量なベースイメージ	387
経路	200
権限	277
健康	161
検索	52
コードによるインフラの構成管理	12
コードベース	136
公式イメージ	426
公式リポジトリ	52
構成管理	15
コマンドライン引数	100
コンテキスト	243
コンテキストディレクトリ	160
コンテナ	2, 32
コンテナID	43
コンテナイメージ	8, 32, 46
コンテナイメージのバージョン	55
コンテナイメージを公開	63
コンテナイメージを必要最小限で構成	422
コンテナオーケストレーション	172
コンテナ型仮想化技術	2
コンテナ間通信	84
コンテナ技術	11
コンテナに関する操作	46
コンテナネイティブ	18
コンテナの一覧	68
コンテナの操作	64
コンテナの停止	70
コンテナの粒度	96
コンテナのログ	73
コンテナは1つの関心事だけに集中すべき	95
コンテナフレンドリ	98, 102, 151
コンテナへの依存	86
コンテナポート	44
コンテナマネージド	173
コンテナ名	66
コンテナレジストリ	7, 33, 61
コンテナレジストリにログイン	57
コンテナレジストリのドメイン	61
コンテナログのリアルタイム表示	165
コンテナを実行できるサーバレス	15
コンテナ内部	74

さ

サーバレス	15
サービスディスカバリ	200
サービスメッシュ	270

再起動	29
再現性	96, 490
再実行可能	65
サイドカーコンテナ	235
サブコマンド	47
サブコマンドのヘルプ	48
サブスクリプション	30
差分ビルド	407
シークレット	104, 121
シェルスクリプト	496
死活監視	160
時限的なトークン	286
システムコンテナ	7
システムリソースの利用状況	77
実行していないコンテナ	75
実行時に上書き	38
実行中	64
実行用のコンテナ	98
実用的なコンテナ	90
シナリオ	499
出荷時設定にリセット	29
手動デプロイ	446
常駐型	232
承認プロセス	488
信頼性	17, 426
スケーラビリティ	446
スケールアウト	17, 232
スケジューラ	91
スタティックバイナリ	391
スタティックリンク	97
ステートフル	107, 227
ステートフルなコンテナ	107
ステートレス	107
ステップ	39
全てのリソース	76
スロークエリ	122
脆弱性	429
生成AI	564
静的トークンファイル方式	285
静的ファイル	155
セキュア	277
セキュリティ	400
セキュリティインシデント	106
セキュリティ強化	557
セキュリティポリシー	557
世代管理	196
設定ファイル	101
設定変更	99
セルフマネージド型ノード	535
宣言型	13
宣言的	448
組織パフォーマンス	447
ソフトウェアサプライチェーン	104, 106

ソフトウェアデリバリー	447

た

大規模な計算	232
耐障害性	271, 370
ダイナミックリンク	97
タイムゾーン	276, 491
ダウンタイム	260
ダウンロード	53
タグ	33, 37, 56
タグ名	55
タスクアプリ	221
タスク管理アプリ	117
ダッシュボード	180
ツールのインストール	516
通常ユーザ	278
データシッパー	342, 557
データストア	119, 225
データとコンテナの付替え	112
データベースマイグレータ	124
定期実行	272
停止	65
停止したコンテナも含めたコンテナ一覧	70
停止したコンテナをディスクから完全に破棄する	71
デバッグ	555
デバッグPod	204
デフォルトタグ	53
デプロイ	7
デプロイ結果の一貫性と再現性	446
デプロイ時間	137
デプロイ戦略	254
デプロイの属人化	446
デプロイ頻度	447
転送量	155
テンプレート	46, 151
同時に削除できるPodの最大数	261
独自ドメイン	249
特権モード	344, 423, 557
ドメイン	95
ドメイン固有言語	37
トラブルシューティング	204, 555

な

名前解決	205
名前空間	33, 39
名前付きコンテナ	67
認証トークン	180
ノードプール	381

は

バージョン管理システム	104
バージョン管理の対象外	105
パーソナルアクセストークン	59

バーチャルホスト	84
破棄	65
パスワード	103
バックグラウンド	79
パッケージマネージャ	396, 399
パッケージング	292
ハッシュ値	37
バッチ	232
パッチ	302
バッチジョブ	271
パフォーマンス	17
パブリックなイメージ	63
非root	403, 424
秘匿情報	102
ヒューマンエラー	446
標準Cライブラリ	98
標準エラー出力	344
標準出力	344
標準ストリーム出力	73, 342, 344
標準入力	67
ビルド	8
ビルドコンテキスト	37, 159
ビルド時間	137
ビルド用のコンテナ	98
ブートストラップトークン方式	285
ファイルシステム	8
ファイルのコピー	74
フォアグラウンド	93
負荷テスト	498
複雑なデータ	101
複数のクラスタ	292
複数のコンテナ	78
不健康	161
不正利用	107
不変なインフラ	12
不要なイメージやコンテナ	75
プライベートなイメージ	63
フラグ値	99
プログラマブル	7
プロセス	94
プロビジョニングツール	12
ベースイメージ	37
平均修復時間	447
並列実行の挙動	274
冪等性	13
ベストプラクティス	465, 492
ヘルスチェック	128, 160, 263
変更失敗率	447
変更のリードタイム	447
ポータビリティ	4, 14, 96, 98, 391
ポートフォワーディング	34, 44
ホストOS型仮想化技術	2
ホストに左右されない実行環境	7

ホストネーム	230
ポッド	187
ボリュームマウント	494

ま

マイクロサービスアーキテクチャ	136
マニフェスト管理ツール	292
マニフェストファイル	292, 295
マニフェストファイルの結合	295
マニフェストファイルの冗長性	293
マネージド型ノードグループ	535
マネージドサービス	11
マネジメントコンソール	529
マルチ Control Plane	186
マルチプラットフォーム	417
短いコマンド	43
密結合	226
問題領域	95

や

役割	95
唯一の情報源	448

ら

ライブアップデート	166
ライブラリ	97
ラベル	200
リスク	104

リストア	113
リソース	172, 183
リソースタイプの略称	215
リソースプロバイダ	538
リバースプロキシ	83, 120
リビルド	169
リポジトリ名	33
履歴	448
ルーティング制御	271
ルート証明書	392
レイヤー	407
レイヤ構造	7
ローカル Kubernetes 環境	179, 214
ローテート	107, 346
ロール	95
ロールとユーザの紐づけ	278
ロールバック	200
ロギング	342
ロギングライブラリ	342
ログ	73, 342
ログ出力	344
ログローテート	342

わ

ワークフロー	433, 439, 480
ワイルドカード	129
ワンタイムな Job	277

著者プロフィール

山田明憲（やまだ　あきのり）

株式会社サイバーエージェント所属。ライブ配信サービスの開発や Developer Productivity 室の責任者を歴任。組織横断での開発生産性向上、コスト削減・品質担保・チャンスポイント増加などによるサービス開発の支援を行う。

コンテナを活用する開発やソフトウェアデリバリーの技術に造詣が深い。

- X: stormcat24
- GitHub: stormcat24

装丁・本文デザイン	西岡 裕二
イラストレーション	コルシカ
本文レイアウト	山本宗宏(株式会社 Green Cherry)
編集	野田 大貴

Docker/Kubernetes 実践コンテナ開発入門 改訂新版

2018年 9月 8日 初 版 第1刷発行
2024年 3月 7日 第2版 第1刷発行

著者	山田明憲(やまだ あきのり)
発行者	片岡 巌
発行所	株式会社技術評論社
	東京都新宿区市谷左内町21-13
	電話 03-3513-6150 販売促進部
	03-3513-6177 第5編集部
印刷／製本	図書印刷株式会社

●定価はカバーに表示してあります。
●本書の一部または全部を著作権法の定める範囲を超え、無断で複写、複製、転載、あるいはファイルに落とすことを禁じます。
●造本には細心の注意を払っておりますが、万一、乱丁(ページの乱れ)や落丁(ページの抜け)がございましたら、小社販売促進部までお送りください。送料小社負担にてお取り替えいたします。

●お問い合わせ
本書に関するご質問は記載内容についてのみとさせていただきます。本書の内容以外のご質問には一切応じられませんのであらかじめご了承ください。なお、お電話でのご質問は受け付けておりませんので、書面または小社Webサイトのお問い合わせフォームをご利用ください。

〒162-0846
東京都新宿区市谷左内町21-13
株式会社技術評論社
『Docker/Kubernetes 実践コンテナ開発入門 改訂新版』係
URL https://gihyo.jp/book/2024/978-4-297-14017-5

ご質問の際に記載いただいた個人情報は回答以外の目的に使用することはありません。使用後は速やかに個人情報を廃棄/削除します。

©2024 山田明憲
ISBN978-4-297-14017-5 C3055

Printed in Japan